国家出版基金项目

李达全集

汪信砚 主编

第四卷

人民出版社

国家社会科学基金重大招标项目
"李达全集整理与研究"（批准号：10ZD&062）最终成果

国家出版基金项目
"《李达全集》（1-20卷）的整理、编纂与出版"最终成果

目　　录

现代社会学(1926.6)

法理学大纲（1928.11）

现代社会学 [*]

（1926.6）

———————————

   [*] 《现代社会学》是李达在湖南法政专门学校（后改为湖南大学法科）任教时的讲义，于1926年6月由湖南现代丛书社首次出版，署名李达，陈望道题写书名，并于1926年8月再版。经作者略加修订后，该书于1928年11月由上海昆仑书店重新出版，至1933年4月共印行14版。该书的部分内容曾被收入人民出版社1980年7月出版的《李达文集》第一卷。2007年4月，武汉大学出版社将该书列入《武汉大学百年名典》再版。为保持《现代社会学》的原貌和便于人们对比研究，现收入其1926年6月湖南现代丛书社版，同时附上作者为其1928年11月上海昆仑书店版所写的"三版例言"，并在注释中对上海昆仑书店修订版所作的一些重要更改作了说明。——编者注

序

　　真理无阶级,其信然耶? 卢梭倡民约论而被逐,达尔文倡进化论而遭忌,夫岂不惧其所倡者含有打破阶级之性质哉? 真理之所在,王公失其贵,豪富失其势,故新学说之触犯特殊阶级忌讳者,罔不横受摧残,不然,则必与社会秩序无关,或曲学阿世投其所好者也。社会学者,社会科学之一,其研究之目的在探求社会进化之原理;其研究之方法,在追溯过去以说明现在,更由现在以逆测将来。惟其追溯过去以说明现在,斯不能不穷究现时社会之根柢,以发现阶级对抗之本源;惟其说明现在以逆测将来,斯不能不推论未来社会之理想,以确立人类平等之原则。于是乎社会学之阶级性必然显现,而真理亦有阶级之别矣。富且贵,人之所大欲也,今倡为学说,谓"社会进化之趋势,贫且贱之阶级必将压倒富且贵之阶级更进而铲除阶级之别焉",彼特殊阶级安有不掩耳却走,或戮其人火其书者乎? 是故每一时代流行之思想,必适合特殊阶级之利益,而盛行于当时之学说,又必皆与此思想相一致。反对派学说之必遭摒斥,乃理之当然,毋足怪者,固不问其果切合于真理否也。真理之为物,在特殊阶级视之,有危险与安全之分,凡与其阶级利益无抵触者,则视为安全真理,如云二三相乘等于六,轻养①化合变为水者是也;凡与其阶级利益有抵触者,则视为危险真理,如云私产废而共产兴,阶级灭而平等立者是也。视为安全者则遵之信;视为危险者则拒之排之。非真理果有安危之分也,实阶级之别而已。此阶级斗争之背景所以反映于社会学之中,而现为阶级性也。予曩者窃怪一般社会学者对于马克思社会学说异常忽视,及今思之,则又恍然大悟矣。马克思固未尝著述社会学,亦未尝以社会学者自称,然其所创之唯物史观学说,其

---

　　①　现作"氢氧"。——编者注

3

在社会学上之价值,实可谓空前绝后,彼不仅发现社会组织之核心,且能明示社会进化之方向,提供社会改造之方针,其贡献之功实有不可磨灭者。细察现代社会学之趋势,实已由唯物论而进至唯心论,盖采取所谓社会心理学之方向者也。反因为果,倒果为因,推其极致,殆将愈使社会学趋于空化灵化而愈无补于国计民生也。予为此惧,特采唯物史观学说为根据,编著此书,虽取材不宏择焉不精之弊殆所不免,然对于斯学之体系,自信已略具规模,学者苟循此以求之,必了然于国计民生之根本,洞悉其症结之所在,更进而改造之不难也。抑予更有言者:此书之作,聊欲应用唯物史观作改造社会科学之一尝试而已,非敢谓于社会学上自标新帜也。

李 达

民国十五年六月十三日于湖南大学

第一章　社会学之性质

第一节　社会学之由来

科学为时代之产儿，为应付环境之工具。社会学亦然。社会学为研究社会之科学，社会自有人类以来，即已存在，而社会学必至近世纪始出现于世者，此无他，时代潮流有以激发之，环境变迁有以促成之也。

社会学之名称虽创始于孔德，而现代社会学的研究之起源，实托始于文艺复兴时代。欧洲中世纪为封建时代，社会之基础建立于农业及手工业经济之上，其在国家方面，则政教勾结，互争雄长，特权阶级由王公贵族及教皇僧侣构成，工商农奴呻吟憔悴于专制暴威之下者垂数百年。十字军东征之结果，东西文化互相融合，工商业逐渐发达，工商业者经济上之势力亦逐渐发展，然其在政治上之自由，仍受特权阶级之压迫如故也。旷观历史演进之公例，大凡经济上占优势之阶级，未有不思取得政治上之优势者，人民渴望自由之要求，已肇端于此矣。

降逮 15 世纪末叶，印度航路及美洲新大陆继续发见，交通之发达，殖民地市场之设立，亚美利加黄金之输入，欧洲工商业之发达，一日千里，遂以促成17、18 世纪之产业革命。工商阶级经济上之势力愈增加，其反抗特权阶级，打破封建桎梏，掌握国家权力之念亦愈切，此"社会契约"、"天赋人权"等思想，所以借当时哲学的政论家发表而出也。

中世纪以来，"王权神授"、"法皇神圣"之观念，深入人心，由来已久，一旦企图推翻旧习，提倡民权，非有确切不移之论据，无以打破之。故马献僚援用契约说提倡人民主权论，维克里夫首创天赋人权论，援据经典，攻击法皇，为路得·加尔文宗教革命之先导。次之，摩尔著《乌托邦》，主张国君由人民自由选举，并提倡信教自由，以反抗国王及法皇；康巴拿拉著《太阳都市》，描述理想国家之组织。各人立论,虽皆以时代潮流为背景,惜其立论类多援引《圣经》,专凭空想,太缺乏科学之根据耳。

自是之后,国家学者法理学者经济学者社会思想家,接踵辈出,从事于社会之研究,益启社会学成立之机运。其从事国家学的研究者,则有浩布思、陆克、卢梭等之研究社会契约说,追溯人类之自然状态,探求国家之起源,为工商阶级树立民权之基础。其从事法理学的研究者,则有孟德斯鸠等应用科学的方法,改造旧日法律之神学的观念,研究法律与社会之关系,阐明法律之本质,为工商阶级建立所谓宪法国家之根据。其从事经济学的研究者,则有亚丹斯密、李嘉图、马尔萨斯等提倡自由主义,创建个人主义经济之体系。其从事历史的研究者,则有维果、孔道西、巴卡诺等根据历史的事实,说明社会发达之历程。凡此种种研究,自文艺复兴时代以至18世纪末叶,随产业之发达而日趋隆盛,其所研究之对象,虽属部分的社会现象,而其所提供之资料,已足以促进社会学之成立。惟于此有应注意者一事,以前学者对于社会之研究,大都不明社会与国家之区别,恒混二者为一谈,迨后因人类学风土学生物学及其他自然科学研究所得之结果,始知国家以前更有家族,国家以外更有社会,所谓"社会之发见与其他科学上之发见并列"者是也。

18、19世纪之交,欧洲产业革命已趋成熟,工商阶级利用经济的优越势力,推倒封建政治,建立民主政治,掌握国家权力,努力谋产业之自由发展,旧日封建社会组织,至是一变而为资本社会组织矣。资本社会组织确立以后,社会重新分裂为有产及无产两大阶级,有产阶级利用其资本之威力,充分发挥其自由竞争之本能,无产阶级感受经济之压迫,喘息于有产阶级权威之下。社会生活,日趋复杂,弊害百出,恐慌迭起。社会问题,层出不穷,阶级冲突,愈演愈烈,社会组织之不合理性,暴露无遗,因而社会思潮,遂澎湃于欧洲之天地,一时社会思想家如巴比毛勒里、高德文、阿文多、姆森荷尔、圣西门、傅立叶、路易布朗之流,接踵而起,其于社会之研究,各具不同之见解,议论纷纭,莫衷一是。认现社会为正当者,则提倡改良主义,力谋维持现状;认现社会为不正当者,则提倡无政府主义或社会主义,企图社会改革。世人对于社会之研究既如此其认真,而其见解又如此其复杂,则建设一规律完整之科学,从根本上研究社会及其理法,在当时实为切要之务,此孔德所以应时势之要求而创建社会学,借以完成其实证哲学之体系也。

第二节　社会学之趋势

孔德以后,社会学异常发达,而派别亦极其复杂,语其趋势,盖已由科学的无政府时代进至有组织时代,由生物学的研究达于心理学的研究者也。

生物学的社会学,重在应用生物学的智识,以研究社会。如斯宾塞之社会学主张有机体说,谓社会之组织,进化与统治,概与生物体相同;如谢富勒之社会学,则以社会与有机体相比较,以生物学上之分类法应用于社会;如里连富尔特,则完全应用生物学之法则与术语以说明社会是也。概括言之,此派社会学在依据进化论建筑社会学,以证明社会进化与宇宙进化受同一原则之支配者也。此派社会学在 19 世纪后半期,异常发达。盖当时资本主义全盛时代,社会生活之无政府状态异常显著,生存竞争之原理,直由动物社会移用于人类社会,而生物学的社会学实由此种背景反映而出,遂以成为拥护资本主义社会组织之根据也。

心理学派社会学,重在用心理学的智识研究社会,近今大多数社会学者均属之。乌德之社会学,对于社会行心理学的积极的观察,谓心理的因子为社会进化之原动力;塔尔特以模仿为社会学之对象;季定思以同类意识为社会学之根本原理;齐美尔之社会学,研究人类心理的结合之法则及心的交互作用之理法,皆为心理学的社会学之先驱。至于集各家之大成,建立井然之体系者,要以爱尔华德之社会心理学为最完全也。概括言之,此派社会学在应用唯心论建筑社会学,以证明改良社会必先改良人心之原则者也。此派社会学,自 19 世纪末叶以来,日形发达。盖资本主义之发展,今已达于最后阶级,社会组织动摇,阶级冲突剧烈,欲讲求弥缝之策,惟有提倡改良主义,故社会学之趋向乃由唯物论转入唯心论,此心理学派社会学所以盛行于今日也。

第三节　心理学派社会学之批评

心理学的社会学,果能适合时势应付环境与否,此为本节应讨论之问题。

兹特取爱尔华德氏之社会心理学作为此派社会学之代表,略加评论,以明社会学改造之必要。

心理学的社会学者,常自白其忠实于学问之态度,欲合物界心界举行综合的研究,而立论则恒注重于心理的方面,遂至执偏以概全。爱氏之社会心理学亦犹是也。彼谓社会由心理各要素造成,即由各个体间交互刺激与反应之诸形式及个体内部心理诸程序所造成者也。个体内部心理诸程序,如本能习惯感情智慧是;各个体间交互刺激及反应诸形式,如交通暗示模仿同情冲突是。各个体内部本能习惯感情智慧,经交通暗示模仿同情冲突之传播感应,遂以形成社会生活之历程。盖本能即自然冲动,如生殖求食防卫结群等皆是,各个人因生殖与求食之关系而互相团聚,互相团聚之结果,彼此渐生心的相感作用,以谋共同生活,遂以造成社会,是为社会之起源。众生群居,相仿相效,互相适应,时日既久,则互相调和,乃成社会活动一定之形式,而社会习惯以成。此种习惯,既经公共遵守,遂结晶而成为法律政治宗教道德等规制,具有维持社会之功能,是为社会之组织,社会习惯或个人习惯,常生变化。一切人群,恒有使自身适于新环境之倾向,故各人彼此之关系亦必生变化,因而社会习惯亦生变化。如此新环境代替旧环境,则新习惯代替旧习惯,新社会组织代替旧社会组织,是为社会之变迁。社会之变迁能使各个人彼此愈能融洽,社会愈能适于生存者,是为社会之进步。本能与习惯,于社会之结合及组织上为最重要之元素;感情于社会之维持及变迁上为最重要之元素;智慧于社会之进步上为最重要之元素。本能仅能使吾人顺应于文明开始以前之生活情况,而不能顺应于文明开始以后之生活情况;习惯仅能使吾人顺应已往之环境,而不能顺应现在之环境,感情能加强本能之活动力,增高行为之标准,促进社会之变迁,然当适应或改变进行之时,易失其支配行为之功用,故必有智慧以指导之。本能之施行,习惯之更新,感情之满足,皆恃智慧助长之,故智慧因而发达,社会亦因而进步。故智慧实为社会进步之主动力。至于培养智慧之发达,则归功于教育。此爱氏社会心理学之梗概也。

心理诸要素能否直接造成社会历程,吾人之意识能否左右吾人之社会生活,属于后章研究之问题,兹所欲评论者乃此派学者所持社会改良之理论是也。

爱氏根据其基本观念出发,亦承认社会组织不良,足以诱致激烈之社会革命。彼谓社会之得以维持安宁,由于各个人彼此能互相调和,共同生活于社会习惯与制度之下,故得相安于无事。惟习惯与制度变迁不居,适于今日者未必适于明日,苟当习惯与制度具有最高之改变性,而于多数人有不利之时,少数领袖人物与握政权之阶级,如必欲坚持保守,则社会内部必至发生破裂及扰乱,即发而为社会革命。革命之结果,社会必经长期之混乱,足以诱致社会之退化。为避免社会退化,预防革命危险计,惟有谋阶级之妥协与调和,特权阶级苟能容纳他阶级之意见,关切公共之需要,体恤下层阶级,则其他社会团体决不至乞灵于革命。此爱氏废除阶级斗争之理论也。阶级之妥协能否实现,资本阶级能否容纳劳动阶级之意见,能否体恤下层阶级而关切劳动阶级之需要以及社会革命之能否消弭,此证之资本社会生活之状况而可知,固无须吾人之加纠正也。

爱氏又承认社会不良足以发生社会问题,并承认贫穷阶级发生之原因,有80%由于经济的关系,但不承认社会问题为经济问题,而认为生物的及心理的或道德的问题,故断定决非经济改良所能解决。彼因承认社会问题为生物的及心理的问题,故主张用生物的进化法则为改造社会之基础。彼谓经济的平均分配,仅能满足成人之需要,而忽于儿童或种族之需要,社会绝无进步。欲期社会之进步,惟在培养优秀之儿童与善良之种族,使知注重生物的及精神的生活原素而已。且社会组织由共同习惯造成。社会由个人集合而成,欲改变社会共同习惯,须先得大众同意,故改变社会习惯比改变个人习惯尤难。个人习惯尤难改变,更何论于社会习惯。故改造社会,绝非革命方法所能济事。社会秩序以本能习惯为基础,革命之计划虽足以改革法律制度,决难改革本能与习惯。苟强为之,终归失败。其次,生活上物质之需要,固为精神发展所必需,物质生活不满足,精神生活当然无高等之发展,但物质上苟已取得最低量,即足以促进精神上之发展,如超过此最低量以上而有盈余之时,则为祸为福,即难豫断,所谓富者不必乐,即其明证。苟仅求满足物质上之最低量,则改良现社会足矣,斯无要求改造经济组织之必要。是故解决社会问题之方法,共有三端:其一实行人为淘汰以改变个人性质,产生最适宜者而灭绝不适宜者;其二由国家干涉,改良社会的状况及经济的状况,矫正社会上及工业上之弊端;其三训练个人之智力与性格,使个人完全能顺应生存之需要,而后个人彼此始能最相适宜,社会始能最适宜于生存。此爱氏解决社会问题之理论也。

由以上所述,心理学派社会学拥护资本社会之色彩,已见一斑。就上述数点而论,爱氏既承认社会问题之原因有80%由于经济的关系,而其余则由于个人性情上身体上或精神上之缺陷而生,何以认定社会问题为生物的心理的问题而不认为经济的问题?经济的原因苟因经济之改造而废除,则社会问题已解决其80%,则其余之生物的心理的原因,不难因物质生活之提高而杜绝可知矣。爱氏又谓社会习惯之改变必须得大众之同意,信如是,则资本社会之生活习惯,必为资本阶级所坚持保守而不轻于赞成改变也甚明。是资本社会之生活习惯,将成为天经地义,永远存在,其于爱氏所谓习惯变迁不居之言,岂不绝然相反?爱氏又谓"富者不必乐",个人生活苟能仰赖国家改良经济之立法,满足其最低量之要求即为已足云云,与现今多数社会政策论者之主张适相吻合,然不得即据以为主张社会政策之根据也。富者之不必乐,盖惧资财之将散失而不安也。恃金钱作恶而害其身。苟分配得其平,贫富不致大相悬殊,则金钱不能作恶,亦无散失资财之惧,天性有不向上者乎?至对于社会问题所提之"人为淘汰"、"国家立法"、"教育陶冶"三项,尤非解决社会问题之要策。"人为淘汰"之谓何,占世界人口大多数之无产阶级,果能实行改良主义者所提倡之优生术乎?"国家立法"之谓何,现时之劳动问题,岂能纯持有产阶级国家之立法以根本解决耶?"教育陶冶"之谓何,无产者惟救死之不暇,更奚有余力以受教育哉?心理学派社会学者研究所得之结果,其不能适合时势,应付环境,盖彰彰明矣。

最近数十年来,心理学派社会学者,力求于社会学上构造拥护资本社会之根据,逮爱氏出始能集其大成,为资本主义筑成社会学的万里长城,其使命可谓已告完成矣。心理学的社会学之发达,可谓已臻极境,代之而起者,其惟唯物史观社会学乎?

第四节　唯物史观与社会学[①]

社会非心理之结合,社会学者决不能专用心理学之智识以研究社会。盖

---

① 修订版删除了此节内容。——编者注

精神产自物质,物质要素为精神要素所从出之根本,苟舍本逐末,则前提既失正确,结论亦必谬误。现代社会之畸形的发达,离心理学派社会学者之希望愈远,所谓改造社会必先改造人心之结论,不攻自破。吾人认定现代社会学应从心理学派解放而出,特根据马克思唯物史观学说,以作改造社会学之尝试。

马克思唯物史观学说,散见于《资本论》及《共产党宣言》等书,要以1859年所作《经济学批评》序文中之一段说明最为完备,即世所称唯物史观公式是也。兹为译录如下:

人类在其生活之社会的生产上,加入于离其意志而独立之必然的一定关系,此关系即适应于其物质的生产力之一定发展阶级之生产关系。此种生产关系之总体,形成社会之经济的构造,为法制的政治的上层建筑所依以树立及一定之社会的意识形态所由以适应之现实的基础。物质的生活之生产方法,为制约一般社会的政治的及精神的生活历程之条件。人类之意识,不足以决定其存在;反之,人类之社会的存在,转足以决定其意识。

社会之物质的生产力,发展至一定阶级,遂与从来所借以活动之现存生产关系,或仅表现于法律上之财产关系相冲突,此关系遂由生产力之发展形式一变而反为其桎梏。于是社会革命之时代以至。巨大的上层建筑之全部,遂随经济基础之变动,或疾或徐,终归于变革。当观察此种变革之际,对于得以自然科学实证之经济的生产条件上之物质的变革,及人类意识此种冲突而与之决斗之法制上政治上宗教上艺术上或哲学上等观念诸形态,宜善为区别。对于此种变革时代,决不能依其时代之意识以判断之,正如不能以其人所自信者以判断其人。盖此种意识反须依物质生活之矛盾,即依社会的生产力与生产关系间之现存的冲突以说明之。

一种社会组织,非至一切生产力在其组织内已无发展之余地以后,决不颠覆。新而较高之生产关系,方其物质的存立条件未于旧社会母胎内孕成以前,决不实现。故人类常以自己所能解决之问题为问题。若更精确观察之,则一切问题,必其解决所必须之物质条件早已存在,至少亦必在存立之历程中,始能发生。

综其大要,可依细亚细的古代的封建的及现代资本家的生产方法,列成经济的社会构成之各种进化阶级。而资本家的生产关系,实为社会的生产方法最后之敌抗关系(此处所谓敌抗,非个人之敌抗,乃由各个人之社会的生活条件所生之敌抗)。同时,在资本家的社会胎内经已发展之生产力,实为造成解决此种敌抗所必须之物质条件。因是,人类社会之前史,遂与此种社会构造同时终结。

以上为马克思唯物史观学说之概要,彼固未尝以社会学者自称,亦未尝仿照普通社会学另立一系以研究社会,然就唯物史观说考之,其能对于社会历程为深刻之分析,而攫得社会内部之理法,实为从来社会学者所未有。乃一般社会学者中,除施茂楼曾对唯物史观为公正之批评外,率皆弃而不顾,或妄肆攻击,竟视为无关宏旨,至摒马克思于社会学者之列,学者之偏见,于此可见矣。本书认唯物史观说于社会学有充分之真理,爰立为根据,别建一体系以研究之,苟于斯学有丝毫之贡献,则本书之幸也。

第五节　社会学之使命

研究社会学者,必先明社会学之使命。社会学之使命为何,各派学者之见解不一。生物学派专以生物学之知识研究社会,谓社会进化之法则与宇宙进化之法则相同,故认定社会学之使命在确定自由主义之根据。国家学者专以政治学之知识研究社会,谓国家为最大最尊之社会,国家发达即社会之发达,故认定社会学之使命在证明国家主义之正确。心理学者专以心理学之知识研究社会,谓社会为各个人心理之结合,个人之天性增高则社会亦随而进步,故认定社会学之使命在提倡改良主义。予以为皆非是也。社会学之使命,惟在于发见社会组织之核心,探求社会进化之方向,明示社会改造之方针而已。

普通社会学者恒侈言改良而讳言改造。彼等之意,以为社会学在以科学方法研究社会组织及变化,而推求其真理,促进社会之改良,苟谈及社会之改造,便含有破坏性质,逸出科学范围,即不能称为社会学。此大谬也。社会学研究社会所得之真理,可以促进社会之改良,亦可以促进社会之改造。如建筑家之讨论建筑物然,为目前计者主张修葺补缀,略加改良,为久远计者主张毁旧建新,另行改造,其主张虽不同,而其同属于建筑术研究之范围则一也。又如政治家之研究政治组织然,主张王权神授者,则提倡专制政治,主张人权天赋者,则提倡共和政治,其见解虽不同,而其同属于政治学研究之范围则一也。依此类推,社会学应负改造社会之使命,不待烦言而解矣。

科学有所谓说明学与轨范学之分。说明学在根据一假设之原理以说明诸现象之因果关系,如物理学是;轨范学在研究人类行为之标准,指示其理想之所在,如伦理学是。社会学实以说明学而兼轨范学者也。社会学之说明学的任务,即在于应用一根本原理,说明过去及现在社会之组织与变化,发现其因果关系。社会学之轨范学的任务,即在于推知社会进行之方向,指示吾人信仰之所在,以定改造现社会达到理想社会之方针,虽谓社会学为指示理想社会之科学亦无不可也。虽然,今兹所谓理想社会,乃以科学方法,由历史的社会的事实归纳而出,可以视为轨范,以寄托吾人之信仰,与摩尔"乌托邦"、傅立叶之"理想乡"纯出于架空想象者截然不同。今夫环绕于吾人之周围最能影响于吾人者,厥为自然环境与社会环境。气候风土,天灾地变,毒蛇猛兽,恶殁夭死等,向称不可抗力,此最能困扰吾人之自然环境也。民族竞争,国际战斗,国内纷乱,贫富悬绝,阶级对抗,家庭不睦等,皆为社会之缺陷,此最能妨碍人类幸福之社会环境也。自然环境,吾人既能应用自然科学之智识以征服之统御之,则此等社会环境,吾人讵不能运用智力以征服统御,使其适合于吾人之理想乎?社会的环境虽能影响于吾人,而吾人对于社会环境发出之意识的活动力,亦能转移社会之方向。故吾人苟欲谋人类之幸福,斯不能不谋铲除此种社会之缺陷;欲谋铲除此种社会之缺陷,斯不能不研究社会之根柢,发现支配社会之理法,究知社会之目的,明示改造之方针,此社会学之使命也。

第六节　社会学与诸科学之关系

社会学之使命既明,兹进而论社会学与诸科学之关系。

一、社会与历史学　历史学依年代之顺序,研究过去社会之事实,为记述的科学;社会学研究社会构造与进化之理法,为理论的科学。历史学专注重过去而不及现在,社会学注重现在并追溯过去。社会学欲探求社会进化之原理,必须借助历史学所提供之资料;历史学欲解释历史事实之因果关系,必须应用社会学所提供之方法。故历史学为社会学之资料,社会学为历史学之方法。

历史哲学研究社会事实发达之理法,其内容大部分与社会学相似,但二者之研究方法不同。历史哲学仅用思辨的方法,不能利用经济学人种学统计学心理学等所研究之结果;而社会学则由实证的方法,利用此等材料为基础。历史哲学专就过去事实为演绎的抽象论,不就现在事实加以调查研究,故与社会学有极明确之界限。

二、社会学与经济学　物质的生产力为社会进化之原动力,经济关系为构成社会之基础。社会学欲研究生产力发展之原因及经济关系变迁之理法,不能不借助于经济学。惟经济关系之变迁又随生产力之发展为转移,经济学上支配生产分配消费等活动之法则,亦随生产力之发展而产生变化,故经济学必须采用社会学研究所得之真理,以为改造之根据。

三、社会与政治学　政治学为研究国家之科学,国家为社会历程中之产物,政治学者不明社会进化之法则。即无由了解国家之起源、性质、发达及功用。国家又为阶级统治之机关,社会学者不研究政治组织之变迁,亦无由推知社会阶级冲突之实况。

四、社会学与法学　法学研究法律之原理,与社会学有密切之关系。法律由社会关系产出,又随社会进行而变革。近代社会生活日形复杂,而法律内容愈趋愈繁。法学者研究社会关系与进化之定律,足以了解法律之本质及功用;社会学者研究法律之发生及变化,足以了解社会制度变迁之原因。

五、社会学与人类学　人类学为研究人类之科学,能供给社会学参考之资料。人类学分数部,如人种学研究原人社会生活之状态,如考古学研究原人之遗物,如文化史研究原始社会文化之由来,皆与社会学有密切之关系。社会学推求社会之起源,考察原始社会之制度,不能不取材于人类学。人类学派社会学,即应用人类学之智识以研究社会者也。

六、社会学与生物学　生物学之对象为生命,社会学之对象为社会。社会由个人结合而成,人为动物之一,共营社会生活,固与他动物同。惟个人之动物的生活发达,则集合的社会生活亦随而发达。于是社会不仅受生物力及物理力之作用,且受社会力之作用。人类因应付环境及遗传所得之智识,能促使人类社会脱离动物社会。人类社会脱出动物社会,则支配人类社会之理法,与支配动物社会之理法截然不同。故不能专用生物学之智识以研究社会。

七、社会学与心理学　心理学研究个人心意发达之历程,社会学研究人类社会发达之历程。社会现象中固有属于心理之部分,而心理现象不能包括社会现象。社会学研究之结果,足以贡献于心理学,而心理学不能资助社会学之发展。

社会学中之心理学派,喜用心理要素为研究社会之根据,至称社会学即社会心理学,未免夸张失实。社会的意识形态,常随环境而发生变化,因果判然,不容倒置。衣食足而后知礼义,非知礼义而后衣食足。故心理学派社会学者主张以心理要素为社会组织及社会进化之原动力,实陷于倒因为果之谬误。

社会学与诸科学之关系既明,则社会学研究之范围可以确定,兹再进而说明社会学之问题。

第七节　社会学之问题

社会学之问题,即社会学所据以研究之题目,一般学者常依其所论列之问题,以决定其社会学之系统。普通社会学书,有所谓社会静学及社会动学之分。社会静学通论社会之静态,如社会之构造是;社会动学通论社会之动态,如社会之发达与变迁等是。然所谓静态,仅属一种假定,借便研究而已,其实自社会之起源以至于最后之变迁,皆属于动态,无须为动静之分也。

社会学又有纯理社会学及应用社会学两类。理论社会学以探求社会历程之理法为目的;应用社会学系探求应用纯理社会学研究之结果以改变社会之方法。故纯理社会学之于应用社会学,亦犹理论机械工学之于应用机械工学然。自其顺序言,二者不妨分别研究;自其功用言,二者宜结合一致,方足以全斯学之使命。本书兹根据上述见解,依次列举社会学之问题如次。

第一,社会之本质　此为先决问题,又为问题中之问题,至今尚成社会学上之悬案。各派社会学对于此问题之见解不同,故所立之系统亦异。盖社会学之研究,必先了解何谓社会,方能进行研究其他问题,苟其出发点不同,则所得之结果自异,社会学派别之分歧,只此之故。

第二,社会之构造 社会之本质既经阐明,其次即当研究社会之构造。社会之构造,即假定社会为一静止之状态而研究各种社会关系之因果,以发现其构成之原理。例如研究机械,必研究其各部分相互之关系及职能,求得其构成之法则,始能了解全部机械之功用。吾人研究社会动态时,必先求得关于社会静态之知识以为根据。

第三,社会之起源 研究社会学者,必研究社会之起源。社会之理法,本可于现今之社会中求之,无须溯及古代之社会,惟现今社会生活过于复杂,应用于社会之定理,最难探索,不如溯及初期社会之简单形态,较易发见其因果关系。

第四,社会之发达 社会生活之由简单而趋复杂,社会范围之由狭小而趋扩大,及其所以发达之原因,皆属于此问题研究之范围。

第五,家族氏族及国家 家族氏族及国家,皆为社会发达程序中之产物。家族为社会生活之摇篮,家族制度之变迁,即社会生活变迁之佐证。氏族为初期社会之共同团体,有维持社会秩序之机能;国家成立于氏族组织废墟之上,为阶级统治之组织。就氏族与国家研究其发展与变迁之因果关系,足为推求社会进化原理之资助。

第六,社会意识 社会意识由社会生活产出,何以具有支配社会之机能,何以又随社会组织而变化,此其中之相互关系何在,均属于此问题研究之范围。

第七,社会之变革 社会由一种形式变为他种形式,是为社会之变革。一种社会组织适于过去者何以不适于现在,适于现在者何以不适于将来,及此等变迁中所潜伏之因果关系如何?皆属于此问题研究之范围。

第八,社会之进化 社会由低级形态进至高级形态,是谓社会之进化。社会之进化与社会之发达不同。举凡经济政治法律宗教哲学道德艺术等社会生活所以由幼稚而进于文明之程序及其进化之根本原动力何在,均属本问题研究之范围。

第九,社会阶级 阶级之分离,为社会历程中必然产生之现象。社会之变革何以能产出阶级,阶级斗争何以能促进社会之变革,均属于本问题研究之范围。

第十，社会问题　社会组织不良，恒产生种种社会问题。如过去社会之奴隶问题，农奴问题；现今社会之工农劳动问题，妇女问题及准无产者社会问题，皆属于本问题研究之范围。

第十一，社会思想　社会思想系人类对于社会组织发出之理想，如拥护社会特殊阶级之自由主义保守主义之思想，维持现社会之改良主义思想，改造现社会组织之无政府主义及社会主义思想，皆属于本问题研究之范围。

第十二，社会运动　社会组织将届变革之时，多数人感知社会之不良，恒发出种种社会理想，为谋实现此种理想而行之运动，即为社会运动。社会运动之由来及其效果如何，社会运动宜如何始能促进社会之进步，均属于本问题研究之范围。

第十三，帝国主义　帝国主义为现代畸形社会组织之特性，亦系由不合理社会进于合理社会之征象。帝国主义所以生成之理由何在，合全世界人类之大社会所以被极少数帝国主义者所宰割所支配之原因何在，皆属于本问题研究之范围。

第十四，世界革命　帝国主义发展之极致，必诱起世界革命。世界革命何以不能避免，及其经过之情形如何，均属于本问题研究之范围。

第十五，未来社会　世界革命以后之理想社会如何，及其达到之阶段如何，皆属于本问题研究之范围。

上述诸端，皆为本书研究之问题，亦可称为本书之体系。综其大体而论，可得一概括之社会学定义如下：

社会学者，研究社会历程及其理法，并推知其进行之方向，明示改造方针之科学也。

第二章 社会之本质

第一节 三大历史的社会本质说之检讨

关于社会本质之研究，旧有三大历史的社会说，即契约的社会说，生物的社会说及心理的社会说是也。此三说果能阐明社会之正确性质与否，吾人应先于此处检讨之。

第一，契约的社会说 契约说谓人类社会为一合理之人工创造物，由各个人同意缔约而成，故各种社会制度系由人类任意发明，苟经多数人同意，即能改造，家庭之成立，国家之组成，以及一切社会制度之产生，全有赖于各个人彼此之同意及适合于彼此之利益，[①]且得随时改造之。此说发端于古代希腊之哲学，初期资本主义时代之法律政治思想家扩而充之，遂以造成资本阶级革命理论之根据。迨后经人类学社会学研究之结果，始发见此说之弱点，并不足以说明社会之起源。故主张此说之人，乃加以修改，谓契约虽非社会之起源，然不失为社会之正鹄，即社会之起源虽不必由于契约，而吾人则不可不以契约说为基础以组织社会。社会生活形式上之同意，在初时或非社会秩序之基础，在将来则必成为社会秩序之基础无疑。若婚姻，若家族，在往昔或非由于契约，而在将来必有赖于契约始能成立者也。是为契约说之梗概。此说过于重视意志，社会与生人以俱来，初民之营社会生活，岂有如许智力，能了解社会生活中一切规律与组织？且世无绝对独立之个人，个人之加入社会，与意志全无关系。契约说之不足以阐明社会之本质，其理明甚。

第二，生物的社会说 此说为契约说之反动，虽亦起源于希腊哲学，实由

---

① 修订版删除了此句中的"彼此之同意及适合于"。——编者注

生物学派社会学者提倡之。此说谓社会非智力所能造成,乃由有机性质之盲动力所造成,即由生物的定律之作用所造成者也。社会的浑一体与有机体的浑一体无别。故社会为有机的组织,其发达进化概受有机的定律之支配。如斯宾塞谓社会为超有机体,非人力所能及,人虽了解社会,然不能支配之。此说过于注重社会进化与宇宙进化之真实关系及社会生活之固定性。社会既与有机体同受生物生长凋谢之法则所支配,则社会适成为自然生灭不可思议之怪物,而非人力所能左右,社会学亦将成为研究此种怪物之科学矣。组成①社会之有意识的个人,与构成生物之无知觉之细胞大异,支配生物体之定律不能适用于社会可知。要而言之,此种社会说仅足以作为拥护自由主义之工具,其不能说明社会之本质,固不待辨而自明。

第三,心理的社会说　此说起源于初期资本主义时代,实由心理学派社会学者提倡之,所谓综合以上两说而别开生面者也。此说谓社会生活之合为一体,非由于契约,非由于有机动力,乃由于各人心性相感之作用。社会即各人彼此因心性相感而成之团体生活。故社会之合为一体,系由于心性相感,心性相感非专指知识,且包含本能与习惯于其中。故社会生活实为一种心理的程序。个人之天性为了解社会改良之秘钥,而改良社会即为改良全体个人之习惯。个人之天性改良,则习惯亦改良,即社会亦随而改良。惟社会之组织与法度全系于习惯,故社会之改良仅能于自然界与人类天性之变迁所容许之范围内行之,然人类天性在人类社会最有价值,故改良社会,必先改良人类之天性。质言之,即改良社会必先改造人心是也。此说过于注重心理之要素,而心理之要素,完全随物质生活而变更,其不能说明社会之本质,已于前章言之,毋须多赘。

概括以上三说,可得一共通之点,即三者皆拥护资本阶级是也。契约说在说明社会可以由个人同意缔成,亦可以由个人同意改造,为初期资本阶级树立民治主义之政治的论据。生物说在说明社会宜任其自然发展,非人力所能支配,为资本阶级树立自由主义之经济的论据。心理说在说明社会改良须先改良人类天性,毋须改造经济组织,为资本阶级树立温情主义之社会政策的论

---

①　修订版将"组成"改为"组织"。——编者注

据。契约说与生物说所负之使命早告完成,故二说已归陈腐,今无取焉。心理说所负之使命尚未告终,故极为拥护现社会之学者所称道,然其不能取得改造者之信仰也,又属事理之当然。故本书为完成社会学真正之使命,特力辟以上三说之谬误,而主张唯物史观社会说。[1]

第二节　唯物史观社会说[2]

唯物史观社会说,在应用唯物史观说明社会之本质。据此说,社会非由契约而成,非由心性相感作用而起,亦非如有机体之受自然法则所支配,乃由加入生产关系中之各个人结合而成。盖人生而有欲望,欲望之种类甚多,大别之可分为根本的欲望及非根本的欲望二种。根本的欲望即生存欲及生殖欲是;非根本的欲望,即知识欲,审美欲,支配欲等类是。人惟有根本的生存欲,故求快乐而避苦痛,积极的寻觅食物,消极的求得衣服宫室,以避免风寒暑湿,防避毒蛇猛兽。人惟有根本的生殖欲,故能借性的关系以谋种类之存续。人类种族之所以绵延发达,皆此等根本的欲望之力也。至于非根本的欲望之能否满足,全视根本的欲望之能否满足为断。生存资料之出产苟能充分供给人类之需要,则根本的欲望容易满足,因而非根本的欲望亦容易满足,故精神的文化完全根据物质的发展而发展。概括言之[3],人饥则求食,不食则死;寒则求衣,无衣则僵;避风雨则求庐舍,无庐舍则病。衣食住者实人生所必不可缺之生活资料也。地无分东西,时无论古今,人类必自有其生产方法以生产生活资料而分配之,如吾人处都市之中,决不能自耕而食,自织而衣。苟为无产工人,即不能不售其劳动于资本家,[4]借以取得一定之工银,然后再支出所得之货币以购买生活必需品。卖劳力以谋生,本属至苦之事,为谋生计,不得不尔,决非本人之意志所得而左右之。又如吾人处今日机械发达之世界,而欲维持自足自给

[1]　修订版将"唯物史观社会说"改为"历史的唯物论"。——编者注
[2]　修订版将此节标题改为"历史的唯物论之社会说",并将本节内容中的"唯物史观"均改为"历史的唯物论"。——编者注
[3]　修订版删除了"盖人生而有欲望,……概括言之"这一段文字。——编者注
[4]　修订版将"即不能不售其劳动于资本家"改为"即一售其劳力于资本家"。——编者注

之经济,亦属不可能之事,势必借分工及交换以保持今日之社会关系,决非吾人之意志所得而左右之。

吾人姑不具论现代人之生活,更溯及原始时代之人群。原始人群谋欲望之满足,亦属于"社会的",即由群中之各个人协力而行者是也。例如食物之探求、果物之采集以及狩猎渔捞等事,殆无一不由协力而行。原人最初之劳动,以采集自然物为限,仅知用体力采集自然物而占有之,以维持自己之生活。故原人虽完全为自然环境所左右,而此时为满足欲望而占有自然物之劳动历程,即为社会的历程,由集合的协力与集合的经验而定。可知原始人群之取得生活资料,早已发生种种交互关系,是即社会的关系。迨后经济发展,更增进步,人类协力变造自然物为生活资料,脱离自然环境之束缚,一面因分工之发达,一面因生产及交换范围之增大,而生产关系,愈趋愈杂。故人生而欲获得生活资料,势不能不参加社会的生产,互相为而工作,因而结成社会。

试以工厂为例。工厂之中,有使用机器之工人,有助手工人,有普通工人,有修理机器之工人,共立于一定之空间,同在于一定之时间,各担任工作之一部分,各耗费相当之体力,如此共同制作,互相接触,自始至终,各工人之间造出一种相关联之劳动关系,故工厂可谓为多数工人立于此等劳动关系上之结合。

社会为范围较大之工厂。例如农夫种麦,舟子运搬,工人制粉,造成面包,此一大食物工厂也。农夫种棉,商人贩运,工人纺织,造成纱布,此一大服物工厂也。木工造壁,泥工筑墙,漆工涂抹,园丁种木,造成宫室,此一大造屋工厂也。推而至于某地出米,某地出麦,某地出绸缎,某地出金铁,中国出丝茶,①美国出棉花,澳洲出羊毛,非洲出棕榈,诸如此类,自表而视之,似乎各不相属,而实际则互相为用。在世界经济成立之今日,有交通机关为之运输,有商人为之懋迁,全世界之人类,殆互相为而工作,直接间接造成极复杂之生产关系,其在物质的生产历程中,殆已形成一极大之社会矣。

是故人类为生活计,不能不取得生活资料。欲获得生活资料,斯不能不参加社会的生产。人类之参加社会的生产,纯出于生活之驱策,与本人之意志无

---

① 修订版删除了"某地出金铁",并将"中国出丝茶"改为"某地出丝茶"。——编者注

关。人既受生活之驱策,加入社会的生产,共同生产生活资料,则在此生产历程中,必不能不共同劳动或互相工作,而直接①间接发生种种生产关系。此等生产关系之错综复合,形成社会之经济的构造。加入此等生产关系中之一切个人遂构成一社会。

社会生活之历程,即物质的生产历程,而物质的生产历程,完全受生产技术及生产力之支配。在物质的生产历程中,所谓精神文化,皆由物质的生产关系中产出,随生产力之发达而发达,随生产关系之变迁而变迁。社会之进步,亦即生产力之进步。此唯物史观的社会本质说之概要也。总括以上所述,吾人可得一社会之简括的定义于下:

各个人为谋满足欲望而加入生产关系之结合,谓之社会。②

---

① 修订版删除了"直接"二字。——编者注
② 修订版将此句改为"人类间立于生产关系上之结合,谓之社会"。——编者注

第三章　社会之构造

第一节　社会构成之基础

吾人假定社会为一建筑物。研究建筑物之构造时,可分建筑物为基础及上层建筑两部,先研究其基础之构成方法,次研究其立于此基础上之上层建筑,最后研究其基础与上层建筑之相互关系及其作用。惟建筑物之基础为地面,其上层建筑为木材砖瓦等项,地内之地力苟有变动,地壳即不免有塌陷之虞,则建筑物之基础势必改造,因而其上层建筑亦必改造。研究社会之构造亦犹是也。社会之基础为经济关系,其上层建筑为政治法制及其意识形态,经济关系中之生产力苟有变动,则经济关系势必改造,因而政治法制及其意识形态亦必改造。兹本此理说明社会之构造于下。

人类相互之关系,由三种根本要素而成。第一为人与社会之关系,第二为人与共同团体之关系,第三为人与人、共同团体与共同团体、共同团体与社会、社会与社会之关系。自其性质而类别之,可分为物质关系及精神关系两类。物质关系即经济关系,精神关系即政治法律科学艺术道德宗教哲学等关系。此等根本关系之错综复合,构成社会生活之全部。故社会如建筑物然,此等关系皆为建筑社会之材料,就其本末轻重言,则经济关系为构成社会之基础,政治法律科学艺术道德宗教哲学等为社会之上层建筑,兹逐一说明之。

人类所以结成种种关系,实有根本之动机存乎其间。此根本动机,即吾国先哲所谓"男女饮食",本书所谓"生存与生殖"之根本欲望是也。盖①人之生

---

① 修订版删除了"人类所以结成种种关系,……根本欲望是也。盖"这一段文字。——编者注

存及活动,以一定物质之存在为前提,为条件,故人于营政治法律科学艺术道德宗教哲学等生活之前,必先获得衣食住之物质资料。且人之生存,不仅衣食住为必要,即在从事精神活动时,亦必需种种物质条件之充实。故经济之为社会基础,其理至浅,无俟多赘。兹更进而言社会基础构成之原理。

经济关系即生产关系。吾人欲取得生活资料必从事生产,生产须就自然物加工,又必须互相工作,故各个人必依一定之方法,被分配于劳动历程中,使用一定之劳动器具,共同操作,并互相交换其劳动。因此,各个人遂互相联络而发生一定之关系。惟其有此联络与关系,然后生产物始能完成,始能借交通机关分配于社会,供给社会消费。故生产关系实包含交通交换分配等一切经济关系,此等生产关系之总和,其成为法律的形式表现而出者,即财产关系是也。

生产关系之成立,必与社会的生产力(以下仅云生产力)相适应。两者互有密切之关系,如气候之于吾人体温者然。生产关系与生产力相适应,则生产力能在生产关系中发展,倘生产力继续发展至一定程度以上,而生产关系阻碍其发展时,当时之生产关系势必改造,生产力始有发展之余地。故两者之关系可分为两种形态:其一为两者互相调和之形态,其二为两者不相调和之形态。两者互相调和,则社会之基础安定;两者不相调和,则社会之基础动摇。

生产力即生活资料之产出力,即制造物质资料之可能性。生产力之发展,与生产方法之进步为比例,而生产方法之进步,又与劳动手段或劳动方法之变化,或与两者同时发生之变化为比例。例如某织匠使用一定之机子,每日做工十小时,能织布五丈。今欲令其以同一时间织布十丈,则彼之劳动生产力势必加倍。生产力加倍,则彼之劳动手段或劳动方法势必发生变化,或两者同时发生变化。是此时彼之劳动生产条件必生变革,换言之,即彼之生产方法,彼之劳动历程必生变革是也。故劳动手段之变化与劳动方法之变化,有因果之关系。假令劳动手段不起显然之变化,则劳动方法不能单独变化。所谓"劳动手段为劳动生产力之尺码,又为生产力或生产关系之指示器"者即此意也。

综上所述,生产关系之成立,必适应于生产力,而生产力之发展必以劳动手段之变化为依归。人类一旦发明新劳动手段,即能获得新生产力;一旦获得新生产力,则必改造生产关系。生产关系改造,即社会基础之改造,则社会之全部建筑随而根本改造,此社会基础构成之原理也。

第二节　社会之上层建筑

社会之政治的法律的上层建筑及其意识形态,皆依据经济关系而成立,复有维持经济关系之作用,兹略述于次。

政治组织为阶级斗争之结果,国家为阶级统治之机关。政治思想与政治方针,恒依据社会生活之情形决定之。资本集中,资本阶级则思建设强大海陆军,扩张海外大市场,而殖民政策国际战争发生。社会不安,改良主义者则思增加工银,减少时间,改良待遇,而劳动保险,国家保护,劳资妥协之政策以起。阶级对抗,无产阶级则思共同团结,夺取政权,而劳工专政之政体实现。凡此种种皆由生产关系之变革而来,是即政治依据于经济之明证。①

法律为保障财产之利器,为规定财产关系之章程。法律之普通观念,即在于说明所有权之范围。自形式而言,法律之任务在于社会的防卫,即在于保护生存之根本条件;自实质而言,法律之目的在谋阶级的防卫,即在于保护特殊阶级剥削下层阶级之特权。至于刑法原在防卫非人道的犯罪,而犯罪之原因皆起于社会,社会组织合理,则刑法上之犯罪,自然减少。

科学为人类征服自然创造自然之工具。近代机械工业及农业,以自然科学为基础,故近代生产历程即为有意识的科学之历程。新生产技术促进自然科学之进步,科学亦能发明新劳动器具,造出由国外采集生产材料之交通机关。近代生产历程要求自然科学人才举办生产事业,故近代自然科学有长足

---

① 修订版将此段改写为:"社会之政治的构造最明显之表现,为国家权力。国家权力实产生于社会裂成阶级之后。国家为社会过程中必然的产物,当社会最初发生经济利害相反之阶级,因而陷于纷乱不可解决之矛盾状态时,国家遂成为社会之机关而产生。盖社会内部经济利害互相冲突之阶级,苟不欲自身永远从事无益之斗争,不欲社会随阶级冲突而消灭,则为缓和此冲突而成之社会秩序,即须有超社会之强力统治之,此强力即国家权力也。国家之成立,基于阶级关系,阶级关系继续改编,则政治上之支配与被支配之关系亦随而改编。古代国家建筑于奴隶制度之上,成为奴隶所有者支配奴隶之机关;封建国家建筑于农奴制度之上,成为封建阶级支配农奴之机关;近代国家建筑于工银奴隶制度之上,成为资产阶级统治无产阶级之机关。国家随阶级对立以俱来,亦随阶级消灭以俱去。经济上人人平等之关系实现,政治上人人平等之关系亦随而实现。此政治与生产关系之关联也。"——编者注

之进步,又要求社会科学人才拥护财产关系,故近代社会科学亦有显著之成绩。①

艺术为社会生活之神髓,为人类情感之具体的表现。人对于当代社会生活如有感想,必借艺术表出之。然人除对于人以外,决不能发生情感,人与人之关系变更,艺术自应因而改变。惟理想高尚之艺术,恒寄存于丰衣足食者之脑中,故艺术在过去社会为特权阶级所独占,成为少数有幸福者之世袭财产,无产贫民未能享受艺术生活之滋味。②

道德即人类之社会的本能,社会之所以存在,实由此社会的本能所维持。如为社会而牺牲,如矢忠勇以拥护社会,皆为社会的本能,此即人类最高之道德。故道德之根源在人类生活。自生产力进步,人类萌有财产观念以后,道德思想乃生变化。人与人之关系,变为物与物之关系,社会裂成互相对抗之阶级,所谓"利他",所为"互助",发生根本之动摇。何谓善,何谓恶,殆无一定之标准。其结果,道德遂成为一阶级检束他阶级之空想的制裁之具。

宗教世界为现实世界之反映,与其分析宗教之神秘以发现现实之核心,不如考察各时代之现实生活关系,尤易推知天国之形态。自然力之崇拜适应于原始社会,耶稣教适应于封建社会,新教适应于资本社会。信教自由之标语,即竞争自由之别名。故宗教之神秘,仅能借现实生活以说明之。宗教之作用,自其历史而言,直为一阶级驾驭他阶级之无形武器。异日生产关系改易时,宗教之云雾必消散无疑也。

哲学之对象在理解人生与自然之根本原理。哲学上一切观念,均胚胎于物质世界。社会为人与自然之合体。社会之根基既建设于经济关系之上,则人生与自然之根本原理,惟有于经济关系中探求之。哲学之系统,系就常人之思想加以雕琢,组织而成。而思想须受环境之影响,人不仅不能以个人意志决定社会关系,实则社会关系转能左右个人之意识。故社会组织与个人思想有密切之关系。社会中思想之流行,即为该社会经济状态之写真,且此种流行之思想,必与当时特殊阶级之欲求相适应。故统治一时代人心之思想,常为统治

---

① 修订版删除了此段内容。——编者注
② 修订版将此段移至论述宗教的一段之后。——编者注

阶级之思想。如此建立之哲学，即为特殊阶级之哲学。在科学昌明之今日，哲学已失其独立自尊之地位，所谓超自然不可解之神秘亦已完全揭破矣。①

第三节　社会之秩序②

社会之经济的生活历程之结果，产生多种共同生活习惯而实现多种维持社会的相互关系之规律，苟无此等规律，则各个人在经济历程中满足求生欲望之共同作用，不能显现。此等维持生活习惯之规律，遂以构成社会之秩序。社会生活所赖以维持发展者，皆社会秩序之力也。

试就经济活动之低级阶段而论，亦必产生一定之规律。例如澳洲之游牧群，彼等狩猎所用之射击武器，仅有枪棒之属，即尾追猎兽或包围之，以枪棒击杀之而已，其为事固至简也。然狩猎必须有多数人参加始能有效，既须有多数人参加，则对于猎物之分配，必不免发生争执。为排除此种争端计，遂以规定多种之分配规则而共同遵守之。又此等游牧群之进行狩猎也，亦必有种种之规定。壮者先行，所以窥伺猎兽而免纷扰也；老者殿后，所以保护幼弱也；且当其进行之前，必预设休憩及张幕之所，派人司掌其事，所以备猎者之集合也。又壮者当狩猎之时，除必需之随身武器外，其他囊革容器之属，必有他人为之携运，此妇人所有事也。于是行猎之规则，野营之规则，分功之规则生焉。又一游牧群与他游牧群之间亦必有种种相互关系，如会同行猎也，如协力御敌也，以及共同舞蹈，交换食物等事，皆必有种种之规定存乎其间，盖愈趋愈繁矣。

依此类推，自游牧生活以至于农耕生活，每经一段历程，必发生多种问题，因而产出种规律。当其始也，此等规律，仅为漠然之习惯，仅为经济的生活历程之惯习的结晶而已。沿袭既久，变为法的惯习，经全体所公认，由家族团体，

---

①　修订版在此段之后增加了一段："上层建筑，由生产关系与生产力而造成，已如上述。然上层建筑又能影响于生产力与生产关系，此不可不知也。惟吾人应当注意者，社会之构造，恒受生产力之状态所规定，而其形式之变化，又受生产力之变动所规定，故上层建筑仅能成为经济之量的变化之助因，而不能成为经济之质的变化之主因也。"——编者注

②　修订版删除了此节。——编者注

血族团体,村落团体所强制而发生效力,遂成为共同团体生活秩序之确实要素。有违反此等规律者,即冒共同团体之非难,以致受严格之惩戒。

迨后经济发展,社会裂成阶级,血族的共同团体失其重要,而政治的国家共同体代之而兴,经济历程中所生之新规律,一部分成为国法而融合于国家秩序之中,国家秩序遂以代替社会秩序。于是国家成为社会之机关,而具有统治社会之机能矣。

此外文明社会中所谓宗教道德哲学艺术等意识形态(此等意识形态包括于古代社会生活之浑一体中,详见后章),亦有维持社会秩序之功能,足以佐法律之不逮,要皆不外适应社会基础而成立者也。

由上所述,可知社会秩序之所赖以维持,与夫各个人之所以必遵守社会秩序者,无他,实由个人求生之欲望有以强制之,固无其他神秘力或心灵作用存乎其间也。

第四章　社会之起源

第一节　人类之社会性

据达尔文学说:一切动物对于环境皆行生存竞争。有结群以行生存竞争者,有孤立以行生存竞争者。前者谓之社会的动物,后者谓之非社会的动物。依进化公例,社会的动物,易于生存,非社会的动物除狞猛之禽兽及其他适于生存者外,均受自然淘汰。而社会的动物之中,又惟有团结力最坚固者最能适于生存,反是者灭亡。此等社会的动物群,谓之动物社会,人类亦属之。

至社会的动物所以营共同生活之原动力,则由于保存自身与繁殖种族之本能。试就草食兽而论。草食兽取得食物之方法非常和缓,故其性质温和。惟其温和,故对于敌人之抵抗力弱。抵抗力弱故多数集合成一团体以弥补其缺憾。集合之后,则强者与弱者,智者与患者互相扶助,协力对外以行其生存竞争。如团体中之强者为自身而与敌战时,则弱者亦蒙其赐;有经验者为自身发现安全或食物较多之场所时,则稚鲁者亦受其益。于是团体中之自然分业以起。盖防敌者不能同时摄取食物,睡眠者不能同时留心警戒,故必有逻巡者与守卫者,而后其他团员始能安心觅食或睡眠焉。此动物生活之大较也。惟人亦然,其齿牙不如虎豹,臂力不如牛马,而能生存于自然界者无他,亦赖有此社会性而已。

团体集合之中,既生分业,则必有种种之机关,以成就其团体之目的,而维持其团体之存在。各个体又必有维持其团体之社会的本能,以超出其生存与生殖的本能之上。此等社会的本能为何。动物之种类与生活状态各有不同,其社会的本能不无差异,然其中必有种社会的本能成为社会生活存续之必须条件。此种本能之最显著者,如为社会舍身之牺牲心是。营社会生活之动物苟无此种牺牲心,则其社会必至为环境的自然力或敌人所征服而至于灭亡。故牺牲心为社会的动物所必不可缺之社会的本能。此外如拥护社会之勇气,对于社会之忠诚,对于全体意志之服从心以及感知毁誉褒贬之名誉心,皆为社会的本能,乃社会的动物所同具者也。动物社会结成之后,所赖以维持于不蔽者,皆此类社会的本能之力也。

由上所述,社会的动物所以营社会生活之根本原动力,实由于各个体保存自身与繁殖种族之本能,即出于生存欲之强制;动物的社会所以能存续而获胜利于生存竞争者,实由于各个体有牺牲忠勇等社会的本能之力也。

人类之社会性与其他社会的动物之社会性相同,人类未脱离动物界以前之人类社会,亦与其他动物社会相同。至于人类所以能脱离动物界与人类社会之所以能脱离动物社会,换言之,即人类社会之起源,则又别有其原因在也。兹分别述之于下。

第二节　器具之制造

人类何由脱出动物界而超乎动物之上?人类与动物之间果有何种根本差异存乎其间?此在以前尚属未决之问题。有谓人类为有思考有道德之动物者,然思考与道德为人与动物所同具,固无以异也。有谓人为能生产之动物者,然如蜂蚁等昆虫及其他温血动物之采取自然界材料变更其形态与位置以供自己之用,固与人类无以异也。有谓人类为能使用器具之动物者,然如猿猴类之折枝为棒,取石为斧,亦知使用器具,固与人类无以异也。然则人类果具何种特征以脱离于动物界乎?一言以蔽之曰:器具之制造是也。器具之制造,惟人能为之。动物虽知使用器具,亦仅能利用现成之自然物而止,非真能变造自然物为器具者也。动物虽知造巢营穴,贮藏食物,然未有能制造器具以为制造消费物之用者也,故人之所以为人,唯恃此制造生产机关之能事已耳。人惟知制造器具,故能脱出动物界,以建设其自身之新世界。此新世界为人类社会独有之领域。非动物所可比伦,人类之发达进化,虽谓托始于此焉可也。

动物之生产,全仗自然所赋予之器官,并利用自然所供给之器械,故动物之发达,纯系乎自身所有诸器官之进化,其发达也非常迟缓,不能以自身之意识的行为促进之。至如人类社会一旦发明器械,足以补生理器官之不备,其生产生活资料之方法,不仅较前容易,且前此所不能为之事今亦能之矣。此等发明与经验之集积,世代相传。遂能制胜于生存竞争,而种族亦得以特别繁衍。人类既有发明此等器具之才能,则因遗传之结果,乃更有其他天才者继起而完成之,或凭借已有之发明为基础,而更有新发明产出焉。如此递嬗,人类生产技术乃日有进步,遂以构成人类社会进步之基础,故人之所以异于其他动物者无他,器具之制造是也。

第三节　器具之发明与生活之改变

人类未知制造器具之前,其取得生活资料也,仅知使用天赋之器官及利用天然之器械,如猿猴之折木为棒取石为斧而已。自发明器具之制造以后,则知用斧用枪,前此仅能擒获鱼虫禽鸟者,今则能猎取较大之动物矣;前此专恃木实虫鸟为食者,今则有较大之动物以供肉食矣。然较大之动物多在平地而不在树间,人为狩猎计,斯不能不弃其树上生活而营地上生活。又可供肉食之动物存于原始林者甚少,人既为狩猎者,斯不能不弃其旧居之原始林而移居于平野。此器具之发明与人类生活改变之初步也。

以上所述,是否为实际进化之程序,杳不可知,兹姑就所假想者言之耳。或如地质学者、人类学者所论,冰河时代之人类,或因中央亚细亚山中之冰河消灭,或因气候干燥,森林枯竭,不得已始由森林移居平野,亦未可知也。人既由树上生活移于地上生活,[①]则木实必不能佐食,势非猎取动物以供肉食不可。生活方法变更,则因使用石棒狙击动物之结果,必至于发明组合石棒之方法以制成器具也。

上述二者孰为发明器具之实际程序,姑不具论,要而言之,新生产方法与新生活方法及新要求三者之间,必有密切之关系可知。三者互为因果,有甲则有乙,有乙则有丙。故发明生变化,变化必更生新发明。此中关系,逐渐复杂,循序变迁,遂以构成无限发明之连锁。兹姑就狩猎发生与人类生活之变化,约

①　修订版将此句改为"人既离树上生活"。——编者注

略言之。

人类既由原始林移住于平野而停止其木实生活,则于肉食之外,必更求得木实草根以佐餐。然木实草根不常有,于是乎有栽培。而平野之栽培较原始林为易,且有简单器具为之资助,则短期之栽培或非难事。既知从事短期之栽培,则暂时定住之事亦随而发生矣。

惟平野气候之变化,较原始林尤为急剧,故人类居平野较居原始林尤感风寒暑湿之苦,非有住所无以御风雨,非有服物无以保体温,彼猿猴类尚知作巢而处,则平野之人类必更知取木石以作室,缠兽皮以为衣也无疑。用火之发明,或亦人类为严寒所迫而创造者欤? 要而言之,人类发明枪斧等物之后,其他种种发明相继而出,人类生活乃大生变化。人类生活既生变化,则其意识作用亦随而发生变化。新生活产出新意识,新意识又能发明新器具,人类脱出动物之进化,殆如是乎。

器具能促进人类之进步者更有一事焉。动物社会各个体之器官有限,故各个体间之分业亦有限;且此器官又皆附着于各个体之上,故各个体所能优为之事亦有限。人类社会则不然。人类于天赋器官之外,更有无限之人工器械,故各个体所能优为之事无限,各个体间所能行之分业亦无限。惟其如此,人类之分业乃愈有进步,分业愈进步,则为求觅衣食及维持生活方法所使用之器具愈增加,必要之器具愈增加,则各个人所使用之器具愈不能独立。故社会对于自然界之力量愈增大,而个人离社会后之能力愈减少,愈不能不倚赖于社会。于是组成社会之各个人互相为而工作,而社会遂愈有进步。

人类社会与动物社会更有一不同之点,即动物社会之发达,系乎组成分子各个体之发达;而人类社会之发达,则系乎器械的技术之发达,故人类社会超出动物社会以后,支配动物社会之法则不能适用于人类社会者以此。

第四节　言语与思想之功用

器械发明以后,人类感受环境之变化愈繁,因顺应此等环境之变化,而智力遂亦随而进步。盖生活变化之结果,能改变人类各个体手足之形状,并促进脑髓神经之发达,而审别利害判断善恶之理解力亦随以进步,此进化必经之程序也。

　　器械发明以后更足以促进人类之进步者,言语与思想之功用亦复不少。言语为社会交通所不可缺之机关,于协同操作有密切之关系。普通社会的动物互相交通之方法,惟恃劝诱、恐怖、惊愕、愤怒等感情的叫嚣之作用。至于人类社会,因器械之发明,更知协同作业,分功任事,又知分配产物,若专恃感情的叫嚣,决不济世。盖分业非言语不为功。言语不仅表示感情,并能表示事物。用言语表示事物,乃分业必需之条件。分业发达,言语必随而进步。据言语学者之研究,言语中最先发达者为表示动作之动词,其次为名词。原人当协同作业或共同劳动之时,因欲互相了解其动作,乃先为动作命名,次为事物命名,此理之当然,无足怪者。言语不仅与分业有关系,且为思索之机关。言语与思想,惟有互相协力,始能存在,始能发达。吾人思考事物,口虽不出声,而口中心中恒沉默私语,是即非言语不能思考事物之明证。人类惟其有特别之言语,然后互相协作,互相理解,而发明乃得以传于后世,故能促进社会之进步。有言语则所使用之器具及其特殊作用,始得与环境之事物区别,人类始能由概念与名称解剖世界。

　　其次,思想于人类之进步,亦有莫大之功用。吾人研究社会学,并不轻视思想之功用,惟不如心理学派之盲认思想超出物质之上而已。盖思想实附属于物质。可由人类脱出动物界时思想之进步证明之。人与动物有肉体的欲望,由自然界取得目的物而满足之。见目的物而欲取之,是为感动;实行夺取目的物,是为行为。惟动物之夺取目的物,纯恃其天赋之特殊器官,如超过其天赋器官所能及之范围,则其夺取目的物之行为亦即终止。故动物在感动与行为之间,无何等思考之连锁,其思考力之不能发达以此。人类则不然。人类之夺取目的物,不仅运用其天赋官,且能使用人工器械,天赋器官所不能及者,则运用人工器械取之。故人类对于自然环境发生感动时,必运用其思考力,膂力之不能及者则使用器械,一种器械所不能及者则使用他种器械,已有之器械所不能及者则更发明他种机械,务求实现其夺取目的物之行为而后已。故人类在感动与行为之间,实存有长时间思考之历程,此为动物所不能及者也。推其所以不同之故,实与器具之制造有密切之关系。器具立于人与外物之间,故思想起于感动与行为之间。人类因受环境之感动,得动用其器具以实现其行为。人类因有此物质上之曲折,遂产出心理上之曲折,而思想遂有进步。器具之种类愈多,使用器具之技术愈复杂。物质上之曲折愈多,心理上之曲折亦愈多,因而思想上之进步亦极大。又就御敌一事而论,动物被外敌所袭而不能抵抗时,惟知脱逃或假死,此外更无所用其思考,实因形体之组织有以限之也。人类之临敌,必加思考,或逃脱,或执武器以御,须经思考而后行。苟无武器,则亦将如动物之不假思索,而以脱逃为能事耳。人惟有武器可供用,而后有思考力发生。人惟能制造器具,改造器具,选择器具,始能善于应付环境,而增加其思考力。因思考力之增加,而器具愈亦发明,愈亦改善,社会亦随而愈益进步。思想因器具之运用而发达,器具亦因思想之发达而完善。虽谓器具之制造为人禽区别之关键可也。

第五章　社会之发达

第一节　生产力发展之原因①

社会之发达云者,即社会生活复杂、社会范围扩大之谓。社会生活之复杂,由于生产关系之复杂;社会范围之扩大,由于生产及交换范围之扩大。而促成生产关系之复杂与生产及交换范围之扩大者,实由于生产力之发达有以致之,即谓社会之发达为生产力之发达可也。

生产力发达之原因有二:其一为人口之增加,其二为欲望之增进。②

第一,人口之增加　人类有生殖之欲望,惟能使种族繁殖,始能战胜于生存竞争。盖人类之生命,非人力所能改易,亦非理性所能左右,欲维持人口数目之一定不变,殆属不可能之事。且人类欲谋其种族之继续存在,必须谋人口之继续增加,否则人口将次第减少,种族亦归于渐灭,而人类生活之舞台,且不免有销形灭迹之虞。故构成人类历史之人种,势非继续增加其人口不可,此自然之公例也。惟人类之生活,必有一定之物质资料以供消费,然征之过去社会之历史,食物之增加,终不敌人口之增加,马尔萨斯之人口论,实有一部分之真理存焉。人类既必须谋人口之继续增加,则生活必需资料之生产,亦必须设法使其继续增加而后可。此种必然之条件,遂迫使人类不能不努力增加其物质的生产力。

第二,欲望之增进　人不仅有求生之冲动,更有求善其生之冲动,故人类欲望之增进,匪有止境。盖欲望乃世界之生命力,乃一切活动之本源,乃渗透一切而予万有以灵魂之原理,此光辉灿烂之世界,皆由人类欲望之创造力而

---

① 修订版删除了此节,仅保留第一、二段内容并将其置于下节开头。——编者注。

② 修订版将此句改为"生产力发达之原因有二:其一为劳动之社会化,其二劳动手段之发展。"——编者注

出。人苟无欲望,则人类灭绝久矣,更何社会之足云。此点姑不详论,要而言之,人类有欲望,必为满足其欲望而努力,人类生活始不停滞,人类历史始能构成。惟人类无论满足任何欲望,而其满足之手段,必需一定物质。即假定人口数无增加,而各人之欲望次第向上,次第增多,斯不能不谋物质的生产力之继续发展,此不易之理也。

基于上述二种理由,人类不能不努力发展其生产力,而发展生产力之手段有二,即劳动之社会化及劳动手段之发展是也。兹分别说明之。

第二节　劳动之社会化

劳动之社会化可分为二种:一为共同操作,一为协力。协力又分单纯协力及复杂协力二种。群工同处,各操所业,互相唱和,鼓舞竞作,此共同操作也。十手合扛一鼎,十足合举一碓,此单纯协力也。群工分操一业,各有专司,递相工作,共举一事,此复杂协力也。复杂协力,以分工为基础,普通所谓分劳或分工者即此。

自分工之性质及其发达程序而类别之,可分为自然的分工、社会的分工、劳动的分工三种。自社会经济进步之顺序而类别之,可分为无意识的分工、有意识的分工二种。

初民时代,人口稀薄,经济自给,其分工也甚自然,即所谓性的分工者是也。男性从事战争,并生产食料品及必需之器具;女性掌管家事,整具衣食,即从事烹饪纺织裁缝等项工作。各司其事,各尽其能;自为生产,自为消费。

故此种自然的分工仅行于一团体之内,纯为经济单位内之分工而非经济单位间之分工,此时生产物无买卖之事,亦无商品之性质。

迨后人口增加,欲望增进,遂有提高生产力之必要,而分工之范围因以扩张。于是分工不仅行于一经济单位之内,而行于一经济单位与他经济单位之间。于是有务农者,有务工者,职业之分化遂以形成,而社会的分工以起。最初独立之主要工业即为手工业。自是分工更进,同种职业内又起分工。如同一农业而有稼有圃有牧畜,同一工业而有金工染工纺织工,盖愈趋愈杂矣。

由自然的分工进至社会的分工,其必然产生之结果,厥为生产物之商品化。手工业发达则生产物多,生产物多则交易生,交易生则产出新分工,而以交易为专业之商人发生,商业资本及商业资本家于是成立。

社会的分工发达至此程度,概由无计划无意识之自然演进而来,至于劳动的分工,则有意识、有计划,在近世产业资本家出世之后始发达者也。近代的产业资本家,以其资本之力,驱多数无产者集合于有意识的计划之下,使从事操作而自负中央管理之任,形成现代大规模之机械工业组织。此种分工,系就从前一劳动者所为之劳动,更依其顺序与种类,分为若干种之劳动,使若干劳动者各依所长,专任一事。分之又分,则事节而人易习,业专而玩愒不生,用意精而机巧出,生产力既因而提高,产品自因而丰富,资本愈因而增殖矣。此劳动的分工促生产力发达之大较也。

第三节　劳动手段之发展

促生产力之发达者,厥为劳动手段之发展。

福兰克林曰:"人者,制造器具之动物也。"劳动手段云者,即广义之器具之谓。制造器具之能力,唯人类有之,为其他动物所无,此人禽经济间之根本区别也。然劳动手段之制造何以能增加生产力,其原因当如次述。

人欲生产物质,必须就外界物体加以相当之运动;欲引起此运动,即不能不运用其肉体之器官。但人类此等肉体器官之种类与作用,受先天之限制,非人力所能左右,故人决不能凭借此等自然器官以促生产力之发展,惟赖有劳动手段,始能补自然器官之不备。劳动手段,系就未制物加工而成之制品,随人智之发达而改良进步。故劳动手段制造能力之发生,能使人类自然器官延长于自然界,能使人力脱离生理器官之束缚,又能促进劳动之社会的结合。劳动手段与分工相须并进。而各个人之劳动遂生无数之差异,生产力遂因而发达。此器具能增高生产力之原因也。

再说机械。机械系于器具之上装置便于操纵器具之机械而成,其作用与器具有别。在器具一方面,器具为唯一之劳动手段,介乎劳动者与劳动对象之间,在机械一方面,器具之外,更有便于操纵之机械的装置,机械又介乎器具与劳动者之间。故机械之构造比器具复杂,使用机械时劳动者与劳动对象之关系较使用器具时之关系亦为间接的。器具虽能补吾人生理器官之不备,而操纵此器具者仍为此作用有限之生理器官,故器具之利用仍大受限制,而机械则更能使吾人自由操纵器具,故生产力能大见增加。

机械次第改良,一机械中能装置多数器具,机械之总体加大,故人又发明发动机供给特别动力以转运之,生产力更增发展。机械之为物能以一个动力同时操纵数十数百之器具,故生产力能增高数十数百倍。今更发明发动机,同时使用一动力以操纵多数机械则其生产力更增若干倍可知。机械之数增加,则所用之发动机须有更大之装置,故人又发明传力机以传达发动机所供给之动力。故现代大规模之工场中,有多数作业机发动机与传力机结合而成为一大机械。

机械之结合,与劳动之结合同。劳动结合,有单纯协力与复杂协力之分,机械结合,亦有单纯与复杂之别。① 在手工业工场中,劳动者初仅为单纯之协力,后乃为复杂之协力。② 自机械发明,手工业进为机械工业,其趣亦同。初期机械工场中,一工场内之作业机,其种类皆同,同由一发动机连络之,各作业机互相独立,以生产一定之生产物,故其生产物,完全为一种作业机之生产物。迨后机械亦有分工,一工场内异种之机械亦能连络,一机械之生产物即成为他机械之原料,递相衔接,继续工作。如此,一定之原料,在同一工场内通过种种之机械,始得完成一种生产物。故今日之机械工业,不仅一动力能运动多数机械,且能联络多种相异之机械,而造成作用极复杂之大机械。生产力之发达,风起云涌,盖有由也。

第四节　人群之战争

促进社会之发达者,则为人群之斗争。

人群中之各个人,自始即形成多数大小共同团体以营社会生活。共同团体与共团体之间势必互相接触,其接触也,或出于平和,或出于斗争,而出于平

---

① 修订版将此句改为"劳动结合,先为单纯之协力,后乃为复杂之协力"。——编者注
② 修订版删除了此句。——编者注

和者少,出于斗争者多。

共同团体战争之起源,最初由于物资之不足。人口增加而物资①缺乏,则发生团体之生存斗争。斗争之结果,一方胜利则他方失败,被征服者为征服者所掠夺,以补其物资之不足。故人群之战争纯以经济的利益为目的。盖人有厌恶劳动之本性,与其借劳动之经济的手段以谋生,毋宁借掠夺之政治的手段以谋生,此人群斗争之原因也。

人群之战争,至私产制确立,阶级分离以后,则其性质与前大异。盖在阶级分离之后,战争概由治者阶级主持,治者阶级利用战争以为扩大掠夺范围之手段。自被治者阶级视之,此种战争完全与自身之生存问题无关。其军队为治者阶级之军队,平民仅以佣兵或征兵之资格参加,受治者阶级之指挥而已。治者阶级攻城夺地,私利是图,被治阶级徒以身家妻子供其牺牲,无毫发之益而有丘山之损。今日之战争类如是也。

一人群被他人群征服之后,则形成之新社会分为被征服者与征服者二阶级,一方从事经济的劳动以生产物资,他方则执掌统治军事宗教等事宜而剥削前者劳动所得之成果以支持生活。所谓国家之组织,遂从此种阶级的社会产出而立于社会之上。

人群斗争之结果,社会大生变化,举其重要者约有三端。第一,社会内部裂成征服与被征服之二大阶级,互相对抗,不可调和,故征服阶级利用优越势力,建立国家以调剂之。第二,相异之两共同团体接触之后,必于其自然环境中发见相异之生产手段或生活手段。生产手段或生活手段相异,则其生产方法、生活方法及生产物亦必相异。于是发生新交换关系。交换之范围扩张,生产之范围亦随而扩张,转能促进生产之发展形成新生产关系。第三,相异之共同团体,其双方所特有之政教风俗习惯语言学术等项亦必互相融和而形成与新生产关系相适应之新文化,此征之史乘而可考者也。

第五节　交换范围之扩大

交换之意义,经济学者之解释不同。予以交换即有无相通之义,可分为二

---

① 修订版将"物资"改为"物产"。——编者注

类说明之:其一系以消费为目的而行之变换,其二系以贩卖为目的而行之交换。在人类从自然采集食物之时代,以有易无之交换行为即已发生。迨后畜牧发明,人类实行家族共产制度,交换之关系较多,如民族内部各个人勤劳之交换,亦不失为一种交换行为,又如氏族与氏族间之物物交换及以赠与酬谢纳贡掠夺等形式而移转其物财者,皆交换也。惟此种交换,大体上均出于消费之目的,无商品之性质,所谓以消费为目的而行之交换是也。且此时交换恒由共同团体行之,而非由各个人直接行之,故交换之关系简单,而其范围亦极有限。

自性的分工移至社会的分工,私有财产制确立之后,则交换之性质大变。分工既日趋于复杂,则从事生产者更不能不变卖其生产物以购买生活必需之资料,故私产制确立后之交换,实含有交换财之所有权之性质,所谓以贩卖为目的而行之交换是也。此时之交换由个人直接行之。故交换关系日趋复杂,而其范围亦趋于扩大。

助长交换范围扩大之根本要素有二,人的根本要素与物的根本要素是也。人的根本要素即商人阶级,物的根本要素即交通机关与货币。

分工既杂,生产者之种类愈多。生产者与生产者直接实行物物交换,不胜其烦。且其交换范围仅限于附近区域,而不能行远,以生产者不能为交换旷日辍业故。于是必有商人居间为之懋迁,既可免各生产者间直接交换之烦,且得扩张其交换之范围于异域。

在物物交换时代,虽有商人居间为之懋迁,势难负重致远,故交换范围之扩张又有待于货币之功用。货币酝酿于交换之中,随交换之发达而发达,又能变易交换之形式。换言之,货币既可以扩大交换之范围,增加交换之密度,又能增加货物之普通性与流行性,能使素无关系而又疏远之交换者互相接触,故能促进交换范围之扩大。

然有货币而无交通机关为之助,则交换范围仍属有限。交通机关发达,能短缩地方或世界经济之距离,人类交通,货物运输,均趋于便利,交换范围之扩大乃无止境。吾人寻求经济组织之变迁,由自足孤立经济而村落经济,而庄园经济,而都市经济,而领域经济,而国民经济,以趋于世界经济,皆交通机关发达之力也。近世交通机关发达之结果,无幽不瞩,匪险不探,资本阶级挟其资本之力,利用新生产技术,促成全世界之商品主义化,踏遍天涯海角以寻求消费者。使一切足迹所到舟车所至之壤地,悉化为商品之市场,使一切圆颅方趾之人类,悉立于生产关系之上。合 16 亿之人口与六大洲之土地而构成极复杂极广大之社会,社会之发达至此,可谓已臻极境矣。

第六节　文物制度之发达

随生产力平行发达者,厥为文物制度。古代社会,生产力极其幼稚,人与人之经济关系亦非常简单,所谓文物制度,均包括于浑一的共同生活习惯中,文明人所称政治法制道德宗教科学艺术哲学等,皆由此浑一的共同生活习惯分化而出者也。盖初民之营共同生活也,知凭借习惯的拘束力以维持团体,和解内争,是即政治法制之萌芽;知发挥其为团体牺牲之本能以保存自身蕃卫种族,是即道德之萌芽;知崇拜神灵以希求避免自然界之压迫,是即宗教之萌芽;知于欲望充足之后,举行舞蹈歌唱以消遣其剩余势力,是即艺术之萌芽;知制造器具以生产生活资料,并借经验之集积以遗传其生产方法于后世,是即科学之萌芽;知发明假说以求说明自然界之神秘,是即哲学之萌芽。迨至文明初期,生产力日见发达,私产制成立而阶级之区别判然,旧日之浑一的共同生活习惯,已不能缓和阶级间之利害冲突,于是经济上占优势之阶级乃建立国家,创设法制,借公共权力以维持社会之秩序,缓和阶级之冲突,而政治法制遂愈增复杂,因而道德宗教科学艺术哲学等亦随社会关系之复杂与社会范围之扩大而平行发展。驯至今日,文物制度,灿然大备,推厥根由,实生产力发达之所致也。

第六章　家　族

第一节　家族之起源

家族为社会生活之摇篮。人类种族之绵延发达,皆由家族之根干而来;个人之营社会生活,皆由此家族共同团体之媒介而起。社会由低级阶段进至高级阶段之时,家族亦由低级形态进至高级形态,故吾人苟能究知家族之发达,即足以窥见社会进化之原理,家族制度之研究,固至重要而不可缺者也。

惟于此有一事应注意者,吾人既欲研究家族制度,斯不能不穷究家族之起源及其变迁;而欲穷究家族之起源及其变迁,斯不能不追逐人类历史之源流,逆航而上溯于原始社会之形态。惟其如此,故吾人务宜屏除心意之陋习,慎勿用现代文明人之色眼镜,以检察现代制度之标准检察古代社会之制度,而自陷于谬误也。盖人类之起源,杳不可测,据今日地质学人类学所举之确证,人类之发生当在 20 万年至 50 万年以前,而人类可稽之历史不过 6000 年耳,是吾人对于人类发达之历史所知者仅为 1%,其余 99% 则概以"有史以前"四字包括之,置不复道。故居今日而欲研究家族之起源,舍采用人类学风土学者所研究之结果为根据无由也。近今社会学者中用风土学人类学的方法以研究古代家族之形态者甚多,若巴可芬,若玛克伦南,若莫尔甘,若恩格斯,皆其最著者也。至若莫尔甘所论,则以久居北美印的安种族之故,皆实事求是,所著《古代社会》一书,对于家族制度之起源发达,言之尤能有物,诚最良研究资料也。兹参证诸家之说,择其信而有征者述之于下。

莫尔甘寄居印的安伊洛葛种人之间,习知伊洛葛种人之男女关系,为一种偶婚制,殆与临时的一夫一妇制相似,所不同者男女双方得自由离合,在一定时期,夫妇之关系殆为一定,父子关系亦易于明了。惟有奇异之点,即伊洛葛人之男子对于亲生子女与兄弟之子女概呼为子女,此辈子女则称之为父;对于姊妹之子女则呼为甥侄,此辈甥侄则称之为诸父。妇人对于亲生子女与姊妹之子女概呼为子女,此辈子女则称之为母;对于兄之子女则呼为甥侄,此辈甥侄则称之为诸母。兄弟之子女互称为兄弟姊妹;姊妹之子乎女亦互称为兄弟姊妹。兄弟之子女及姊妹之子女则互称为表兄弟姊妹。

此种奇异之称呼,不仅伊洛葛人为然,即美洲印的安种人全部亦然,又如东半球之印度土人亦莫不然,其他如澳洲及非洲土人亦大致相似,惟形式略异耳。此种与实际关系相异之亲族制度果何由而生?散居世界各地而毫无关系之多数种人果何由而发生此种一致之现象?此其中必有甚深之理由在也。

此种与实际关系相异之亲族制度,盖有所自来,此证之夏威夷种人之男女关系可知也。夏威夷种人至19世纪中叶为止,男女之间确会结合与上述亲族制度相应之实际关系。故夏威夷种人对于兄弟姊妹之子女皆视为亲生子女,而此辈兄弟姊妹之子女则皆互称为兄弟姊妹。因此可证伊洛葛种人所以有上述亲族制度者,实因前此确有结合此种实际的男女关系之痕迹也。故男女之实际关系恒随社会之发达而变迁,并无一定,亲族制度在其变迁之后,犹得保持旧状,此制度与实际所以常不一致也。

是故古代社会之男女关系与今日之一夫一妇制大不相同,多数兄弟有共通之妻,多数姊妹有共通之夫,准此逆溯而上,则必有一群之兄弟姊妹为自然夫妇者,即所谓自由多夫多妻制度者是也。

由此更逆溯而考及最原始之家族状态,则必为自由性交之时代,即一种族之中,一切女子属于一切男子,一切男子属于一切女子之男女关系是也。此莫尔甘及其他多数学者所认为确实者也。

此种杂婚状态或系最原始时代之男女关系,今已不能探出直接之证据,然亦不能列举反对之证据以打消之。因此之故,学者间聚讼纷纭,莫衷一是。道学的社会学者则极端否认,视杂婚为人类之耻辱,恒引高等动物为例,谓"类人猿亦有正当夫妻关系,何况于人?"率真的社会学者则不加否认,视杂婚为人类进化必经之阶段,恒引现存野蛮种人为例,谓"现今白令海峡种人英领北美亚撒巴斯干种人确有血族相奸之实事,不能借类人猿为例以证明人类杂婚制之不存在"。然恩格斯则以为杂婚制为人类社会所以脱离动物社会之原因。盖人类之所以能适于生存竞争而不至于灭亡者,以其能合群也。而雌雄嫉妒之情感,实为妨碍一切动物合群之原动力。家族结合最坚固之动物,其合群之本能甚弱;性交自由之动物,其合群之本能甚强。故欲使合群组织之发达,必以男女关系自由为要件。原人男女间无所谓妒嫉之情感,故能结成大社会组织,脱出动物之境,此亦事实之或然者也。

第二节　血族群婚家族

如上所述,人类社会,在最初似为杂婚之动物群。据莫尔甘之说,由杂婚状态更进一步,则自然发生血族群婚之家族。在此种家族内,亲子间之性交首先禁止,祖辈与孙辈间之性交亦同时禁绝。于是多数之兄弟姊妹,自然成为一群之夫妇,故称为血族群婚家族。

此种血族群婚家族之中,第一列年老之多数兄弟姊妹成为一群之夫妇,所生之子女为第二列,第二列之多数兄弟姊妹又成为一群之夫妇,其所生之子女为第三列,第三列之多数兄弟姊妹亦如之。

虽然,此种血族群婚制度,亦系一种推测,今已不复存在,任何野蛮种人亦未有结合此种男女关系者,惟今之夏威夷种人及波里奈沙种人尚留有与此种实际关系相应之亲族制度而已。此种实际关系虽已废绝,而相应之亲族关系至今犹存,则杂婚之次必经血族群婚之一阶级,决非空想之言也。

第三节　半血族群婚家族

据莫尔甘所见,血族群婚家族更进一步,当为半血族群婚家族。半血族群婚者,即同胞兄弟姊妹禁止通婚是也。同胞禁止通婚之理由,纯为自然淘汰之结果。彼原人知识幼稚,固无所谓自然淘汰之进化观念,彼习见夫同胞通婚种族生而不繁,远不及同胞禁婚种族繁殖力之大,故不觉发生同胞禁婚之情感也。

在此种半血族群婚家族中,有一家族之全部人员构成一户,以营共同生活者;又有一家族分为数户而居者;盖以生齿日繁,合居一户,势有不能,故不得不分户别居也。然当构成新户之时,同母兄弟姊妹既已禁止通婚,则兄弟与姊妹不能不另求通婚之对手。故甲母所生之兄弟与乙母所生之姊妹通婚,甲母所生之姊妹与丙母所生之兄弟通婚,各自另成一户。由此更进而有以数人之兄弟为中心与非姊妹之数女子婚媾以成一户者。亦有以数人之姊妹为中心而与非兄弟之数男子婚媾以成一户者。据夏威夷种人之风俗,多数姊妹,从姊妹,再从姊妹成为一团,以非兄弟之多数男子为共通之夫,此多数共通之夫,互称亲友,不称兄弟。又多数兄弟,从兄弟,再从兄弟成为一团,以非姊妹之多数女子为共通之妻,此多数共通之妻亦互称亲友,不称姊妹。此半血族群婚制之实例也。

此种半血族群婚之男女关系,与伊洛葛种人之亲族制度相适合。伊洛葛人之称谓,父之兄弟之子与母之姊妹之子皆以兄弟姊妹行,父之姊妹之子与母之兄弟之子皆以从兄弟姊妹行。若由夫妇关系之点言之,是母之姊妹之夫亦为母之夫,父之兄弟之妻亦为父之妻也。此种男女实际关系在今之伊洛葛种人虽已禁绝,然就此种亲族制度推测之,足证曩昔确有此种半血族群婚之实事也。

此外澳洲之群婚制度亦有与此相似者,据英国宣教师菲逊研究澳洲种人家族制度之结果,谓南澳洲甘姆比亚山地之黑人,一族分为二大阶级;阶级之内严禁通婚,一阶级之男子生而为他阶级一切女子共通之夫,一阶级之女子生而为他阶级一切男子共通之妻,盖实行所谓阶级群婚者也。又如澳洲丹林河畔之卡米拉洛人原分二阶级,后更分为四阶级。四阶级之中,第一、第二两阶级之男女为夫妇,第三、第四两阶级之男女互为夫妇。第一阶级女子所生之子女属于第三阶级,第二阶级女子所生者属于第四阶级;第三阶级女子所生者属于第一阶级,第四阶级女子所生者属于第二阶级;盖所以避除同胞相婚,而其为群婚制度则一也。

群婚时代,亲子关系最难分辨,惟自为母者观之,家中一切子女皆视为己出,故血统由女子传之。此种女系血统,后乃逐渐发达而成为女系制度,更发达①而成为母系大家族制度,再加以种种宗教上之仪式习惯,遂至成为氏族制

---

① 修订版删除了"而成为女系制度,更发达"等文字。——编者注

度,此氏族制度所以托始于半血族群婚家族也。

第四节 对偶婚姻家族

由半血族群婚家族更进一步,则为对偶婚姻家族。在群婚之时,男女之间有一种正夫正妻之关系,例如十男子与十女子虽结为一群夫妇,而有时其中一男子择一女子为正妻,以其余九人为副妻;一女子择一男子正夫,以其余九人为副夫。此种夫妇关系为便利起见,非由爱情而起,然已带有对偶婚姻之倾向。此种制度发达之结果,男女通婚之禁制逐渐推广,同一氏族内之群婚生活殆不可能,于是甲氏之男子不能不求乙氏之女为妻矣。是为对偶婚姻之由来。

据伊洛葛种人之家族制度,一男一女之配偶数组,合居于所谓"长屋"之内,以营共产生活。此种"长屋"之家族,多由老年之母亲掌管家政,男女婚媾之事则均老母操之。婚约既定,即由男子纳礼物于对方之母亲而赘入其家,率以为常。此种夫妻关系亦非永久性质,合则留不合则去,由男女双方自由定之。惟当夫妻不睦之时,有时亦有经亲戚调处和好如初者,调处无效,则男子离女家他去。此伊洛葛种人现行之婚制也。

此种对偶婚姻与现今之一夫一妻制相似,惟有一显著之差异,即此时女子之地位较男子为优是也。盖在群婚时代,父子关系不明,血统由女系传之,遂发生固定之母系制度,由母系制度①更进而发生氏族制度,故氏族内,女子之权势甚占优胜。其后由群婚进为偶婚,父子之关系虽明,而一切子女概属于母系,男子仅有赘婿之身份而已。据伊洛葛种人之偶婚家族制度,家政操之母系,婚姻之结合,均由母系定之,男子因招赘而往为之婿,离婚时则去而之他,女了权势之大可见一斑。

故野蛮时代女子之地位较男子为高,据历史上尝传女酋长一事为证,不难充分说明也。即如今北美休伦种人现行之氏族会议制度,女子亦比男子为优。休伦种人之一族由十一氏族组合而成,其氏族会议由各氏选出四女子一男子为代表组织之,以处理共通事物。女权之优胜概可想见矣。

———————

① 修订版删除了"由母系制度"五字。——编者注

第五节 一夫一妻制家族

由对偶婚姻家族更进一步,则为一夫一妻制家族。群婚制为野蛮时代之特征,偶婚制为半开时代之特征,一夫一妻制为文明时代之特征。

家族制度由杂婚以进至偶婚,其原动力为血族禁婚,盖经历自然之变迁而来;至由偶婚而进至所谓一夫一妻之文明婚制,则另有一种新原动力在,即财产是也。社会自有财产,始发生个人私产制度,同时偶婚亦一变而为一夫一妻制,遂逐渐进至文明时代。故欲说明由偶婚进至一夫一妻制之变迁,宜先说明财产之由来。

在昔性的分工时代,男任渔猎,女任家事,勤劳所得,供消费而无余,故无财产观念。自畜牧发明以后,男子则专任畜牧,而渔猎转成附属工作,出产逐渐增加,劳动力亦有余裕,战争所获俘虏,成为生产之奴隶,而奴隶与家畜遂成为家族之财产。惟此时为女系家族制度,生财者虽为男子,而财产权则由女子操之,男子由外赘入,殆与现今女子之身份相似,无干预家政之权。但营利手段操于男子之手,男子在生产力方面既占据重要地位,彼习见夫家财之由女子系传统,男系绝无继承之权,其必起而推翻女系财产权,乃势所必至,此父家长制所以继女家长制而起也。要而言之,财产增加,男子势必掌握财产之权,因而男子之权势逐渐增高,私产之观念逐渐深刻,家畜私有,奴隶私有,甚至妇人及儿女私有,女权至是扫地,降至文明时代,女子之屈从、堕落、萎缩,已达于极点矣。

男权确立,女权不振,于是女子出嫁于男子之氏族,而掠夺婚姻以起,此证之现今澳洲及南美种人可知也。继掠夺婚姻而起者则为买卖婚姻,此为现存野蛮人盛行之婚制,近今文明人所谓纳聘之婚式,正相类似,要皆为依据财产而成立之男女关系也。

由偶婚制至一夫一妇制,须经历父家长制之阶级。父家长制之特色,由男子行使家长权管理妻子及奴隶,而实行一种家族共产制度。同时女子与奴隶均为家长之财产。故男子为确立男权计,遂课女子以严重之贞操,操生杀予夺之权,是为宗法家族,又为一夫一妇制过渡形态。

通观野蛮半开文明三时代,男女关系特征为群婚偶婚及一夫一妻制三种。此外又有所谓一夫多妻制与一妻多夫制者,然属于例外之形式,实非普遍之婚制也。群婚因受制限转成偶婚,偶婚因私产成立更转成一夫一妻制。

偶婚制与一夫一妻制之区别,在偶婚一方面,女权较男子为优,亦可称为一时的一夫一妻制,双方离合自由,自转成一夫一妻制以后,夫妇关系成为永久性质,男子得任意出妻,女子则否。且男子有余力者得广置妻妾,纵欲无度。故一夫一妻制之实际,与男子片面的群婚制无以异也。

一夫一妻制之最不自然者,无如私通与卖淫。男子课女子以严重之贞操,禁锁深闺,不使与外界接触,而女子仍不免有私奔之事,中菁之积德,不可胜数。其在男子一方面,则狎妓宿娼,荒淫无度,女子无可如何也。故形式上虽为一夫一妻,而实际上男子则人尽可妻,女子则人尽可夫,其矛盾孰大焉。

溯一夫一妻制之成立,实由男权确立之故;男权之确立,实由共有财产化成男子私产之故。世之道学者,宗教家,恒视一夫一妻制为最神圣、最高尚、高纯洁之男女关系,而不知其并非出自爱情而出自财产关系也。世有私产发生,而社会有贫富之别,富者凭借经济势力,成为治者,成为权力者,以压迫贫人,虐待贫人;男子在家族内亦凭借经济势力,成为治者,成为权力者,以压迫女子,虐待女子。此女子所以侪于奴隶之列也。

第六节　妇女解放与家庭之将来

家庭制度之变迁,女权不振之由来,如上所述,已见一斑,兹更进而推论妇女之解放与家庭之将来。

一夫一妻制至今日可谓异常发达,固世人所视为最道德之男女关系者也,然以社会学的见地观察之,则有未尽然者。通观今日文明社会之婚制,大略不出父母包办制及政略结婚金钱结婚数种,最近虽有由当事人自由结合者,然基于恋爱之结合,实居少数。今日妇女谋生之方法,不出三途,即"做妻妾"、"卖淫"及"从事职业"是也。三者除职业妇人自食其力外,其余做妻妾与卖淫者,在社会上之名誉虽殊,而其特性以谋生则一也。今日妇女之种类亦不出三种,即所谓"贵妇人"、"中流妇人"及"无产妇人"是也,三者除无产妇人在家庭地位较优以外,其余所谓贵妇人与中流妇人在社会上之地位虽殊,而其为男子之性的奴隶则一也。妇女地位之低劣如此,男女关系之不合理性如此,其果一成而不变乎,吾人有以知其必不然也。

　　盖男女关系随经济之进化为推移,故将来男女关系之变迁,亦惟有于将来经济状态之变迁中推论之。私产制度成立以来,至今已数千年,而贫富阶级之斗争至今亦数千年,经济进化之极致,贫者阶级必有一日制胜富者阶级而演出经济上之大变革,建立无私产之新社会。[①] 无私产之新社会实现,则一夫一妻制所借以成立之经济基础亦归于覆灭。原一夫一妻制系由传授遗产于子孙之必要而生,新社会既无私产,则男性传授遗产于子孙之观念势必改变。一夫一妻制既因经济的理由而生、经济的理由消灭,则一夫一妻制亦必随而消灭。与其谓为消灭,即谓为一夫一妻制之完全实现,亦无不可也。生产手段既归社会公有,女子斯无委身男子谋生之必要,而根据恋爱结合之一夫一妻制定能实现。至此则男性之状态必与旧日相反,而女性之状态亦必大生变化。生产手段既转为公共财产,则单一家族,已非社会之经济单位。私的家计成为一种社会的产业。子女之扶养及教育成为公共事务,社会对于一切儿童,无嫡出私生之别,一律平等保护。于是男女自由恋爱之障碍消除,而真正之恋爱成立。世之道学者流,昧于男女关系进化之历程,窃虑将来男女之防范一弛,则男女关系杂乱放纵,势非恢复古代杂婚或群婚之状态不止,人类且有沦于禽兽之虞,故对于恋爱结合,视为异端邪说,极端辟斥,是又过矣。历史为进化的而非退化的。一切社会制度,因时势之必要而生,亦随时势之必要而亡。家族制度为社会制度之一,苟于人类之存在有绝对必要,虽欲破坏而无从,苟于人类有害,虽欲保存之亦不得也。母系制度废除之后,人类至今犹存,则父系制之废除,人类又焉有绝灭之患哉。

---

　　① 修订版将此句中的"而贫富阶级之斗争……建立无私产之新社会"改为"经济进化之极致,必有无私产之新社会出现"。——编者注

第七章　氏　族

第一节　氏族之界说

有史以前为氏族之历史，有史以后为国家之历史。氏族组织崩而国家代兴，国家建立于氏族组织废墟之上，非由氏族直接演进而来者也。兹于论国家之前，先论氏族。

氏族可分母系氏族及父系氏族两种：血统由母系继承者，谓之母系氏族；血统由父系继承者，谓之父系氏族。氏族之血统与家族之血统平行。氏族由同出于母系者构成之时，则家族必由母系传统；氏族由同出于父系者构成之时，则家族必由父系传统。二者之中，父系家族较母系家族为进化，故父系氏族亦较母系氏族为进化。据莫尔甘、恩格斯两氏之研究，北美印的安伊洛葛之氏族为一切[①]氏族之典型，而西洋古代史中所传之希腊氏族与罗马氏族则已进化于伊洛葛氏族之前。伊洛葛氏族者，母系氏族也；希腊氏族与罗马氏族者，父系氏族也。前者尚在野蛮时代之状态，后者已入于文明初期之状态。溯氏族之发生，托始于半血族群婚家族，盖在群婚时代，多数之父母与子女构成一家族，亲子关系最难明了，父莫辨谁为亲生子，子莫辨谁为亲生父。所能分辨者，母子之关系而已。故血统自当由女系传之，后遂发达而成为母系制度。惟在半血族群婚家族之内，性交之制限逐渐推广，不仅同母兄弟姊妹禁止通婚，即同出一祖母之兄弟姊妹或从兄弟姊妹之间亦严加限制。禁婚之范围扩张，遂至同出一母系之家族全体中之一切性交完全禁绝。于是内部不婚之一母系大家族，益以种种宗教上之仪式及习惯，遂以构成一氏族，是即母系氏族。

---

① 修订版删除了"一切"两字。——编者注

至于父系氏族,乃在父家长制家族发生之后出现者也。

氏族虽有母系与父系之分,然同为民族未建立国家以前之社会形式,其性质大同而小异,举其重要之点约有六端。

第一,同血统　无论母系氏族或父系氏族,凡组成一氏族之各人员,其血统必同出于一母系或父系,至少亦必相信其同属于一母系或父系者。

第二,建图腾　图腾者即标帜之意,氏族之有图腾,所以表示其血统与他氏族有别者也。图腾之种类甚多,有以虫鱼鸟兽名者,有以生物名者,有以地名者,有以先祖名者,有以神名者,其名称虽不一,而其揭举以为征号,则无间于母系或父系而皆同者也。

第三,族内禁婚　氏族发源于半血族群婚家族,实由血族禁婚之制限而起,此不仅母系氏族为然,即在父系氏族亦莫不然。如原史学家所传希腊及罗马氏族,虽间有许可于族内通婚者,然以女承继人或孤女为限,以示财产不出氏族之意,而原则上则禁止族内通婚者也。

第四,财产共有　母系氏族之财产由母系继承,父系氏族之财产由父系继承,其继承之方法虽不同,而其财产除个人所习用之劳动手段及消费物外则概为氏族共有。氏族经济由狩猎进于畜牧,由畜牧进于农耕,其间生产物及土地殆无时不归氏族共有者。

第五,互助互救　氏族为营血族共同生活之团体,对内对外均有互助互救之精神。氏族之扩大而成为宗族成为种族,此互助互救之精神则始终一贯。

第六,宗教仪式及习惯之共同　无论母系氏族或父系氏族均有一定之宗教仪式,并遵守一定之共同习惯。

上六项为一切氏族共通之性质,因此吾人得下一氏族之界说曰:

氏族者乃同出一血统之人员,建立一定图腾,禁止内婚,遵守共同宗教习惯,并实行互助互救以营共产生活之血族共同团体也。

第二节　氏族之组织

血族禁婚与人口增加之结果,原始母氏族分裂为一列支氏族,兼摄数支氏族之母氏族遂形成为宗族;集合多数宗族遂形成为种族;集合多数种族遂形成为种族联合。其中宗族一级,间有缺者,而氏族、种族及种族联合三级,则为氏族组织发展必经之程序,此一切氏族制度之通性也。兹就莫尔甘恩格斯所研究之伊洛葛及希腊罗马之氏族制度,分论氏族、宗族、种族及种族联合之职能。

一、氏族之职能　氏族之职能,举其要者,约有七项。(一)每一氏族设氏族会议及族长;氏族会议由壮年男女组成之,男女有平等投票权;氏族之主权属于氏族会议;族长由氏族会议选举,主持对内对外一切事务;族长有设一人者,有设二人者,有由族内选出者,有由族外选出者,但非世袭;族长对内之威权,纯系道德性质之尊严,无强制之方法;族长有不称职时,得由氏族改选之。(二)氏族具有一定名称,个人之名称,随其所属之氏族为标记。(三)氏族内部严禁通婚。(四)财产不出氏族,死者之遗产,由所属氏族之兄弟姊妹或子女承受。(五)氏族各有共同之墓地,有共同之宗教仪式。(六)氏族得容收外人,但须得氏族会议批准。(七)全氏族互相扶助互相救护,遇有加害于氏族人员,全氏族均为之负责报复。以上为氏族主要之职能,综其大要而论,盖深合于自由平等友爱之原则者也。

二、宗族之职能　宗族由多数氏族合组而成,其职能有一部分为社会的,有一部分为宗教的。举其要者如下。(一)宗族有宗族会议及酋长以处理氏族与氏族间之共通事务。宗族会议由各氏族推举代表或氏族长组织之,酋长由宗族会议选举,不称职者得自由罢免之。(二)各氏族选举族长,宗族会议照例参加,经批准后始为有效。(三)一宗族之长老死亡,他宗族有为治丧之义务。(四)宗族为一军事单位,对外作战时,与他宗族联合抵御。(五)宗族有实行宗教魔术之公所,宗族内各人员,均得参与以受魔术之启发。

三、种族之职能　种族由多数宗族组织而成,亦有直接由多数氏族组织而缺乏宗族一级者,其职能如下。(一)种族设种族会议及元首以处理各宗族或各氏族间之共通事务。种族会议由各氏族选出之族长组织之,元首由种族会议推选。(二)种族会议得规定与其他种族之关系,有对外宣战或媾和之责任。凡属氏族人员,不分男女,均得出席种族会议旁听或发表意见,但无决议权。(三)种族有一定土地。(四)种族有共通之语言及特殊之土语。(五)种族有特殊之宗教形式。(六)氏族选出之族长,须经种族任命,始为有效。(七)种族对外作战时,由种族内著名战士组织远征队或防御队,担任攻守之军事行动。

四、种族联合之职能 种族联合由各血统相接近之多数种族合组而成,其职能如下。(一)种族联合有联合会议①有多头执政,以处理各种族间之事务。(二)联合会议以各种族中之氏族长为代表组织之,为种族联合之最高机关。(三)由联合会议产出执政,执行对内对外一切政事军事诸职务。(四)联合会议得由一种族之要求,召集开会,一切议决案须经各种族表决,始能发生效力。以上为种族联合之职能,殆已粗具民族之形式矣。

由上所述,可知氏族为古代社会组织之单位,由氏族而宗族,由宗族而种族,而种族联合,乃氏族制度发展必经之程序。各级皆为血族关系浓淡不同之集团,各级自身皆有完全组织,各自处理其事务,而又互相辅助。各级组织处理事务之范围,完全包括野蛮民族公共事务之总体。凡成为组成民族之社会单位之氏族,苟有存在之痕迹,不难循此发见与此相似之种族组织。古代民族建国初期最难明了之疑义与谜语,皆可涣然冰释矣。

氏族制度虽极其幼稚,极其单纯,然不失为一种可惊之组织。无军队、无宪兵、无警察、无监狱、无诉讼,亦无贵族、国主、知事及裁判官,然万事之进行,皆有秩序。一切争论纠纷,概由氏族或种族解决,或由各氏族协商解决之。有时虽用复仇之极端手段,然与文明人所用之死刑,显有区别。财产归家族共有,土地归种族共有,男性与女性平等。老弱残废,均由家族赡养,无流离失所之忧。此种氏族社会与文明社会绝不相同,无贫富之分,无阶级之别,无森严之法令,亦无威胁之强权,而各个人性格之威严与夫公直忠勇之道德,自今日文明人视之,殊堪惊叹不置,凡属身历现代蛮族一考察其风土人情者,莫不播为美谈者也。

第三节　氏族之崩坏

氏族发达至于种族一级已臻极境,如更由种族进于种族联合,即预伏崩环之征。盖氏族为对外行生存竞争之组织,又为营共产生活之共同团体。在氏

---

① 修订版删除了"有联合会议"五字。——编者注

族组织全盛时代,地广人稀,生存竞争,尚不剧烈。此时人类完全受自然环境所支配,其营血族共产生活,殆亦自然环境迫之使然也。逮种族组成,则已由狩猎时期进于畜牧时期或农耕时期,土地成为生活唯一之手段。人口稠密,给养艰难,生存竞争,日益激烈。于是种族与种族之间,或互相联合,或互相斗争。互相联合者,殆为血统相近之种族,其间之利害冲突甚少,且为对抗外族计,较适宜于种族之存在。互相斗争者,殆为血统相异之种族,其间之利害冲突必大,其斗争系生存竞争之性质,所谓氏族制度中自由平等友爱之精神,仅行于种族之内,对于种族以外之人则不少宽假,故其战争也非常猛烈,其杀戮之残忍,较之文明人之战争,有过之无不及者。战争之结果,或互相并合,或一方屈服,而发生隶属之关系。此种隶属关系一旦发生,则前此种族中所存自由平等友爱之精神,多少发生变化。故氏族制度发展至于种族联合,即为崩坏之见端。兹更就氏族制度崩坏之经济的原因说明之。

自畜牧成为人类主要之劳动,牛酪兽皮羊毛等出产物增加,而物物交易之经济始生。继之而起者则为园圃耕作,其次为织机熔矿与金属之加工。牧畜农耕及家内手工业相继发明,生产增加,人类之劳动力渐有余裕,各个人一日所分担之劳动量遂以增高,于是发生新劳动力之需要。供给此项新劳动力者厥为战争,战争所获之俘虏遂成为生产之奴隶。劳动之生产率增加,财富之分量增加,生产之范围扩大,而奴隶制度之发生遂成为历史的条件。社会因第一次大分业裂成两大阶级,即主人与奴隶、剥削者与被剥削者是也。

家畜一旦成为一种新财产,家族制度遂经一度之革命。盖此时营利当为男性事业,营利手段为男性所生产而成为男性之财产。女性逐渐为家内劳动所限而不从事于社会的生产,遂至失其财产权。因此,诱致母权制之灭亡与父权制之开始,而单一家族之男性支配遂以确立。

迨至铁器时代,人类知发明铁器使用,而土地日以开垦,农耕日见发达,手工业日趋繁盛。行业既多,不能不更行分工,而第二次大分业以起,工业遂自农业分化而出。农工分业,而直接以交易目的之商品生产发生。此时商业不仅行于一种族或一境界之内,实已越境与异域互市,贵金属已成货币的商品,惟不加铸造而已。

富者与贫者之差别,即为自由人与奴隶之差别。各家族长财产多寡之不同,诱致旧时共产家计之消灭,土地共有制度亦因而破坏,单一家族,至是成为社会之经济的单位。

人口既日趋于稠密,则对内对外均发生紧密的团结之必要。各种族之互相联合乃成为自然之趋势。各种族既互相联合,久之自相融洽,同时各种族之领土亦融合而成为一民族之领土。民族成立,则对外不能不设立军帅,对内不能不设置议会民会,而军帅议会民会三者遂变成氏族的社会之机关。

氏族组织之始,无所谓阶级与身份,亦无所谓权利与义务。论其权能,对内则处理种族内部之事务,对外则保护种族之存立。迨后私有制度成立,性质一变。邻族之财富,最足以刺激民族之占有欲,致富遂成为此等种人唯一之目的。彼原人自以为劫夺为致富之手段,故掠夺战争成为彼等经常营利方法,与前此为复仇或扩张领土之战争,大异其趣。掠夺战争,能提高最高军帅等阶级之权力。最高军帅等阶级之权力张,则身份地位之观念萌,而继任一事遂至成为问题,故最高军帅等之后任向例由同一家族选出者,至父权制成立之后,乃逐渐变为世袭制度,世袭贵族阶级即由此而生。于是各种氏族组织机关之作用变更,向之处理种族自身之事务者,今则变为掠夺邻人压迫邻人之组织,向之发表公共意思者,今则变为支配民众压制民众之机关矣。若此者,皆因求富之欲望分裂氏族各员为贫富两阶级之故也。

人类进化至此阶段,遂踏入文明时期。文明由新分业而成,即农工业之外更有商业是也。自有农工之分业,而直接以交易为目的之出产物逐渐增多,各个生产者间之直接交易,成为社会生活之必要条件,商业于以发生。故文明能产生不事生产而事交易之商人,商人介于两生产者之间,以盘剥为能事,操奇计赢,掌握生产之全权,变成社会的寄生动物之阶级。

商业发达,货币产生,息借成立,土地所有权及抵押权亦均盛行,其必然之结果,财富迅速集聚于少数人之手,而民众之贫困日增。贫者多则奴隶之人数亦加多,强制的奴隶劳动制度以成。

社会的变革至此,氏族组织遂开始崩坏。氏族组织以氏族或种族之人员团住于同一领域为前提。自经济界变化之后,诸氏族与诸种族混居,奴隶市民与异域之人杂处。个人与个人之社会关系既生变化,氏族团体之人员,除岁时腊社会行宗教祭祀以外,已不如昔时之集会处理共同事务矣。职业状态变化,社会的编制亦生变化,各个人发生与旧日相反之新需要与新利益。工业者有公会,公会中人员不尽属于同一氏族也,都市中有集团,集团中之人员,不尽属于同一氏族也。职业状态之变化,能使亲属分裂为贫富两阶级;利害关系之冲突,能削弱亲属关系之情谊。氏族组织之团结力弛,各个人为利益之团结力张;需要不同,地位悬殊,利益之冲突日甚,氏族组织不能支配社会之人心,社会显然分成自由人与奴隶,富者与贫者对峙之社会。此种对峙之倾向不但不能融合,且有逐渐增大之势。欲维持此社会之存立,则惟有此等对峙之阶级继续战斗,否则必有第三权力立于此种阶级斗争之上以震慑之和缓之,使进于高级的经济范畴,二者必居其一也。至是氏族组织告终,而国家遂代之而兴。

第八章 国 家

第一节 国家与社会之区别

今之谈社会国家者众矣。然询以何谓社会何谓国家,则茫然无以应也。社会学者昧于社会之意义而侈谈社会,国家学者昧于国家之意义而侈谈国家,浮言愈多,真理愈晦,是不可以不辨也。

近今社会学国家学之派别甚多,而对于社会与国家之见解则有一共通之趋向焉,即混社会与国家为一谈是也。社会学者谓社会为人类心理结合之团体,国家为最高形式之社会,论及社会时恒集其注意于国家;国家学者谓国家为人类应公共需要结成之团体,即系人类精神结合之社会,论及国家时恒集其注意于社会。社会也,国家也,在此等学者之心目中直一而二二而一者也。甚矣其惑也![1] 社会者,人类为满足欲望而直接间接加入生产关系之结合也;国家者,社会历程中之产物,为统治阶级对立而发生者也。国家非即社会,亦非最高形式之社会,乃系政治的共同团体。社会与国家本有互相关联互相错综之点,而其范围,其界限,及其生活内容,实不一致。兹分别说明之。

一、社会形式与国家形式 社会之形式,就生产技术进步之程序言,可别为原始社会、初期封建社会、高级封建社会、资本主义社会、社会主义社会、共产主义社会六种范畴;就空间之生活状态言,则凡直接间接立于生产关系上之一切人类,仅能构成一社会。社会非个人任意之结合或集团,吾人不能强就同立于生产关系上之一切个人,任意划出某一部分人为一种社会,划出他一部分人为另一种社会。至若国家之基础,则建立于阶级对立的社会之上。而阶级

---

① 修订版删除了"甚矣其惑也!"——编者注

对立之事实,托始于初期封建社会,而次第消灭于社会主义社会之中。原始社会中阶级对立之事实,尚未发生,故无国家发生,共产主义社会中,阶级对立之事实已归消灭,故无国家存在。国家之形式,就其发展之程序言,可分为初期封建国家、高级封建国家、资本主义国家,社会主义国家四种范畴;就空间并立之状态言,则可分成无数不同之国家。盖国家以土地区分人民,故得就同立于生产关系上结成社会之一切个人,任意划出一部分人属于一种国家,划出他一部分人属于另一种国家。此社会与国家形式之区别也。

二、社会范围与国家范围　社会决定其所属之人员,视其是否加入于一定生产关系为断,不问其所属之国家如何;国家决定其所属之人民,视其是否归属于一定领土为断,不问其所属之社会如何,故社会之范围与国家之范围,显然不同。例如今日之资本主义社会,就欧洲而论,实跨有英德法意奥匈瑞诸国之领土,然就诸国经济状况而言,诸国决不属于单一之社会形式,以其属于此等国家的共同团体者,非同时同属于某特殊社会形式故也。大凡一国之人民,皆得应用其不同之经济方法以成立物质的交换关系,故自其经济发展之阶段分别言之,有一部分已进至近代资本主义社会者,而其他部分则仍止于封建的或原始自然学的社会状态者。如瑞典之拉布人,虽属于资本主义之瑞典国家,而不属于资本主义社会;如日本之虾夷人,虽属于资本主义之日本国家,而不属于资本主义社会者是。反之,同属于资本主义社会者,又不必其同属于某特殊政体之国家,如英吉利人、法兰西人、美利坚人,虽同属于资本主义社会,而不同属于同一宪政之国家者是。此社会范围与国家范围之区别也。

三、社会人员生活与国家人民生活　个人因取得生活资料而与他人结合以加入一定生产关系之时,则以企业家、劳动者、手工业者、工厂主、银行家、商人、农业者、技师、代理人等之资格,成为社会之人员;其所营之生活为经济的生活。个人因受国家法律或义务所拘束,而加入于政治的关系之时,则以官公吏、政治家、党员、军人、警察、纳税者等之资格,成为国家之人民;其所营之生活为政治的生活。故阶级之区别,乃社会之构造而非国家之构造;阶级乃由经济生活产出之社会等差,而非国家之制度。阶级的社会中之阶级的生产关系,得阶级的国家之承认,又受公共权力之庇护。凡属营社会的生活之各个人,其因阶级的关系取得剥削他人之机会者,更可于国民的生活上取得剥削他人之好机会焉;其因阶级的生产关系而陷于被他人剥削之境遇者,更可于国民的生活上陷于被他人剥削之恶境遇焉。此社会人员生活与国家人民生活之区别也。

四、社会秩序与国家秩序　社会之构成与国家之构成既不相同;同样,社会秩序与国家秩序亦不相同。社会秩序为国家秩序之基础。社会先国家而存在,社会秩序亦先国家秩序而存在。任何社会,其经济的生活历程之结果,必实现规定一定社会关系之规律。苟无此规律,则经济历程中各个人为满足欲望之目的而实行之共同作用无由显现。此规律遂以构成社会秩序。至若国家秩序,本质上乃采用经济历程中规定共同生活或共同作用之规律之一部分纳入国法组织或模型中,以铸成法律或命令者也。质言之,社会的生活历程,恒产出相互之关系,因而发现一种习惯的规律。此等规律,在氏族组织时代,由血族共同团体执行之,迨政治的国家共同团体出,则代替血族共同团体之任务,因而国家秩序遂以代替社会秩序。此社会秩序与国家秩序之区别也。

五、社会的规律与国家的法律　国家秩序虽代替社会秩序,而国家并非收集社会生活全部之材料或全部社会关系,悉举而纳诸法律的规定之下者也。国家法律不过仅就社会中所实现之规律,采其一部分纳入国家秩序之中而已。例如借钱还息,已成为社会生活中通行之规律,国家决不制定借钱必还息或借钱者必应还息若干之法律,以无必要故也。今日之贷借,除亲友外,殆无有借钱不还息者,而息金之多寡亦可由双方自由协定。法律所规定者仅防止重利盘剥,或规定索债之权利及还债之义务耳。又如商品价格应否依需给关系决定;利润率应否平均;剩余价值应否有定额;工银应否超过最低生活以上;劳动者应否从事剩余劳动而以其利得归诸资本家;利润、利息及地代等应否分离等事,法律亦不加规定,以此等事为经济历程中所必然实现之规律,无特别规定之必要也。价格之形成,剩余价值及利润率之实现,商品之循环,财富之集积,地代之移动,工银之变更等事,殆皆已成为社会的法律,虽未经采入国法范围,而其流行于社会生活之中为各个人所必须遵守,较国法尤有效焉。此外非由经济历程直接产生而由全部社会关系产出者,如犯罪率之升降、出产、结婚、死亡、疾病等之增减;习惯的道德、礼节、仪式等项,皆为社会的法则,亦不属于国法之范围者也。是故国家秩序不包括全社会的规律;国家法律不包括全社会规律之经济的内容。国家法律,要不外采取社会的规律之一部分置于国家强制之下,而其他一部分则作为社会的习惯保持之耳。此社会的规律与国家的法律之区别也。

由以上所述,可知国家与社会虽有互相关联互相错综之点,而其范围、界限及其生活内容实不一致,又乌可混为一谈哉?

第二节　国家之本质

国家之本质如何?此为历代学者聚讼之中心问题,人各一说,莫衷一是。如柏拉图则谓"国家为必要的创造品";亚里士多德则谓"国家为自然生长物";浩布思则谓"国家为人人战争之结果";卢索、斯比诺塞、陆克等则谓"国家为社会契约之结果";黑智儿则谓"国家为法律的道德的政治的自由之实现";西塞洛则谓"国家为法律团体";克来则谓"国家为盗贼团体之制造物",诸如此类,不遑枚举。此等学说,固各自有其相当之见解,惟就社会学的见地观察之,予以为皆非是也。据吾人所自信,国家之本质,应依下列诸点说明之。

一、国家为剥削的支配　欲谋社会秩序之维持,必须实行强制,欲实行强制必须行使权力,此氏族共同团体与国家共同团体之所同者也。惟强制实行之范围与权力行使之程度,则两者大异其趣。氏族共同团体之强制,系应社会之必要而发生之强制。任何社会人员,决无超过社会之必要以上而实行强制之事。其为实行强制而行使之权力,亦以维持社会秩序之必要的程度为限,决不至逸出社会人员所公认之范围以外而行使其权力。至于国家共同团体之强制,则为超出社会之必要而发生之强制,即一部分个人为维持自身利益而加诸其他一部分个人之强制。此种强制固亦有应社会之必要而实行者,而超出此必要之范围以外者实居大部分。其为实行强制而行使之权力,亦超过维持社会秩序之必要的程度以上,常逸出社会人员所公认之范围以外而滥用其权力。又氏族之强制,决无有一部分人剥削他一部分人之利益者;而国家之强制,则必有一部人剥削他一部分人之利益。此种含有剥削的性质之强制,学者称之为支配;滥用权力以行其剥削之实者,则称为剥削的支配。

剥削的支配云者,即一部分人以其自己之意志左右他一部分人,利用之以夺取其目的物之意也。此种利用之目的物,即经济的物资及精神的文化内容是。其利用之方法,对于物资则为剥削,对于文化内容则为享乐之变形。支配阶级非仅于形式上支配下级人民而止,必也驱使下级人民从事苦痛较多之劳动,掠夺其生产之结果,借维持其优裕之生活,而己则专事非生产的工作。阶级的社会组织虽时有变迁,此种剥削之形式虽亦时有差异,而本质上则无不相同。如在今日资本的生产时代,则以地代、利息或利润之形式行之;在昔日之封建时代,则以高禄厚俸之形式行之,其剥削之形式虽不同,而其为剥削则一也。支配阶级及其拥护者之生活,皆恃下级人民之劳动维持之,而其自身决不从事劳动。此对于物质之剥削也。至如道德、学问、艺术等文化内容,其分量并不因使用减少,人人固得而享乐之,似非支配阶级所能独占者。然对于文化内容之享乐,必耗费多量之光阴与努力,非免除生产的劳动之阶级不能为也。学问与艺术,在古代所以成为贵族之享乐品者以此。惟支配阶级既得成为文化之专门享乐者,则此文化内容亦必受一种影响。此影响即为享乐之变形。享乐饮食者必努力具备美酒佳肴以果其口腹;则享乐文化者亦必努力制造文化内容以满足其一己之欲望。制造文化内容以满足欲望之方法,即使此文化内容讴歌其自身或直接间接拥护其利益是也。故支配阶级对于此种文化内容即不独占,且使下级人民亦得享乐之,而具有此种性质之文化内容,实能使彼辈自安于现状,并得诱进其对于支配阶级之尊敬心与服从心焉。此支配阶级掌握社会精神的食物之效也。文化内容自身本无罪,然一经支配阶级所利用,则易变成讴歌或拥护支配阶级利用之资。此点仅就古来文化内容创造者所属之阶级细察之,即不难了解也。文化内容为闲暇之产物,当其始也,纯由免除生产劳动之支配阶级专负创造之责,迨后社会从事闲散生活者日多,遂改由其他有余裕之人创造之,然彼等之得营闲散生活以免除劳动义务,实受支配阶级之庇护,则其所创造之文化内容,亦自然流于享乐的变形之倾向。况享乐者之支配阶级又握有变更文化内容之实力者乎?

二、国家为阶级的支配 共同团体之组成,以全体之共同福利为前提,此氏族与国家之通性也,虽然,于此有一显著之差异焉。氏族之为全体人员谋共同福利也,其共同福利与各人自身之福利,决无厚薄高下之分;国家之为全体人民谋共同福利也,其共同福利与各个人自身之福利则有厚薄高下之分。就国家言,自客观上观察之,国家之富强,即支配阶级利益之增进,此支配阶级为谋全体共同福利,借以拥护其自身之利益者也;自主观上观察之,任何时代之国家,其支配阶级决不忘其自身之利害,支配阶级欲增进其自身之阶级的利益时,则必以谋全体共同福利之活动为其必要之手段。故就国家之本质分析之,阶级的利害者,目的也;共同福利者,手段也。国家所以常为阶级的国家,常为剥削的工具而得维持其存在者,恃此目的与此手段联络之力而已。虽然,阶级的利益与共同福利,亦非相并而行者。当支配阶级谋阶级的利益时,被支配阶级必常立于被剥削者之地位,牺牲而外,无丝毫福利之可言。然被剥削者处阶级的社会中,既受生活欲望之驱迫而加入阶级的生产关系,以维持其卑劣之存在,则在阶级的支配之国家中,其受支配阶级所剥削也,实属无可幸免。当支配阶级谋共同福利时,被支配阶级亦未尝不与支配阶级共休戚者。如国家对内维持安宁秩序、对外保护人民时,支配阶级安则被支配阶级亦与之俱安而同享其福,支配阶级危则被支配阶级亦与之俱危而同受其祸是也。虽然,两者享福被祸之程度亦不可不辨也。方秩序得以维持或国土得以保全之时,支配阶级仍得保持优越势力,所得者大;被支配阶级仅能安居乐业,所得者小。方秩序不能维持或国土不能保全之时,支配阶级仅丧失其优越势力,所失者小;被支配阶级则因此流离失所或因此作战而亡,所失者大。是故支配阶级之谋共同福利,乃拥护阶级的利益之一手段而已。世人不察,或谓国家之最高目的在于谋一般民众之福利,或谓国家为人类道德之最高表现,毋乃太置重于支配阶级之手段而忘其目的之所在也。

三、国家为社会之机关　国家为社会历程中之产物,当社会最初发生经济利害相反之阶级,因而陷于纷乱不可解决之矛盾状态时,则国家遂成为社会之机关而产生。盖社会内部经济利害互相冲突之阶级,苟不欲其自身永远从事无益之斗争,苟不欲社会之因阶级斗争而破灭,则为缓和此斗争以纳诸秩序之圩内,必需要一种超社会之强力以统治之。此强力即国家权力是。故国家为社会之机关,由社会产出而位于社会之上,又渐与社会脱离关系而独立者也。

个人行为之原动力,必经由头脑而后发生,故命令个人从事某种行为时,则此行为必变为意志之动机;同样,支配阶级活动之原动力,亦必经由社会之机关而后发生,故命令支配阶级从事某种活动时,则此活动即成为国家意志之动机。惟个人意志之内容,由个人之欲望构成之;同样,国家意志之内容,亦由支配阶级之欲望构成之。是故历史上国家之意志,大体上实由社会阶级之欲望而定,由阶级之优越势力而定,穷其究竟,则实由生产力及生产关系之发展而定。在生产及交通手段异常发达之今日,国家并无独立发展之独立意志,其成立与发展,惟有由社会经济的生活条件始能说明者也。

国家本为社会因对付内外攻击,防护共同利害而造出之机关,然发生不久,即对社会独立,而成为一定阶级之机关,随阶级的支配之实现而愈益独立。溯国家之成立,实以生产关系为基础,古代国家建筑于奴隶制度之上,由自由人与奴隶构成之;近代国家建筑于工银制度之上,由资本家与劳动者构成之。是故政治的支配与经济的基础,不容分离,古代国家内部之政治的争斗,殆无不与经济的基础有密切之关系者。自国家离社会独立以后,此政治的支配与经济的基础,似乎漠不相关,论国家者则亦淡然忘之矣。政治的支配与经济的基础分离,国家乃永远成为支配阶级之国家而不能代表社会全体,因之免除生产劳动义务而受支配阶级庇荫之职业的政治家与法律家,乃专采法律的形式以规定经济的事实,国家几成为法的构成体,西塞洛氏谓国家为法律团体者,非无故也。

由以所述,国家之本质如何,亦大略可睹已。兹特为国家之概括之定义曰:

国家乃社会之机关,由特殊阶级,以经济的剥削之目的支配下层阶级,并为防止内部革命①与外部攻击而造成者也。

第三节 国家之成立

国家之基础,建立于社会阶级对立之上。方氏族组织发展至于种族互相联合或互相征服之阶段,而社会因劳动之分工及私产制之成立产出贫富阶级对抗时,或更因征服关系产出主奴阶级对抗时,则氏族制度解体而国家发生。盖国家之成立,以阶级之对抗为前提;而阶级之发生,又以经济的进化为前提。

---

① 修订版将"内部革命"改为"内部叛变"。——编者注

溯人类社会经济进化之程序,最初为穴居野处茹毛食血之时代,其次为狩猎时代,再次为游牧时代,最后为农工商业时代。兹依此程序,说明阶级发生之由来及国家成立之经济的前提。

在经济生活极幼稚之时代,阶级无发生之可能,国家亦无成立之可能,固无论矣,即在狩猎时代,亦然。狩猎民族,纯恃狩猎为唯一生活手段,非营共产生活不能维持其存在。是时劳动生产力极其幼稚,既无剩余生产物,斯无财产观念,故氏族组织,完全合乎自由平等友爱之精神,内部阶级区别决无发生之可能。即就对外战争言,胜者对于败者,亦仅掠夺其所有,占领其土地而已,对于俘虏,或鏖杀之,或同化之,亦无蓄为奴隶之事实,以此时无蓄奴之资力,亦无必要故也。故狩猎民族既无贫富或主奴之区别,国家决无发生之可能,今之澳洲狩猎群及北美印的安种族,虽有互相征服或互相联合之事实,而不能建立国家的行政组织以部勒而统治之,即此故也。

自狩猎时代进于游牧时代以后,畜牧成为人类主要之劳动,牛酪兽皮羊毛等出产物逐渐增加。继之而起者为园圃耕作,其次为织机熔矿与金属之加工。牧畜农耕及家内手工业相继发明,生产次第增加,而交易以生。人类之劳动力渐有余裕,各个人一日所分担之劳动量遂以增高,于是发生新劳动力之需要。供给此项新劳动力者厥为战争,战争所获之俘虏,遂成为生产之奴隶。劳动之生产力增高,财富之分量增加,生产之范围扩大,而奴隶制度之发生乃成为历史的条件。社会因第一次大分业遂分裂为主人与奴隶、剥削者与被剥削者两大阶级。其与主奴阶级区别同时而起者,则为家族制度之革命,即父系制家族起而代替母系制家族,而树立单一家族之男性支配是也。各家族长财产多寡之区别即为贫富之区别,因而贫富阶级对立与主奴阶级对立,遂成为国家成立之根据。此游牧民族所以有成立国家之可能性也。

游牧民族较之狩猎民族更有一显著之变化,而成为国家成立之条件者,则有下列三事焉。其一,游牧民族营养力之根源为兽肉酪浆,故能产生体力强壮之人种;其二,生活资料之供给有一定,故人口之出产率增高,种族易于繁殖;其三,游牧民族之武装组织,非常巩固,游牧者之行列与武装军队之行军无异,其停驻之场所与战场之野营无别,其军纪之严整与战术之演习远在狩猎民族或农耕民族之上。游牧民族内部既足以发生阶级对立之事实,又具有具体武力为富者强者所掌握,已俨具国家之雏形,苟更进一步而移徙于水草丰富土地肥沃之区域,或侵入于农耕民族之境内而定居焉,则国家遂以成立。古代尼罗河、幼发辣底斯河、笛格底河、恒河、黄河沿岸建立之国家,殆皆属于此种范畴者也。

其次,渔业民族亦有成立国家之可能。渔业民族者,海上之游牧民族也。其发达之程序,殆与陆上游牧民族同;其内部财产之差别与阶级之形成,亦与游牧民族同。陆地游牧民族以陆地为舞台,海上渔业民族以海上为舞台;游牧民族以马,渔业民族以舟;游牧民族为陆地之强盗,渔业民族为海上之强盗,此证之世界史所记古代民族建国以前之状态可知也。此外渔业民族较腹地浅耕民族或狩猎民族亦有显著之差异:其一,渔业民族多团住于富有渔业区域,人口易于繁殖;其二,肉食之结果能产出勇敢耐劳之人种;其三,渔舟之操纵出没,能产出严整之规律,并养成舟子之服从心,海贼生活之习惯,能造出海上掠夺之武力。渔业民族发展至此,苟更进一步,借其武力以设置便利通商之殖民地,或聚众建立都市而定居焉,即足以成立国家,古代地中海沿岸建立之国家,殆皆属于此种范畴者也。

以上所述为国家成立之经济的前提,兹更据莫尔甘、恩格斯二氏所述雅典罗马日尔曼国家发生之实例,说明氏族与国家递嬗之关系。

第一,雅典国家之发生 雅典在英雄时代,阿替喀四种族,由 12 宗族 360 氏族组织而成,四种族之联合,已具小民族之形式,其公共事务由议会民会及军帅处理,犹留有氏族制度之痕迹焉。迨后因海洋贸易之结果,产出财富之差别,当时氏族组织遂发生破绽,于是有变革之必要。据口碑所传,提西欧为阿替喀王之后,首先废止各种族之行政与议会及地方团体,而将一切种族之行政事宜,悉委诸雅典议会处理,于雅典设置中央政府,并制定国法以统治之。同时,提西欧又将四种族之人员分为贵族农民与工人三阶级。此种分类法,不顾虑个人所属之种族宗族或氏族,亦非以特定之氏族为贵族而以其他氏族为农民或工人,乃以职业纵分氏族之人员为三阶级者也。

海洋贸易及货币经济增大,而土地畜群及各种奢侈品之私产亦因而增大。土地买卖,物品抵当,金钱贷借,抵挡证券等事相继流行,昔日由捕虏变成之奴隶,此时又益以由债务变成之奴隶。更因劳动分工之故,人民之加入职业阶级及营利阶级者愈多,于是氏族人员互相杂处,向之成为一定之土地共同团体以营共同生活者,今则因营利而分散为种种土地团体矣。为支配此类新经济关系计,不能不要求新统治机关,而国家遂应运而生。此新发生之国家,为保护其海洋贸易及船舶,又不能不创设海军。故梭伦以前,雅典人已划分阿替喀四种族为四十八区,规定每区供给军舰一艘及武装海兵,组织共同舰队,据任防御工作。此种公共权力系纠合各土地团体之武装兵士组织而成,与昔日由血族团体组成之武装自治组织截然不同,是为氏族制度解体最显著之点。其次更足以促氏族制度之解体者,厥为纪元前594年梭伦之宪法改革。梭伦将雅典民会议员定为400人,每一种族各选百人,同时又依财产多寡将阿替喀全体国民分为四阶级,认定各阶级有特别之权利与义务。降速纪元前509年,克里斯特尼出,遂完全废除古氏族制度,划分阿替喀全境为百区,以每区为自治的行政单位,得选任长官、会计、裁判官及僧侣,综合十区设立一地方行政团体。地方行政团体,不仅为政治的自治团体,同时又为军事上之团体,各需供给定额之步骑兵及五艘之军舰,并任命司令官。如此成立之十地方行政团体,各选派议员50名,组织雅典议会,雅典国家之政府,即由此议会与一般公共民会组成者也。此雅典国家成立与氏族制度解体之实例也。

第二,罗马国家之发生　古代罗马民族,最初由三种族结合而成,每一种族分为十苛列(即宗族),每一苛列分为十氏族。其氏族组织与古代阿替喀同,公共事务由各氏族长组成之元老院及民会(即苛列会议)议决处理之。惟当时罗马民族中已产生一种种族或家族之贵族,氏族长或元老院议员,惯例由氏族内部之同一氏族选举而出,故某特定之家族已取得特别之权威,而所谓元老院议员之家族遂以产生。此种家族人员称为贵族,垄断入元老院为议员之权利及其他一切职务。

不久,真正罗马人之外,又产生被征服者及移住者之阶级,此等阶级无参与行政之权利。嗣后罗马势力因征服拉丁人地方及附近区域,次第扩大,而被征服之人民及移住者,均成为罗马之人民,惟不属于古罗马种族或氏族,亦不得享有特权而已。彼等为自由人,得私有土地,有纳税当兵之义务,但不能为官吏,不能参与苛列会议,亦不能分受国家征服得来之土地。彼等实为不享受公权之被支配阶级,所谓平民阶级是也。平民阶级人数日益增加,其教育与军事智识亦有进步,遂与老罗马人之贵族阶级相斗争,而平民权利乃逐渐伸张。贵族与平民阶级斗争之结果,至纪元前570年塞维斯王出,遂撤去贵族与平民之差别,废除旧日氏族之组织,另就服军役之全体人民,依其财产之多寡分为6阶级,更依各阶级服兵役之人数编成百人队。有10万亚斯者为第一阶级,须出步兵80队,骑兵18队;有7.5万亚斯者为第二阶级,须出步兵22队;有5万亚斯者为第三阶级,须出步兵20队;有2.5万亚斯者为第四阶级,须出步兵22队;有1.1万亚斯者为第五阶级,须出步兵30队;不及1.1万亚斯者为第六阶级,得免除纳税当兵义务,但在形式上仅出步兵一队。同时废除旧日苛列会议,另创建百人队会议为人民会议,将有财产各阶级之公民,均纳入此会议之中,每一百人队有一投票权。由此更进,罗马国家又将旧日三种族之分割法完全破坏,另分为4个租税区域。各区均各有政治的支配权,同时又为军事上之募兵区域。至是罗马旧日氏族制度完全破坏,从新创成以土地区划与财产差别为基础之国家。此时之公共权力,为服兵役之公民所构成之军队,不仅用以支配奴隶,并用以支配免除当兵与纳税义务之下级人民。此罗马国家成立与氏族制度解体之实例也。

第三,日尔曼国家之发生　日尔曼诸游牧民族,在迁徙以前即已组成氏族。至纪元前数世纪始定居于多瑙、莱因、威斯笃尔及北海诸流域。其公共事务由人民会议及各氏族之首长会议与军帅处理之。首长最初由同一家族选举,迨后渐成为世袭,各氏族中遂形成一种新贵族。军帅最初亦由选举而出,自恺撒时代以后,各种族联合成立,最高军帅渐有独裁势力,已有所谓国王发生,旧日氏族组织乃开始崩坏,此时最高军帅已成为日尔曼民族之大首领,招集有掠夺能力之武士于麾下,以组织掠夺之军队,更依武士之能力分划为若干等级。此种掠夺战争之结果,既足以破坏旧日氏族制度之自由,又足以促成王政之出现。迨后完全征服罗马帝国,国王之左右扈从,遂与罗马宫廷臣仆同为构成新贵族之要素。

日尔曼民族征服罗马帝国以后,少数日尔曼人之支配多数罗马人,其政治组织即保存罗马之地方行政团体,另建一新国家以代替罗马国家。于是日尔曼氏族之代表者遂变为新国家之代表者,其最高代表者即最高军帅。最高军帅因统治被征服地域及镇压被征服人民之故,遂具有最强大之权力,因此最高军帅遂成为国王,最高军帅之军权遂成为国王之王权。至是日尔曼民族对于被征服者建立之新统治权,与氏族制度不能并存,又因两民族互相混合之结果,团体之结合渐带有地域之性质而丧失其血族之性质;旧日氏族,种族以及全民族之血统关系与制度,遂随征服事业之发展与国家之成立而衰颓而消灭矣。此日尔曼国家成立与氏族制度解体之实例也。

第四节　国家之发展

国家与氏族组织不同之点有四:第一,以领土区分人民,与氏族组织之以血统区分者异;第二,设定公共权力,如军队警察监狱及其他强制的施设,与氏族社会中人民之武装的自治组织有别;第三,为维持公共权力,不能不强制国民贡献,而租税及其他徭役以起,此氏族组织所无者也;第四,为掌握公共权力及征税权,而官府遂成为社会之机关立于社会之上,此亦氏族组织所无者也。

国家既代氏族组织而生,而国家秩序亦代社会秩序而起。为维持国家秩序,斯不能不制定国家法律,借公共权力以行之。国家法律者,即采用社会经济生活历程中之一部分规律,借国法之形式以制定者也。社会经济生活之规律既成为富者强者剥削弱者贫者之习惯,则由此规律制定之国法,亦适为富者强者凭借国家权力以保卫财产关系之不正而已耳。故国家之形式虽有不同,其为阶级的剥削的支配则一也。兹更依阶级的社会进化之程序,说明国家之发展。

一、初期封建国家　初期封建国家建立于初期封建社会之上。初期封建社会分为贵族与平民或奴隶所有者与奴隶两大阶级。后者从事生产之劳动,前者则掠夺后者之剩余劳动以为生,即实行所谓奴隶制度者也。此时之经济活动,已由畜牧经济而逐渐移于农耕经济,土地为主要之生产要素。土地为贵族阶级所领有,其利用之方法,半为放牧地,半为农耕地,其不适于农耕或为人力所不能利用之土地,则放弃之作为公地而已。地广人稀,农耕方法又属幼稚,故仅能实行小土地私有制度。就工业方面言,概为家内工作,技术尚属幼稚,其生产品纯为消费物,完全受自足主义所支配。就商业方面言,则定日为市,以有易无,已由物物交易而进于货币交易,惟交通机关,甚不发达,仍未能逸出部落经济之范围(海上民族不在此限)。是故此时之国家为贵族阶级之国家。盖此时之民族已成为地域的共同团体,民族中之酋长及其亲贵即为贵族阶级,一旦奠居于一定区域或征服他民族之土地而定居以后,则最高酋长①即以建都之地为国家之中心,划野分州,封土建国,设官分职,树立统治。此最高酋长即国王,国王分封于各地之行政长官即为小国之诸侯。国王总揽军事大权,办理最高行政事宜,设置监军,监于万国,以行使其统治权。诸侯奉行王命,维持其领土之安全;岁时朝觐会同,赞襄国事;战时应王命出师参与征战。至于一般政治上之施设,要在开荒辟草,治水导河,劝课农桑,督励百工而已。至此时之剥削的支配,则以贡税为直接之收入,诸侯对于国王则仅贡献领地名产以辅助中央财政而已。此初期封建国家之概况也。

二、高级封建国家　高级封建国家建立于高级封建社会之上。高级封建社会分为地主与农奴及工商人民两大阶级。前者掠夺后者劳动之结果,其与初期封建社会无殊,大体上盖实行所谓农奴制度者也。此时代之经济组织较初期封建社会之经济组织有显著之差异。此时之经济,农业占据主要地位,工商业次之。就农业方面言,此时之农业实行大土地私有制度。盖人口增加,农业技术进步之结果,土地需要之程度愈增,而土地所有者(即小国之君主)为扩张土地,增加收入计,遂至互相鲸吞蚕食,产生大土地所有者,而演出大土地私有制度。就工业方面言,职业分化,行业增加,手工业非常发达,其生产品一部分为消费财,一部分为交换财,渐带营利主义之色彩,然未能完全脱离自足主义之支配。就商业方面言,则有大规模之行商及市场商业,纯属货币交易,惟交通机关尚未十分发达,国与国之间,此疆彼界,关卡林立,禁令繁多,货物之运输,商贾之往来,殊多不便,故仍未能逸出地方经济之范围。要而言之,此时农民则散居于农村,工商则集中于都市,都市居农村之中心,附近农民售农产物于都市以购用都市之工业品,事实上都市成为各地方经济之中心,都市附近之区域,俨成一种经济单位。农村中有大土地主、小土地主与农奴佃户之阶级对立,都市有大行东、小行东与职工艺徒之阶级对立。社会之发达至于此境,故每当一有势力之阶级或国民征服他阶级或他国民之后,其最高峰即成为

———————
①　修订版将"酋长"改为"族长"。——编者注

全国之国王,私土子民,宰割天下,分裂河山,将被征服之土地,悉以分封于亲贵扈从,众建诸侯,使守其土,更于此种基础之上,建立中央统治机关。此其政治组织与初期封建国家大致相似,惟有二三特异之点为初期封建国家所无者。王与诸侯之国境,按领地之多寡,分为王畿与公侯伯子男之等差,王与诸侯之近臣皆有一定之爵禄或采邑,此其一也。爵位世袭,贵族之子恒为贵族,士之子恒为士,农之子恒为农,工之子恒为工,阶级之区别甚严,此其二也。国家愈发达,国境愈扩大,离王畿较远之区,为中央权力所不及,为镇压内乱防止外患计,不能不委诸侯以相机处理之权,而诸侯遂得有最高军事权与最高行政权,中央集权一变为地方分权,此其三也。是故此时之国家为封建领主阶级之国家,其对于下级人民之剥削方法,亦较前略异,即对农民课征租税,对工商课征杂税是也。举凡内政之措施,军旅之设备,则以田地为枢机,而赋税因之。是故统治者课征农民租税及商贾杂税,为臣民负保护之责;臣民对国家纳税服役,仰赖国君之保护,此即高级封建国家之概况也。

三、现代代议国家　现代代议国家建立于资本主义社会之上。资本主义社会分为资本与劳动两大阶级,前者掠夺后者之剩余劳动以为生,盖实行所谓工银奴隶制度者也。此时之经济、工商业占据主要地位,而农业次之。人类之生产,使用动力,应用机械。资本主义于以产生;工银制度于以成立;工场制度之大企业组织日见发达;股份公司银行保险及交通事业日增繁盛,都会人口之集中;新经济都市之发生;外国贸易之伸张;经济上之自由竞争与私产制度以及契约营业继承财产等自由原则均经确定;农奴解放与土地之归少数个人所有均经实现。是之谓资本主义社会组织。有产阶级之经济势力,能支配国民之经济生活,遂凭借势力推倒封建政治并扫除一切旧制度,以建立现代代议国家。代议国家之原则,与封建国家无不相同。其外延虽为统治,而其内容则仍为剥削。惟其剥削之对象,依据国法限制于一定范围而已。换言之,代议国家之剥削的支配,即一面拥护国民总生产物之传统的分配方法,一面制定国法规定租税兵役等片面的义务是也。故国家之对内政策,则以阶级的利益为目的,以共同福利为手段;对外政策则以支配阶级之利益为前提。至于国家生活之本质,则为支配阶级与被支配阶级之阶级斗争。支配阶级用尽一切手段,拥护其优越势力,制定适宜于本阶级之法律,一面掌握陆海军及立法行政之大权,一面实行所谓商业战争、殖民政策、关税政策、劳动政策、选举政策等之阶级的政策。更依国法之形式,规定多种政治的特权及经济的有利条件,如金钱选举制、限制集会结社制之类。其阶级的剥削的支配之性质,与封建国家无殊。封建阶级之支配国家也,恒视国家为采邑以实行其剥削;资本阶级之支配国家也,恒视国家为工场以实行其剥削。其剥削之形式虽异,其为剥削则一也。至如被支配阶级,则习见夫阶级的支配与阶级的剥削之现象,亦发生阶级的自觉而演出的斗争。彼等劳动阶级,始则感于分配之不公与工银之过低,故知对资本阶级行经济的斗争,知组织劳动组合实行同盟罢工,以拥护其自身之利益,继则感于不平等之经济组织实受不平等之政治组织所庇护,故知对支配阶级行政治的斗争,知组织政党,实行大示威运动与总同盟罢工,或从事叛逆暴动,以为夺取政治权力改革经济组织之准备。凡此斗争现象,证之现代各文明国家之政治现状可知也。是故阶级对抗,发展至于资本主义社会,已达最后之阶段;同时建立于阶级对抗上之国家,发展至于现代代议国家,亦达于最高之程度。国家之崩坏,已兆端于此矣。

第五节　国家之消灭

由上所述,可知国家恒随经济的发展而异其存在之形式,无论其变化如何,而其为阶级的国家则一也。经济生活之进化,产生阶级之对立,国家即为抑制此阶级对立而生,故国家恒成为支配阶级剥削被支配阶级之具,所不同者阶级之组成与剥削之方法耳。初期封建国家为奴隶所有者支配奴隶之国家,高级封建国家为封建诸侯支配隶从者及农民之机关,近代代议国家为资本家压制劳动者之工具。国家发达至于成为近代代议国家,已达最高阶段,而末期将至矣。

国家由抑制阶级对立之必要而生,同时又生于阶级冲突之中,故凡所谓国家者,皆强有力之经济的支配阶级之国家也。强有力之经济的支配阶级,借国家为媒介又得成为政治上之支配阶级,以取得镇压剥削被治阶级之新手段。所谓国家意志,实则为掌握国家权力者之意志;国家赋予人民之权利,由强有力之阶级享之;人民对于国家之义务,由下层阶级负之。国家哲学者所谓全民自由之国家，所谓实现法律的道德的政治的自由之国家云云，直是痴人说梦耳。

近代社会裂成劳资两大阶级，阶级冲突之剧烈，空前绝后，而统治此阶级冲突之国家，亦登峰造极。对外则有强大之陆海军备以保护资本阶级之产业，对内则有森严之警察监狱以抑制劳动阶级反抗之行为；又有职业的政治家法学家为执行剥削之职务，有精细之法律条例为保障财产之护符。凡属关于制御下层阶级之设施，无不精密详尽，故国家发达至于近代代议国家，可谓已达极点，不能更有进步矣。资本阶级对于劳动阶级之压迫或有更甚之时，职业的政治家与政治的朋党或有更腐败之时，劳资两阶级之对立或有更深刻之时，而国家之进步决不能超出近代代议国家以上。代议国家可谓为已完成之国家，殆近于消灭之境。国家随阶级之对立以俱生，亦将随阶级对立之消灭以俱死。经济的发展达于最高限度，则阶级不但无存在之必要，且亦自趋于消灭。阶级消灭，则以阶级为基础而组成之国家，亦归于消灭无疑也。

资本主义发达至于最后时期，则一切大规模之生产手段次第社会化。无产阶级终至于推翻资本阶级，掌握国家权力，将一切生产手段收归国有。此时之国家为大多数无产阶级之国家，为促成真正全民政治之国家，为社会主义国家，与历史上之国家，性质大异，要不外于统治形式中实现社会主义，而剥削的支配则已归于消灭矣。此时无产阶级亦失其所以为无产阶级。阶级及阶级对立既归消灭，则国家亦失其所以为国家。以前阶级对立之社会需要国家，阶级对立消灭，则国家亦归于无用，故国家自归于消灭。代之而起者惟有共同幸福之社会而已。

第九章　社会意识

第一节　社会意识之意义

一般社会学者恒注重社会意识之研究,以为社会之所以成立,社会成立后之所以能维持其存在而不至于崩坏,皆社会意识之作用有以统御之,然实际则有未尽然者,兹为分章以说明之。

在昔社会科学幼稚时代,学者对于社会意识之研究,向有两类极相反之见解,其一认定社会意识离个人意识独立存在,其二仅认定有个人意识而完全否认社会意识之存在。二说皆非通论也。由前之说,社会意识既完全超越个人意识而独立,则社会意识当成为一种神秘不可思议之实体,与个人意识之存在无关,是社会亦可以离个人而独立矣,其非通论,不辨可知。由后之说,社会一切事变均由个人意识之活动而生,此在个人心理学范围之内未尝不当,然各个人营社会生活之时,人对人必发生意识之活动,此等意识活动之历程,必有互相错综之点而产生一种综合的状态,此综合的状态,即为社会意识,故社会意识之存在亦不容否认也。

至于调和以上二说,认定社会意识与个人意识共同存在,并认定其间有不可分离之关系者,则近今社会学者共同之趋向也。此为社会学进步之表征,惟惜其对于社会意识之意义尚缺乏明了之说耳。

近今社会学书解释社会意识之意义者,皆曰:"一切人间有共通之意识内容而为各个人所公认者,谓之社会意识。"此一般社会学者最普通之定义也。此种解释,尚觉未妥,兹申言之。

社会者,各个人为满足经济欲望而直接间接加入生产关系之结合也。各个人因谋取得生存资料,不能不与他人发生经济关系,与他人发生经济关系之时,同时不得不发生一种相应之意识活动。各种经济关系之错综复合,构成社会之基础;各种意识活动之错综复合,构成社会意识。个人生而不能不加入社会,则同时即不能不服从社会意识之支配。故欲维持社会之存在,必先维持此种经济关系之存在,社会意识苟能维持经济关系之存在,则此社会意识必与此经济关系相适合,始能发生维持社会之作用,始能成为社会意识。故饥思食,寒思衣,见美女则思娶为妻,虽人人皆有同一意识,然不能构成社会意识,以其属于心理学生理学之范围,无维持经济关系之作用也。故各个人间虽有共通之意识内容,虽为各个人所公认,亦不能构成社会意识。然而有维持经济关系之作用之社会意识,又不必皆与各个人之意识内容有共通之点也。譬如米价过高,凡购米者皆有要求米价减低之意识,而货米者则未尝有此意识也;工资过低,凡作工者皆有要求工资增高之意识,而雇主则未尝有此意识也。故社会意识,即令有维持经济关系之作用,而于一切个人意识之中,仍不易发现其共通之点。

古代社会,无私有财产,无阶级区别,人人皆治者,人人皆被治者,流行于社会之共同生活习惯即为社会意识。此种社会意识,一切个人皆自动的遵守之,无丝毫强制之作用存乎其间。故此时之社会意识确为一切个人之共通意识内容,确为各个人所公认,所谓能代表全社会人员之社会意识是也。自私有制度发生,社会裂成阶级以后,已无能代表全社会人员之社会意识,所有者唯阶级意识耳。农奴阶级之意识与贵族阶级之意识殊乏共通之点,封建社会所赖以维持于不蔽者,贵族阶级之意识而已。劳动阶级之意识与资本阶级之意识亦然,资本社会所赖以维持于不蔽者,资本阶级之意识而已。然吾人决不能即谓农奴与贵族劳动者与资本家两两之间有何种共通之意识内容也。其所以如此者,实因奴隶欲度其奴隶之生活,不能不听命于主人;劳动者欲度其劳动者之生活,不能不听命于资本家,此其中实含有一种强制作用,决非出于自动。遇寇劫物而与之,被劫者与寇者固无所谓共通之意识也。明乎此,则知阶级的社会中所流行之社会意识决非一切个人之共通意识矣。

是故社会意识,在无阶级之社会中,确为一切个人间之共通意识,在阶级的社会中,则变为冒牌之阶级意识。以此意说明社会意识,则以下述定义较为切当:

社会意识者,各个人为谋取得生活资料不能不共同服从其支配之意识也。

第二节 社会意识之作用

社会意识所以能支配各个人之意识而有维持社会之作用者,以其有统御各个人之拘束力故也。此类拘束力,自其性质而类别之,可分为内的拘束力及外的拘束力两种。内的拘束力,能使个人之个性潜移默化,于不知不觉之中听命于社会意识。外的拘束力即社会的及法律的制裁,能强制各个人牺牲其个性,不得已而听命于社会意识。此即社会意识之作用也。

个人出生之后,即成为社会之一分子,斯不能不受社会意识之熏陶。个人之出世,自幼稚以至成年,自家庭以至学校,殆无时不浸淫于习惯与传说之中,传说习惯深入人心,牢不可破,比其长也,已成一定之积习而至难改变,一旦骤闻与习惯传说相反之言语,未有不深闭固拒者。即号称能脱去世俗见解之人,虽如何夸称能却除旧习,及细察其行动,实未能完全脱去旧习惯之束缚也。

又如宗教亦然。宗教之信仰能支配个人之内心,能监视个人之行为,赏善罚恶,天堂地狱之观念,不但能支配人心于生前,且能支配于死后。吾人少时说神说鬼,毛发直竖,一若真有神鬼临于其傍者,识者讪笑之,而愚者则终身信仰安若无事。此无他,社会意识之潜伏的拘束力之作用也。他如道德舆论时代精神之类亦然,其所以能支配人心者,皆此种潜伏的拘束力之作用也。

社会意识之深中人心,由来者渐,盖非一朝一夕之故也。即令有人能发现社会意识之不合理性,而惮于社会的法律的制裁之故,亦不得不仍旧遵守之而无可如何也。譬如现代社会中社会意识之内容,自表面观之,匪不冠冕堂皇,说自由、说平等、说公平、说正义,几乎视为社会意识规范之中心生命,而实际则大谬不然。阶级对于阶级之剥削,弱者对于强者之服从,岂非现今社会意识所公认者乎? 社会意识本由一切个人共通之意识内容而成,今则由少数特殊阶级掌握此决定之全权,蔑视多数者之利益,助长少数者之利益,此种规范内容果何自而来乎? 此无他,社会意识之外的拘束力之作用也。原始社会无阶级,各个人经济上之欲望相同,故各个人之意识均反映于社会意识之中。[①] 社

---

① 修订版删除了此句。——编者注

会裂成阶级以后,则惟有经济上强有力阶级之要求包含于社会意识之中,他阶级之要求概受社会意识之压迫。即在阶级的社会中,每种新社会意识之成立,恒带有拘束另一部分社会人员之意义。此拘束之繁重,遂至压迫弱者阶级之要求。盖社会意识新内容之成立,必先由发表的分子发表而出,当此发表之任者,即为社会中强有力之阶级,其余之阶级惟谨守此新内容而默认为社会全体之要求而已。虽有持异议者,则因有社会的法律的制裁以绳其后,亦相率畏惧而不敢不赞同也。故强者阶级依据其经济的欲望发表之意识,外表上似乎博得他阶级之赞助,竟能构成社会意识,而具有拘束力之作用,久之遂更增巩固,渐有压迫各个人服从之性质。此种压迫之性质,因时间上之连续,他阶级之人员,受生理的心理的惰性之作用,不知不觉之中,竟认为一种"自然法"、"道德律"而遵守之,其始之抱反感者,今则相与安之,不知其压迫之为压迫也。

虽然,物极必反,苟经济组织一旦发生变化,社会意识之作用亦有时而穷,其内容亦不能不随而发生变化者,请俟次节详言之。

第三节　社会意识之变迁

社会意识之变迁,系乎经济组织。经济组织安定,则社会意识得以完全发挥其支配社会人心之作用;经济组织动摇,则社会意识之内容逐渐发生变化,终至化成性质相反之新社会意识。

社会意识在一定时期内,在继续存在之性质,成立之后,不易消灭。就实际社会观察之,构成社会意识之内容者厥为传说与习惯,而传说与习惯要不外为经验的社会意识而已。社会意识成立之历程,即就此传说与习惯加以新要素,并依据社会事实构造而成,故无论在任何社会中,其成为社会意识主要之内容者,常为传说与习惯也。盖传说与习惯虽随社会事实变化,应必要而改变,而以旧社会意识拘束力较强之故,仍能强制个人以服从,各个人感于新社会事实而发生之新社会意识仍不易显现。此时旧社会意识虽离多数个人之意识独立存在,而多数个人所有之新社会意识,毕竟未能成立,表面上仍不能不受旧社会意识之支配。故多数个人虽怀抱与旧社会意识相反之欲望,而不能不服从旧社会意识者,以其由先天的传袭而来也。惟此时与旧社会意识相反之欲望已弥漫于社会,新社会意识之内容,无形中实已存在,一旦经多数人认知其有共通之点,发表而出,则旧社会意识渐失势力,新社会意识即时显现。如此,新社会意识潜存于旧社会意识之内,旧者灭则新者代兴。

一定之社会组织恒产生一定之社会意识,复恃此社会意识以保持其自身之存在。而此社会意识在阶级的社会中,恒与特殊阶级之欲望相适合。故阶级的社会中之社会意识,实则为特殊阶级之意识。特殊阶级利用优越势力,以自己阶级之意识演成社会意识,直接维持于本阶级有利之社会组织,间接维持本阶级优越势力之继续存在,此考之社会之历史而可知者也。封建社会为封建贵族阶级与农民奴隶阶级对立之社会,其社会意识即为封建贵族阶级之意识。资本社会为资本阶级与劳动阶级对立之社会,其社会意识即为资本阶级之意识。试举道德宗教为例。就道德而论,道德之本质为牺牲、勇气、忠诚、服从、信义、公平、平等诸端,此类道德,在古代社会为一切个人拥护种族保卫人群之社会的本能,在文明社会中则不然。封建社会与资本社会中,此类道德变为农民奴隶阶级对贵族阶级、劳动阶级对资本阶级之无形义务。未尝见贵族或资本阶级以此施诸农民奴隶或劳动阶级也。又就宗教而论,宗教之本质为信仰,此种信仰,在古代社会中为原人不能理解自然之迷信。至封建社会中则成为封建的制度之象征,至资本社会中则成为自由竞争之利器,而其反映现实生活借以减杀下层阶级反抗之心理则一也。

社会意识既适应于经济组织而成立,亦必随经济组织而变革。今之资本主义经济组织已能使大多数无产阶级于生产方面取得重要之地位,无产阶级逐渐感知资本阶级社会意识之不合理性,而另成一种阶级意识内容矣,一旦由无产阶级发表而出,其必显现而为新社会意识无疑也。

第四节　社会意识之完成

由以上所述观之,社会意识,在古代无阶级社会中,原为共同生活之习惯,确与一切个人之目的相适合,在阶级的社会中则变为阶级意识,仅与特殊阶级之目的相适合。前者谓之完全的社会意识,后者谓之畸形的社会意识。社会之进化有达到无阶级社会之一日,则社会意识亦必有达到适合一切个人目的之一日也。

特殊阶级为维持有利之社会组织继续存在,一面于传统的精神之上保持其阶级的优越势力,同时又于经济上保持其寄生生活之安定。寄生生活可能,则特殊阶级之地位安定,此经济上之安定破裂,则阶级之安定亦随而破裂。社会变迁之历史,即由此特殊阶级经济上寄生生活不可能之事实出发。近代资本阶级推倒封建阶级而演成之民主革命,由经济上观察之,实即封建阶级经济剥削手段发生破绽之故。所谓自由平等博爱之原理,即为产业发展之象征。近代资本社会之事实亦然。资本阶级用自由放任政策谋本阶级产业之发展,同时利用资本主义化之社会意识支配社会之人心,以固本阶级寄生生活之安定。然资本主义完成之后,资本阶级寄生生活亦达到山穷水尽之境,而资本主义化之社会意识,亦渐失其支配社会之作用,而潜伏一种新社会意识于其中。无产阶级感于生活之压迫,发生阶级的自觉,因而产生阶级的意识。资本阶级之社会意识反社会之趋向增大,而无产者阶级意识社会化之趋向亦因而增大,潮流所激,资本阶级虽然欲借政治权力以维持有利之社会意识,而新社会意识非取而代之不止也。

资本阶级之社会意识即为资本主义,无产阶级之社会意识即为社会主义。资本主义愈成熟,资本阶级之人员愈见减少,无产阶级之人员愈见增多。最大多数之无产阶级终必至推倒最少数之资本阶级,建设社会主义之经济组织,同时成立社会主义之社会意识,而阶级亦化归乌有。阶级消灭,则社会意识必与一切个人之欲求一致矣,是谓社会意识之完成。

第十章　社会之变革

第一节　社会变革之概念

革命为进化之母,社会无革命,则社会无进化,此历史之公例也,人类社会无日不在革命中,若就历史举其最显著者而言,可分为四大阶段焉。概自古代公有土地制度崩坏以来,古代无阶级之社会一变而为有阶级之社会,所谓自由民与奴隶、贵族与平民之阶级社会是也。自由民或贵族之阶级,利用其经济上之优越力,掌握政治之上权势,树立奴隶经济,以剥削奴隶或平民之阶级,而初期封建社会以成,此社会第一次大革命也。初期封建社会小土地私有制度崩坏以后,而大土地私有制度成立,大地主贵族之封建阶级,利用其经济上之优越势力,取得政治上之权势,树立农奴经济,以剥削工商农奴之阶级,而高级封建社会以成,此社会第二次大革命也。农奴解放,新式大规模工商业发达以后,新兴资本阶级利用其经济上之优越势力,推翻封建阶级,掌握政治上之权势,树立工银奴隶经济,以剥削工农无产阶级,而资本主义社会以成,此社会第三次大革命也。资本主义发展过度之结果,社会裂成有产及无产两大阶级,形成最后之阶级对抗,无产阶级利用其生产上之优越势力,企图推翻有产阶级,树立社会主义经济,以期实现无产阶级之社会,此社会第四次大革命也。过此以往,社会之革命或将继续演进,吾人固无庸推论,而历史所以诏示吾人者,社会之革命盖如此其进行不已也,是亦社会进化必经之途径欤!

社会革命者何,即社会全体超升一进化阶级之谓,换言之,即社会由旧而且低之生产关系进至新而较高之生产关系,并变更其上层建筑之全部者是也。故社会革命,可分为经济革命及政治革命两方面观察之。经济革命即社会基础之变革,政治革命即社会上层建筑之变革。经济革命之实现也以渐而进,非一朝一夕所能蒇事;政治革命之实现也可一蹴而几,固无须长久之年月也。惟经济革命与政治革命,必相须并进,而后社会革命始能完成。为企图社会革命而实行之政治革命,必在经济革命开始时始能有成;而经济革命进行时,又必有待于政治革命始能实现。故政治革命为社会革命之前提,又为社会革命必经之途径,经济上被压迫之阶级苟不先取得政权以改造经济组织,社会革命必无由实现也。

虽然,兹所谓政治革命,固为被治阶级颠覆治者阶级而夺取其政权之意,然其性质与普通意义之政治革命不同。盖一切革命能使旧社会完全解体者,谓之社会革命;一切革命仅在于颠覆旧权力者,谓之政治革命。故政治革命,仅为一种历史事变之特征,有能诱致社会革命者,有不然者。若夫为企图社会革命而实行之政治革命,则其目的在完成社会革命,与经济革命同为构成社会革命之一部,即谓为一种社会革命,未尝不当,此不可不察也。

此种政治革命之实现也,有缓进与急进、平和与激烈之别。就近代社会革命之性质言,可分为资本主义社会革命及社会主义社会革命两大类。前者为实现资本主义而行之社会革命,由资本阶级主动;后者为实现社会主义而行之社会革命,由无产阶级主动。若英国自有 1688 年之政治革命及 1832 年之谷物条例解禁,有产阶级始得逐渐凭借议会政治以掌握政治权力,试图完成其经济革命,此资本主义社会革命之缓进而平和者也。若法国自 1789 年大革命以后,几经杀人流血之战乱,有产阶级始能确定代议政治,借政治权力以完成其经济革命,此资本主义社会革命之急进而激烈者也。又如俄罗斯 1917 年 11 月大革命以后,无产阶级饱经战斗之苦,卒能树立劳农政治,借政治权力以徐图完成其经济革命,此社会主义社会革命之急进而激烈者也。此后或将有以和平而缓进之手段,以完成社会主义社会革命者乎,固非吾人所能确说也。要而言之,社会革命实现之迟早,纯系关于战术之问题,由种种条件而定,如国际地位之优劣,主动者作战精神之勇怯,阶级斗争之关系,均为决定此种革命之关键,而尤视经济上特殊阶级之势力如何以为判。有必流血而成功者,有可不血刃而成功者,未可一概而论也。

第二节　社会变革之观察

社会之所以变革,由于社会组织阻碍生产力之发达。方生产力发展至于一定程度时,遂与从来所借以活动之现存生产关系,或仅表现于法律上之财产关系发生冲突。此等生产关系或财产关系,向之助长生产力发达者,今则转变而阻碍生产力之发达矣,于是社会革命之时代以至。故社会之变革,仅能由当时社会之物质的变革加以判断,而不能以当时之社会意识判断之。其物质的变革苟经吾人以自然科学的方法确实证明其足以撼动社会之基础,即可断定当时社会已达于革命时代。至于当时之社会意识,实随此种物质的变迁而变迁。一种新物质的变革发生,即产生一种新意识,物质的变革为因,意识为果,吾人不能以当时之社会意识判断当时之社会变革,犹之不能以果证因也。

法兰西大革命,固吾人所视为具有资本主义社会革命之性质也。然则此种大革命果如何观察而判断乎?据当时之社会意识观察之,法兰西大革命似乎政府紊乱行政,横征暴敛之所致也,又似乎一般人民渴望自由平等之热烈情感所致也。此种判断,乃一般历史学家所公认者也。信如斯言,则法兰西大革命当不至有爆发之可能。何也,彼路易十六世固曾定有计划而希望整理行政节约政费者矣,固曾允许平民参政者矣,革命阶级企图革命之目的苟且如此,则其目的固不难因国王之觉悟而成就也,而必欲完全改革一切社会制度者,此无他,法兰西国民之社会状态已有变动故也。国王紊乱行政横征暴敛之劣迹,不过为革命爆发之口实;人民渴望自由平等之要求,不过为物质的变革之反应而已。

法兰西大革命系一种资本主义社会革命,其主动者为资本阶级,其原因则由于封建社会组织阻碍新生产力之发达。此不仅法国为然也,即其他资本主义国家亦莫不然,兹特略述其大概于下。

据马克思云:[①]欧洲中世纪之农奴中,曾发生一种都市特许市民,此即今日资本阶级最初之种子也,迨后美洲之发见,好望角之周航,为资本阶级增添许多发展地。东印度与中华之市场,美洲之殖民,殖民地之贸易,交换机关与

---

① 修订版删除了"据马克思云:"。——编者注

物品之增多，均能使当时商业航海业，受一种空前之刺激，而革命种子遂急速发展于颓废的封建社会之中焉。

在封建时代工业组织下，生产事业由同业公会所操纵，至此已不能应付市场之需要，而手工工场组织乃取而代之。各业行东为工场制造家阶级所推倒，而各行业组合间之分工，亦一变而为各工场间之分工矣。

自此以后，市场日益扩大，需要日益增加，而手工工场组织，亦有不能应付之势，于是有蒸汽机关及大机器出而演成一场生产事业之大革命。从此大规模之近代产业，遂占取手工工业之地位，而豪富之实业家，产业军之领袖，近代之资本阶级，遂征服产业界之中等阶级而上达矣。

近代产业，建设世界的大市场。自有此种大市场，而商业航业，陆路交通因而日增发达，又转而促进产业之发展。产业、商业、航业、铁路等既日见发达，而资本阶级亦随而发达，其资本亦愈益增殖，遂将中世纪传来之一切阶级，尽行推倒。

因此可知造成资本阶级之近代生产及交换机关，实孕育于封建社会之中。此种生产及交换机关发展至于一定程度，则封建社会之生产及交换关系，换言之，即农业与手工业之封建组织，或封建的财产关系，遂不能与当时经已发展之新生产力相适合。此种封建社会组织，于是变成妨碍新生产力发达之桎梏，社会基础已呈崩圮之象，而资本阶级社会革命以起。

资本阶级发达一步，而其政治上之权力亦随而发达一步。当封建时代贵族专政之时，彼等为被压迫之阶级；在中世纪自由都市之中，彼等乃成为武装自治团体；至手工业时代，彼等被半封建或专制之君主，利用以为抵抗贵族之器具，为大王国统一之柱石；最后近代产业与世界市场告成，彼等遂成为资本阶级，利用经济上优越势力，以革命之手段，树立代议政治，掌握国家权力，确立资本主义之经济组织。于是封建国家亡而立宪国家以兴，封建社会崩而资本社会以生。此资本主义社会革命之由来也。

第三节　资本社会之崩坏

如前节所述，资本主义社会革命，实由于封建社会组织阻碍新生产力之发达而起,故资本阶级企图政治革命,掌握国家权力,促进经济革命,以完成社会革命,确立资本主义之社会组织。虽然,资本主义社会组织确立不过百年,复自陷于崩坏之命运,而生产力与社会组织之冲突又再演于今日矣。兹详述其趋势于下。

封建时代,生产手段为劳动者所私有,农村中农民所经营之农业,都市中职工所经营之工业,其规模均异常狭小。其所使用之劳动手段,或为土地,或为农具,或为工作场,或为手工器具,皆分散而不相联络,[①]仅能供给各个人之使用,且常属生产者私人所有。自近代产业资本家出,始收集此等分散而有限之劳动手段而扩大之,增加其生产之可能性,使成为现代之生产机关。以前分散之生产手段,今则变为社会的生产手段;以前分散之工作场,今则变为数百数千人共同操作之工厂;以前之个别的生产,今则变为社会的生产;以前之个人的生产物,今则变为社会的生产物。试一观今日工厂之出品,无论其为纺织品或金属品,无一不为多数劳动者之共同生产品,一生产物之制造,必次第经历多人之手始底于成,无论谁人,决不能认定某产品为甲所造,某产品为乙所造也。

以前所行之社会的分工,无一定之计划,而现今工厂所行之劳动的分工,则有一定之计划。两两相较,有计划者自比无计划者为优;两者之制品,前者亦比后者成本低廉。故社会的生产者与个别的生产者竞争时,前者自占优胜,后者自归劣败。于是社会的生产方法遂成为助长商品生产之手段,逐渐侵夺单独生产之范围,终至于变更旧社会生产方法之全部,所谓产业革命遂于此演成矣。

手工业时代,劳动生产物归生产者所有,并无问题。手工业者利用自身生产之原料,以自身之劳动或家族之劳动,使用其所有之劳动手段,从事生产,率以为常。其生产物为彼自身劳动之结果,当然属彼所有。即今在生产时须借助于他人之劳力,或雇职工,或招艺徒,亦必支出相当之报酬。且此等被雇用之职工或艺徒,亦系暂时仰赖此报酬以谋生,他日仍得自立营业,而取得店东之资格,无终身隶属他人之事。迨生产手段集中于大规模之工厂以后,生产手

---

① 修订版删除了"皆分散而不相联络"。——编者注

段在事实上已化为社会的生产手段,而所有关系依然如故。以前个人的劳动手段及生产物归个人所有,而今则社会的劳动手段及生产物亦归占有此劳动手段之个人所有。换言之,实际上使用劳动手段之人所生产之生产物不能据为己有,反归占有劳动手段之人所有。生产手段及生产物既经社会化,而生产物之私有仍与以前之私人生产时同,而归占有此生产手段者所占有,是为社会的生产方法与财产关系之冲突。

手工业时代,亦曾有工钱劳动之形态,然系暂时性质,谓之例外亦可。农民佣工而食,虽属常事,然未尝无尺寸土地借以为谋生之具。职工虽常恃卖力为生,然亦有升为店东之机会。自生产手段集中于资本家之手,则孤立之个人的生产手段或生产物失其价值,向之从事分散之手工业者,不能不废业而售其劳力于资本家以谋生活。于是工钱劳动制度成立,向之视为例外者,今则习为固常;向之视为副业者,今则成为主业;向之偶然从事工钱劳动之人,今则终身成为工钱劳动者矣。生活艰难,佣工谋生者日众,社会遂判为占有劳动手段者与一无所有者之两大阶级,而社会的生产方法与财产关系之冲突,遂形成有产阶级与无产阶级之对立。

新生产力方法发生以后,社会成为以商品生产为基础之社会,社会中各个生产者即丧失支配社会关系之能力。各个人用其所有之生产手段,从事商品之生产,以满足其特别之交换欲望。而彼等所有生产之货物,所供给之商品,果能畅销与否,果能适合现实之需要与否,概在不可知之数。在昔经济自给时代,专以交换为目的之生产,乃属偶然之事,故需要供给,互相调剂,适可而止。今则生产者专以制造商品为能事,畅销与否,在所不计。甲如是乙亦如是,丙如是丁复如是,各逞其自由竞争之本能,互不相下,时则求过于供,时则供过于求,均无调剂之望,以至生产界日趋混乱,酿成经济上之无政府状态。社会至是顿成不安之象,生产界与劳动市场,遂成为手工业与新工业之经济战场。迨后新大陆发见,继之而起者则为殖民地之经营,商品销路,骤然推广,更促速新工业之发展,而手工业遂完全零落。以前地方的生产者间之经济战争,遂扩大而为17、18世纪之国际的商业战争。大工业及世界市场建立以后,此种经济战争愈益普及,愈益扩大,愈益激烈。经济战争之结果,甲资本家胜则乙资本家败,甲国资本家胜则乙国资本家败,而决定此胜败之关键,实为此等自然的或人为的生产条件,胜者继续发展,败者永远退化,达尔文生存竞争之原理,直可由自然界而移用于人类社会矣。于是社会的生产方法与财产关系之冲突,遂成为有组织的生产方法与生产界无政府状态之冲突。

生产界社会的无政府状态,能使大多数人类变成无产者,而此大多数无产者最后亦能废除此生产界之无政府状态。故资本社会之生产方法,其发达之途径有如螺旋状,巡回进行,至终点则止。盖生产界之经济战争,驱使生产者力谋机械之完成,机械完成,劳动力归于无用。机器愈精巧,剩余劳动者愈多。剩余劳动者愈多,则工钱愈低,而机械遂成为资本阶级压抑劳动阶级之武器。机械能夺取劳动者生活之资源,生产物亦成为奴使劳动者之工具。机械之发明,一方面能节省劳力,减缩劳动时间,他方面又使劳动者家族之一切劳动时间,悉供资本家增殖资本之用。劳动过剩,工人失业。国内多失业之工人,则国内人民之购买力减少,而大工业发达之结果,几无日不遍寻全世界以追求消费者,今乃使国内大多数人民,逐渐限制其消费之能力,是无异破坏其国内之市场。财富恒集中于少数人,贫困恒集中于多数人。富者愈富,贫者愈贫。富者穷极奢侈,滥耗社会之生产力,贫者身无长物,欲维持最低之生活亦不可得。生产力与财产关系之冲突,遂演出贫富悬绝之现象。

自由竞争之结果,资本阶级被迫而力图机械之改良,精益求精,密益求密。机械愈改良则生产力愈膨胀,生产力愈膨胀,则生产物愈丰富;生产物愈丰富,则市场愈不能不求其扩大。然市场之扩大有限,而出产之分量无穷,终至市场之膨胀远不及生产力膨胀,于是生产品之销纳,发生一大障碍,而生产过剩之现象以成。

财富愈集中于少数人,资本家愈谋继续出其所得之利益以力图资本之增殖。资本增殖云者,即以其所得之财货悉化为资本之意。故欲谋资本之增殖,必须出其借资本所得之利润,充购入生产手段之用使化为资本;而购入生产手段之目的则在于生产享乐财而贩卖之,以图取得大宗之利润。然贫富悬绝过甚,大多数人购买之能力既然日见减少,而一般消费之需要势必大受限制。是故资本之增殖常蒙多大之阻力,生产过剩之结果,又演出按期袭来之经济恐慌。

经济恐慌发生,一方则生产中止,工厂停工,工人解雇,大多数工人因失业而其生活之根据,社会顿呈纷乱之象;他方则小资本家因受金融窘迫,纷纷破产,小资本被大资本所吞并,小掠夺者被大掠夺者所掠夺。同时各国资本阶级各为销纳剩余商品计,不能不锐求争夺海外殖民地以扩张销路,因此国际间资本阶级惹起利益之冲突,各利用国民的后盾,肇动争夺市场之世界战争,生产力与生产关系之冲突,又演成帝国主义列强世界战争之惨祸。

由以上所述观之,可知现代资本社会中,日增进步之生产力,已为现代生产关系阻碍而不能充分发展。现代生产关系苟不改造,则社会进步停滞,非举全世界最大多数人悉陷于奴隶境遇而不止。夫生产力犹电气力也,暴风烈雨中之电气力则有破坏之性质,发电机中之电气力则有无穷之妙用。生产力犹火力也,大火灾中之火力则于人为有害,蒸汽锅下之火力则于人为有利。故生产力置之资本社会之生产关系中则受阻碍而不克发展,遂化为食人之恶魔;若置之合理之生产关系中,则遂其畅发之性,即成为顺从人类之忠仆。然则改变生产关系以发展生产力,实社会进化所必经之程序,亦即现代社会革命之所由来也。

第四节　阶级斗争之功用[①]

生产力发达为撼动生产关系之根本条件,同时阶级斗争又为变革社会之唯一[②]动力,自古代社会土地共有制度崩坏以来,一切过去社会之经济的构造,悉建筑于阶级对立之上。阶级云者,即经济上利害相反之经济的阶级之谓,如握有土地或资本等生产手段者与一无所有者,如经济上压迫他人掠夺他人者与被他人所压迫所掠夺者是也。阶级对立之形式虽因时代而有不同,而社会之经济的构造既建筑于阶级对立之上,则谓一切过去之历史为阶级斗争之历史亦无不可也。[③]

社会组织随生产力变动。而一切社会组织,概由其社会中之各个人相依

---

① 修订版将此节标题改为"社会之变革与阶级"。——编者注
② 修订版删除了"唯一"两字。——编者注
③ 修订版将此句中"而社会之经济的构造"后面的文字改为"建筑于阶级对立之上则一而已矣"。——编者注

相集而构成之,维持之,故社会组织虽随生产力变动,然欲谋社会组织之改造,则非假手于现社会内之多数人不可。故一定之社会组织变革时,必有一群之主动者担当改革之事业,从事一定之运动;而此运动之中心势力,又必为现社会组织下处于不利益地位之阶级。现社会组织下处于不利益地位之阶级,其主张改造现社会也,乃人情之所当然。然同时现社会组织下处于优良地位之阶级,除少数有志者外,其反对改造现社会也,亦人情之所当然。于是乎社会组织之改造,不能不借阶级斗争之形式以行之。此人类无对立斯无进步一语,所以成为支配过去文明社会之法则,而现存之生产力亦即所以借阶级对立之基础发达而来也。

　　阶级之发生约有二期。首先,一群之多数人,对于他阶级虽可谓为能成一阶级,而其自身尚未成为一阶级,此时之状态谓之第一期。其次,其自身已成为一阶级时之状态,谓之第二期。兹所谓"其自身已成为一阶级"云者,即凡属其阶级之人皆有阶级的自觉之谓。"阶级的自觉"云者,即凡属一阶级之人皆觉其自身所处地位与他阶级利害不相容,认定阶级斗争无可避免之谓。第一期之阶级斗争仅为经济的斗争,即在于争夺经济上之利益;第二期之阶级斗争,则为政治的斗争,即在于争夺政治上之权力。生产力与社会组织之关系分为二期,即两者互相调和时之状态谓为第一期,两者互相冲突时之状态谓为第二期。兹所谓阶级斗争之二期,适与上述两期相对照。生产力与社会组织互相调和时,则阶级斗争仅为经济的斗争,生产力与社会组织互相冲突时,则阶级斗争化为政治的斗争。

　　阶级对立之根本原因在私有财产,即因一方之社会团体垄断生产手段以夺取他社会团体之剩余劳动故也。人类之劳动可分为二部:其一,维持自身生活必需之部分之劳动,谓之必需劳动;其二,超过必需劳动部分以上之劳动,谓之剩余劳动。原始时代,经济上之技术幼稚,人类之劳动实无余裕,一部分人决不能不劳而仰给于他部分人劳力之结果。社会无剩余劳动故无阶级之别。迨后经济发达,人类劳动渐有余裕,一人之劳作能生产数人或数十人之生活必需品,因而人类劳动分成必需劳动与剩余劳动两部,且属于剩余劳动之部分亦随而次第增加。于是一部分人之剩余劳动被他一部分人所掠夺,掠夺者与被掠夺者之间发生利害冲突,社会遂化为阶级的社会矣。

然而由阶级之存在而产生之利害冲突,何以在第一期仅为经济的斗争、在第二期则成为政治的斗争?此其故盖因社会组织之改造,恒予权力阶级以不利,如欲恃道德宗教之宣传以变更此等权力阶级之思想与感情,使彼等自动以改造社会,犹缘木以求鱼,殆属不可能之事。故被压迫之阶级因痛切感知现社会之组织于自身不利,惟有从事政治运动,庶几可由自身掌握国家权力,实行经济之改造。故阶级的自觉一旦发生,则阶级间经济利害之冲突,更进而唤起政治上之争斗。

在阶级斗争之第一期,最初各个劳动者单独反抗资本家,其次一工场内之劳动者共同反抗资本家,其次同一处所同一职业之劳动者联合反抗资本家。彼等之目标,最初攻击有产者之生产方法,其次攻击有产者之生产器具,毁坏已成之货物,排斥外来之商品。或则聚众毁机械,或则纵火焚工场,务求恢复旧日手工工人之地位。

此时劳动者虽知团结,然系出于受动而非自动。有产阶级欲谋争夺政治权力,恒假"全民"名义,利用工人为后援以攻击自身之政敌,劳动阶级常被利用以参与有产阶级之政治运动,故不知不觉中常为彼等敌人效力以攻击敌人之敌人,此时所得之胜利,常为有产阶级之胜利。

至于此时劳动者反抗资本家之用意,唯在于增加工钱,改良待遇,减少工时而已,固无远大之目的也。

在阶级斗争之第二期,产业愈发达,无产者之数愈多。机械次第发明,次第改良,劳动之差别消失,工钱之标准愈低,因而无产者之利害及其生活状态,降至同一之低水平线。有产阶级之自由竞争愈激烈,按期袭来之经济恐慌愈重大,劳动者之生活愈不安全,于是各个劳动者与各个资本家之冲突,遂成为一团劳动者与一团资本家之冲突。劳动者为谋维持生活之安全,始知组织劳动组合,准备为临时之反抗,遂以创出永久之共同团体。至是各地劳动者随处发生暴动,如响斯应,而乱象环生矣。

斗争之结果,劳动者有时获得胜利,而其胜利,仍系暂时性质,不能持久,惟彼等斗争之目的,并非暂时之胜利,乃为劳动者之大同团结。一地方之劳动团体与他地方之劳动团体共同团结,一职业之劳动团体与他职业之劳动团体共同团结,因而各地方的争斗,各职业的争斗,遂联络而成为国民的争斗,扩大而成为阶级的争斗。阶级的政治的斗争之极致,社会非至于根本改造不止也。

第五节　文物制度之革新

社会之变革,略如上述。然社会组织一旦变革,则社会中各个人之心理状态,亦随而发生变化。新社会精神文化之表现形式,亦与旧社会大不相同。

就过去历史而论,社会恒分为经济利害相反之若干阶级,而流行于当时社会之思想,不仅为该社会经济条件之产物,更进一步观察之,此等流行思想,实与当时经济上占优良地位阶级之需要、欲望与野心相适合。盖在以前之阶级社会中,社会之生产手段,恒为特殊阶级所垄断,特殊阶级既有支配社会生产手段之实力,即能左右社会之生产及分配状态,久之成为惯性,故彼辈能支配社会之人心使适应于彼辈之利益,遂至于能束缚统一一切人之思想与感情。社会思想呈此种状态之时代,适与一定社会组织之第一期状态相当,又与阶级成立之第一期状态相当。

社会经济进步,则社会组织进至第二期,阶级之发达亦进至第二期。至是则精神上被压服之阶级,发生阶级的自觉,因而代表本阶级利益之思想,亦随而次第流行于社会。

新思想发生之始,特权阶级恒视为洪水猛兽而多方压抑之,非戮其人火其书而不止。惟思想为社会生活之反映,既产生新形式之社会生活,斯发生反映此社会生活之新思想,如响之应声,如影之随形,固非刀剑枪弹所得而扑灭者。故一种新思想发生,每经一度压迫,即增一分势力,每经一次摧残,即增一分信仰。新思想代表新阶级,旧思想代表旧阶级。新旧思想之冲突,即为阶级斗争之写照。阶级斗争愈烈,则思想冲突亦愈烈。新思想发达之程序与新阶级发达之程序完全一致,新阶级战胜旧阶级之日,即新思想战胜旧思想之日也。

新阶级战胜旧阶级之后,则新阶级夺得政治权力,必根据其新思想,确立新政治法制以改造经济组织;同时另创新意识形态以变更旧社会上层建筑之全部。故新经济组织与旧经济组织两相比较,而其性质根本变异时,则新社会之思想完全一新,遂以产生新政治制度、新宗教信仰、新道德观念、新艺术趣味、新哲学体系,于是社会乃完全超出低级状态进于高级状态,此社会进化必经之历程也。

第六节　社会变革之要件

一、物质的条件之具备　如前章所述,旧社会组织与新社会组织之递嬗,恍如移竹接木,互相连续者然,但实际则反是。一种社会组织,非至一切生产力在其组织内绝无发展余地以后,决不颠覆;而新而较高之生产关系,当其物质的存在条件未于旧社会胎内孕成以前,亦不实现。生产力在社会组织内发展之次第,正与雏鸡在卵壳内孕育之次第同。雏鸡孕育至于一定时期,其外壳固足以成为障碍物,苟其尚有余地可以发展时,则其外壳必不至于冲破。一旦雏鸡孕成,破壳而出,卵化为雏,其形状前后不同,骤视之似乎大生变化,而不知此新而较高之生物(雏鸡)所以存在之物质条件,已成熟于旧社会母胎卵壳之内也。

社会之变革亦犹是也。雏鸡于卵壳内苟未孕育至相当程度,卵壳不能成为障碍物,则破壳一事,必不至成为问题。若其孕育至于相当程度,卵壳成为障碍物,则卵壳如何冲破,遂至成为问题。当是时也,雏鸡即破壳而出,亦能保持独立之存在。社会组织与生产力发展之程度相适应,生产力发展则社会组织亦随而变动。然而生产力在旧社会组织内,若未发展至于一定程度以上,则旧社会组织决不灭亡,新社会组织决不实现。例如,共产主义经济组织以充分发展生产力为前提。苟一定社会之生产力若果能充分发展而超过吾人之想像以上,则社会组织自然进于共产主义,苟其生产力之发展未臻此境,则人类无论如何提倡共产主义,而共产主义决不实现。由此观之,可知能使社会组织发生变动者实生产力发展之物质的技术的原因,非人类之意志所能左右也。

假如一定社会组织内之生产力尚有发展之余地,而人类必欲以一己意志企图颠覆,则生产力不但不能增进,反有衰减之虞。盖生产力之继续发展为社会进步之主要条件,苟时机未至,遽欲谋社会组织之改造,适足以促该社会之退步。譬之现代资本主义社会组织,弊害固多,但生产力在其组织内如有发展之余地,则吾人无论如何努力欲企图颠覆资本主义,亦终于无成效而止。至于资本主义社会内生产力发展之极限若何,此则非吾人之智识所能精确预断,但就过去社会观察之结果,社会变革之迟早,恒视该时期内生产力之消长如何以为断,苟生产力尚能继续发展,即为该社会尚能维持之明证;苟其生产力久在停滞之状态,即为该社会已无进步之明证。惟就今日而论,今日之资本社会果达于已无进步之境与否,甚难言也。1848年马克思等之发表《共产党宣言》也,1871年巴黎共产团之爆发也,皆以为社会革命之时机已至,而不知资本主义之尚能延长寿命于今日也。

故物质条件苟不具备,遽欲企图社会之变革,即幸而不至于失败,而其结果亦仅能成就政治革命而止耳。被治阶级纵能一举而夺取政权,取旧支配者而代之,而于社会之经济组织,终不能完全改造。何则?物质条件不具备,经济组织非权力者之意志所能一蹴而几也。海德曼有云:奴隶制度之废除也,苟其物质的条件尚未具备,则废除奴隶制度之一切运动,终归无效,即令成功,亦不过颠倒奴隶与主人之地位而止,而奴隶制度之存在如故也。故社会革命之条件,苟不具备,遽欲企图社会革命,亦终归于失败,而社会之经济构造必无显著之变化。英人梅利勃尔于其所著《殖民政策讲义》中,曾列举殖民地奴隶解放与生产力消长之实例,分英领奴隶殖民地为上中下三类说明之。在第一类殖民地,人口极密,农业发达,资本蓄积,旷土绝少。人口及生产之发达殆居于静止的状态,故奴隶解放之后,劳动之供给充裕,生产力继续发展,不受丝毫影响。在第二类殖民地,土地之丰沃者,均经耕种,地力有枯竭之虞,惟旷土甚多,力耕者谋生尚易,故奴隶解放之后,生产力颇见衰减,盖被解放之奴隶,尚能度其懒惰之生活,甚难强其从事雇佣劳动也。在第三类殖民地,肥沃无主之土地颇多,自然产物甚丰,故在奴隶解放之后,生产力大见衰减,盖被解放之奴隶容易获得生活资料,无人愿努力从事生产事业也。

工钱劳动制度,即资本社会之奴隶制度也。工业后进国之无产阶级,欲图社会革命,以废除工钱劳动制度,即幸而成功,亦仅至政治革命而止,无产阶级虽能代资本阶级起而执政,而其所施行之经济政策,仍不能超出资本主义之范围。所不同者,资本略受限制,劳动者之生活可得保证,较胜于资本阶级国家中劳动者受资本家过度剥削而已。苟时机未至,而遽欲强制的实行共产主义,则生产力必骤见衰减。社会革命本在于促进生产力之发展,今乃促使生产力之衰减,行见社会亦归于退化也。何也,物质条件未备,生产力在旧社会内尚有充分发达之余地也。

二、个人之努力　或曰："一种社会组织，非至一切生产力在其组织内绝无发展余地以后决不颠覆；而新而较高之生产关系，当其物质的存在条件未于旧社会母胎内孕成以前，亦不实现，信斯言也，则社会之变革，系于经济的条件，其变革也纯出于机械的作用，完全受经济的定命论所支配，非各个人意志所能左右，各个人宜若可以拱手无为，坐待社会之自然变化，今之人汲汲焉从事社会改革运动者，岂非多事乎？"曰：是不然！社会组织之历史，个人努力之结果也。

社会由有意识之各个人相集相合组织而成，社会组织之变革，一方受物质的条件所拘束，另一方又必待各个人有意识的行动始能实现，故物质的条件与个人之努力二者皆社会变革之要件也。

社会变革之必要条件，固不仅个人有意识有目的之活动已也。阶级斗争，因生产力与社会组织之冲突演化而成，社会之进化，须经历阶级斗争始能实现，故个人对改造社会之努力，即系构成此冲突之因子，实于社会之变革有绝对之必要。

世之主观论者恒重视个人在历史上之活动，以为历史纯由个人创造而成，遂轻视社会发达之历史的法则；反对论者又重视社会发达之进化的历程，以为社会之进化纯系自然进化，遂忽视历史由个人创造之实事；二者皆一偏之论也。

个人能创造社会之历史，然不能任意创造之，必也依据社会历史进行之途径，应时势之要求而创造之。故个人而欲创造其自身之历史也，第一必在确实之前提与条件之下；第二其结果又常由多数个人意志之冲突而生。

特种个人根据其性质之特征之活动，能影响历史之进行，且有时能使此影响特别增大。但此种影响增大之可能性，恒受社会组织所拘束，恒受多数社会力所限制。个人之性质所以能成为社会发达之一要素者，非个人之特殊天才使然，实社会关系有以玉成之也。个人所处之地，所处之时，苟皆与社会关系相宜，则其在相当范围之内之努力，必足以促社会之发展。个人努力对于历史进行之影响，其大小如何，固视个人能力之大小以为断，然在一定时期内各个人所负之使命，仍受社会组织所限制也。

伟人之所以能成其伟大者,非因彼所秉赋之个人的特征能于历史上大放异彩也,实因彼所有之特征最能适切于当代社会的大要求故也。是故伟人者实一切创始者之别名。伟人之所以异于常人者,以能知其大;能见其远;能解决前代社会所提供于当代之科学的问题;能发见由前代社会关系之发达所造出之社会的要求;能更进而鼓其特殊之智力精神,率先担当解决此问题满足此要求之大任耳。故曰伟人者,创始者之别名也。

时势能造英雄,英雄亦能造时势。然时势所能造之英雄,实乃时代之产儿,犹社会进化途中之挽车者也;英雄所能造之时势,实乃技工之制品,犹司启闭者之转移社会变革之枢纽也。方物质条件之未备也,个人无论如何努力,人群无论如何运动,社会之变革终不可期也;物质条件既备矣,个人或人群苟不努力以促成之,社会之变革亦不易实现也。

当 17 世纪之时代,欧洲之产业革命已肇其端,工商阶级逐渐得势,而经济上则受旧时组合制度之摧残而不克自由发展,政治上则受封建贵族之压抑,而不克保证产业之安全,当时之生产力,在封建社会内已无发展之余地,所谓社会革命之经济的条件固已具备矣。卢梭等能测度历史进化之潮流,究知社会发达之趋向,故首创天赋人权之自由学说,为彼被压抑之工商阶级开一民主革命之生路,于是而民治潮流遂澎湃于寰球,而卢梭遂成为世界之伟人。又如 19 世纪中叶,欧洲产业革命殆已完全成就,卢梭之自由学说化成资本阶级自由竞争之利器,自由竞争与私有制度遂成为现代社会组织之两大原则,而社会问题于以发生,阶级对立于以显著。资本集中,恐慌迭起,生产力渐有停滞之虞,而社会革命之经济的条件,似亦已具备矣,于是马克思起而创社会主义学说,为被压抑之劳动阶级造一社会革命之工具,于是社会思潮遂震荡于寰宇,而马克思遂成为世界之伟人。此非卢梭马克思之天才能创造万人所热烈信仰之学说也,实则卢梭马克思能认清社会进化之关键,能开发万人心理之自由思想以启发众人之耳目而已矣。

希腊时代之柏拉图亦曾著书发表其社会主义思想矣,而影响全无者,以其无经济基础,类皆玄虚之谈也。19 世纪中叶,蒲鲁东巴枯宁之流亦尝唱无治主义之学说矣,而信徒绝少者,以其昧于历史的经济的演进,类皆空想之论也。

由此观之,社会之变革,一方面固须待物质的条件之具备,一方面尤赖个人之努力,始能实现。各个人不能全仗其自身之努力,任意改革社会,亦不能静待社会之自然变化而怠其对于社会之努力。生今之世,为今之人,诚宜细察社会之潮流,熟审时代之精神,创造自身之历史,促进社会之进步。不当逆反时代潮流,致为无益之努力,亦不宜放弃自身责任,徒托玄妙之空言。此个人努力对于社会革命之要件也。

第十一章　社会之进化

第一节　进化之原理

统观人类之历史,各时代有各时代之政教风俗及思想,各时代有各时代之经济制度及特殊之社会与国家之形式,又各有其接触战争及迁徙之事变,人类此种纷纠错杂之思想及行为果何自而来乎? 换言之,此种精神的社会的现象内容及形式之变化,果何自而来乎? 此其中盖有一种原动力在也。人类感觉思想及意识之所以发生变化,社会制度及社会冲突之所以异其形式者,皆此原动力之作用也。此原动力非由思想观念理性或精神而生,乃由物质生活关系发出者也。人为社会的动物,借自然环境及自身肉体的精神的助力,经营其物质生活,提供其生活资料,又生产生活必须之财物而交换之,此即物质的生活关系也。物质生活之一切范畴中,最重要者为生产生活必需之资料,而此生活必需资料之生产,恒由生产力决定之。故社会进化之原动力即此生产力是也。

各个人利用自然环境所供给之材料,以生产种种物财,而发生种种相互之关系;同时反射生产力于精神之上,创造一定之社会的政治的法律的制度及宗教伦理哲学之体系。故人类从事生产的劳动时,即造出一定之社会形态及国家哲学与科学。物质的生产关系构成社会之基础,与此基础相适应之精神文化之体系,构成社会之上层建筑。而此上层建筑又有维持其基础之力,并促进其发展。故基础为物质的,上层建筑为其精神上之反映,又为精神之结果。

社会之革命的进化,依据二种现象而成:其一为物质的现象,由生产力之发达而成;其二为精神的现象,系受前者之影响,由社会的阶级斗争而成,两者同出一源,而其任务则分途并进。盖生产力发达,则社会物质的基础势必发生变化,旧生产关系不能增进生产之利益,而成为生产力发达之障碍。政治法制等上层构造,已不适合于经济的基础,于是生产力与生产关系遂至互相冲突,同时经济上被压迫之阶级亦与经济上占势力之阶级,发生阶级的利害之争斗。此时生产关系苟不改造,则生产力不能继续发达,社会即无进化。而改造此生产关系之人工的发动力则为阶级斗争。阶级斗争之结果,社会之物质的基础改造,因而政治法制等上层建筑亦适应此基础而改造,如此产生之新社会遂超出旧社会之上,是谓社会之进化。是故社会进化之原动力实为生产力,生产力继续发达,则经济组织继续进化,政治法制及其他意识形态亦随而继续进化,此社会进化之原理也。兹特本此原理分别说明经济政治法律道德宗教哲学艺术之进化于下。

第二节　经济之进化

研究社会之经济的进化而最有心得最中肯要者,无如莫尔甘及马克思二人。莫尔甘之研究注重古代社会,马克思之研究注重文明社会,其研究之方向虽各不同,而其论进化之原理则一也。予以为依据经济发达之历程说明社会进化之阶段,当以莫尔甘、马克思两氏之经济的分类法为确当,兹特采两氏学说为根据,以说明经济之进化。

一、莫尔甘对于经济的进化之说明

莫尔甘分人类社会之历史为野蛮、半开、文明三大时代,均依生活必需品生产方法之进步发达而区分者也。人生于大自然之中,所以能独占优势者,以其有善于取得生活资料之才能也。一般动物之中,其能生产(或取得)丰富之食物者,唯人类而已。故人类社会有大进步之时期,必为衣食最丰富之时期也。

先就野蛮时代而言,野蛮时代又可分为三期。

野蛮时代之第一期,为人类之幼稚期。人类此时多生活于热带亚热带地方之森林中,为避免毒蛇猛兽之害,常营树上生活,食物则完全仰给自然界之木实草根及飞禽走兽,生吃活啖,所谓穴居野处茹毛饮血者是也。其可视为此时代之特征者,惟知以简单明晰之言语互通心意而已。此种原始状态,今已不复存在,任何野蛮种人殆皆脱离此时期。此时期之经历甚久,吾人虽不能举出直接之证据,然既经认定人类由猿猴类进化而来,则其必经历此过渡时代也,殆无疑义矣。

野蛮时代之第二期,人类已知采取鱼类贝类为食物,能发明用火之方法。其在仰给自然界之果实树根为食物时,固有长居热带或亚热带地方之必要,今既发明用火之法,则知烹鱼烧肉为食物,滨河滨海一带,当为人迹所到之区,始由树上生活进而营地上生活,已知发明粗糙石器从事渔猎矣。今之澳洲土人及波里纳西亚土人正属于此时期。

野蛮时代之第三期,自发明弓矢时为始,弓矢发明之后,则狩猎成为人类谋生之职业。既有发明弓矢程度,则其他种种同程度之发明,亦必同时而起,故知制造石斧石镞等项锐利之石器,知取木材为简陋之宫室,知用木料制造器具,知取木皮编制服物用品。所谓部落生活即肇端于此时。美洲西北部印的安土人初被欧人发现之时,尚属于此时期。

其次则进至半开时代,半开时代亦可分为三时期。

半开时代之第一期,自发明陶器时为始,陶器之发明,于器具之使用上实有大进步。而家畜之发明,实为此期之特征。美洲东部印的安人初被欧人发见时,尚属于此时期。

在此时期以前,人类进化之途径,为一切民族所必经,吾人考察进化之历程,殆无顾虑地方性之必要。迨至半开时代,则东西两半球因天赋之不同,故文化之进步殊途。半开时代之特色为动物之畜牧与植物之栽种。在东半球则有畜牧,有栽种;在西半球(如美洲)则于哺乳动物中仅知畜养骆马,于植物中仅知栽种玉蜀黍而已。东西两半球因此种自然条件相异之结果,故尔后进化之步骤各别。

半开时代之第二期,东半球以驯养家畜时为始,西半球以栽培食用植物及以砖瓦石块作建筑材料时为始。就东半球而言,畜牧为此期之特征,饲养牛羊,取乳肉以供食用,取皮毛以制服物,故此期有游牧人群出见,逐水草而居,迁徙无常。农业之发达较迟,谷类之栽种,最初或系用以饲养家畜,后始用以供人类之食用。家屋用木材砖瓦石块为之,已渐次避去风塞暑湿之苦矣。至于西半球,最初专种玉蜀黍,作为主要食物,是为此时期之特征,惟畜牧则不甚发达。欧人发见美洲之初,美洲之印的安种人有已进于此时期者,彼等专食玉蜀黍,此外略种南瓜少许,所畜养之动物仅七面鸟及骡马耳。家屋用木造,筑栅以围之,聚族而居,共营部落生活矣。秘鲁人美洲中部印的安人及墨西哥人初被欧人征服时正属于此时期。

半开时代之第三期,以发明铁器为特征。铁器发明,则有刀剑锹锄,可以开垦土地,助农业之发达;可以制造器具,促工业之进步。生活必需品逐渐丰富,人口亦逐渐稠密。英雄时代之希腊人,罗马建设以前之意大利人,海贼时代之诺尔曼人,皆属于此时期。

再进则入于文明时代,自发明文字记录之时为始,有史以后之人类均属之。

综其大体而论,野蛮时代系采集自然物之时代,人工之生产不过为获得自然食物之补助而已;半开时代为畜牧农耕之时代,人力能增加自然之生产力;文明时代则为人工生产之时代,为发展产业增进生产技术之时代,人类已能脱离自然之束缚,且更进而支配自然,创造自然矣。此莫尔甘对于经济的进化之说明也。

二、马克思对于经济的进化之说明

马克思依据亚细亚的、古代的、封建的及现代资本家的四种生产方法,列成经济的社会构造之四大时期。

第一期为生产力尚属幼稚之时期。马克思所谓亚细亚的生产方法,即指古代巴比伦之状态而言。巴比伦之生产状态殆已由半开时期而踏入文明时代之初期。此期之经济组织,尚无文明社会阶级之区别,故无奴隶制度存在也。

第二期为奴隶制度盛行之时代,马克思所谓古代的生产方法,系指希腊罗马时代之生产状态而言者也。是时人口增加欲望增进之结果,物质的生产力发达,一人之劳动,能生产剩余生产物,足以维持多数人之生活。至是人与人之间,始有隶属关系发生,而助长阶级成立之物质的条件,殆已具备,故奴隶阶级成为最初之被压迫阶级而出现于世。此奴隶制度之存在,即为物质文明已发展至于相当程度之明证。奴隶云者,即被他人视为财产之人也。故奴隶劳动之生产物,完全属主人所有。但奴隶亦生物也,欲继续生存,则必仰赖主人给以一定生活资料供其消费。故奴隶劳动之生产物,形式上虽完全归主人所有,而实际上主人必分给其一部分供其消费,主人所得者,仅一部分之剩余生产物而已。

第三期为农奴制度盛行之时代。农奴制度较之奴隶制度稍为和缓,就其模范的形式言之,凡属农奴,每一星期得以数日耕种其向地主租种之土地,所得之农产物归一己所有,其与奴隶之状态不同。但农奴因租种地主土地之故,每一星期必以数日为地主服役,而从事义务劳动,其被他人掠夺其剩余劳动,则与奴隶相似。故在农奴制时代,农奴劳动中属于剩余劳动之部分,实为地主阶级所吸收,无俟多述。至奴隶制度之所以能缓和而变成农奴制度之原因,则因奴隶之劳动不灵敏不热心之故,为增进生产力计,不能不改良其境遇,使为奴隶而业农者亦得以其一部分之劳动力独立生活也。

第四期为工银劳动制度盛行之时代,现代多数文明国正属于此期。劳动者享有自由之范围,由奴隶而农奴而工银劳动者,盖已次第扩张,今日之工银劳动者所以又称之为自由劳动者,盖根据此特征而言者也。劳动者自由范围之所以扩张,实与劳动生产力之增进有重要关系。而自由范围扩张之次第,又与武力的强制减杀之程序相同。盖劳动者之结合,为增高生产力唯一原因,而促进劳动者劳动结合之方法,其始也纯有赖于武力的强制,其继也劳动之结合,不假武力的强制亦能实行,则武力的强制亦次第减杀,遂至于完全废除。武力强制完全废除,然后自由的劳动者阶级始能发生。

例如就农业劳动者言,必在土地完全被少数人占有之时,然后工银劳动制度始能成立。盖在地广人稀或土地尚有未经他人占有之时,则有劳动能力者,皆得利用土地,以生产其自身之生活资料。此时强有力者,苟欲吸收他人之剩余劳动,则必凭借对人的强制,使他人为之隶属者,始能成就。奴隶制度在使他人成为自身之财产,农奴制度在使他人固定于自家之土地,要皆凭借武力的强制以增加劳动之结果者也。虽然,此种武力的强制,至一切土地概成为私人财产时,则失其必要,此奴隶与农奴所以被解放而成为自由劳动者之原因也。

其次就工业方面言,亦莫不然。工业上重要生产手段为劳动手段,而土地次之。此等劳动手段若由单纯器具发展而成为复杂之机械时,则劳动者即无能力获得机械,其结果,多数劳动者成为使用劳动手段之人,而少数资本家成为私有劳动手段之人。此时劳动者完全不受武力强制，自当服从资本家劳动条件，从事劳动，于是乃有自由劳动者发生。所谓自由劳动者之意，以彼等既不隶属于特定之人，又不为特定之人所有；既有选择职业之自由，又有居住转移之自由故也。惟彼等既与劳动手段隔离，斯不能不售其劳力于他人，此其最大之不自由也。自由之束缚，在昔日为对人的强制，今则化为社会的强制矣。因此之故，近代所谓民治国家，宪法上未有不规定一切人民皆自由皆平等者，而实际生活上则阶级之区别依然存在，一部分人仍得利用他一部分人为自身生活之手段，名义上虽曰自由平等，而实际上则不自由不平等也。此马克思对于经济的进化之说明也。

第三节　政治之进化

政治之进化，随经济之进化而转移。在古代共产社会中，其政治为全民政治；在文明时代之私产社会中，其政治为阶级的政治，此政治进化之公例也。

在古代氏族社会，人类生活受自然所强制，不能不营共产生活。就前章所述伊洛葛人经济状况言，生产物皆归生产者所有，分配完全平等，经济上无阶级之区别，个人间亦无利害之冲突。经济生活异常简单，社会秩序易于维持，语其大者，对内仅有个人与个人或氏族与氏族之纷争，氏族会议足以排解之，对外仅有防御外敌或复仇雪耻之战斗，武装的自治组织足以捍卫之。故氏族组织可以统御一切社会关系，无实行专制集权之必要。又如村落集产时代，村落即为经济的自治团体。就日尔曼之马尔克而论，土地归村落共有，由全体人员共同耕种，共同收获，经济上各人皆处于平等地位。故政治组织亦完全平等，皆有参与"民会"之权。其法律虽具有共同主权之形式，不免拘束个人之自由，然其拘束仅限于生产上之必要，所以促进共同劳力之效果，于个人之利益无妨害也。此古代共产社会之政治状态也。

自私产制代共产制而起，经济上分为剥削者与被剥削者之阶级，社会的编制，依财产之多寡而分，个人间利害之冲突日甚，因而政治上亦发生支配与被支配之阶级，昔日之全民政治一变而成为阶级的政治，此文明时代政治之通性也。

　　初期封建国家,建筑于初期封建社会之上。当时之经济组织采用奴隶制度,故其国家为财主统治奴隶之国家。财主个人之权力,集中于国家形式之下,政权之分配则以财产之多寡为比例。例如雅典,在王政时代,私产制度早经确立,社会分为种族的贵族与平民两阶级,故其政治组织尚留有氏族制度之痕迹。逮提西欧出,始分雅典人民为贵族工人农民三阶级,建统一政府于雅典,树立贵族的寡头政治。迨后贵族经济上之势力,因借债盘剥而日益增大,公民在财产上之地位大受损害,多有沦为奴隶者,而贵族与公民之斗争以起,故有梭伦出而代表公民之利益,改革政治制度,依据不动产之收入,区分公民为四阶级,官职就任权,为有财产之第一、第二、第三三阶级所专有,最高官吏惟第一阶级之人能为之,第四之无产阶级则仅有参与民会之权利而已,梭伦此项改革,可谓为一种政治革命。自经此改革以后,而以财产权为基础之政治组织遂以确立。然贵族与平民之斗争,虽经梭伦之改革而暂见缓和,而贵族专政仍未完全废除。且自由民利用奴隶生产,经济势力增大,其与贵族之斗争亦剧烈,至克里斯特尼出,乃代表自由民编纂法典,撤废梭伦之四阶级制,而区分雅典人民为十地域种族,赋予自由民以市民权,成立民主政治,由是社会分为自由民与被保护民或奴隶之两阶级。然所谓民主政体,并非包括雅典人民全体,实际上有市民权者仅限于1.5万至2万之自由民,真正之主权者乃市民团体,其他奴隶36.5万人及被保护民4.5万人皆为经济的被剥削阶级及政治的被支配阶级。此雅典政治进化之趋势也。

　　其次如罗马,罗马建国之初,社会分为老罗马人及平民两阶级,其政治组织尚留有氏族制度之痕迹,而特权则概归老罗马人一阶级所独占。迨后工商业逐渐发达,平民阶级经济势力增高,遂与老罗马人为政治的争斗,逮塞维斯王出,始制定新宪法,创立新民会,废除老罗马人与平民之区别,依财产之多寡区分人民为六阶极,按阶级之高低,定设置从军队之数目及选举票数,一切政权虽移归新民会,而新民会中占有过半数投票权者,实为一二三三阶级,即为大地主贵族阶级,其余四五六各阶级则为平民阶级。自是以后贵族阶级对于平民阶级实行经济的剥削,平民中因破产而陷于为奴者不可胜记,而平民阶级乃不得不与贵族阶级为政治上之奋斗,共和时代之历史,实与此阶级斗争相终始者也。此罗马政治变迁之大概也。

降逮高级封建社会时代,小土地私有制度变为大土地私有制度,古代之奴隶制度已不能助长生产力之发展,乃采用农奴制度焉。于是社会分成地主与工商农奴两大阶级,而地主阶级之中,又分成大地主小地主等无数之阶级。地主以其所有土地颁与农奴耕种,而取其劳动结果之大部分,农奴则仅能恃其最小部分之收获,以维持其最低限度之生活,此高级封建社会之经济组织也。至其政治组织,则以此经济组织为基础,地主一阶级即所谓皇公诸侯卿大夫之支配阶级,农奴及工商即所谓庶人之被治者阶级也。治者阶级在经济上既完全独占土地之生产机关,在政治上则完全专擅一切行政裁判权力,被治者在经济上即处于与奴隶生活相同之地位,在政治上当然任凭治者阶级之支配。故就其大体而言,此种政治即为地主阶级统治工商农奴阶级之政治,就其行政之系统而言,则小地主隶属于大地主,大地主隶从于最大之地主,即所谓天子统三公,三公率诸侯,诸侯制卿大夫,卿大夫治士庶人者也。若中国周代之政治,若欧洲中世纪大陆封建国家之政制,其形式虽不免大同小异,而其性质则一。此高级封建社会政治变迁之大概也。

迨至近代,封建社会组织解体,土地归豪强兼并,新式工商业发达,农奴制度废止,工银制度代兴。于是政治组织,乃由封建政治变为代议政治,政治之中心亦由地主阶级移于新兴资本阶级。若英国第17世纪之两次革命以后,政治权力次第移于新兴工商业者及乡村地主所构成之资本阶级,其政权之执掌,在形式上虽由王公贵族及国会分配,而立法制及议预算之大权,则完全操诸资本阶级代表组织之国会,至18世纪初期,而代议政治完全确立。若法国自经1789年之大革命以后,政权亦由高僧贵族阶级而迁于第三阶级。他如奥德美日意等国,亦莫不随资本主义经济之成立,而创成相似性质之政治焉。资本社会分为独占生产手段之资本阶级与一无所有专恃劳动力谋生之无产阶级,代议政治即资本阶级利用以统治无产阶级实行剥削之支配者也。洎乎最近,资本主义发展过度,贫富之悬绝日甚,无产阶级感于现时经济组织之足以胁威其存在,乃有变更经济组织之阶级的意识,而致力于改造拥护现时经济组织之代议政治,阶级斗争之热度愈形激昂。无产阶级在财产方面虽无所有权,而其劳动力在生产方面实握有绝大之势力,故能成为经济上大有势力之阶级,远驾乎资本阶级之上。资本阶级因受无产阶级之有力反抗,亦承认其势力之不可侮,

乃不得不略表让步,至有扩张选举权,或承认普通选举,许劳动阶级参政,今日
各先进国之采用普通选举制,实由阶级斗争而来也。虽然,今日之国家仍为资
本阶级之国家,其所掌握之政治权力,并未因劳动阶级之参政而实行退让,其
结果亦不过略以缓和阶级之冲突,而阶级冲突终难免避也。依今日世界潮流
推测之,无产阶级已酝酿社会革命,以企图推翻代议政治而建设新政治,劳农
俄国之革命即其先例也。此近代政治变迁之趋势也。

第四节　法律之进化

法律,专论所有权之关系者也。法律之程式及其范畴虽异常复杂,然其根
据所有权之关系而创制,则一而已矣。法律之进化,与生产力之发达为比例,
此无他,经济上之生产关系,即法律上之所有权关系也。夷考所有权之沿革,
可分为三大时期:第一期为氏族或村落公有制,第二期为个人私有制,第三期
为社会共有制。第一期为氏族社会时代,土地财产属氏族公有,故此时共同生
活习惯之规律,以财产公有制为中心,由氏族共同团体执行,借以维持社会之
秩序。此时共同生活习惯之规律,适合社会全体人员之利益,无拥护一部分人
利益侵害他部分人利益之事,与文明人所谓法律之性质不同。降逮第二期,则
入于文明时代,财产公有制崩坏而个人私有制代兴,特权阶级为维持所有权
计,乃创出国家之机关以统治下层阶级,更以私有制为中心,创制法律,借公共
权力强制执行,直接维持社会之秩序,间接维持本阶级之利益。故此种法律在
特权阶级视之,则含有经济的剥削之性质;在下层阶级视之,则含有经济的被
剥削之性质。迨至第三期,则由资本主义时代入于社会主义时代。资本主义
发展过度之结果,个人私有制逐渐化为社会共有制,此时之法律以社会共有制
为中心,现时劳农俄国之法律,即具有此种倾向者也。

如上所述,法律之沿革,由于所有权之变迁,而所有权之变迁,则由于生产
力之发展,故生产力之发展实为法律进化之原动力。至于助长法律进化之人
工发动力,则阶级斗争是也。

方生产力与生产关系正相调和之时,所有权之观念一定,社会上之特权阶
级得凭借法律以维持其寄生生活,下层阶级虽从事苦痛之劳动以贡献于社会,

然犹得仰赖法律以维持其卑劣的存在,故法律秩序得以保持一时之安定。及生产力发展至于一定程度,下层阶级纵如何努力增加其对于社会之贡献,而社会之根本法制若仍旧保持特权阶级之利益,而不与以相当之报偿时,则下层阶级即感知法律组织足以障碍生产力之发展,并觉悟其自己阶级之利益与特权阶级之利益不相容,而法律的自觉以生。下层阶级对于社会之贡献愈增高,生产力与法律组织之冲突愈激烈,而此种法律的自觉亦愈明显。于是法律之根本的改造势不可免,而法律的斗争所引起之机会亦因而成熟,经济上之阶级斗争遂显现而成为法律上之阶级斗争矣。

法律上阶级斗争之发展,随阶级的正义意识之扩大而决。盖法律秩序为特权阶级所维持,恒有固定之性质。当社会之新兴阶级发生新正义意识而要求新秩序时,则旧日特权阶级亦固执其旧正义意识,而努力支持旧秩序。旧阶级利用旧法律秩序压迫新阶级之利益时,新阶级愈欲贯彻其新意识,愈感知有保持其生存之必要,而阶级之冲突亦因而剧烈。至是旧阶级亦不能不表示最低限度之让步而容纳新阶级之要求,对于法律为最小限度之修正,以希图敷衍于一时。而于法律上基本之点视为有可以摇动其特权者,则坚持固执,决不轻于让步也。然生产力继续发展,阶级的利害亦随而继续变化,法律组织苟不适应生产关系变化,则阶级斗争亦必进行不已,而旧阶级感于旧法律秩序之不能维持,对于新阶级之要求必多方压迫,或巧借名义,更创制多种阶级防卫之法律,以镇压新阶级,而新阶级感于生存之胁威,亦愈益加增其对于旧阶级之反抗。阶级斗争剧烈之结果,则新阶级必至于推翻旧阶级,或两阶级同时并倒。新阶级推翻旧阶级,则新法律秩序代替旧法律秩序;两阶级同时并倒,则社会随而破裂,此法律进化之趋势也。

现代法律为罗马法之复活之延长,此法学家所公认也。吾人欲举实例以证明上述法律进化之趋势,当自罗马法始。

罗马建国之初,贵族阶级利用优越势力,掌握特权,平民阶级被排除于一切公权之外,惟得纳税当兵购置田产而已。其后平民阶级私有土地者日众,其生产力亦继续发展,工商业之财富,大部分属于平民,于是平民始感知法制之不合理,乃开始向贵族阶级要求赋予公权,而阶政斗争以起。塞维斯鉴于此种趋势,始变更法制,以土地为枢机,创立民会,俾平民亦得参预国政,以缓和两阶级之冲突。但平民虽得参政,而两阶级之对抗如故,贵族之势力并未减,仍得利用特权,垄断土地生产机关,平民既不能为官吏,又不能参与国有地之分配,大部分仍不得不租种贵族土地以维持其卑劣之存在。平民更因债务兵役之繁重,不堪贵族之诛求,遂据圣山以叛,贵族不得已让步,乃有护民官之设置,希图缓和于一时。但护民官在法律上所有之权力,仅能消极地监督贵族之专横,而不能为积极反抗,故平民仍未脱能离赋税兵役之支配关系。且当时流行之不文习惯法,贵族阶级之官吏恣意滥用,讳莫如深,平民不堪其苦,乃有要求公布法律之运动,几经奋斗,始有《十二铜表法》之颁布。然《十二铜表法》虽经颁布,而平民除了解贵族之压迫行动外,并未受若何实惠,贵族阶级独占土地如故也。自此以后罗马营利主义经济日益发达,贵族阶级更利用经济势力,扩张营利主义于农业方面,小农因此破产而堕于无产阶级者日见增多,于是平民阶级感于旧有法律制度足以阻碍生产力之发达,迫而要求新法律制度及农业土地制度,以谋助长生产力之发展,但贵族阶级视此为存亡关键,绝不让步,遂加反对者以颠覆国本之罪名,施以猛烈压迫,平民阶级被虐杀者不可胜数,流血之斗争亘数百年而未已。斗争之结果,平民阶级终归败失,而贵族阶级亦因此萎缩不振,遂促罗马之灭亡。故罗马法律上之阶级斗争,以两阶级同时并倒而终局者也。

高级封建时代之法律,以大土地私有制度为本位,其拥护地主贵族阶级或行东阶级之利益,与初期封建时代之法律,原无二致。当其始也,生产力尚得在此财产关系中继续发达,农奴或职工徒弟犹得借以维持最低之生活。迨至工场工业兴,新兴资本阶级成立,生产力骤形发达,而旧日之法律制度,若英国之谷物条例,若法国之工业限制法,农产物禁止流通法等类,皆足以成为生产力发达之桎梏。故新兴资本阶级与封建阶级相斗争,斗争之结果,资本阶级战胜,乃变更旧日法制,而创出现代之新法律焉。

资本社会之法律,其精神为自由主义,即以"自由"、"平等"及"私产神圣不可侵犯"三者为根本原理者也。据自由主义之根本思想,私人生活之有利与否,惟各人自身为最上之判定者,故法律宜任各人惟利自求,不得干涉其经济生活,使得自谋生活,自求幸福。各人苟皆能增进自身之幸福,则社会全体之幸福亦随而增进矣。依此法律原理,则生产及交易,均应放任各人自由为之，此即契约自由也，然劳动者亦人也，亦必惟利自求，而劳力为财货之一种，当其出售之时，亦必受契约自由之原则所支配，而后社会全体之幸福始能增进。此近代法律采用"自由"为原理者也。

既承认上述之自由原理，则各人因惟利自求所蓄积之财产，即不能不受法律之保护，并不能不保护其因获得财产所发生之财产关系。故法律规定私产之神圣不可侵犯，乃所以完成社会之幸福者也。此近代法律所以采私产神圣不可侵犯为原则者也。

私产权既经承认，然法律不可厚此而薄彼，故财之分配又非平等不可，即不能不于承认各人既得之财产权外，更期其平等，即承认私有财产权之平等也。此近代法律所以采用"平等"为原则之意义也。

上述资本主义之法律原理，乃现代资本主义国家法律之精神，法兰西大革命后根据"人权宣言"所制定之法律，即应用此原理者也，其他各国法律之精神，亦莫不然。

依上述法律原理观之，自由平等系以财产为根据，乃有产者之自由平等，而非有产者与无产者间之自由平等。有财产者生而自由平等，故其所有权神圣不可侵犯；惟其所有权神圣不可侵犯，故所有者生而自由平等。反之无财产者生而不自由不平等，故无产；惟其无产故不自由不平等也。

经济上之阶级斗争，法律上之阶级斗争也。现代法律上之阶级斗争，即由上述法律原理诱导而生者也。盖现代经济制度之特征，凡财皆为商品。有形财既为商品，无形财亦为商品。资本家以其有形财化为商品，劳动者亦以其无形财之劳动力化为商品。资本家以货币购买劳动者之劳动力，劳动者以其劳动力换得货币售诸资本家，故劳动者与资本家之关系实即买卖关系。既为买卖关系，即不能不受契约自由之原则所支配。故劳动者之售其劳动力也，形式上出于自由，且与资本家立于法律的平等之地位，然就实际言之，劳动力之买卖果为自由乎？劳动者果与资本家平等乎？此不可不察也。

就事实而论，劳动力之买卖，实不自由。何也，劳动者家无宿粮，一日不能售其劳动力，即一日陷于冻馁之境，其出售劳动力也，实处紧急状态，与破产者之拍卖其余产无以异，非如有形财之受需给法则所支配，犹可以待价而沽也。其次就劳动契约而论，劳动者与雇主实不平等。盖劳动力附于劳动者之身体，劳动者之售其劳力,与普通售货不同,终日处资本家之下,受人格上之支配,随资本家之意志为从违,此身份之不平等一也。又劳动者迫于饥寒,出售其劳动力,在契约上,除维持其自身及家属所需之必要劳动外,更不能不从事剩余劳动,以少额之代价,为多量之工作,此代价之不平等二也。有此二因,故在现代法律制度之下,劳动者对于资本家,实处于不平等不自由之境遇,推厥根由,实近代法律拥护私产之所致也。劳动阶级感于现代法律之偏护资本阶级,知要求改造法律以求真自由与真平等。然资本阶级对于反对法律根本精神之行动则目为叛逆,施以严格之压迫。于是劳动者为达其目的计,采积极之反抗行动,组织劳动团体,而以阶级斗争之形式行之。资本阶级感于劳动阶级势力之不可侮,乃于不损害其根本权利之范围内,承认对于法律为最小限度之修正,近代各种社会政策的法律即由此产生者也。然劳动阶级之自觉随生产力与生产关系之冲突而日益加强,最后必进而要求将私人所有权化为社会所有权,而创制以社会共有制为本位之法律,近日社会主义革命之酝酿,就法律上言之,实根据此种要求而起者也。

第五节　道德之进化

据达尔文学说,一切动物对于自然环境,均行生存竞争。欲防卫自身,获取食物,惟具备最有效之特殊器官而最能适应自然环境者,方能继续存在。一切动物为行生存竞争,皆营共同生活,而保卫自身繁殖种族之本能,遂日增发达。人为动物之一,非营社会的共同生活,不能立于自然界,故人类之社会的本能亦非常发达。所谓社会的本能者,即为社会舍身之牺牲心、拥护社会之勇敢心、遵从全体意志之服从心以及感知毁誉褒贬之名誉心等皆是。此等社会的本能,皆为道德的要素,适合于社会的要求,故当社会关系继续不变之时,此等社会的要求反复发生作用,有命令个人遵守之力,乃化为道德规范,积之又久,则成为人类生活之习惯。是故道德规范与社会的要求,实有密切之关系。社会变化,则道德亦随而变化。故不同之社会状态,要求与之相适应之道德规范,而道德之变化以生。

道德规范虽随社会变化,然亦不必皆与社会的要求采同一步骤而继续变化者。盖道德规范一旦成为习惯，即不感受他种社会的要求，人类亦认为行为之标准而依旧维持之。故在实际生活上，社会的要求虽随技术之进步与生产方法之发达而逐渐变化，而道德规范在相当时期内仍得保持其独立之生命焉。换言之，道德规范与其他政治法制等精神的上层建筑同，皆建筑于经济的基础之上，但一旦建筑成功之后，则与基础分离，在相当时期内犹得保持其独立之生命也。

然道德规范一旦离社会之基础独立，则此种道德规范已非社会进步之要素，而成为保守的要素之化石，反障碍社会之进步，于是道德规范与社会的要求之矛盾以生。

道德规范与社会的要求之矛盾，在无阶级之原始社会中固所难免，惟不若有阶级之文明社会之甚。且在原始社会中，此种矛盾之所由生，实由个人固执于习惯之故，故欲改正其道德规范，仅凭舆论之力战胜习惯，即为已足，固无须他种武力的强制也。至文明社会中则不然，道德规范之维持，成为阶级的利益之问题，其关系于特殊阶级之势力者甚大，故特殊阶级恒利用种种强制力，如经济力组织力以及军队警察法庭教会之类，以镇压被掠夺阶级，借维持其于本阶级有利益之道德规范，强制他阶级遵守之，此可就各种文明社会中之道德规范以说明之者也。

溯自私产制度成立，社会裂成阶级以后，阶级斗争随生产技术进步日趋发达，而道德规范亦随而大生变化。于是公平、平等、自由成为特殊阶级之道德，服从忠勇牺牲成为奴隶阶级之道德，于一阶级有利者必于他阶级有损，所谓强制之道德偏颇之道德是也。特殊阶级经济上既征服下层阶级，复实行强制道德以羁勒之，亦犹狱吏之监视囚人，既固其钥扃其门闭其铁栅，复惧其脱逃而饮以麻醉剂也。特殊阶级，失其检束，奔逸放肆，侵害奴隶，莫之或止。惟利己之自图，独占经济优越地位，视横领强夺，为正当之道德。柏拉图《理想国》中所记斯拉雪麦格之言曰："公道，强者之利益也。"庄子亦曰："窃钩者诛，窃国者侯，侯之门，仁义存。"密勒约翰亦曰："特殊阶级存在之国，其道德大部分必依据此阶级之利益及优势之感情而生；若斯巴达人之于奴隶，殖民地之于黑奴，君主之于臣仆，贵族之于平民，男子之于女子，概皆以此而定其道德关系。"故初期封建时代之道德，对于特殊阶级则推奖无限自由之道德，对于奴隶阶级则为特设合于基督教旨之勤劳与服从之道德也。

封建社会,贵族统治农民奴隶,常实行所谓恐怖道德,使臣民怀恐怖之心,以为即使反乱,终不足恢复其自由也。恐怖道德奏功之效,在使奴隶思其境遇,以为天命所使然,俾不敢至于谋叛,所以屈服天命也。贵族阶级恣意横夺,以其利己心之行动,确保其巨大之利益,压抑他阶级之利己心,使默从于其不正之行为而为之牺牲。犹复俨然饰其威仪,俾起畏敬之念,殆如迷信之类,用以压服被治者之心。农奴则唯有百方从顺,除屈服于压制外无他事。此"爱民如子"、"视民如伤",所以为贵族阶级之道德,而"亲上死长"、"忠君报国",所以为封建臣民之道德也。

资本社会之道德,表面则冒社会福利共同利益之美名,隐匿其实体,其惑人心不易骤见,其性质未能明了,第核其实际则不外默许富者行乐放恣,劝奖劳动者屈服从顺勤苦作工用以增大其资本保持其安宁而已。是故资本阶级之资本愈增殖,对于贫者道德之强制亦愈大。贫者行动之范围愈狭,富者行动之范围愈广。行动之范围愈狭,此阶级突破藩篱之念亦愈切,而犯法之事愈多;行动之范围愈广,则自由之范围亦广,而犯法之事愈少。故自表面观之,资本阶级不道德行为少而劳动阶级不道德行为多,然考其实际则适得其反而已。道德之败坏,至资本社会而极矣。劳资两阶级之冲突日益剧烈,资本阶级惶惶焉惧权力之将失坠也,对劳动者之手段愈辣,而爱他心泯焉;劳动阶级惴惴焉惧自身与妻子之将冻馁而亡也,对资本家之反抗亦激烈,而利他心减焉。此新道德之要求,所以至今日而愈益热烈也。

时至今日,经济组织既已进步,新社会的要求亦已产生,故大多数无产阶级要求新道德规范以伸张本阶级之利益。而少数资本阶级为维持固有之利益计,仍利用强制力以拥护旧道德规范焉。于是道德之理论与实际遂至大相矛盾,拥护之者固未能实践,以其为利也,反抗之者亦非心悦诚服,以其迫于强制也。是故当阶级冲突激烈之时,社会所公行之道德,常拥护奴隶制,拥护不平等,拥护掠夺,质言之,所谓道德即不道德而已。

依社会进化之原理言,劳资两阶级之斗争为最后之阶级斗争,劳动阶级战胜资本阶级之时,则阶级的社会之阶级的道德规范势必改造,而适合于无阶级之新社会之新道德理想,亦必实现而成为新道德规范焉。此新道德理想为何,即自由平等博爱是也。夫曰自由、曰平等、曰博爱，本为人类社会永久之道德，亘万世而不变，并无他种神秘之性质存乎其中，阶级的社会中固尝切望其实现而未能实现者也。基督教亦尝提倡自由平等博爱矣，然其所谓自由乃希望解除生产劳动之自由，所谓平等乃要求消费财产之平等，所谓博爱乃慈善性质之博爱，离经济条件而提倡自由平等博爱，此其所以徒托空言也。法兰西大革命，亦尝高唱自由平等博爱矣，然其所谓自由平等博爱，皆以所有权为根据，固执私有财产制而言自由平等博爱，此其所以不能实现也。至若社会主义所主张之自由，乃在发展生产力减少必要劳动充分享乐精神文化之自由；所主张之平等，乃在共同从事生产劳动之平等；所主张之博爱，乃在壮有所用，老弱废疾皆受社会扶养之博爱也。此种性质之自由平等博爱，乃真自由真平等真博爱，是之谓新社会之新道德规范。虽然，此种新道德理想绝非人类精神作用所能保其实现，必也物质的技术的生产力发展至于最高程度，而私有资本完全废止，世界经济充分扩张，国际冲突完全终熄，战争军备完全废止，世界平和永久确定之时，而后人类社会方可以言真自由，言真平等，言真博爱焉。

第六节　宗教之进化

原人生活资料，完全仰给于自然界，大受自然所支配，故非常崇拜自然力，如太阳、电光、天、山、川、树木及其他动物之类，皆为原人崇拜之对象，此宗教之起源也。迨后生产技术稍有进步，畜牧及农工业次第发生，社会有治者与被治者之分，人类逐渐脱离自然之束缚，乃进而受地位较高者所支配，于是男女之君长，成为智美爱之化身，而自然神变而为伟人矣。

希腊人生产技术进步，商工业亦甚发达，当时之世界一变而成为一般的商业社会，自然物已不能引起人类之崇拜，乃进而崇拜精神矣。大哲学家苏格拉底与柏拉图之言曰：自然界已不能引起吾人注意，能引起吾人注意者，唯思想上与精神上之现象而已。此皆生产技术进步之结果也。

罗马大商业社会未成立以前，多神与自然神犹有存在之余地，既成立以后，则全世界一切疑问，皆可用唯一之精神的神灵说明之，一切自然神自归熄灭，柏拉图、亚里士多德哲学派中之一神论即其表征也。故至罗马帝政时代，而适合当时社会关系之耶稣教遂以诞生,耶稣教即一神教也。

中世纪封建社会,多阶级递相隶属,最高峰为皇帝;其次为王公;再次为诸侯,为小领主;最下级则为平民与农奴。寺院教会之内部,其阶级之区别亦与社会相同,极高峰有法皇,其次自大僧、正僧、正高僧以至于普通僧尼,而其最下级亦为农奴与平民。宗教反映社会实状之适例,当无有更切于此者。

中世纪之末,都市住民因商工业之发展,逐渐得势,对于贵族僧侣阶级占据独立地位。彼等在经济上不承认有比自身更大之力量,同时在宗教上亦成为独立自由之资本家,立于自由地位,故蔑视法皇僧侣,直接对神灵自立,是为路德、加尔文所创之新教。

资本制度确立,工业之发展正如波谲云诡,自由竞争日烈,人类之社会关系已非人类自身所能统御。善恶混淆,黑白倒置,在甲为面包,在乙为死灭,资本家吮最后一滴之血液,劳动者忍终身莫赎之苦痛。欲察知此种冲突现象,势不能不凭借抽象之神灵姿态以说明之,故大哲学家笛卡尔、斯比诺沙、莱布尼等人遂谓神灵为绝大之存在物,万物均包含于神灵之中,神灵之外一无所有,而宗教遂成为抽象不可解之物矣。

近代自然科学异常发达,物质界超自然之神秘已绝无存在之余地,而资本阶级为麻醉劳动阶级计,尚有利用宗教之必要,而宗教遂愈趋于灵化、空化且超脱尘世矣。宗教之在今日,正如荷兰郭泰所云,直一无头之鬼物耳。今日之基督教会复有一最新奇之倾向,即从事劳动运动是已。基督教徒往往冒用基督教社会主义之美名,假借劳动运动之招牌,宣传似是而非之教理,直接劝奖劳动者服从资本家之剥削,间接为资本主义推波助澜,而不知有觉悟之劳动者窃笑于其傍也。

由以上所述观之,可知现代经济之进化,已逐渐消灭人类之宗教观念。宗教起源,实因人类迷信有一种支配人类不可理解之力而不能不服从之故也。此不可理解之力,在昔日为自然力与社会力,然在科学发达之今日,所谓不可理解之自然力或社会力已不存在,无产阶级所从事之工作,殆无日不役使自然力,利用自然力,更不知有他种神秘自然力足以强迫彼等发生信仰。又彼虽处穷困之地位,然已确知贫富之差异在生产手段之有无,更不知有他种神秘社会力量足使彼等发生信仰。是故宗教之为物,在今日之无产阶级视之,实等于子虚乌有,所谓"劳动阶级无宗教"者是也。

第七节　哲学之进化

在原始共产时代之社会,生产之状况极其单纯,易于明了,人类既为左右生产之主人,又为左右自身命运之主人,其能限制人类者,惟"自然"之不可抗力而已,故处乎此种状态之下,人类之思想,亦极其单纯,亦易于明了,个人与社会既无利害冲突,因而善恶之观念不如今日之显然对立,亦惟有"自然"之不可抗力,尚成为一种不可理解之神秘力而已。

迨后文明进步,人类逐渐了解"自然",支配"自然",所谓"自然"之不可抗力,已不能支配人类,于是乃有一种不可抗力之社会力,产自社会的境遇之中焉。自有此种不可抗之社会力,人类之生产乃以交换为目的而不以消费为目的,人类亦因而丧失其左右自家生产物之能力焉。生产物一旦因交换而脱离生产者之手,则此生产物如何流通,已非原有之生产者所能闻问,或转化而掠夺原有之生产者亦未可知也。至是生产物转能支配生产者,生产者协力生产之事实,为猛烈之相互竞争所隐蔽,少数者竟得借此种隐蔽之力,以享有多数者劳动之结果,而社会之利害始与个人之利害发生冲突,善与恶两种观念亦因而互相对立矣。于是多数哲学家乃于此种印象之中,开始编纂其哲学焉。此等哲学家,多系属于财产阶级或支配阶级之人,彼等与社会的劳动历程,全无关系,故于其自身思想之渊源,亦至于不能理解也。

属于财产阶级或支配阶级之哲学家,既不能理解其自身思想之渊源,遂以为彼等之思想系由一种超自然的精神力生产而出,或以为彼等自身即具有一种独立自由之超自然力。此种二元的形而上学之思考方法,虽因时代之不同而变化为种种之形式,而其迎合当时生产方法之变化则一也。希腊哲学迎合古代奴隶制度之生产方法,基督教与神学迎合中世纪之农奴制度与行会制度之生产方法,现代哲学迎合资本主义之生产方法,其形式虽有种种变迁,而此等哲学思想之一贯的特征,实为二元论,即思想与实在,自然与心灵、善与恶等完全判为两事是也。此种二元论之哲学思想所由生,实因未能见到宇宙事物确有真实的相互关系之故。要而言之,此种心理状态,要不外说明社会之阶级对立,因而不能理解社会的生产之性质而已。

近代哲学家之巨擘首推康德,近代哲学之最能表现近代之特征者亦莫如康德哲学。康德哲学使现象界与实体界相对立,意谓人世有二方面:一为必然,一为当然,前者为现象之我,后者为伦理之我。所谓现象之我,一切意象、思想、行为,皆隶科学,须受因果支配,无自由之余地;至于伦理之我,则有无上权威,发无上命令,不受因果操纵,而有绝对自由。盖彼以为吾人心理,对于人生,常望意志之自由,绝非机械之奴隶,故所谓灵魂不死,所谓上帝,所谓自由,皆出于心理之要求,而为当然之事实也。

康德哲学为当时资本阶级思想之表现。盖康德之哲学体系,以自由为中心建筑而成,适与当时资本阶级渴望经济的政治的自由之思想相吻合,故彼之以自由意志为伦理学的基础之哲学,遂成为法兰西大革命之反响也。

康德既认定现象之我绝无自由,复主张伦理之我有意志之自由,此种矛盾,果何自而来乎?此无他,生产兼有社会的性质与个人的性质,康德哲学现象界与实体界对立之矛盾,即由此两种生产性质之对立而生之矛盾也。此两种性质对立发生之矛盾,遂成为支配人类命运之社会势力之渊源。此二元之对立,更因贫富之对立而益甚。而贫富阶级的矛盾,又成为幸福的欲求与多数民众悲惨之矛盾。于是生产组织中所含之矛盾,竟成为自由与隶属现象与实体相对立相矛盾之基础。此康德哲学中之一切矛盾以及一切二元论哲学之一切矛盾所由来也。

如前所述,过去哲学家大都属于财产阶级或支配阶级之人,彼等依据其特殊阶级之社会观,构成特殊阶级之哲学,故立论皆代表特殊阶级之利益。自19世纪中叶以来,无产阶级思想家辈出,马克思之唯物史观学说,乃确立无产阶级之社会观而与特殊阶级之社会观相对立。因此,社会的生产历程之性质,及其成为社会发达原动力之根本意义,遂以阐明。狄更氏更进一步,依据此新社会观,创建无产阶级之哲学,以说明人类之心的性质所以包含于物质的历程之由来。

依狄更氏无产阶级之哲学言之,人类之精神的产物,皆与其社会之物质的状况有密切之关系,皆受一切外界之影响。盖决定吾人之经验者,为得自外界之印象,由此经验而生之欲求,遂以形成吾人之意志。吾人之一般的欲求,即吾人之道德的意志。故围绕吾人之外界,与吾人以印象与欲求。而此印象与欲求,又与吾人以意志与行动,吾人凭借此意志与行动,转以变造围绕吾人之世界。然因意志之指导而起之行动,实显现于社会的生产历程之中。如此,故人类得凭借其行动,以构成自然与社会之发达进化之一大环锁焉。

此种思想,推翻重来哲学之根底,可谓为哲学上一大革命。自有此新哲学,人类之精神,始成为自然之一部,依一定之法则,与世界其余之部分,互相影响。故现象界之外,无另立实体界之必要,现象之外实无实体可以存在也。从此哲学成为经验之学理,成为研究人心之科学矣。

马克思云:[1]"物质世界为神学的哲学的一切观念之胚胎。故唯一之实在,除物质世界以外,无寻觅处。人为物质世界(即自然)之产物。社会为人与自然之合体。社会之根本,乃由满足物质欲求之物质的机关而成立。故社会之一部分人既独占此重要机关,则被排除于此机关以外之他一部人,即不能不为物质之奴隶。然心为物质之产物,物质的奴隶状态;同时又产出精神的奴隶状态。故欲扫荡此物心两方面之奴隶状态,又必须先铲除其根本上之物质的原因焉。"此哲学进化之原理也。

第八节　艺术之进化

斯宾塞谓艺术由游戏而来。动物当满足自身欲望以后,犹有剩余势力,必借他种方法以寻乐;惟人亦然,当满足其必要而有效之有机的机能以后,亦必借艺术以消费其剩余之势力。故如斯宾塞之言,吾人远祖之原人苟得满足其营养生殖防卫之欲望,必感知活动之冲动,此冲动即所以促成舞蹈者也。舞蹈为一切艺术所从出之源,盖有舞蹈则必有歌谣与音乐,而雕刻绘画亦随以俱生。此艺术之起源也。[2]

是故艺术为现实社会生活之反映,有陶冶心性鼓舞精神启发思想之功能。惟艺术之发达,必在人类经济生活富裕之时,故艺术与经济生活实有密切之关

---

① 修订版删除了"马克思云:"。——编者注
② 修订版删除了此段。——编者注

系,经济的组织及状态一有变更,则艺术之内容及制作亦随而发生变化。自奴隶经济成立以后,奴隶阶级受生活之压迫,惟救死之不暇,更何有于艺术,于是艺术遂为特殊阶级所独占而成为一种世袭财产矣。特殊阶级饱食暖衣,复借艺术描写本阶级之生活实况,诗歌以记功德,绘画雕刻以形容本阶级之庄严神圣;于艺术之中寓治制之精神,示奴隶以不可犯,此有史初期之艺术实况也。

艺术史上有两大思潮,即希腊思潮与希伯来思潮是也。希腊思潮为肉欲的为本能的,希伯来思潮为灵的为禁欲的。希腊思潮主张自由主义,主张自我之满足,希伯来思潮主张服从主义,主张牺牲以利他。希腊思潮流行于希腊罗马时代,希伯来思潮流行于中世纪时代。盖希腊罗马为奴隶经济时代,权力阶级放纵恣肆,骄奢淫逸;故当时之艺术,追求肉欲之荒乐,专任热情之奔放,吾人试考察当时艺术作品,即足以想见当时帝王残忍非道之行为与夫富人败德乱伦之状态也。自罗马末年以至15世纪为农奴经济时代,封建政制与基督教旨密相结合,贵族阶级剥削农民之膏血,而基督教则励奖农奴苦力工作,以勤劳之所得奉献于主人,同时艺术亦采禁欲主义以适合此种经济组织焉。

新大陆发见以后,新兴工商阶级因工商业之发展,于经济上取得重要地位,而当时社会组织妨碍产业之进行,故渴望自由之欲求甚强,于是有文艺复兴运动以提倡自由之精神。当时艺术上盛行之古典主义,要不外恢复希腊思潮之自由主义精神而已。十八九世纪之交,产业革命之机运已熟,正工商阶级民主革命运动发轫之时也。于是艺术上之思潮遂由古典主义进至浪漫主义。浪漫主义主张个性的权威,弃去法则规范,打破因袭旧套而以无拘束之自由主张为根本,其内容与性质,与当时革命的工商阶级之主张,正相吻合。至19世纪中叶,资本阶级已完全铲除旧时封建势力,得以自由发展产业,而浪漫主义之思潮遂变而为自然主义。自然主义,以物质的机械的人生观为唯一真理,此物质的机械的人生观即资本阶级之人生观也。

是故艺术之为物,其起源皆有民众的性质,自入文明社会以后,则其民众的性质一变而带有阶级的性质矣。近代所谓艺术,乃少数特权阶级享乐之艺术,而非为慰安大多数平民而创作之艺术;乃少数有教养者所能理解之高级艺术,而非无智识民众所能理解之通俗艺术;乃职业的专门家所能表演之艺术,而非普通民众所能表演之艺术也。换言之,近代艺术乃艺术的艺术,非人生的艺术;乃贵族艺术,非民众艺术也。然在今日,无产阶级之觉悟日增,于要求经济生活向上之余暇,复要求与民众生活有直接关系之民众艺术焉。民众艺术者,即洛曼洛朗所谓"唤起伟大之目的,巩固意志,扩张对于生活之见解,使吾人情绪化为纯洁清深"之艺术也。资本阶级之艺术,乃不事生产劳动之人描写其本阶级生活之艺术,与一般民众之生活无缘,故劳动阶级不能不脱离资本阶级之艺术而创造与本阶级生活有关系之艺术焉。所谓无产阶级艺术,所谓社会主义的艺术,皆民众艺术之意也。"艺术宜根据于生活",此社会主义文学大家莫里斯最急进之见解也。莫里斯乃主张劳动之艺术化而提倡艺术的社会主义者也,艺术苟完全与生活一致,则艺术的社会主义之理想又何难实现哉?

第十二章　社会阶级

第一节　阶级之概念

气禀有强弱，智识有高下，此自然之差异，随人生以俱来，即至社会主义社会亦不消灭者也。虽然，此种差异，至于能分裂全社会人员为地位截然不同之两部分，使其互相对立，则生产力进步以后之社会现象也。方社会的生产力尚未能产出维持全体人员生活必需以上之生产物时，则此种差异相去无几，任何怠惰者决不能不劳而食，任何强梁者亦不能特别多取给于社会之产物也。且是时种族与种族之生存竞争十分激烈，人类为自然所逼迫，不能不共同生产，共同御敌，故社会的本能，非常强大，家族间之差异，少壮者之差异，职业上之差异，在社会上决不能惹起互相嫉视之冲突。但生产力一旦增大，足以产出剩余生活资料时，则形势骤变。于是社会上特别的个人，或从事特殊职业之个人，能于社会的产物之中，取得多额之分量。此种特殊个人取得多额分量之事实，在最初或属偶然之特例，然因时会之便利，而有特殊智识有特殊战斗力之人员，必至于能永久领有剩余之产物，此不难想像而知者也。然生产物直接由生产手段而来，凡自由领有生产物之人，必系领有生产手段之人。故特殊阶级欲独占剩余生产物之时，必须独占生产手段。独占之形式不一，有归治者阶级所有者，有归该阶级中一家族或一个人所私有者。

生产手段之独占，无论其采何种形式，而社会大多数人员与生产手段相隔离之时，则变为奴隶，变为农奴，变为工银劳动者。于是生产手段共有共用之事实消灭，原始共产制因而崩坏，而阶级以生。

是故阶级由历史的特定原因而生，而此特定原因存于经济的构造，实与生产历程之种类与生产物分配之种类有直接关系。而决定阶级关系者实生产力也。

马克思常以土地、资本及工银劳动为三大系统观察社会阶级,盖以阶级由分配而生者也。生产之社会所得,分配于土地所有者、资本家及劳动者。此种分配之前提,在社会的生产方法之中,地代①以土地所有权为前提,资本利息与企业所得以生产手段与无产劳动者为前提,工银以劳动力之价格为前提。故分配方法与分配关系,乃生产方法与生产关系之里面,在工银劳动制度之下,直接从事生产之个人,亦惟以工银之形态参与社会所得之分配而已。

普通经济学所研究之分配,专以享乐财之分配为限,然在享乐财之分配以前,更有生产手段之分配与社会人员之分配焉。所谓生产手段之分配者,即上述某一部分特殊个人对于生产手段之独占是也。所谓社会人员之分配者,即社会人员在生产历程中之编制,如独占生产手段者被分配于农工生产事业之管理方面,无生产手段者被分配于农工生产之劳动方面是也。生产手段及社会人员之分配已毕,然后产出种种之财,而有享乐财之分配焉。享乐财分配之方法,则依生产手段之种类与劳动之形式而定,就今日社会所得之分配而言,即资本家之所得为利息,企业家之所得为利润,地主之所得为地代,劳动者之所得为工银。社会人员如此被分配于生产历程而构成生产之系统,遂以发生社会阶级。

然生产为分配之正面,分配关系与分配方法为生产关系与生产方法之反面,故分配由生产而决定。历史上之社会阶级所以常变易其形式者,实因生产历程之种类与货物分配之种类而异。普通社会学者,多有谓权力为决定阶级关系之枢纽,即谓权力为决定分配关系之枢纽者,而实则不然。例如就征服与革命而论,权力原足以决定阶级关系(分配形式)。然胜利者对于失败者之财产及人员之处置,恒以生产状况所构成之范围为限,不能恣意妄为。胜利者对于失败者之土地,或肆行蹂躏,或夺为己有,或课征一定贡赋,对于被征服者之人民,或一律鏖杀,或作为奴隶,或作为佃农,此概由其生产方法能否促进生产利益之标准而定。故征服或革命以后,社会人员在生产历程中构成之社会的系统,产出一种新阶级关系。可知决定阶级关系——分配形式——者,仍为生

---

① 即地租,下同。——编者注

产力也。

是故所得之差异,财产之差异,职业之差异,均不足以构成社会阶级之本质;同样,贫富之差异,劳动与偷闲之差异,精神劳动与腕力劳动之差异,亦均不足以构成社会阶级之本质。马克思所著各书虽常谓有产者及无产者为两大阶级,然①而成为阶级之本质者,乃私有生产手段者与除劳动力以外无长物者之对立,此实为阶级之根本差异耳。于此吾人可得一阶级之定义曰:

阶级者,社会的生产历程之结果,由生产条件产生而出,因生产手段之分配,及社会人员被分配于生产历程中所构成之社会的系统而生者也。

第二节　法律上之身份与阶级

如上所述,阶级确为经济概念,同时又为与此经济概念相适应之法律概念及政治概念。是故阶级概念宜总合经济的政治的法律的各方面之内容为一体,而由经济的见地鉴定之。法律概念及政治概念中之阶级,要不外于意识形态上攫得经济的系统而已,其与经济概念中之阶级实相一致也。

法律上之身份关系,经济上之阶级关系也。然阶级与身份,则又显有区别,苟混为一谈,则阶级之概念模糊,不可不察也。马克思于所著《共产党宣言》,曾引罗马贵族与平民中世领主与农奴之斗争为阶级斗争之例证,似乎以法律上身份之关系,判定阶级之区别者然。因此反对唯物史观之人竟执此为口实,谓现为民治时代,四民平等,无尊卑之分,无上下之别,阶级之区别,今已不复存在矣。是何其不思之甚也!马克思所以谓身份斗争亦为阶级斗争者,盖以身份为阶级在历史上所表现之特别形式耳,非谓身份关系能决定阶级区别也。

身份之成立,发源于阶级关系,此为历史上之事实,无容否认。盖独占生产手段之阶级对于与生产手段隔离而仅恃劳动力谋生之阶级,必于法律上设定相异之身份,以维持其经济上之利益。此种身份关系一旦成立,则同属于一阶级之人员,有同一之身份,而辨别身份之意识以生;身份平等,则利害关系一

---

① 修订版删除了"马克思所著……,然"等文字。——编者注

致,其亲和力亦愈强,而紧切之法律的团体遂以形成。又不同属于一阶级之人员,有不同之身份,而辨别尊卑之意识以生;尊卑定位,则优胜阶级有安自尊大而鄙视他人之身份意识,隶属阶级有感知被屈服于他人而思要求平等之身份意识。故法律上之身份意识即经济上之阶级意识,法律上之身份斗争即经济上之阶级斗争也。此身份渊源于阶级关系之由来也。

虽然,阶级为社会的生产历程之结果,随社会之经济的构造不同而变化,至于法律上之身份关系,则视其在生产关系上有无必要,不必与阶级关系永久并行也。当奴隶或农奴经济时代,土地为主要生产手段,而生谷之土尚未完全开垦,苟无武力强制农奴或奴隶从事劳动,则彼辈势将另觅生活途径,生产力必不易发达。故独占土地者之阶级,除于法律上确立私产制度外,又必规定身份关系,明示尊卑上下及自由与隶属之区别,以强制奴隶或农奴,俾起畏敬服从之观念,庶不至荒废生产事业。故身份关系实即权威关系,特殊阶级借以维持其经济利益者也。迨至近代,资本成为主要之生产手段,而土地亦归豪强所有,资本主义之生产关系,早经确立,其与生产手段隔离之阶级,除售其劳动力以外,别无谋生方法,独占生产手段之阶级,仅利用其经济势力,即足以控制无产阶级,而发展其生产事业。资本阶级在社会上之地位,实不啻王公贵族,固无须假借法律上之身份关系为维持经济利益之工具也。故现代资本阶级对于法律上之主张,除确定私产制度及自由竞争两大原则外,身份关系,即实行废除而认定人格上之平等,亦无妨害,以身份之区别在现代生产关系上已失其必要故也。

故身份与阶级之差异,全系历史的性质。身份乃拥护一定经济利益之法的组织,阶级乃直接由此种经济利益之社会的机能而演成之自然的组织,身份以适合特殊阶级利益为法律的特权,而阶级则非法律的特权所能维持,乃由经济的优势维持之者也。阶级与身份之历史的差异盖如此。今也资本主义社会组织既已确立,民治主义之政治亦经实现,一切身份关系完全撤废,阶级与身份之差异昔随历史以俱生,今亦随历史之进化而撤废矣。但法律上之身份关系,虽因生产关系之性质而失其必要,然阶级之对立依然如旧也。彼适合于阶级关系之贵族与平民之身份关系虽遭撤废,而经济上独占生产手段者与隔离于生产手段而佣力为生者之阶级关系至今犹存也。是故身份的统治组织,乃社会阶级的构造之上层建筑,而此上层建筑所由成立之基础,唯有由当时生产方法及生产利益中探求之,生产方法及生产利益,实构成社会之要素也。此阶级与法律的身份之关系也。

第三节　政治的组织与阶级

阶级概念为经济概念,同时又为政治概念,欲于政治生活上理解政治生活方面之关系,必以阶级对立为前提。阶级实构成于经济方面而活动于政治方面者也。是故经济上占优势之阶级,即政治上之支配阶级也。初期国家为贵族阶级支配奴隶阶级之政治组织,封建国家为封建阶级支配工商农奴之政治组织,代议国家为有产阶级支配无产阶级之政治组织,劳农国家为无产阶级支配有产阶级之政治组织,此政治组织与阶级之历史的关系也。

政治组织与阶级关系,略如上述,其详已于第八章论之矣。兹所欲申述者,代议政治与劳农政治对于阶级关系之差异而已。普通研究阶级之人,多以经济的剥削及被剥削之关系决定政治的支配及支配之关系者,非通论也。经济的剥削本为产出阶级之要素,然阶级由经济的剥削而生,亦随经济的剥削之撤废而消灭。故阶级之消灭,必在经济的剥削完全撤废之后。经济的剥削完全撤废,则阶级亦失其存在,而阶级的支配亦随而消灭。阶级的支配之通性,在借权力以拥护其阶级利益。其对于经济的剥削,在代议国家则为确认经济的剥削之形式,在劳农国家则为逐渐撤废经济的剥削之形式。换言之,资本阶级之支配,其目的在确认阶级关系;无产阶级之支配,其目的在逐渐废除阶级关系。故两者虽皆借权力以拥护阶级利益,而对于经济的剥削,一则拥护,一则撤废,实不相同也。

是故在代议国家,有产者对于无产者实行阶级的支配,同时厉行经济的剥削;在劳农国家,无产者对于有产者虽亦实行阶级的支配,而同时则撤废经济的剥削。顾或谓劳农国家,既撤废经济的剥削,则阶级应归于消灭,何以无产者更对有产者实行阶级的支配乎?是亦应有之疑问也。虽然,劳农国家之阶级的支配,乃以废除阶级差别为目的者也。在此目的未实现以前,经济的剥削虽能逐渐废除,而阶级的支配则不能即时废止。盖无产阶级获得胜利之后,虽可以一举而排除经济的剥削,将一切生产手段收归公有,而在一定时期内有产阶级仍能存在。彼有产阶级之分子,在未完全打消其恢复利益之活动以前,其精神上之阶级优越地位仍存在如故也。因此之故,无产者对于有产者虽不实行经济的剥削,然决不能放弃其阶级的支配。故无产者与有产者在代议国家之冲突,即在无产者征服有产者之后,亦继续存在。所不同者,权力之分配关系变更,遂以产出国家形式之差异耳。代议国家,有产者对无产者,利用其法律以构成强制的秩序,今劳农国家,无产者亦反其道而行之。前者之阶级意识具有经济的基础;而后者之阶级意识虽无经济的基础,而具同一观念之基础。详言之,此时之有产阶级,其权力虽为无产阶级所剥夺,而彼辈银行家企业家地主等心目中,无时不思恢复其经济上之势力,以再造其有产阶级之地位,而与无产阶级相对立。故此时之阶级意识虽非由经济关系而生,而观念上则仍不离于经济关系。此种阶级意识果能完全扫除净尽,则无产阶级之支配宣告终结,以后之政治组织与阶级全无关系矣,夫然后可以高唱全民政治也。

第四节　现代之阶级分析

现代社会阶级,依上述阶级之概念研究之,可分为两大阶级,即有产阶级及无产阶级是也。两阶级之界限亦有难于分辨之点,盖似有一中等阶级介乎两大阶级之中也。此中等阶级之中,有占有生产手段而其自身必须从事工作者,有应用其智识技能从事劳动而其所得颇多者。前者谓之小资产阶级,后者谓之准无产阶级。是为现代社会阶级之分类,兹分别述之于次。

第一,资本阶级　资本阶级者,凡属利用其自身所有之资本,获得一定形式之利润以为生活根源之人之总称也。故如医士律师等从事自由职业之人,不恃资本所得为生活而恃勤劳所得为生活者,无论其生活如何奢侈,亦不能称为资本阶级。若夫贮蓄其勤劳所得,而成为股份公司之股东,或存款于银行借以取得收入以充主要生活费者,则资本阶级也。盖股东所分受之红利,系剩余价值之一部分;银行之利息,亦属剩余价值之一种形式。自由职业者苟以其为股东所得之利益,以其银行存款之利息为主要生活费,则彼等已成为资本所有者,而直接间接剥削劳动阶级矣,此种形式之自由职业者,应属于资本阶级之列。故资本阶级之分子亦可分为两部,专恃资本所得营生者为基本的资本家;一方凭借资本所得,他方复凭借勤劳所得以营生者,为第二级资本家。农村中之自耕农,即第二级资本家也。要而言之,资本阶级者系以一定形式剥削劳动阶级之人,所谓经济的剥削阶级是也。

资本阶级一语,原名为 Bourgeois,就其语义而言之,此语实发源于 Bourg,即围以城堡而成者为都市;Bourgeois,即都市之市民也。封建时代之阶级类别,以僧侣为第一阶级,以王公贵族诸侯为第二阶级,包含僧侣与贵族之阶级,在当时为上流阶级。其次当时中等阶级,则指 Bourgeois 而言,称为第三阶级;最后第四阶级,则指贱民奴隶而言,称为 Proletariat。故 Bourgeois 之原意为中等阶级,用以表示单纯之市民团体也。然此种 Bourgeois 在产业革命以后,遂分裂成为二,一部分经济势力膨胀,形成今日之有产阶级;一部分经济势力失堕,遂降入无产阶级之列焉。

现代各文明国,更有所谓贵族阶级焉。此等贵族阶级,或与有产阶级结合,或与有产阶级同化,故就社会学的见地言之,不能成为独立的社会阶级,不过为有产阶级中稍具特色者而已。

第二,无产阶级　无产阶级与资本阶级对立,凡属出售其劳动力于他人,为之创造剩余价值,借以取得工资维持生活之人之总称也。无产阶级之中坚为工钱劳动者,彼等提供其劳动力于他人,换得一定之工银,以为唯一之生存手段。资本家由彼等购入劳动力,自由消费,借以造出剩余价值而占有之。资本制生产之目的,在获得剩余价值,以增殖资本。故资本阶级因剥削劳动阶级而存在,劳动阶级因受资本阶级剥削而存在。此种社会关系,与资本制生产同时成立,而被剥削者之分子,即无资本之无产阶级也。故无产阶级与劳动阶级,在今日意义相同。

无阶级之原语为 Proletariat,有时亦作为劳动阶级之意义用之。然无产阶级之人不皆为工银劳动者。无产者之中固亦有积存少许资本薄有所得者,然其所得不特不能维持生活,且其生活费之大部分,为劳动所得。当其为劳动者之时,仍须受他人所剥削,即不能不加入劳动阶级之列。农村中之自耕农兼佃户,一面被地主剥削其剩余价值,一面借自家土地以取得农产物,是亦无产者也。

经济的地位,介乎有产无产两阶级分界线之间者,则有所谓中等阶级焉。此中等阶级实际上由资本阶级中之低级份子与无产阶级中之高级份子构成,可分为小资产阶级及准无产阶级。所谓小资产阶级,皆有一定资本,然不能专恃其资本所得以继续其生活,必须自行运用之以经营一定企业,借以取得利润,始能独立生活,如手工业者、小工业者、小本商人及自耕农民等是也。所谓准无产阶级,不问其有无资本,必须利用其所修养之智识与技能,从事精神劳动,始能生活,如医士、律师、官公吏教员等恃月俸为生活者是也。

此外普通有所谓智识阶级,其在经济上之地位,游移无定,不能成为独立之社会阶级。盖此等智识分子,亦有有产者与无产者之别。即属无产智识分子,其生活亦无一定,方其专恃智识所得以谋生之时,固纯粹之无产阶级也,苟一旦遭逢时会,积蓄其所得,化成资本,且能凭借其资本利得以独立生活之时,则由无产阶级升入资本阶级矣。智识分子既如此游移不定,故其对于社会之见解亦无一定也。

由以上所述所观之,可知现代社会中各个人之生活无论如何复杂,皆可应用本章所述阶级概念,分为资本阶级及无产阶级两大部分,不为资本阶级则为无产阶级而已,穷其究竟,实无中间阶级可以存在,所谓中等阶级云云,亦不过就其程度上加以分析耳。

第十三章　社会问题

第一节　社会问题之由来

生产力与生产关系互相调和之时，则社会组织安定，人类之生活问题影响于社会根本者甚少，斯无社会问题发生。反是，生产力与生产关系互相冲突之时，则社会组织动摇，人类之生活问题影响于社会根本者甚大，弊害百出，遂以产生社会问题。是故社会问题者，实社会历程之产物也。旷观社会进化之历史，由原始无阶级社会而奴隶经济社会，而农奴经济社会，而工银奴隶经济社会，当其变迁之际，殆无不发生社会问题者，如古代自由民与奴隶，贵族与平民之对立；如中世纪领主与农奴，行东与工徒之对立，其时之人类生活问题，自今人视之，盖无一不影响于社会之根本者，惟在当时，世人对于此等社会事实缺乏认识，只视为政治问题而已，今人所谓古无社会问题云者，盖非真无社会问题也。现代社会问题，亦与古时之社会问题同，实乃不安定之社会组织将届变革时所呈之社会现象也。今请述现代社会问题之由来。

社会问题之发生，远肇端于印度航路及美洲大陆之发见，近托始于产业革命时代。盖自印度航路及美洲大陆发见以后，欧洲各国均努力向海外搜寻领土，弃其内部宗教思想之斗争，而从事于外部政治的利害之斗争。当16世纪之时，西班牙西向，葡萄牙东向，皆异常努力于拓殖事业。逮17世纪，西班牙势力逐渐失坠，荷兰继起，与英法大起竞争。由印度而南洋，由南洋而中国，无不倾注全国之力，以争东洋贸易之利权。至17、18世纪之交，荷兰势力亦逐渐失坠，英法于印度各设立政治的商业会社，争夺印度之利权。逮1764年，英国乃驱逐法国势力，垄断印度。当此商业竞争时期，欧洲各国在东洋之贸易，大见发达，欧洲旧式生产方法，毕竟不济于用，于是生产者穷思殚虑，考求改良生产机关之方法,而各种机械得以陆续发明,尤以瓦特蒸汽机关出世以后,遂即掀起产业大革命,为人类生活上划一新纪元。

产业革命之结果,人类之生产,使用动力,应用机械。资本主义于以产生;工银制度于以成立;工场制度之大企业组织日见发达;股份公司与银行保险及交通等事业日增繁盛;都会人口之集中;新经济都市之发生;外国贸易之伸张;经济上之自由竞争与私产制度以及契约营业继承财产一切自由之原则,均经确定。于是社会从新裂成有产及无产两大阶级。有产阶级剥削无产者之剩余劳动以增殖其资本,安富尊荣,无所不用其极。无产阶级佣力为生,备受生活苦痛,惟服役于有产阶级之下,仰赖残羹冷炙以图存,而社会组织动摇之征兆已见。

无产阶级之中坚为劳动者,故无产阶级之命运,不仅即为劳动者之命运,即同属无产阶级之中,筋肉劳动者之境遇较精神劳动者尤为恶劣。此现代社会中劳动者阶级之生活问题,所由至关重要而又最难解决者也。劳动者最感苦痛之事,厥为境遇之不安定。彼等恃力营生,以手糊口,借劳力所得为唯一之财源,以支持其自身及家庭之生活。其卖力也如卖货然,职业之得丧,工资之高低,纯依劳动之需给关系而定。劳力市场之需给关系,随经济界之景况而决,而经济界之景况,又由紊乱无常之生产交换状态而出,劳动市况之不定,乃当然之理。是故劳动者之得售其劳力与否,工资之高低如何,亦属不可知之数,其对于生存既无安定之望,有不对生活而怀疑惧者乎?劳动者处此不安之状态,既不能获得相当之生活资料,亦不能享乐愉快之家庭生活,疾病老衰,一无所备,身且不保,子孙固不暇计也。劳动者境遇之不安有如此。

其次威胁劳动者之生活者,则为劳动人口之过剩。机械使用之结果,一方虽能促进生产之增加,而他方生产技术上劳动之必要减少,即无异驱逐劳动者于生产界以外,劳动者愈感受生存之危险。夫生产技术之进步,本为至可庆幸之事,乃因私产制度及私人的企业分配之故,反使大多数人陷于不利之地位,此非现社会制度之大矛盾乎?方今生活必需资料充满天下,美衣美服盛陈于市肆,食物饮料充盈于仓库,华屋大厦矗立于城野,然大多数劳动人口,衣不蔽体,食不果腹,居不能避风雨,独望汪洋之水而不能医渴,睹丰盛之筵而不能疗饥也。彼资本家方且高车驷马,锦衣玉食,穷极奢侈,无所不为,劳动者穷年作苦,资本家坐享其成,世界最矛盾事,固有甚于此者乎?推其所以致此之由,实自由竞争与私产制度为之厉阶,抑即人类生活影响于社会根本之社会问题所由来也。

第二节 社会问题之性质

人为社会的动物,其生活除极私的部分以外,殆无不影响于社会关系。此影响于社会关系之人类生活,恒发生多种之问题,其中最影响于社会组织及进化之根本者,则称之为社会问题。社会问题,原与其他人类生活问题无异,其所以特称为社会问题者,以其最足以撼动社会组织及进化之根本耳。任何生活问题,苟其影响至于能撼动社会组织及进化之根本,群起而讲求解决之方策时,即足以构成社会问题。劳动问题固为最显著之社会问题,而劳动问题以外,亦有社会问题存在。是故社会问题云者,即构成社会之各阶级间发生妨害社会发展之关系,因而酿成不能不讲求解决方策之人类生活问题也。

社会问题之内容如何,兹为便于说明起见,特就社会问题中最显著之劳动者社会问题,略述劳动者之生活状况于次。

第一,劳动条件之苛酷　自资本主义盛行,工场工业代小规模之工业而起也,劳动者之劳动条件,遂愈趋于苛酷矣。劳动者之于机械工业,与其谓为使用机械之人,不如谓为机械之奴隶,其劳动非常简单,易生疲倦,其工作随机械之运行而继续运用其体力,机械之运行不懈,工作者势不免劳力过度。且机械工业及工场工业,与从前之手工业及家内工业不同,需用大宗固定之资本,企业者尽力之所能及,利用其资本以增大其利益,旧机械之效用不宏,则弃旧而图新,机械昼夜运行,劳动时间愈延长,而劳动者之疲劳亦愈甚。

产业革命以前,劳动条件虽非由劳动者与企业者自由缔约而定,犹能借主从之温情关系,以保障其最低限度之生活。逮自由主义行,而劳力成为商品,无资产之劳动者,因生活之威胁,易为资本家所乘,重以机械工业减少劳力之需要,分业之应用,促进工作之单纯,妇女青年亦能胜任。于是企业者竞用不熟练工人以图生产费之节减,一般成年劳动者遂不能不甘屈服于低廉工资之下,以图苟活。其结果劳动人口过剩,乃产生所谓产业预备军,而工资遂愈趋于低下。加以工场设备不周,妨害卫生,致酿成国民卫生上恶劣之结果,又因妇女青年劳动及午夜工作之故,而劳动者之家庭生活因之破坏。此劳动条件苛酷之一斑也。

第二,地位之降低　产业革命以前,佣工图活之劳动者固非少数,而未有如今日之超过人口过半数以上者。且前此所谓劳动者之徒弟及职工,日后犹有升为店东之希望,今则商工业发达之结果,企业集中,中小企业逐渐减少,资本之所有与经营之自由,概集于少数有产者之手,大多数丧失其旧日独立之地位,不得不降入工银劳动者之列。于是此等占人口大多数之劳动者,依产业之分布,被迫而营团体生活,遂发生一种自觉,利害相同,感情一致,独自构成一阶级,而与有产阶级相对峙。有产及无产两阶级之对立,形成现代最显著之社会现象,两者之地位,随经济之发展而悬隔愈大矣。

第三,生活之恶劣　劳动者不仅感受物质上之痛苦,即精神上之堕落亦所不免。自由主义既成为经济组织之原则,旧日一切拘束完全打破,有产者取得产业之自由,劳动者取得饥饿之自由。在所谓自由契约上协定之工银及其他劳动条件,悉予劳动阶级以不利,劳动者劳力所得之收入,不能维持动物之生活,而其劳力之横被榨取,漫无限制,一旦力竭身毁,即视同土苴,旧日雇佣间之家庭温情关系,已被自由之美名破碎无遗,劳动者终于伤病老废以死,散失其生活保障。加以工场生活,影响卫生,群聚于黑暗污秽之室中共同操作,工时延长,迄无休养之暇,劳动者处此种状态之中,救死不暇,更何况于高尚之精神哉?

劳动者社会问题如此,其他社会问题亦莫不然。要而言之,现代社会组织之两大原则,为私有财产与自由竞争,此两大原则之实现,遂至驱使大多数人陷于无产阶级地位。彼大多数无产者,因生活境遇之压迫而产生阶级觉悟演出阶级斗争,终能解决此等撼动社会组织与进化之根本之社会问题,进而造成合理之社会组织,促成社会合理之进化,乃必然之势也。

第三节　社会问题之种类

社会问题之种类,旧有广义与狭义两种解释。广义之社会问题,即与社会制度全体有关系之问题;狭义之社会问题,即产业制度中之劳动问题。世人有以社会问题与劳动问题相提并论者,但就狭义以解释社会问题,即为劳动问题。于劳动问题之外,更加入妇女问题,即为广义之社会问题。本书于上述两种解释之外,觉更有一种社会问题为吾人所不可忽视者,则为准无产者社会问题。今以次略述于下。

一、劳动者社会问题　社会问题之特征,因经济发展之程序而异。现今文明社会中最显著之劳动者社会问题,实为工业劳动者问题,农商业次之。工业劳动者问题已如前述,兹仅述农商业劳动者社会问题。

农业劳动问题,在农业未经资本主义化以前,其显著尚不如工业方面之甚。盖在农业方面,地主中有大地主小地主与纯粹劳动者之分,而以劳动者兼地主之自耕农亦复不少,地主与劳动者之区别不易明了。且地主与劳动者之间,因土著之关系,保存多少情谊,故农业劳动者之生活,尚不如工业劳动者之恶劣。自农业资本家挟其资本之力,应用农业器械,雇用多数劳动者开办大规模之农场,则资本家与劳动者之关系大异其趣,而农业劳动者问题,遂与工业劳动者无殊矣。

至于商业方面,在以前亦无显著之社会问题。因商业之规模不易发生阶级的自觉,故无组织团体对抗雇主之事。且其工作之种类多属于智力劳动,与从事力役之普通劳动者不同;其地位亦乏固定性,得因时势之变迁,有成为独立商人之望,不若工业劳动者终身固定于劳动阶级也。且在小规模商业时代,雇主与使用人之间,保存一种家庭的情谊,使用人之生活犹得最低之保障,故无显著之社会问题发生。时至今日,商业之规模,随经济之进步而愈益扩大,中小企业者之独立,渐形困难,商业使用人之地位,亦如工业劳动者有永久固定之倾向,随自由竞争之盛行而失其生活之保障,而商业劳动者社会问题遂以发生。其程度虽不如工业劳动者之甚,而其同为一种社会问题,则了无疑义。

二、妇女社会问题　妇女社会问题,可分两种:其一为普通妇女问题,其二为妇女劳动问题。普通妇女问题即妇女要求社会承认与男子享受同等权利之问题;妇女劳动问题即从事劳动之妇女拥护其为劳动者之利益之问题。普通妇女问题以要求除去社会生活上男女差别之待遇为主旨,属于人格问题;妇女劳动问题以要求劳动之解放为主旨,虽同属于人格问题,而其重心点则属于经济问题。故普通妇女问题与妇女劳动问题截然相异，宜分别说明之。

普通妇女问题之发端，亦在于自由之要求。盖启蒙运动之结果，能诱致一般文化之进化，促进个人之觉醒，因而人格之自由与权利之尊重，遂为社会各方所倡导。然当时妇女在家庭及社会之地位，较男子非常低劣，妇人在家庭中为妻为母为女子，不仅不受社会之尊重，且大受自由之束缚，结婚之选择，悉受父母干涉，在家则为父母之所有物，出嫁则为夫婿之所有物。处此时代潮流之下，妇人之不甘受苛虐待遇，乃势所必至。是以先觉之妇女起而从事女权运动，要求社会上、法律上、政治上、经济上之男女平等，更进而要求解放家庭之束缚。且值产业革命之时，工场工业代家内工业而起，家庭以内之生产业务逐渐缩小，妇人之家庭劳动仅限于消费方面，而旧日从事生产经济之妇人，其劳动力亦大有余裕。妇人对此有余裕之时间如何消遣，实有最重要之意义，故当时有觉悟之妇人，所以不甘局促于家庭之内，徒费光阴，至出而从事社会的运动，此普通妇女问题之由来也。

妇女劳动问题，因自由思想之勃兴及产业革命之影响而生。普通妇女问题殆属一种广义的文化运动，故由中流以上之妇人指导之；而妇人劳动问题则属于经济问题，故由妇女劳动者主持之。产业革命以后，家庭生产事务趋于闲散，中流妇人则出而参加妇人运动，消遣光阴；下层妇女则出而从事工银劳动，弥补家用。机械工业能减少熟练劳动之价值，资本家方面反以低廉之妇女劳动为有利，因此妇女劳动者之数日增，劳动之供给丰富，其结果遂致工时愈延长，工银愈低落，保护救济等施设愈不完全，更予劳动妇女以难堪，而妇女劳动问题以起。故妇女劳动问题虽为对于男子之特别问题，同时又为与劳动者共通之问题。妇女劳动者一方要求同等劳动之同等工银，要求保护产妇，要求男女劳动组合之平权；同时又与男劳动者共谋劳动条件之改善，更以阶级的意识协谋现代经济组织之改造。故妇女劳动问题根本上实与男子劳动问题无异。

三、准无产者社会问题　准无产阶级与中产阶级完全不同。前者由手工业者、小工业者、小本商人等中小企业家及自耕农构成之，在经济上尚占有独立地位；后者由独立自由职业者及使用人等构成之，在经济上处于隶属之地位。使用人中如官公吏或教员之类，则隶属于国家及其他公共团体；如会社员之类，则隶属于私立会社。此外如医士律师等自由职业者，在经济上亦不能获得独立之资格。中产阶级依一己之计划,自负经营事业之责任;而准无产阶级恃赤手以营生,绝无恒产,准无产者之中,固有可以认为属于中产阶级之有产者,有蓄积资产而得升入有产者之列者,然其数实属最少,直可谓为例外。故经济上之得独立与否,实为中产阶级与准无产阶级区别之特征。准无产阶级即谓为纯恃其所有之智识与技能之维持生活之阶级,亦无不可也。

准无产者之数,至最近随产业之进步而骤见增加。私人企业之扩大,国家及其他公共团体政务之膨胀,自由职业范围之扩张,因而技师、事务员、官公吏、教员、医士、律师等之数亦随而增多。此等准无产者,在昔时为数较少,颇得资本家或权力家之优侍,代为拥护其社会的经济势力,故其地位安全,生活巩固,今则其数骤增,有产阶级不能完全采用,不能不受需给原则之支配,除少数因缘机会得维持其地位者外,多数则不免感受生活不安之痛苦。故现时准无产者,其地位虽较普通劳动者稍高,而实际所得收入尚有不如者,生活之艰难,失业之危险,殆无时不威胁于其傍,此准无产者社会问题所由生也。

有产阶级非得准无产者智力之援助无以谋事业之维持,无产阶级非得准无产者策略之指导,无以谋团结运动之发达。故准无产者谋生之方法不出两途,不供资本家驱策,即与劳动者为友。又如准无产者之现状,实际上无普通劳动者无殊,然社会公众仅知承认普通劳动者问题而忽及准无产者,国家救济之设施,亦然。准无产者一旦陷于伤病老废或失业之状态时,即失其经济上之保障,其危险殆与普通劳动者相同。准无产者处此状态之下,亦自知警惕,而求所以解决生活问题之方法。惟此准无产阶级不若劳资两阶级得以自身之力量,构成拥护自己阶级之理论,而增加其运动之实力,故欲求解决其自身之社会问题,即不能不加入无产阶级,协力运动,以谋社会组织之改造。准无产者之社会问题亦不容忽视也。

第四节　中国社会问题之特性

海通以前,中国经济自给,农业及手工业方面,尚无显著之社会问题发生。海通以后,欧西资本主义商品,挟武力以侵入中国市场,源源而来,日增不已,中国固有之农业及手工业经济悉被扰乱。降至清朝末叶,中国一部分小资产家,始知仿效欧西资本阶级,采用新式机械,从事殖产兴业,中国乃入于产业革命时期。在此产业革命时期中,各工业先进国之资本阶级,挟其大资本之威力,压迫中国小资本之发展,垄断中国之市场。中国之铜墙铁壁,不能抵御资本主义之侵蚀力,横览禹域,虽穷乡僻壤,殆无不有资本主义商品之足迹。其结果竟使中国手工业失其独立之地位,而农村生活,亦因购买机制商品代替手制商品之故,而达于不自然之高度。彼无数失业之手工业者,进不能佣工于大规模之工厂,退亦不能操业自给,生活艰难之呼声弥漫于城乡市野,而民不聊生矣。彼欧西各国昔日之手工业者处产业革命之时,虽不能自立营业,犹得入新式工厂充工银劳动者以维持其动物生活,今中国手工业者失业时,虽欲求为机械之奴隶亦不可得。于是中国种种社会问题,遂偕资本主义商品以俱来,推其缘故,约有四端。

一曰,资本主义以中国为逋逃薮也。资本主义之在欧西,至19世纪中业,已达极盛时代,据马克思之推测,当时资本主义实已自掘坟坑,属纩有日,而不意世界尚有如许殖民地及半殖民地为其避难之所也。惟其如此,故若辈资本阶级尚得继续扩大其企业,增加其制品,悉运以销纳于此等殖民地与半殖民地,一以图资本之继续增殖,一以安插国内失业工人,借以缓和劳动阶级之反抗。试一翻中国对外贸易之统计,机制商品之自外输入者每年不下10亿元,此10亿元之机器商品皆中国人民所消费者也。苟于中国境内制造此10亿元之商品,势必设立数千或数万之工场,而能容纳数百千万之工人。中国境内苟有如许工场容纳数百千万工人,即令剩余劳动为资本家所掠夺,犹得维持其最低之生活。无如此等工场遍设于英美日法诸国,佣工于此等工场者乃为英美日法等国之人民,中国人民欲求插足焉不可得也。

二曰,大资本压迫小资本也。大资本压迫小资本,乃自由主义经济组织之原则,中国产业之不发达,虽由于小资本家缺乏殖产兴业之能力,而其主要原因,实受此原则之支配。彼强有力之外国资本阶级,既欲垄断中国市场以销纳其剩余商品,势不能不利用其大资本之威力,操纵产业金融,横施压迫。中国小资本阶级欲与强有力之外国大资本阶级战,犹幼儿之斗成人,失败立见,欧战期内中国初兴之织维工业至最近而横被摧残者,只此之故。国内产业既无由发达,斯不能吸收多数失业之工人,中国失业问题,所以成为社会之大患者,此其大原因也。

三曰，不平等条约之为厉也。中国名虽为独立国家，实则为帝国主义国家之半殖民地。彼帝国主义国家挟政治势力为经济侵略之向导，乘中国政治之纷乱，强迫与之订立无数之不平等条约，取得政治上经济之优越势力，监督我财政，占据我海关，操纵我金融，助长我内乱，阴险狡诈，无所不至，其唯一目的，盖不外永远使吾国成为若辈销纳资本主义商品之市场而已。长此以往，中国实业永无发展之望，斯扰乱社会之失业问题，永不能解决矣。

四曰，内乱之不宁也。清末以还，中国内乱如麻，军阀跋扈，残民以逞，人民处水深火热中，兵燹频仍，饥馑荐至。彼军阀者犹复多方剥削，虐取于民。十里一关，五里一卡，统一无期，而商人裹足矣；争城以战，争地以战，和平破坏，而工业窳败矣；田赋预征，苛捐百出，秩序纷乱，而农业不振矣。秩序和平与统一，为发展产业之三大要素，今以内乱之故，荡然无遗，更何望产业之发展耶？农不能安于野，工不能安于市，行旅不能安于途，匪盗游民，随处皆是，民不聊生，莫此为甚。此在昔日虽属政治问题，而在今日则成为最重大之社会问题矣。

基于以上数端，故中国社会问题虽亦同为资本主义之产物，然其发生之理由，乃因产业之不得发展，与工业先进国因产业发展过度而发生之社会问题大不相同，此其特性也。其次再就各种社会问题之内容述其特性之所在。

中国社会问题，亦可分为劳动者问题妇女问题及准无产者问题三种，劳动者问题又可分为工业劳动者问题、手工业失业者问题、商业劳动者问题及农业劳动者问题四项。四者之中，商业劳动者问题尚不显著，而其余三者则不然。工业劳动者问题与工业先进国无殊，惟因劳动法尚未颁发之故，劳动者不免受特别之牺牲，尤以佣工于外人所设立之工厂者为最甚。彼辈偷生求食于国际资本家之手，国际资本家利用其特殊政治势力，待遇异常残酷，稍不如意，鞭责相加，有反抗者则枪毙处死，莫敢谁何，远不如彼等对付本国劳动者之犹知畏法而不敢肆无忌惮也，是为中国劳动问题之第一特性。其次如失业一事，各国手工业者，在产业革命时虽所难免，然彼等失业者犹得售劳力于资本家以取得职业，而中国之手工业者一旦失业，则不易取得职业，往往流为匪盗，是为中国劳动问题第二特性。至于农业劳动者问题，在中国机械农业未发生之今日，固无显著之点，然以农村生活受资本主义影响达于不合理之高度之故，农村劳动者，虽穷年劳动亦不能赡养身家，壮者散之四方，弱者转死沟壑，此亦他国农村劳动问题所无者也，是为中国劳动问题第三特性。

中国家庭制度特别谨严，礼教之束缚，家长之专制，为世界各国所未有。近自欧化东渐，而妇女问题亦与其他社会问题同时并起。中国妇女社会问题，亦可分为普通妇女问题与妇女劳动问题两方面言之。就普通妇女问题言，最显著者莫如婚姻问题，其次为参政问题。中国女子在法律上无继承财产之权，中流妇女之地位虽较下层妇女为优，而其同为无产者则一。经济上既不能自给，欲求婚姻之自由，不可得也。中国女子教育不甚发达，且以产业幼稚之故，工商界不能吸收有智识之女办事人，女子殊难取得服务社会之机会。此中国普通妇女问题之特性也。次就妇女劳动问题言，亦自有其特别之点，盖自手工业被资本主义商品压迫之后，农村妇女之生计大受影响，不能不群趋都市以谋生，惟女子所操之工作及其所受之工银，较男劳动者尤为低劣，且因劳动法尚未颁布之故，女工所感受之苦痛，特别重大，此亦中国妇女劳动问题之特性也。

中国准无产者问题，亦自有其特性在。盖此辈准无产者，在工业先进国系应产业发达之要求而出，后因人数太多，供过于求，以致不能尽量容纳，致受生活困难及失业之压迫，而形成一种社会问题。中国则不然。中国产业虽不发达，而此辈具有工商业使用人及官公吏、教员、医士、律师等智识技能之人才，无不应有尽有，徒因产业幼稚之故，未能尽量采用，加以军人跋扈把持，狼狈为奸，亲戚故旧虽目不识丁亦得为官公吏，而有法政专门智识者，反在摒斥之列。故彼辈准无产者，纵有特别智识亦无所用，为生活故，不能不尽弃其所学，献媚权门，希图取得升斗之禄以赡养身家，否则亦惟有终于受生活之压迫而老而死已耳，此中国准无产者社会问题之特性也。

第十四章　社会思想

第一节　自由主义

社会思想者,解决社会之根本思想也。本书所研究之社会问题系现代社会问题,故所论解决社会问题之根本思想,实即现代社会思想。社会问题又为社会阶级的问题,故所论之社会思想,实即阶级的社会思想。现代社会裂成有产无产两大阶级,社会思想之各种类,就实际上类别之,可分为有产阶级的社会思想及无产阶级的社会思想两大派;就形式上类别之,可分为自由主义、保守主义、改良主义、社会主义、无政府主义五大派。自由主义为现代社会组织之根本思想,成为自由主义之反动而出者,则为保守主义;反自由主义及保守主义而起者,则为社会主义及无政府主义;立于两者之间以谋调和者,则为改良主义。兹依次先述自由主义。

现代社会组织之两大根本原则,为私产制度及自由竞争,自由主义之理想,即充分实现此两大原则也。自由主义因反抗重商主义之恶弊而起,倡之者为法国重农学派,修正而完成之者则为亚丹斯密。继承斯密氏而更趋激烈者为英国曼彻斯特派;努力实现此主义者则为德国福来罕得派。自由主义各派之主张不必相同,而其奉"个人绝对自由"六字为金科玉条则一也。自由主义之根本观念,一言以蔽之,即认定社会与自然受同一法则之支配是。个人之在社会中,允宜发挥其个性,根据自然情感,依本性之要求而活动,斯能获得人生圆满之幸福。换言之,个人依自己之判断而认为至善者,即循此至善之方向进行,以遵从自然法则之命令,斯足以获得精神上之满足,享受物质上之幸福。各个人能获得精神上之满足,享受物质上之幸福,即社会全体求满足幸福之大道也。

自由主义由此根本观念出发,经济上则主张各个人应择其最有利于己之事行之,务期获得最大之利益,各个人能获得最大之利益,即社会全体最大之利益;法制上则主张排斥国家之干涉,务使各个人得以充分自由发展其个性,以期达最大多数最大幸福之目的。故自由主义之经济政策,农业方面则主张实行土地所有之自由,土地抵当之自由,土地继承之自由,并要求农民之解放;工业方面则主张实行企业之自由,择业之自由,迁徙之自由,劳动契约之自由;商业方面则主张实行贸易之自由,商品价格之自由,对外交通之自由,人及货物移转之自由。是故自由主义行,而旧日社会组织遂完全改造而成为自由主义社会组织。自由主义实行之结果,资本主义遂以确立,阶级悬隔遂以显著。一切生产关系,完全由有产者利用资本方法之如何而定,而自由主义社会组织,遂又化成资本主义社会组织矣。

最感受自由主义之弊害而认为有切肤之痛者,厥为无产阶级。无产阶级对于自由主义极力反抗,以至劳动问题成为最显著之社会问题。然自由主义者对于现代社会问题异常忽视,以为社会问题可以委诸个人之自由行动,听其自然解决;以为自由竞争乃自然之势,弱者应受强者虐待,贫者应受富者剥削,多数者应为少数者牺牲;故对于劳动问题不仅不谋设法解决,且愈增其纠纷之程度。

自由主义为巩固其根据起见,又建设多种之理论,其主要者有三。其一为马尔萨斯人口论,谓下层人民之经济地位,纵能用人为方法提高,而其结果反使彼等人口增殖,势必再降入同一之地位;其二为工银基金说,谓劳动者之工银绝非人为方法所能增加;其三为进化论之应用,谓自由竞争系根据优胜劣败之原则而行,足以促进社会之进化,非人力所能左右。三者之中,工银基金说之谬误,显而易见,不攻自破。其次人口论之主张,依各文明国出产率之统计观察之,近年来下层人民之出产率,反因工银之增加而减低,与马尔萨斯所虑者完全相反。至于优胜劣败之原则,仅能支配动物社会,而动物社会并无有采用自由竞争与私产制度两大原则以组织社会之事实,进化论又奚能应用于人类社会耶?

时至今日,自由主义之弊害,洞若观火,除少数有产者外盖无有支持此主义者。且自由主义之使命已告完成,即属有产阶级亦无鼓吹此主义之必要,于是乃有所谓新自由主义代兴。新自由主义亦奉"个人绝对自由"为金科玉条者,惟标榜正义与友爱之美名,如伊里氏所谓欲藉国家立法之公的活动与劳动团结之私的活动以促进积极的自由者是也。排斥国家干涉之自由主义者而借助于国家,其殆受近世改良主义之影响者欤。

第二节　保守主义

反自由主义运动之先驱为保守主义。感社会之不良而追怀过去,乃人性之常。彼旧日特权阶级因感受自由主义之弊害,起而组织保守党,从政治上反对自由主义,亦理所当然者也。保守党倡保守主义之动机,实际上虽因自由主义侵害其利益,致丧失其在国家与社会上之势力而起,然亦自有其理论上之根据。保守主义理论上之根据为何,即对于国家本质及人类天性之观察,有与自由主义不相容之意见是也。

自由主义主张个人有平等自由,保守主义则反是。保守主义以为个人无论在原始社会或文明社会,绝非平等。保守主义论者哈莱氏攻击自由主义之言曰:世人所谓"人类自然状态并无社会秩序,各个人均具有绝对无拘束之自由与平等"者,决不合理。人类自始即分上下阶级。一方自由,他方隶属;一方有权力,他方则服从之,此其自然状态也。各个人社会的地位之所以悬殊者,实由于各个人肉体上精神之天禀与生活上之境遇而异,天禀弱者自当服从于强者,故强者享受自由与权力,弱者唯有隶属与服从,此皆基于自然之法则而生,绝非偶然之事。年长者,强有力者,富者,贤者,智者,在其生活范围以内,均有支配他人之权,权力之支配力,实乃人类生活上自然之产物。惟权力与服从之关系,亦无永久之性质,自由可变为隶属,隶属亦可变为自由;强者可转成弱者,弱者亦可转成强者,入主出奴,变幻无常,唯不能同时享受同一程度之自由而已。共和国家权力常归强者所掌握,即此故也。此保守主义之人性观也。

自由主义以个人为目的,以国家为手段,保守主义则主张国家主义。保守主义国家学者牟拉氏谓国家为最有价值之发明,能排除种种不便,人苟无国家即不能生存,人生而编入于国家组织之内,决不能脱离其关系。国家非单一之

137

制造所,非农园,亦非保险公司或商业会社,国家乃结合国民之内部的及外部的生活而成立之一大完全体,自有其特别之活动力,无限活动,永久生存。国家不仅为现时生存之国民之结合,且为国民世世之结合。国家离个人而自有其目的,故国家立于个人之上,为政者应努力为社会全体谋永久之利益,增进其物质的财富,并提高国民之精神的快乐及其欲望。然欲达上述之目的,则必须以国家为单位,而不能以个人为单位。盖国民之利益虽有为暂时的,而国民之全体永远之利益,则惟国家能保全之。此保守主义之国家观也。

保守主义根据其独有之人性观及国家观,在经济上认定阶级的差别,主张各个人经济活动之所得,须由各个人自己享有,方符向上之动机,公平之分配应相当于各个之能力,故其经济政策,有下列各种特色。第一,承认现社会各个人之既得权。谓现社会中存在之特权,苟于大部分国民无害,各个人之既得权应当承认。盖既得权虽得以法律变更,而在可能范围内,须加以保存,不许用暴力侵害。特权而苟有害于国家者,亦仅能以法制之力徐图废止之。第二,主张差别的政策。谓各个人既不平等,则各个人之价值宜据此以估定之,而估价之标准,则在于财产事业及教育等项。即各人之价值,不在其赤裸裸之个人如何,而在职业财产教育等之如何。有职业,有财产,有教育,则其人之名誉与权能,因以决定。是故自耕农优于佃户,店东优于职工,市之公民优于其他都市之住民,宗教家优于乡村之住民,无往而非差别也。第三,主张团体的政策。谓对于各种职业阶级应予以特别之权利,都市与农村应显为区别,故宜设立职业组合及地方团体,给以自治之权,各个人宜先结成团体,再以团体一分子资格,隶属于国家,不得直接隶属于国家。

以上所述保守主义之经济的主张,其纲领并无一贯之系统,若视为一种教义,尚缺乏理论的断案,盖以现存之法制上经济上道德上宗教上诸传说为其内容者也。笃信此主义者,率为大小地主及贵族宗教家之流,彼等既反对资本主义,又反对社会主义,其为资本阶级及劳动阶级所嫉视也固宜。故保守主义者为维持其在社会上之势力计,遂进而努力于社会政策之实行,以博取民众之欢心焉。

保守主义为防止商工业之畸形的发展,主张由国库补助农民自营自助之能力;为防遏农产物之输入,主张保护关税主义。又因新式大企业能促进贫富之悬隔,故欲维持旧日手工业及小本商业之小企业,一方谋此等小企业之发展,一方讲求防止大小企业竞争之方策,而主张对大企业课征特别之重税。简单言之,保守主义之理想,在维持农业而不任商工业之跋扈,在维持小企业使与大企业对立而已。

其次保守主义者既不忽视工场工业在生产上之功绩,亦不默视资本主义在社会上之弊害,故对于劳动者之救济事业颇为努力。惟其所采之方法,只主张由国家实行劳动者保护政策,而不同情于劳动者结合团体反抗雇主之运动,此其与社会改良主义不同之点也。

保守主义之根本观念,在排除自由平等之原则,使社会关系恢复旧态。惟据吾人观察,自由平等之原则,在现社会并未实现,现社会所谓自由,所谓平等,仅有片面的意义,乃有产阶级之自由平等,于无产阶级无与也。无产阶级虽日夜呻吟憔悴于片面的自由平等原则之下,然无时不渴望真自由真平等之实现。昔日有产阶级应用片面的自由平等之原则,以打破封建阶级之势力;他日无产阶级亦必应用真自由真平等之原则,以打破有产阶级之势力。片面的自由平等原则可废,真自由真平等之原则又为乌可废耶? 至于近代物质文明本为现今社会罪恶之渊源,然其弊在资本主义之猖獗而不在工业之发展。生产力之发达为社会进化之原动力,苟能改造社会组织,未始不能使大多数人享受物质文明之幸福也。

第三节　空想的社会主义

社会主义为现代资本主义经济组织直接之产物,所以谋人类之生存幸福而以废除私产为目的者也。社会主义者图谋解决社会问题时感受暗示之思想,起源甚古。盖有经济的征服与被征服之事实发生以来,其必然之结果,而社会主义思想遂寄生于当代先觉者之头脑中,鲁里亚所谓"空想的社会主义之起源,消在古代云雾中,古代诗的形式中之社会主义,实与当时贫人最初被绞出之泪并生"者是也。中国与印度以及希腊罗马之古代哲人,大都皆有社会主义思想之人。如孔子之大同说,老子之无为说,许行之并耕说,如印度释迦打破阶级之观念,如希腊柏拉图之理想国,均不失为一种社会主义思想。罗马时代社会主义思想甚少,耶稣教于上帝之前倡个人平等及财产所有平等,亦包含社会主义之主张。中世纪社会主义思想,与古代同,皆为消费方面之共产主义而非生产方面之共产主义,且含有宗教之色彩。皆根据基督教之信条或教理而生者也。

泊乎近世,社会主义思想,基于人道主义而生者,大都用乌托邦之小说形式,以发表其所抱负之理想。最著者为摩尔之《理想国》,康巴拿拉之《太阳都市》,哈林东之《大洋州》,皆非根据事实之空想而已。至于稍切实际之社会主义思想家,则有毛勒里马布利、华维尔巴比等一流人。

降至19世纪初叶,圣西门傅立叶路易布朗阿文等相继辈出,遂为科学的社会主义之先导,其影响于世人之社会观及国家观者甚大。盖在当时资本主义盛行,社会问题日益显著,故此等社会主义者之主张,颇能言之有物。圣西门之主义颇带宗教色彩,所著《产业问答》及《新基督教论》谓当时资本阶级虽推倒贵族,增高地位,而劳动者则未受实惠。劳动阶级为一切财富与进步之原动力。宗教本义,在谋此等劳动阶级精神上物质上之幸福,在增进全体人类之福利。故自由主义经济组织应当废除,各尽所能,从事劳动,准据劳动以行分配,而产业制度应化为军事组织。圣西门此种主张,颇含社会主义之精神,颇得时人之信仰。傅立叶著《新产业世界》及《国内农业公会论》等书,唱联合社会主义。彼谓一切财富原为各人幸福之根本条件,而现社会多数人反为贫困所累,自由主义更从而推波助澜,愈促贫困之增加。又当时农工业及私人经济,各自为谋,大阻害生产之进步。个人竞争互相轧轹,徒耗实力,故世人宜避去此不良之结果,共谋增进生产力,使各个人各得自由发展其实力,建设大规模之劳动。人皆有劳动之天性,此种联合苟能充分扩大,则一切必需劳动皆能任意为之,劳动效果愈大,各人愈乐于劳动。为谋达此目的,莫如由个人组织"法兰知"之共产团,共同生产,所得之产物,按资本劳动与技能三者依五与四与三之比分配之。如此则各人皆有劳动义务,皆有依其嗜好以选择职业之权利,贫富之悬隔不致过甚,而社会之贫困与不幸可除矣。此傅立叶之思想也。傅立叶之高足孔西德兰对于社会主义亦有贡献,即对于劳动权之主张是也。劳动权云者,即谓有劳动能力有劳动意志之人而不得依劳动契约由私人获得工作时,有要求国家或公共团体给以工钱劳动之权利是也。傅立叶谓劳动权非在彼所定之社会改造案实现后,不易见诸实行,而孔西德兰则谓社会苟不承认无产者有劳动权,则私有制度不能保持安全,无产者生活艰难,必起社会革命。劳动权之说影响于社会运动及社会思想不少,故路易布朗于法国二月革命时即实行此主张,承认劳动权,并设国民工场以促其实现,虽不久归于失败,而劳动权之要求,至今无产者尤力持不懈。

其次阿文之思想,颇带人道主义色彩。彼曾著《新社会论》及《新道德论》等书,谓人类之性格原为境遇之产物,故欲谋人类之发达,须努力改良境遇,开发德智。又谓贫穷之原因与社会的不幸,皆由产业竞争而来,因产业之增加而日趋于恶劣,其救济之策,在将一切生产手段收归公有,并组织生产之共同团体,故提倡新村组织。新村组织法,由 500—3000 人之劳动者结成组合,给以 1000—1500 英亩土地及其他生产资料,设共同家屋及共同食堂,以营农业为主,傍及其他事业。此等新村可由政府及城乡或个人组织之,以期推广于世界。据彼之说明,此种新村组织成立,则劳动能率增加,分配问题可不发生矣。此阿文之社会主义思想也。

上述古代中世及 19 世纪前半期之社会主义,均属于道德的宗教的政治的性质。其中在法律上有根据者,亦仅对于法律之根本的权利,主张自然法的生存权与劳动权而已,未有根据生产及分配之事实举行科学的研究者。至于根据社会之物质的事实以创造之社会主义,则为马克思社会主义。学者所以分社会主义为空想的及科学的两类,而以马克思社会主义为科学的社会主义,马克思以前之社会主义为空想的社会主义者,只此故也。

空想的社会主义略如上述,兹进而述马克思社会主义——科学的社会主义。

第四节　马克思社会主义

社会主义,依其性质而类别之,可分为空想的及科学的二种。初期社会主义者,专凭一己之思索,描写对于未来社会之主观的要求或希望而止,至于实现其理想之条件果已存在于现社会与否,则不详加考虑。其理想虽高,而缺乏实现之可能性,故谓为空想的社会主义。逮马克思出,社会主义始获得充分之科学的根据,空想的社会主义遂进化而成为科学的社会主义。盖马克思之社会主义,系根据历史的社会的事实,研求伊古社会组织变迁之原因,而发现其进化之法则;次更依据此进化之法则,以观察现代之社会,决定现代社会之必然变革而达于理想社会,故谓之科学的社会主义。

马克思社会主义之内容,可分为历史观、经济论、政治论三大部分,历史观与经济论属于理论的方面,政治论属于实际政策的方面。历史观之根柢为唯物史观说,经济论之根柢为剩余价值说,政治论之根柢为劳工专政说,而贯串唯物史观剩余价值与劳工专政三大原理,使成有机的联络关系者,则为阶级斗争说。兹分别叙述于下。

一、唯物史观说　物质的诸要素中,最能影响于社会之进化而成为根本动力者厥为经济的要素。盖物质的诸要素中最能变化最能发达者,莫如经济的要素,其他如人种、地理、气候等类物质要素,变化甚少,变化甚少之物质要素,对于社会当不起大变化也。例如原始社会,人类所使用之器具,粗笨不适于用,故人类完全受自然环境所支配,气候地理等物质要素之变化,颇能影响于原人。惟详加考虑,此等非经济的物质要素之影响甚微,且随社会之进步而减少,于历史进化之大体无甚关系之可言。是故社会制度之形式,视生产方法及生产物之交换分配方法如何以为断。因而社会之变迁,政体之变形,实依据生产及交换方法之变化而定,非依据所谓真理正义等思想精神之进步而定,换言之,社会进化之原因,不在于哲学而在于经济之中也。

社会生产力发达至于一定程度,即构成社会之基础。依据此种基础组成社会之各个人,在生产分配之社会的历程中,恒发生种种相互之关系。各个人所分受之生产物,由此等关系定之。其结果遂以产出一定之社会形体,产出一定之社会制度。同时又产生适合此社会形体之一般心理状态及诸种道德习惯,因而该社会之哲学文学艺术遂以发生。

然流行于一定社会之思想,对于当时社会,具有强大之势力。惟其思想发源于社会的事物之环境中,而其环境又为该社会经济关系之结果,故无论为政治思想,或者道德思想,或宗教思想,虽能流行社会,支配人心,而其基础根源之经济状态一朝变化,则此等思想即渐失其支配力。又如今日之阶级的社会中之流行思想,不仅为经济关系之结果,且与当时经济上占优胜地位之特殊阶级之利益相适合。故在某一定社会中,常有同时流行两种互相矛盾之思想者,要不外表明两种阶级之利益而已。

但就通例而言,一社会仅有一种流行思想,盖社会之生产机关归特殊阶级所有,生产及交换之业务由彼等操之,故惟有此特殊阶级能依据自身之利益,创造当时社会及习惯。故特殊阶级既占有社会之经济势力,又能掌管社会之精神食物,社会全体因受强制力及说服力之作用,遂至受支配阶级思想所感化。

然人类具有发明力。征服自然界之生产器具继续变化。器具变化,生产方法亦生变化。自然界征服之方面,亦生变化。变化逐渐发生,新器具与新方法亦逐渐成就。然新器具中所包含之新经济力,含有不可抗之性质。新经济力之进步,其始也甚迟,其继也则以加速度进行,终至能踏过一切障碍物而突飞猛进。

新器具出现,则新政治力即已产生于该社会之中。新器具在社会经济上愈占重要,则此政治力亦随而成长。此政治力即使用新器具之阶级,而与旧日领有生产机关之支配阶级相斗争者也。

此斗争继续之中,遂产生必然之结果。经济上,获得社会必要货物之新生产方法,成为急务;政治上,运用进步的生产机关之阶级,取得优势。于是社会事物之新状态遂以发生。若其生产方法大异于旧生产方法,则与旧社会相异之新社会遂即显现。因而政治上产出新制度,宗教上产出新信仰,道德上产出新意见,艺术上产出新趣味,哲学上产出新学说。历史之潮流如此。

代表新经济力之阶级与代表旧经济力之阶级互争优胜时,新思想亦与旧思想互争优胜。新经济力愈增加,而新兴阶级之新思想,愈益排除旧思想,而输入于多数人之头脑中。惟新思想之形成甚为迟缓,其摇动多数人之心理,亦极其迟缓,然经济的变革进行之时,新思想自成为改革之要素,而为破坏旧事物之资助。盖新思想为经济的变革之反映。而其经济的变革又有社会全体进步之意义也。

故新思想恒直接间接由新经济状态产生而出,于社会进步上,于阶级斗争上,均占居重要地位。一切新阶级固不仅为自身奋斗,而同时又为社会全体奋斗者也。

二、阶级斗争说 从来政治家历史家观察政治上及社会上之事变,其能认识社会阶级所负之使命者,颇不乏人,而对于社会阶级及阶级斗争之概念,能为精确之解释,使构成政治及社会思想之内容者,则无如马克思。马克思以经济之特征为区分阶级之标准,即视各个人获得生活资料之方法如何,借以决定其所属之阶级是也。苟其主要生活手段为工银,则属于无产阶级;苟其主要生活手段为资本,则属于有产阶级。无产阶级以出售劳力为生活之渊源,有产阶级以生产机关为生活之渊源。有产无产两阶级之间,存有极大之矛盾,判若鸿沟,互相对立,由对立更进而成为阶级斗争。盖自古代土地共有制度崩坏以来,一切社会之经济的构造悉建筑于阶级对立之上,如希腊之自由民与奴隶,罗马之贵族与平民,中世纪之领主与农奴,行东与佣工,阶级对立之形态虽因时代而有不同,而各时代社会之经济的构造既建筑于阶级对立之上,则一切法制上及政治上之上层建筑,因以成立,社会的意识形态因以适应,故一切过去之历史,皆为阶级对立之历史。

阶级对立之结果,必成为阶级斗争。盖社会组织随生产力之变动而变动时,则社会组织之改造,必假手于社会内部之多数人,故一定社会组织变革时,必有一群主动者担当改革事业,而从事一定之运动。然就历史公例言之,其成为改造社会运动之中心势力者,必为现社会组织下处于不利益地位之阶级;其成为反动派之中心势力者,必为处于有利益地位之阶级。两者互相对立,相持不下,结果不免于斗争,故社会组织之改造,常借阶级斗争之形式以行之。此一切过去之历史,所以又为阶级斗争之历史。

无产阶级经历种种时期发展而成。无产阶级发生之日,即与有产阶级开始战斗之日。斗争之步骤,最初为各个工人反抗直接掠夺自己之资本家;再进一步则为一工厂工人联合反抗;更进一步则为一地方同业工人联合反抗。惟此时彼等攻击之目标乃为有产阶级之生产工具,而非有产阶级之生产方法;彼等之期望仅在于用腕力以恢复旧日手工工人之故态而已。在此时期之中,劳动者亦知缔结团体,惟精神散漫,内部一有龃龉,即行瓦解。其团结稍固者,亦非出于自动,乃因受有产阶级之利用而然。盖此时有产阶级为反抗封建势力之故,恒假借全民名义煽动全国劳动者为之后援,成则坐享其利,败则劳动者身受其害。故此时劳动者虽有较巩固之结合,而所得之胜利则皆为有产阶级之胜利。

　　然而产业愈发达,而无产阶级之人数愈增加,渐知结成大团体,其力量愈增,其自觉亦愈强。且以机械抹去劳动差别之故,劳动阶级之利害关系及生活状态趋于一致,而工银又逐渐降至同一低水平线。有产阶级因自由竞争造成之商业恐慌,无时不使劳动者感受生活之胁威。于是劳动者与资本家之个人的冲突,渐带阶级冲突之色彩。劳动者至此始知结成团体,一以谋劳动条件之改良。一以谋阶级斗争之持久。

　　此期之斗争,劳动者亦屡获胜利,然实际之效果,不在目前之利益,而在劳动者之团结继续扩大。此种团结,因近代交通机关之辅助,而远近之劳动者均得互相接触,遂集合同性质之若干地方的斗争,而团成全国一大阶级的斗争。无产者如此组成一阶级,即自然成为一政党。惟因此时劳动者与劳动者之间,常不免互相竞争,团体必时常涣散。然因实际斗争之经验,涣散者必趋于紧张,而战斗力愈益增大,遇有机会即能要求有产阶级之立法机关,承认劳动者之特殊利益,而有产阶级亦不能完全蔑视无产阶级之实力。

　　无产阶级之反抗愈大,而有产阶级之压迫亦愈大,其结果无产阶级斗争之目标必由经济的方向而转于政治的方向。无产阶级一方面因资本之增殖,而感知自身之利害与资本阶级绝不相容;一方面因实际运动所得之教训,而感知自身非掌握政治权力决无保障生存之望,遂不能不企图政治革命,升为权力阶级,以谋经济组织之改造。故阶级间经济的利害之冲突,非更进而唤起政治的斗争不止也。

　　以上为阶级斗争说之梗概。惟于此有应注意者,阶级斗争说所能适用之范围,仅限于有阶级之社会,而不能适用于无阶级之社会。有史以前之原始共产社会,无阶级之区别,资本社会以后之新社会亦无阶级之区别,当然不能应用阶级斗争说以说明之。盖资本社会中有产及无产两大阶级之对立,为阶级斗争之最终形式。阶级斗争之目标,在绝灭资本制的生产方法,以造成无掠夺者及被掠夺者之社会,经济上既无阶级之区别,斯无阶级斗争之事实。至谓一切人类之历史皆为阶级斗争之历史云者,盖以社会之历史的进行,皆以社会组织之变动为中心,而社会组织之变动,又皆以阶级斗争之形式实现,故过去之历史,皆得由此阶级的社会斗争之见地观察之研究之,因而革命未爆发以前之一段历史，又可视为酝酿革命之时代，即可视为阶级之次第发展以迄于发生自觉之准备时代，必如此观察，始得由科学的见地以观察社会之历史的进行也。

三、剩余价值说　据剩余价值说，劳动为一切商品所共通之社会本质，即制造商品时必耗费若干量之劳动是也。唯所谓劳动系社会劳动。盖为自己使用及消费而生产物品之人，乃创造生产物而非创造商品。彼为自立生产者，与社会无关系。至生产商品之人，不仅生产货物供社会之需要，即其人之劳动亦构成社会劳动总额之一部。其劳动系属于社会内之分业，与其他部门之劳动互相为用者也。

商品为社会劳动之结晶，为社会劳动之现实化。欲以商品作为价值考察，可从此社会劳动着手。商品之有价值，乃因其为社会劳动之结晶。价值大小，仅由现实化之劳动分量决定。惟商品之价值应由其生产所必需之劳动相对分量决定，或应由工银决定，两者之间，大有差异。就实际上言之，劳动者之工银虽为生产物之价值所制限，而生产物之价值则不受工银制限，通例劳动者所得之工银，恒在其所生产之商品价值以下。故决定生产物之相对价值，与其生产所使用之劳动价值，实无关系。

以劳动分量计算商品之交换价值时，须于最后所使用之劳动分量，加入商品原料生产所使用之劳动分量，及助其劳动之器具机械建筑物上所赋予之劳动分量。苟商品之价值仅由生产上所使用之劳动分量决定，则怠惰者与不熟练者所造成之商品，决无多得价值之理。盖上述以劳动分量决定之意，系谓于一定社会状态之下，依社会平均强度之生产条件生产，且为生产所必需使用之劳动分量。如以动力纺织机械与手工纺织机械互相竞争时，手工纺织机械较动力纺织机械须耗两倍之时间，故欲以手工纺织机械与动力纺织机械相竞争，必须较前加倍工作。是此时 20 小时造成之生产物之价值与以前 10 小时造成之生产物之价值相等矣。

是故成为商品实现而出之社会劳动分量，如支配商品交换价值，则商品生产所需之劳动分量增加，商品之价值亦增加；同样，劳动分量减少，其价值亦减少。各种商品生产所需之劳动分量苟为一定不变，则此等商品之相对价值亦当一定不变。然商品生产所需之劳动分量，随其所使用之劳动力继续变化，故劳动生产力愈大，则一定劳动时间内所造成之生产物亦因而增多。例如纺织工人苟用旧式纱车纺纱,每一劳动日能纺棉花数百斤。此时每斤棉花所吸收之纺织劳动仅为往时数1%,而每斤棉花成纱以后所加之价值,亦仅为往时纱价数1%,纱价自趋于低落。劳动生产力愈大,一定量生产物所需之劳动愈少,而生产物之价值亦因而逐渐减小;劳动生产力愈小,一定量生产物所需之劳动愈多,而生产物之价值亦因而逐渐增大。是故商品之价值与生产所使用之劳动时间为正比例,与劳动生产力为反比例。

劳动者每日所售之物为劳动,故劳动须有价格。然商品之价格,仅将其价值用货币表现而出,亦可称为劳动价值。惟普通所谓价值之意义非成为商品之劳动价值。商品中结晶之劳动固能构成价值,但如适用此种价值观念,则10时间劳动日之价值即无由决定。质言之,劳动价值云者,即谓劳动者所售之物乃劳动力而非劳动也,劳动者受资本家之工银,而以其劳动力之暂时处分权与之。故劳动价值即劳动力价值之意也。

劳动力之价值,与一切商品价值同,亦由生产所必需之劳动分量决定。人必生存始有劳动力,故欲维持其生命,必给以必需资料供其消费。且除其自身生存必需资料外,又须养育其子孙,发达其子孙之劳动力,使为劳动者之续,故又须给以一定必需资料,供其消费。生产异种性质劳动力之费用既异,则使用于异种职业之劳动力价值亦异。故要求工银平等之呼声实属谬误。工银制度基础上劳动力之价值,与其他一切商品价值同样决定。异种劳动力价值相异,其在劳动市场亦必有相异之价格。欲于工银制度基础上要求工银平等,亦犹于奴隶制度上要求自由也。

由上所述,可知劳动力之价值,实由劳动力之生产发达与继续所需之必要品价值决定者也。

资本主义生产及其社会组织,在经济上,人与人之关系,概为买卖关系。劳动者于一定时间一定条件之下,以一定代价售其劳动力于资本家,资本家由劳动力取得商品出售于市场,因而劳动力代价之决定,遂引起劳资两阶级之利害冲突,而成为阶级斗争之根本原因。资本家售出生产物所得之利益,较支给劳动者之工银尤大,于是乃有剩余价值发生。

试举一例说明之。假令劳动者每日欲获得生存资料,须做工6小时,又假设6小时工作之成绩与银币3元相当,此3元银币即此人劳动价值之货币的表现。如彼每日 6 小时工作所生产之价值能购买每日所需之生存资料,则彼之劳动能维持其一己之生活。但彼为劳动者,不能不售其劳动力于资本家。彼苟能每日取得 3 元代价以售其劳动力,为资本家做工 6 小时,使资本家之原料增加 3 元之价值,则此价值乃彼之劳动力价值,即为工银之对等价。此时资本家并未获得剩余价值,亦未获得剩余生产物。然而问题之发生,正在于此。

资本家买进劳动者之劳动力,支给代价,犹买进商品然,即有任意消费任意使用之权利。故资本家因由劳动者买进劳动力之价值,即有终日使用劳动力之权利。夫劳动力之价值,虽由维持此劳动力或再生产此劳动力之劳动分量决定,而劳动力之使用,则受劳动者之活动力及体力所限制。故限制劳动力价值之劳动分量,决不能限制其劳动力所能为之劳动分量。因此之故资本家必欲使劳动者工作 12 小时方能满意。劳动者每日工作 6 小时,原足以获得 3 元之工银,而因受资本家所强制,每日不能不多做 6 小时。此多做之 6 小时工作,是为剩余劳动。此剩余劳动必成为剩余价值或剩余生产物实现而出。即如前例,纺织工人做工 6 小时能使棉花增加与 3 元相等之价值,今也做工 12 小时,必能使棉花增加 6 元之价值,而依此比例纺出剩余之纱。然劳动者已售其劳动力于资本家,故彼所生产之价值与全部生产物,当属资本家所有。资本家仅暂时垫出工银 3 元,反获得 6 元之价值。于是构成剩余价值。资本家并未支出相当代价,竟能获得 3 元剩余价值。劳资两阶级间此种交换,遂成为资本主义生产与工银制度之基础。其结果劳动者永为劳动者,资本家永为资本家。

由以上所述,剩余价值率,实由再生产劳动力价值所必需之部分与资本家强制操作之剩余劳动部分两者间之比例决定;换言之,即剩余价值率,除劳动者再生产其劳动力价值或偿还工银之劳动时间外,实由其劳动日延长之比例率决定者也。

要而言之,剩余价值,实即劳动者被资本家强制操作之劳动而已。资本家以原料及机械等形式投入生产以内之物,复由商品价格,收入所谓不劳利得。劳动价值乃投入生产之劳动量,工银即使用于生产之劳动代价。惟劳动代价之工银,殊难满足劳动者之生活资料。此工银与劳动价值之差额,即造成剩余价值者也。故于资本主义经济组织之下,就工银制度精密言之,劳动者每日所为之劳动,仅有一部分获得工银,其余一部分为无偿劳动。此无偿劳动,实际上已成为剩余劳动与利润之基础,而形式上对劳动全体似已支给代价。此混视劳动与劳动力两概念所致也。殊不知劳动之价值,实乃劳动力之价值,由维持劳动力所必需之商品价值决定之。若依前例,而以 3 元之工银视为 12 小时劳动之价值,实大误也。

利润亦由剩余价值产出。依前例,平均 12 小时之劳动,其实现之价值与 6 元相当,则 6 小时劳动之生产物,其劳动价值即为 3 元。如所使用之原料机械等物中已费 24 小时之平均劳动,则其价值应为 12 元。此时资本家所雇之劳动者如对于此等劳动对象又费 12 小时之劳动,则其劳动价值为 6 元。于是此生产物之总价值,实现 36 小时之劳动,其价值与 18 元相当。然资本家所给之工银仅为 3 元,而对于商品价值中已实现之 6 小时剩余劳动,则迄未支给代价。此商品如以 18 元卖出,则此 3 元即为资本家所得,遂以构成利润——剩余价值。故资本家即令以实价卖出此商品,亦足以构成 3 元之剩余价值。就此点言,利润亦可谓为剩余价值之一部。

由此可知商品价值,由商品中所述包含之社会劳动总量决定。惟劳动中一部分所实现之价值,虽以工银形式支给代价,而其他一部分实未支给代价。故自原则上言,商品即不按实价以上之价值出售,而仅以实价出售,亦足以构成利润。此为剩余价值说之梗概。

四、劳工专政说　由唯物史观说得推知资本主义社会必然变革而进于社会主义社会,由剩余价值说得推知资本主义经济组织必然崩坏而达于社会主义经济组织,由阶级斗争说得推知资本家的生产方法为阶级最后之敌抗形式,而阶级与阶级斗争之必归于消灭。是故社会主义唯一目的,在将私有资本收归公有,而达到此目的之唯一政治手段,厥为劳工专政。

依唯物史观说之推论,政治组织必与经济组织相适应。资本主义社会建筑于资本主义经济组织之上,适应于此经济组织之政治为资本阶级民主主义政治,社会主义建筑于社会主义经济组织之上,适应于此经济组织之政治,为普遍的民主主义政治。介乎前两种经济组织之间,有一过渡期之经济组织,因而介于前两种政治组织之间,有一过渡期之政治组织。此过渡期之经济组织为国家资本主义,此过渡期之政治组织为无产阶级民主主义。资本社会中所称之国家为资本家之国家,所谓资本阶级民主主义,实即资本阶级专政;过渡期之国家为劳动者之国家,实即劳动阶级专政。

资本阶级国家,虚伪的主张全民政治,而事实上为一阶级之民主主义,至于社会主义革命则质直的主张一阶级之政治,以期达到普遍的民主主义。资本阶级政治机关系以三权分立为基础之议会制度,无产阶级政治机关系结合立法行政两部分权力之劳工自治组织。议会制度下之国家纯为土地的性质,而劳工自治组织下之国家则兼有土地的性质与产业的性质。一切民主主义皆为阶级的民主主义,所谓普遍的民主主义,在过去仅成为一种观念而止。欲谋普遍的民主主义之实现,必经历劳工专政一阶段。所谓无性别、无宗教别、无人种别、无国民性别之真平等,必经历劳工专政始能实现,而在资本阶级专政期内则决无实现之可能。此两者之根本区别也。

劳工专政在以劳工自治团体为政治机关。劳动者自治团体概由劳动民众组织,资本阶级除外。如此,有觉悟之劳动者始得尽能力组成良好之大团体,以其经验训练一般民众,引入政治生活,使娴熟政治之运用,夫然后治法与治人始能一致,始能促进普遍的民主主义之实现。此劳工专政之特质也。

社会主义革命之目的,在改变资本主义经济组织为社会主义经济组织,而达到目的之手段,则在推倒资本阶级权势,由自己阶级掌握国家政权。前者谓之经济革命,后者为之政治革命。故欲谋经济革命之完成,必先实行政治革命。社会主义政治革命,可分为三期说明。第一为革命前之斗争期,即无产阶级对资本阶级准备夺取政权之时期。第二为革命时之斗争期,即征服有产者之时期。第三为革命后之斗争期,即镇压反革命之时期。第一期又可谓为精神的准备时期,第二第三两期,又可谓为劳工专政时期。无产阶级掌握国家权力以后,即利用政权夺取资本阶级一切资本,将一切生产手段集中于国家,同时解除资本阶级武装压服反侧。有产阶级完全被征服以后,则政治革命实现,从此遂从事经营产业,即进于完成经济革命时期。从此生产力得以加速度发达,而社会主义经济组织乃能实现,此劳工专政所以成为必要之理由也。

第五节　马克思社会主义之分化

马克思学说出世以后,旧日空想的社会主义乃一变而成为科学的社会主义,于是社会主义遂为马克思社会主义所代表。迨后派别分歧,内容复杂,而马克思社会主义遂分化为五种范畴,若"正统派"、若"修正派"、若"工团主义"、若"基尔特社会主义"、若"布尔什维主义"皆是也。兹依次分述于下。

一、正统派社会主义　正统派之名称,发生于 19 年世纪末叶柏伦斯泰因一派倡修正说之时。此派代表人为柯祖基,彼为保存马克思主义之本体,与修正派争论甚烈,因而正统派社会主义遂与修正派社会主义并立。西历 19 世纪 70 年前后,欧洲各国信仰马克思主义者无不热心运动,以期社会革命之早日实现。当其始也,极力实行阶级斗争说之主张,排斥妥协,直接行动。彼等因认定资本阶级特权之存在足以妨害社会主义之发展,又认定社会党应由纯粹无产者组织,故以根本改造社会组织为目的,以纠合无产者行有组织之阶级斗争为手段,务期实行革命的政治运动,而于社会主义基础上建设社会主义社会,至若劳动救济立法及劳动组合运动,皆在彼等反对之列。质言之,此时马克思主义者之运动,仅知以无产阶级之直接行动,谋社会主义实现,其成效虽未著,而对于马克思主义则能彻底奉行者也。虽然,社会革命乃无产阶级之企图,纯恃无产阶级自身觉悟,革命运动始有进步之希望。当此之时,资本主义虽日见扩张,无产者之数虽日见增加,而劳动者阶级的自觉尚属幼稚,故劳动者之组织与运动亦未能发达。且当时之产业界虽有集中之倾向,然尚未如马克思所预言者之急速成就。小产业中产业似已较前增加;农业方面亦然,地主之数不仅未见减少,反有增加之趋势。于是马克思主义者睹此现状,遂感知马克思学说不易奏效,乃于理论及实行两方面,改弦更张,德国社会民主党首先变更昔日之宗旨,而采用议会主义。迨后愈演愈进,至 19 世纪末叶,马克思主义者之间,发生冲突,遂分为正统派与修正派。正统派以马克思主义嫡派自称,较之修正派尤能保存马克思学说之精神,惟笃信议会主义而与资本阶级妥协,则不无可议之处耳。

二、修正派社会主义　修正派之代表首推柏伦斯泰因。彼于 1899 年脱离正统派,关于实行社会主义之手段,主张逐渐受国家干涉。彼曾著多种修正马克思学说之论文,欲于社会主义内部改革社会主义。彼之主张亦博得一部分人之信仰,德国社会民主党人受其影响者尤多。

同时英法两国亦发生修正派运动。法国虽有喀特一派坚守正统说,而米勒兰一派则提倡改良主义。米勒兰主张实行社会主义应与一切政党携手,故排斥马克思派之意见,不主张由无产阶级共同团结以行无产阶级革命;又反对喀特派及梭列派。盖梭列主张谋劳动者地位改善,有时虽可与国家妥协,然不主张与一切政党携手,以破坏阶级斗争。至于喀特则主张以阶级斗争实行社会革命者也。

英国亦然,正统派之社会民主同盟势力衰弱以后,而独立劳动党之势力乃日见增大,独立劳动党由费边主义产生,亦为修正派。

修正派之学说虽各不相同,然其共通之性质要不外为进化的或改良的社会主义而已。其特征可分五项:(一)谋产业组合或消费组合之发达;(二)助成产业归国有或市有之倾向;(三)组织改良地位之劳动组合;(四)使劳动者获得选举权;(五)由国家征收累进率之所得税。

修正派社会主义之目的或对象,亦在于推倒私有制度,将生产机关收归社会公有,其与正统派无不相同,惟以改良主义为达到目的之手段,则与马克思主义完全相反。

三、工团主义　工团主义原有劳动组合主义之意义。法国劳动组合,最初分为二派,一为改良主义,一为革命主义。前者之目的在减少工作时间,增加工银,改良劳动状态;后者之目的在革命,不希望减轻资本主义之弊害,而在根本改造社会组织。惟后者之势力较前者为大,入 20 世纪以后,殆支配法国全部劳动运动之精神。

工团主义之根本思想为阶级斗争。依工团主义者之意见,社会系由掠夺者与被掠夺者两大阶级组织而成,雇主与被雇者之利益完全相反,故主张劳动者应与彼握有生产机关之资本家,继续斗争。惟劳动者欲谋经济的解放,须凭借自身力量,于经济上行有效力之战斗,若信仰议会政策,专事投票之竞争,而不惜与其他阶级妥协,反丧失革命之精神。故工团主义者反对民主主义,不置重态度冷淡之多数,而置重有觉悟之少数,并反对将生产手段集中于国家,以国家束缚个人故也。

工团主义之理想,在使劳动者有自主的"自由工场",主张劳动阶级之解放应由劳动阶级自动。工团主义又反对专事改良劳动者地位之运动,主张行自然的总同盟罢工,而不主张准备罢工之基本金。

工团主义之手段以直接行动为主,谓社会常在战争状态,劳资两阶级间有极大之隔阂,利害完全相反。故劳动者须以一切手段征服资本阶级,继续努力奋斗,最后举行总同盟罢工,一举而实现社会革命,变革社会组织。

工团主义固可谓马克思主义之反动,又可谓为马克思主义之还原。工团主义以为资本家社会决不自然破灭,其根本之变革,惟恃劳动阶级之牺牲与斗争始能成就。马克思云:力为旧社会孕育新社会之产姆。而工团主义则主张将此力提前运用。关于此点,工团主义已与马克思主义相反,而梭烈则云马克思主义复兴于工团主义之形式中,似工团主义与马克思主义又无甚冲突也。

工团主义对于革命以后之政治组织,主张由劳动阶级组织组合管理一切生产机关,由各组合联合组成中央大组合,开全国会议决定各种职业及产业之关系,尽统治之责。

工团主义之国家,亦有统治者。各职业之全国会议,选出代表开总会议,决定各组合会员所应受之分配额,有余裕之组合,又得补助无余裕之组合。

惟工团主义既否定政治的方法,而所谓总组合之组织,仍必以代表制度为基础,别开妥协、术数及其他种种政略之门径。且社会上各人之结合,不仅经济一方面,必更有行政裁判,国民教育等事焉,然则主张经济结合之工团主义,仍不能排斥政治结合,是其显然之矛盾也。工团主义主张经济行动而排斥政治行动之效力,足以促进产业进步国家劳动组合之发达,然革命的工团主义者多年奋斗之结果,又逐渐感知纯粹经济行动之迟缓不易奏效,而有采用政治行动之倾向矣。

四、基尔特社会主义 组合社会主义之意义,即主张以劳动组合与国家共同管理产业之提案,生产机关归社会公有,而委托组合管理。惟其管理权利不仅属于生产者,即属消费者亦得经由地方团体或中央团体发表其自身之要求,生产之程序与方法,虽归组合管理,而生产之种类及其需要之缓急,则不能决定。基尔特社会主义,欲将现有组合变成合理想之组合,使适宜于将来产业之管理,并推倒工钱制度,使达到使组合与国家共同管理产业之目的。其进行方法,第一步在结合劳动者向此目的前进,以与资本阶级对抗;第二步要求共同管理产业,使国家收买资本家之资本,许组合经营产业。

组合社会主义者拥护个人权利,不干涉生产者之自由。所谓组合,有全国的与地方的两种。全国的组合,大致决定物品之标准及商品贩卖等事,并调和需给之关系。地方的组合,则在一定范围内,实行产业自治。组合中之职员,由组合之会员选举之。全国的组合,构成一中央机关,是即组合总会,为生产者方面最高之权威,与消费者方面最高权威之国家相对立。组合总会与国家又各派代表组织共同委员会,管理产业上最高之事务。生产者与消费者,因有此委员会,得以时相接触,互相协议,两方之利益不至发生冲突,故能共同拥护全社会。

至于国家之收入,每年以单税法形式,按各组合所得纯利益提出若干充作国家之收入。国家取得此宗收入,用以办理教育,公共道德,以及裁判与国际事务。

以上为组合社会主义梗概。惟在今日社会中,各种复杂活动,关系异常纷繁,组合社会主义者欲以国际关系委托国家管理,以生产事业委托组合管理,恐难容易划分。盖国际关系常含有经济的生产问题,而经济的生产问题,又常含有国际关系,殊不易明确区别也。且组合制度即能成立,亦不能保全产业之平和,此种思想亦仅成为空想而止。组合社会主义者以为人性本善,皆有爱他的本能,故主张以平和之方法促成社会革命,此未免失之太过。殊不知欲使人类不事营利生产而事效用生产,苟无强制的权力为之指导,决难达于新社会之境界者也。

五、布尔什维主义 布尔什维主义即纯粹的马克思主义,其指导的原理,即为劳工专政。劳工专政为马克思学说中之政治论,观于列宁等之阐明,更征诸马克思之文献,殆已了无疑义,故欲了解布尔什维主义,仅就列宁对于劳工专政之解释研究之可也。

劳工专政之意义如何? 列宁于所著《国家与革命》一书中云:"劳动阶级革命的独裁政治,系被压迫者为谋推倒施压迫者而造成之先锋的支配阶级之组织。"彼又于《劳农会之建设》一书中云:"劳工专政乃一伟大之言,不可滥用。劳工专政者,即征服剥削者与恶人而决然实行之强权的铁血支配也。"彼又于论社会革命一文中云:"世人非难共产党使用暴力,由于不明劳工专政之意义。盖革命之自身,纯系强力之行动。专政之语义,由各国语言解释之,要不为外使用强力之意。革命之地位愈困难,专政之程度愈辛辣。"故劳工专政之意义,依列宁所解释者言之,即劳动阶级对资本阶级运用之强力政治也。

劳工专政之本质如何？据列宁云：劳工专政之本质，即一阶级对他阶级实行革命之强有力的国家。换言之，所谓劳动者之国家是也。何谓劳动者之国家？列宁之解释亦与马克思恩格斯之意见相同。据马克思云：国家乃阶级的支配之机关，乃一阶级压迫他阶级，因此制定法律，使此种压迫继续持久，借以缓和阶级冲突而造成者也。又据恩格斯云：国家为阶级的社会历程中之产物，乃阶级冲突及阶级利益不能妥协之证据。列宁引申尔氏之论，谓国家为阶级冲突之产物，为阶级不调和性之表现，故国家仅发生于阶级冲突不能调协之时。换言之，国家所以存在，乃阶级冲突不能调和性之明证。依国家发展之程序言，承资本阶级国家之后而起者为劳动者国家；而劳动者国家已非真正之国家，要不外于劳工专政形式之中实现社会主义而已。故资本阶级国家为资本阶级专政；劳动者国家为劳动阶级专政。

劳工专政之作用如何？据列宁云：劳工专政之目的，在征服资本阶级，根本铲除资本主义一切思想风俗习惯与制度，而确定社会主义之根基；同时以强制的权力，破坏资本阶级压迫劳动阶级之机关，武装劳动阶级以解除资本阶级武装，制服一切反革命之反动力，徐图经过此政治过渡期，巩固新社会之基础。

劳工专政之形式如何？据列宁云：劳工专政之形式为劳农会共和制度。托洛兹基亦云：劳农会乃劳动阶级之组织，其目的在为革命的权力而战，故劳农会又为劳动阶级意思之表现。至于劳农会之组成，据列宁云，一切劳动者与下等工人农民均包含在内，故劳农会为劳动阶级运用权力征服资本阶级之机关，将一切立法上行政上之权力，结合一致，不以地方分别选举区域，而以工厂工作场等产业单位为选举区域者也。

以上所述，为布尔什维主义创始者列宁氏对于劳工专政之解释，亦即布尔什维主义之解释也。布尔什维党今已改名共产党，布尔什维主义实即马克思社会主义，亦已为一般人所公认，所谓布尔什维主义亦将成为历史上之名词而已耳。

第六节　无政府主义

无政府主义者，否认国家存在而主张代以无强制之自由社会之社会观也。

此种思想之起源甚古,至高德文以后而始著,而最初使用无政府主义之名辞者,则为蒲鲁东。

无政府主义之共通观念虽在于否认国家存在而主张代以无强制之自由社会,然就其内容细察之,则可分为空想的无政府主义及科学的无政府主义两大派。前者以幸福正义利己心等抽象观念为中心,由此演绎以否认国家,如高德文、蒲鲁东、斯体奈及托尔斯泰等一派是;后者由社会发达之原理推论社会必然进于无强制之自由社会,如巴枯宁、克鲁泡德金等一派是也。

高德文谓人类行为之理论的标准,在于谋全体之幸福,然国家之为物,与全体幸福不一致。任何政府皆为暴君,在政府之下,无所谓个人意思之独立,人类之进步因而受其阻害,故宜破坏国家而另建自由社会以代之。各个人苟皆以人类全体幸福为标准而行动,则无强制之新社会即可成立。又私有财产亦有害于个人之独立,故宜完全废除,凡属生活必需物品,则树立公平制度以分配之。至于实现此理想之方法,则主张用稳健手段,而不主张革命,此高德文无政府主义之大概也。

蒲鲁东谓正义为人类行为之标准,国家蔑视正义,不应容其存在,须创造不假权力、不凭契约而结成之社会以代之。又财产由窃盗而来,财产存在,能使不事生产之人消费他人劳动所得之结果,故消费及生产财产之一部分,虽可认为私有,然宜严加限制,较现行制度所规定者尤应缩小其范围。至于实现此种理想之方法,则主张用和平手段,而排斥暗杀阴谋暴动,此蒲鲁东无政府主义之大概也。

斯体奈主张极端的个人主义,谓各人行为之标准,在于各人独有之利益,国家系为全体谋利益,故不应许其存在,宜创设利己主义者之团体以代之。此种团体之组织,不须凭借契约,在各个人极端主张自我时即可成立。又私有财产,于个人之发展有害,亦须废止。至于实现此种理想之方法,则主张使用暴力,国家及私有财产,唯有暴力可以扑灭之。此斯体奈无政府主义之大概也。

托尔斯泰谓人类行动之中心,在于基督教之博爱,国家有悖于博爱,故不宜许其存在。国家由权力而成,为恶人压迫善人之制度。凡迷信权力者皆恶人,国家之存在,遂至于使善人胥化为恶人。国家废灭之后,宜创造无约束之新社会以代之,以约束有悖于博爱之原则故也。又私产制度亦不合博爱精神,应讲求合于博爱原则之分配方法以代之。至于实现此种理想之方法,则排斥暴力,而主张彻底实行无抵抗主义。此托尔斯泰无政府主义大概也。

巴枯宁谓国家组织为文化程度最低时代之产物。文化之程度愈高,自然进于自由社会。一切人类皆非孤立的存在,而为团体的或集合的存在,换言之,即社会的存在是也。社会系自然发达而来,由个人自然的冲动而进步,非由立法者之思想及意思而进步。彼依据此种自然的论理,反对国家,反对政府,反对权力,谓国家为共同大墓地,足以妨害各个人之自由与生活力;谓国家常为特权阶级所有,常为僧侣贵族资本阶级所有,故主张废灭"国家,教会,法庭,大学,军队,警察"。又对于经济方面,则主张废止私有制度代以共有制度,而提倡团体的集产主义,惟承认消费财产可归私有。至于实现此种理想之方法,则主张实行社会革命。此巴枯宁无政府主义之大概也。

克鲁泡德金谓人类行为之标准为互助,人人皆互助,故能成立社会。国家为少数人妨害多数人自由共同生活之产物,故国家必然趋于消灭,而新自由社会乃代之而兴。又一切财富(物质的或精神的文化均包含在内)由过去数千百年人类共同努力创造而成,任何人不能独占,故无论生产财或消费财均须废止私有而代以自由共产主义;生产之行为须由各团体各部落自由合意经营,反对工银制度,并主张废止货币;分配之标准则依据各人之欲求定之。至于实现此种理想之方法,则主张实行社会革命。此克鲁泡德金无政府主义之大概也。

高德文、蒲鲁东、斯体奈托尔斯泰诸人之政府主义系由道德感情出发,太缺乏科学上之根据,故称为空想的无政府主义。巴枯宁、克鲁泡德金之无政府主义,则依据科学立论,由社会进化之趋势以推测国家之归于消灭,故称为科学的无政府主义。空想的无政府主义,亦仅成为空想而止,姑不评论。至科学的无政府主义,在其本体上虽能自圆其说,然由吾人观察,则发见其于理论上尚有许多矛盾在,兹略述之。

科学的无政府主义,在政治上否认权力而主张绝对自由,在经济上否认私有而主张自由共产,所谓无政府共产主义者是也。但如巴枯宁所论,在政治上既排斥一切权力存在,而在经济上则主张团体的集产主义。彼于消费方面虽不否认个人所有,而于生产方面则固主张团体所有者也。然团体之财产亦必有所有主,所有主苟为团体,斯有团体之意志精神与人格,既有团体之意志精神与人格,则团体之权力遂以成立。由此言之,巴枯宁所主张之财产上之团体主义,必须逐渐将生产手段集中于国家公共团体,此论理的必然之结果也,无政府主义者竟冒犯此种足以诱致有政府主义之大弊,岂非一大矛盾乎?克鲁泡德金有云:财产上之团体主义,必须应用一种比任何政府更强之权力,始能实现,盖有慨乎其言之矣。故巴枯宁苟主张无政府,即应放弃其财产上之团体主义,否则即须放弃其无政府主义而后可。

克鲁泡德金偏重人类之互助的本能,而忽其斗争一方面。和平互助与斗争征服两种本能互相对立,如云人类仅有互助之本能,则妨害多数人之少数者何由产生,岂非自相矛盾乎?据吾人所见,社会之经济的构造,本为各个人互助之结果,至于政治方面之一切关系,则概为互斗之结果,不可不察也。至云生产行为由各部落各团体自由合意经营,此乃无政府共产社会中之事,若在社会主义社会中,生产行为既归团体经营,则为调合生产及分配等事起见,即不能不有一种严密之组织;既有严密之组织,即不能自由合意经营,此显然之理也。工银制度在原则上本应废除,然在产业未发达以前,即令能实行社会革命,而为发展产业计,工银制度仍不能完全废除之。又如货币之废除,亦必在生产事业发达至于极点之时,始能成就,盖社会革命以废止资本主义及营利经济为前提,而货币则必随经济组织改造,或依据理想以应用之。假定人类社会进化之理法不误,则资本主义社会之后必为社会主义社会而非无政府共产社会,故欲废止货币而用物物经济,绝难望其实现也。要而言之,欲废止资本主义以实现共产主义,则必由拥护共产主义者之阶级,依据阶级斗争之原理,从事政治运动以推翻拥护资本主义者之政府,掌握国家权力,压服反对阶级,徐图发展产业,庶几可以铲除阶级之差别,而达于自由社会,此必经之途径也。无政府主义者之通弊,仅知描写未来社会之理想,而昧于实现其理想之方法,此其所以终成为乌托邦之思想而止也欤?

第七节　IWW

IWW 者,美国"世界产业劳动者"之略称,即革命的产业劳动组合也。就其主张阶级斗争之点言之,则与马克思主义相近;就其否认政治之点言之,则与无政府主义相近；就其主张经济的直接行动之点言之，则又与工团主义相近。此种性质复杂之主义，实美国劳动界情形复杂之结果。盖美国劳动组合之组织，有种种困难之点，举其要而言：第一，土地广漠，农业组织特异；第二，农村文化不甚进步，土地尚有未经开采者，对于个人企业，有广大之余地；第三，移民之结果，异族杂处，外国出者有千四百万人，益以黑人一千万，由欧洲南东部移入之工人，其从事工银低廉之劳动者颇多，种族复杂，方言不一，乃有熟练劳动者与不熟练劳动者之区别；第四，资本阶级之联合颇为巩固，远非劳动阶级所能及。有此四种原因，故旧日劳动组合之组织，惟以熟练劳动者为中心，至于外来工人，既多为不熟练分子，且少有积蓄即相率归国，无在美久留之意，不知有加入劳动组合之必要，即令有意加入，而入会金有多至美金 1000 元之巨者，亦非彼等能力之所及也。因此之故，不熟练工人，不能受劳动组合之保护，而其利益亦横被资本阶级蹂躏而无可如何，此 IWW 之所以应运而生也。依 IWW 之见解，美国劳动组合，系贵族劳动者之职工组合，其目的仅在于增加工银、减少工时及改良其他劳动条件，非真能解放劳动阶级者也。方今一切产业管理之实权，愈益集中于少数者之手，彼职业的劳动组合，岂能与强有力之雇主阶级相对抗哉？且此种性质之劳动组合，仅网罗劳动者之一部分，而与同种产业之他一部分劳动者互排斥，互相竞争，以至为资本家所利用，而工银更有降低之倾向，似此分裂劳动阶级，适足以减杀劳动者之阶级意识而已。IWW 依据上述理由，主张组织产业劳动组合，无熟练与非熟练之分，凡属同种产业之劳动者，一律加入劳动组合，以扩大劳动者之阶级意识，为进行社会革命之准备。此 IWW 成立之缘起也。

IWW 之组织，完全根据产业组合主义。盖认定社会改造之事业，绝非乌合之劳动集团或职业的劳动组合所能胜任。乌合之劳动集团，无持久之性质；职业的劳动组合，范围过少，且忽视劳动阶级全体之利益，妨害劳动者阶级的自觉之发达。故欲增进劳动阶级全体之利益，惟有劳动阶级一致团结，惟有纠合从事一切产业之劳动者成为一大劳动组合，实行适合新时代之劳动运动始能有济也。

IWW 之目的，在于废止工银制度，以土地及其他生产机关收归劳动者掌握，而树立产业民主制度。盖 IWW 认定劳资两阶级利害完全冲突，故主张厉行阶级斗争,组织产业的劳动组合,更由此组合废止工银制度,以颠覆资本主义。工银制度为资本家掠夺劳动者唯一之工具,为贫富悬隔唯一之原因,为劳动者所以陷于奴隶状态之铁锁。故工银制度废除,则人人皆自食其力,私产上不平等之事实消灭,资本主义自然颠覆。如此,则劳动者始得脱出奴隶境遇,掌握土地及其他生产机关,实现产业民主主义之社会。此 IWW 之目的也。

IWW 实现其理想之方法,在原理上虽主张阶级斗争,然其实际手段,则主张用经济的直接行动为唯一武器,而反对议会政策及其他一切政治手段,并排斥与任何政党相妥协。所谓经济的直接行动者,即总同盟罢工及同盟怠业是也。据 IWW 所见,总同盟罢工为推翻资本阶级最有效力之手段。如总同盟罢工一时不易实行,则利用机会举行同盟怠业,或援助其他同盟罢工,以待时机之熟,然后一举而实现总同盟罢工焉。此 IWW 之手段也。

IWW 主张上之矛盾,正与工团主义相似。无产阶级革命,本不应利用现行政治机关或与现政党相妥协,以期贯彻其革命之目的,然因此而否认一切政治的手段,则有因噎废食之嫌。依历史之公例言,一切阶级战争皆为政治战争,IWW 既主张阶级战争而否认政治战争,不惟事实上不能奏效,即在论理上亦属一大矛盾。又如直接行动,亦有政治的及经济的两种,经济的直接行动,必有待乎政治的直接行动,方有意义。IWW 欲用总同盟罢工手段,以成就其革命之目的,苟无武装的政治行动,则资本阶级必利用其军队警察以压迫而解散之,此今日资本主义国家普遍之现象也。IWW 之目的,欲于旧社会之中建造新社会,以今日之产业劳动组合,为将来管理产业之机关。此种事业,必须大多数劳动者,有组织有训练而后可。然据 IWW 20 年来之历史,其所能组织之劳动者,仅为劳动阶级之极小部分,美国劳动组合之组织,既如彼其困难,IWW 理想之实现,不知将在何年月也。

第八节　社会改良主义

欲谋社会问题之解决,必须探索其致病之根本原因,而铲除其祸根始克有济,若仅图暂时之弥缝敷衍,则永久之解决终不可期。社会问题之根本原因为何,私产制度及自由竞争是已,上述各派社会主义及无政府主义之主张,即以废除私产制度及自由竞争为目的者也。至于社会改良主义,则与上述两派之主张相反,不特不主张颠覆社会组织及经济组织,并努力维持私产制度及自由竞争两大原则,惟主张减少由此两大原则所生之弊害而已。

依社会改良主义之理论言之,私产制度与自由竞争两大原则为现社会经济发达之前提,贫富悬隔所生之弊害,乃由此两大原则漫无限制之结果,非私产制度与自由竞争本身之罪也。故现代社会问题非撤废此两大原则所能解决,但期于特别范围加以限制足矣。例如就劳动者与资本家之关系而论,若绝对承认自由竞争,则微弱无力之劳动者,绝非资本家之敌,即不得不受其掣肘,故每当缔结劳动契约之际,劳动者即不能不屈服于不利之地位。今苟有政府依据权力为之仲裁,一方面压制资本家之权能,一方面伸张劳动者之势力,使双方得以对等之位置缔结劳动契约,则劳动者因劳动契约所感受之弊害即可以免除矣。工场法之创制即其一端也。又就私产制度方面观察之,改良论者虽认定无限制之私有足以引起社会问题,然不否定私产制度之根本原理,惟主张对于独占事业之私有加以相当限制,或更进一步将此等事业移归国家或公共团体经营,以杜塞其弊害而已。铁路国有、电车市有等施设,即由此理论而成立者也。是故社会改良主义之见地,在理论上承认私产制度及自由竞争两大原则,惟主张加以相当限制,借以减少其弊害耳。

社会改良主义所以承认私产制度及自由竞争两大原则而又主张加以限制者,盖亦有其特别之理想在,理想为何,即所谓"谋个人之圆满的发展"者是也。个人圆满的发展云者,即使各个人得以自由发展其自身之智能之谓,而欲使各个人得以自由发展其自身之智能,斯不能不承认个人之自由,同时又不能不承认财产之私有。个人之自由,即各个得以寻求其自身之利益之意,如生产及消费以及从事职业等类经济的自由是。既承认各个人有此等经济的自由,必须承认个人有经济上之责任,使自谋所以增进其自身与家族之生活及幸福,即须承认私有财产,以保障其自由之完全的发展。然个人与社会有密切之关系,个人之自由必以社会之存在为前提,个人之圆满的发展与社会之圆满的发展并行。个人必须为社会而牺牲,而后社会始有圆满发展之可能;同时个人对于社会之牺牲又必减至最少限度,而后始得保持其自身之发展。故社会承认个人之自由与私有财产,以谋个人人格之圆满的发展;同时即不能不要求社会的调和,限制个人之自由及私有财产至于相当限度,以谋社会全体之圆满的发展,此即社会改良主义之理想也。

以上为社会改良主义之大概,社会政策即根据此主义而创行者也。当此阶级冲突剧烈之时,各国政府为缓和无产阶级之心理,不能不实行社会政策,而无产阶级在社会革命未实现以前,亦得借此温情政策以稍缓须臾无死,此社会政策所以盛行于今日也。

第十五章　社会运动

第一节　社会运动之概念

社会运动,有广狭两种意义。依广义解释之,凡一定社会阶级或社会部类,直接谋改良自身生活或间接谋增进自身利益之有组织的运动,皆称为社会运动。就狭义解释之,必须被压迫阶级为谋自身解放而反抗压迫阶级之有组织的运动,始称为社会运动。

就广义之解释而言,社会运动之种类甚多,如有产阶级直接谋自身利益而反抗贵族阶级之运动,或间接谋维持自身利益而改良劳动者生活之运动;如无产阶级改良自身生活而对抗有产阶级之运动;如中等阶级为维持自身地位而行之团体运动;如妇女为增高自身地位而对抗男子之团体运动;如男子为增进女子利益而行之团体运动;如宗教家或慈善家为救济众生或服务社会之团体运动,皆可以社会运动名之也。

就狭义之解释而言,在近世史中可称为社会运动者,则惟有有产阶级推倒封建阶级之运动及无产阶级推倒有产阶级之运动而已。本书所论社会运动,则采狭义之解释者也。

又本书所论社会问题及社会思想,系就现代而言,故本章所论之社会运动,亦为现代社会运动。故现代社会运动,若就上述之狭义解释,即无产阶级一切解放运动之总称也。

资本主义发达之结果,社会主义组织,必孵化于资本主义组织之中,故生产力与生产关系之冲突,终能颠覆本主义组织,同时卵化为雏,而社会主义组织遂以实现。惟此种变化,由渐而进,一旦孕育成熟,则社会之面目一新,此乃社会进化之理法,绝非人力所能左右。助长此社会主义化之趋势,随其目的之所向,而促速其进行之途径者,社会运动也。故社会运动,恒以阶级斗争之形式,造出人类社会之历史焉,社会主义者,目的也;阶级斗争者,手段也,二者皆历史的必然性之产物也。其成为目的而表现者,则为社会主义;其成为手段而表现者,则为社会运动。

社会运动,以谋无产阶级之解放为目的。而所谓解放之内容,则含有物质的及精神的两部分,无产阶级欲谋得精神的解放,必先谋得物质的解放。欲谋得物质的解放,必先脱离资本之支配,占得物质的独立之地位;欲脱离资本之支配,必从速扑灭资本主义之经济组织,此不易之理也,扑灭资本主义之方法,不出两途。其一即舍弃现代之大企业组织而恢复昔日之小企业组织;其二,即保存现有之大企业组织,惟将其生产手段化为公有而共同经营之而已。第一方法违背社会进化之原则,且现代无产阶级之存在,以大企业之经济组织为前提,故惟有采用第二方法,最为合理,最为适当。

然欲脱离资本之势力以解放无产阶级,必有他种势力可以抵抗资本之势力始能奏效。此种可以抵抗资本势力之势力无他,即依阶级的利益团结而成之现实势力是也。无产阶级苟能结成此种现实之势力,即能战胜资本阶级,开扩其自身之新运命。故社会运动之渊源即此无限之势力,而其进行之途径,唯有阶级斗争而已。

故现代社会运动之意义,可一言以蔽之,即无产阶级为谋实现社会主义而行之阶级斗争也。

第二节 社会运动之派别

社会运动之派别甚多,然就其性质加以分析,则可别为进化的及革命的两大派。所谓进化派,即普通所谓议会政策派者是,盖认定旧制度之发达,自然产出新制度者也。所谓革命派,即普通所谓直接行动派者是,盖否定旧制度以树立新制度者也。前者温和而富有乌托邦之臭味,注重渐进改革;后者激烈而富有破坏之精神,注重打破现状。此近世社会运动之两大潮流也。兹分别述之。

第一,议会政策派 议会政策派主张利用现行国家机关,实现生产机关共有制度,以建立新社会组织。其唯一入手方法,在选举多数主张社会主义之同志,送入议会,使彼等构成议会中之多数党,借资本阶级国家之权力,在立法及行政各方面,以期逐渐树立革新之法制,达到社会主义之目的。此派之主张,除承认生产机关公有一事以外,与普通民治主义之社会改良派实无甚区别也。

议会政策派之中,亦有急进及缓进两派。急进派虽主张议会政策,然不主张与一切资本阶级政党合作,非至本党自握政权,决不加入任何党派之内阁,本党之议员,平日惟知借用议会为宣传主义之机关而已,如初期之德国社会民主党是也。缓进派视议会政策为达成社会主义之唯一手段,主张与资本阶级政党妥协,遇有必要,亦得与他党组织联立内阁,一俟在议会取得多数党之地位,即提出本党主张,改革法制以实现社会主义,如今日德国之社会民主党与独立社会党是也。两派之主张虽有急进缓进之别,而其利用现行国家机关以实现社会主义则一也。

第二,直接行动派　直接行动派,可分为经济的及政治的两大派。经济的直接行动派,主张纯恃劳动阶级在经济上之团结力以实现社会主义,如法国之工团主动派、美国之 IWW 派是也。此派否认议会政策及选举运动等之间接行动,谓议会为资本阶级以金力及武力笼罩之游戏场,劳动阶级苟选派代表送入议会,以希望假借国法保护本阶级之利益,则不惟沮丧劳动者团体的行动及意志,且彼等代表人一旦身列议会,即不免受名誉心及利己心所驱使,演出妥协行动,卖劳动者以求荣。故欲实现社会主义,绝对不能利用议会政策,其唯一方法,唯有抛弃所谓合法的手段,团结劳动者所有之物理力,以直接行动而已。

经济的直接行动之主要方法为总同盟罢工,其补助方法为同盟罢工,同盟怠业,经济绝交。总同盟罢工,即劳动者同时使经济上占有重要地位之各大产业停止活动,借以变更经济组织之意也,此种性质之总同盟罢工,非在劳动阶级组织最巩固之时,不易实现。同盟罢工,即劳动者同时停止工作,借以威胁资本家,贯彻其要求之谓也。同盟罢工分政治的及经济的两种。经济的同盟罢工以改良劳动条件为目的;政治的同盟罢工,以颠覆现社会组织为目的。前者为一切社会运动派所通用之手段;后者为经济的直接行动派所采用之补助手段。同盟怠业为变相之同盟罢工,劳动者虽继续做工,而故意延缓活动,或造出劣货,或毁损器械原料,直接间接使资本家方面感受损失,因而承认其要求而后已。经济绝交即劳动者同盟不与企业家相交易之谓,或相约不受企业家所雇用,或同盟排斥企业家之生产物,使资本家方面感受损失,亦此派所采之补助方法也。

此派所用之手段虽多,而其最主要者厥为总同盟罢工,其余皆为促成总同盟罢工之补助手段,借以逐渐获得自由,养成劳动者之阶级的觉悟,以期一举而停止现时经济的活动,改造经济组织者也。故总同盟罢工为此派实现社会主义之唯一重要方法,实含有革命之意义在也。

政治的直接行动派,专恃政治活动以组织无产阶级,推翻资本阶级,实行无产阶级专政,借以实现生产机关共有制度。此派为鼓吹主义起见,亦主张选出多数同志送入议会,以宣传其主义与政见,以为组织劳动者之手段,但绝对不欲利用议会政策或立法运动以贯彻其主张,亦不与任何政党合作以参与政权之分配。其唯一主要方法,在企图政治革命,以谋劳工专政之实现。至于促成政治革命之方法,则从宣传与组织入手,俟宣传与组织皆次第成熟之时,则利用机会,举行政治的同盟罢工,政治的示威运动,政治暴动,并组织赤卫军,竖立革命之旗帜。革命成功,则建立独裁政治,以完成经济革命,建立社会主义社会。今日各国共产党之社会运动,皆属于此派。

第三节　社会运动之机关

社会运动乃无产阶级为实现社会主义而行之阶级斗争,故无产阶级当实行阶级斗争之时,必组织社会运动之机关。此机关为何,即党派与劳动组合是也。劳动组合为无产阶级之主力军队,而党派则此主力军队之司令部也。

就今日世界之现状言之,各国无产阶级社会运动之机关,种类颇多,若依前节所述社会运动之派别分类,亦可析为三大派。其一为议会政策派之社会运动机关,如各国之社会党、劳动党、社会民主党及其所属之劳动组合是也。其二为经济的直接行动派之社会运动机关,如法国劳动总同盟与美国 IWW及其所属之劳动组合是也。其三为政治的直接行动派之社会运动机关,如各国之共产党及社会民主党中之左党及其所属之劳动组合是也。三者之中,法国劳动总同盟及美国 IWW 为组合之总称,非政党之组织,其唯一目的,在组成产业的劳动组合以实现其总同盟罢工之理想,其对于所属之产业的劳动组合,除发号施令统筹全局外,其任务殆属一致。至于议会政策派及政治直接行动派两者之政党与其所属劳动组合之任务及其相互关系,各自有其不同之系统,兹分别述之于下,以觇现代社会运动之趋势焉。

议会政策派之政党,由进化的社会主义分子组织而成,其目的注重选举运动,以其选派多数同志为议员,取得议会中多数党之地位,徐图变更法制以实现社会主义;其政纲则依据社会政策而定,不作进步之要求;其纪律则采用合议精神,不强制其党员绝对遵守。此派之劳动组合,以职业为单位,有熟练工人与不熟练工人之区别;其组织采分权主义;其任务在改良劳动条件。此派之政党与劳动组合,为同权之组织,当重要事件发生之际,两者成为对等之契约当事人,必得双方之同意,始得有效,盖主张政党专为政治的活动,组合专为经济的活动者也。至于组合中之党员,直接隶属于所在地之政党支部,不在组合内另立团体,以政治活动与经济活动分立故也。

政治的直接行动派之政党,由革命的社会主义者组织而成,其目的在纠合一切无产的革命分子,推翻有产阶级权势,以掌握政权,然后借政治权力,没收资本阶级一切资本,树立社会主义制度;其政纲则较已成之社会政策,作进一步之要求,但期不违反唯物史观之原理;其纪律则采用铁的独裁制,党员有绝对服从之义务。此派之劳动组合,以产业为单位,无熟练工人与不熟练工人之区别,其组织则采用集权主义,其任务在指挥劳动者从事经济上之斗争,并协同政党扩张政治革命之势力。政党与组合之关系,以组合隶属于政党为原则,盖主张组合联结政治的斗争与经济的斗争为一致者也。组合中之党员,须于组合内成立分部,受所在地政党之指导,且在组合中拉致党员,以扩大本党之组织,并影响其组合遵行本党之政策焉。此各派社会运动机关之大较也。

第四节　社会运动之种类

社会运动之种类,可析为三:即劳动运动、妇女运动及准无产者运动是也,兹分述之。

第一,劳动运动　劳动运动可分三项说明之。

其一为劳动组合运动。现时劳动组合运动,因其主义与精神之不同,亦可分为二种。第一为职业的劳动组合主义,其目的在以各种职业为单位,团结劳动者,而先谋各种职业劳动者之利益。第二为产业的劳动组合主义,其目的在以各种产业为单位,组织劳动组合,而谋劳动阶级全体之共同利益。第一种之劳动组合运动发达最早,第二种之劳动组合运动发达最迟。前者对于政治运动偏重议会政策,后者则排斥议会政策,而带有革命之倾向。前者以职业为单位,足以分裂劳动阶级,后者以产业单位,能团结劳动阶级为一体,故后者较前者为进步。

其二为劳动政党运动。即劳动者组织独立政党,以从事政治运动者也。其派别已见前节,兹不赘述。

其三为消费组合运动。劳动组合运动,为生产方面之劳动者谋利益,消费组合运动,为消费方面之劳动者谋利益,两者实有互相补助之效力。故消费组合运动虽属纯粹的经济运动,然有团结劳动者启发阶级意识之功用,亦可称为一种社会运动也。

第二,妇女运动　妇女运动,在社会运动上亦有重要意义。劳动运动为劳动阶级对于有产阶级要求解放之运动,究属于男子方面之问题;妇女运动为女子对于男子要求解放之运动,则属于男女双方之问题,其影响于社会组织之根本者甚巨。惟妇女运动缺乏经济的基础,故其发达至为迟缓。然在今日,妇女问题已与劳动问题相结合,而构成妇女劳动问题,其社会的意义愈益重大。劳动问题固不能离妇女问题彻底解决;同样,妇女问题亦不能离劳动问题单独处理。故今日妇女运动之趋势,其中心已由中流妇女移于无产妇女,而成为最有意义之社会运动矣。

第三,准无产者社会运动　准无产者社会运动,可分两项说明之。

其一为经济生活改良之运动,如学校教职员下级官公吏以及被私人或私人团体雇佣之司事等恃月薪为生活之人员,为改良其生活境遇,而举行之团体的运动是也。此项运动虽属经济的性质,然与温和的劳动组合运动之目的无甚差异,亦不失为一种社会运动也。

其二为智识阶级结合劳动者而实行之社会运动。现代劳动运动之发生及发达，殆无不由智识阶级之社会主义者为之指导。革命的劳动运动之组织，由智识阶级计划之；劳动运动之思想的基础，由智识阶级构成之。在劳动运动发达之今日，劳动者自身之中，固不乏指导之人才，然要以智识分子之指导者，占居多数。且此后劳动运动愈发达，而其哲学的、伦理的、法理的及艺术的各方面之理论的开展，愈有赖于智识分子之努力，始能成就。劳动阶级之社会的政治的势力愈增进，而智识分子对于此等方面所负之任务愈重大，此可由现代各国劳动运动之事实证明者也。

第五节　国际的社会运动

自前世纪以来，资本主义经济组织，已逐渐超越国境，构成世界经济矣。交通机关之完备，一面产出物质上之国际化，同时又产出思想上之国际化焉。产业组织既成就其国际的发达，则劳动者国际的利害共同之思想亦必随而发达，此自然之势也。故社会主义为资本主义之产物，而社会主义之国际的运动亦为资本主义国际化之产物也。

国际社会运动之发端，在资本主义普及于欧洲各主要国家以后，所谓共产主义同盟，实其最初之序幕也。共产主义同盟，成立于 1847 年冬季，马克思及恩格斯被推为领袖，有名之"共产党宣言"，即彼二人所起草者也。"共产党宣言"，以"万国劳动者，其团结而起乎！"一语作结，共产主义同盟即以实行国际社会运动为目的者也。惟当时劳动运动尚不发达，而加入此同盟者，不过二三①国之共产主义信徒，尚不能成为国际运动，故其势力甚微，至 1852 年遂至自然解散。

迫至 1864 年，各国劳动运动，逐渐发过，英、德、法、意、比、奥等国之革命分子，于伦敦组织万国劳动者同盟，是为第一国际。其宣言由马克思起草，中有云："以前之运动所以皆归于失败，实由各国劳动者之间缺乏团结力所致。此种运动绝非一地方的或一国的性质，盖含有更广泛之社会问题在内，故劳动阶级必须在国际的组织之下团结，始能有效。"第一国际之精神于此可见矣。

---

① 　修订版将"二三"改为"三五"。——编者注

自此以后，第一国际曾集会数次，并议决多种国际的问题，惟至 1872 年，内部分为马克思派及巴枯宁派，同盟之势力顿减，遂至于消灭。然"万国劳动者，其团结而起乎！"一语，因第一国际之示范，开世界革命运动之先河，其在国际运动之历史上，厥功则甚伟也。

第二国际于 1889 年在巴黎组织成立，加入者为各国社会党，故又有"万国社会党大会"之称。是时国际运动之经济基础逐渐确立，各国劳动者因共通之利害关系发生共通之阶级意识，故国际的结合亦较为巩固。第二国际统续第一国际，确定国际运动之方针，组织无产阶级而训练之，其功绩实有不可埋没者。惟加入之各国社会党，大都采用议会政策，颇带改良主义之臭味，为左派分子所不满，且值欧战发生之时，多先后违反非战运动之决议，各自参加本国资产阶级之战争，以致国际之结合涣散，因而停顿者五年。欧战终熄以后，英国劳动党及德国社会民主党二十七国代表，谋第二国际之复活，于 1920 年召集大会，拟订新纲领及规约，继续国际运动，以与第三国际相对抗，虽属黄色国际，而其势力则固不可侮也。

第三国际于 1919 年在莫斯科组织成立，发起者为列宁所领袖之俄国共产党及李卜克内西所领袖之德国斯巴达卡斯团（今已改名共产党），加入者为世界各国之共产党，故又称"国际共产党"。第三国际复活第一国际之精神，摘发第二国际之虚伪，重新决定用武装的斗争，企图世界革命，建设国际劳农共和国，以劳农会之形式，实行无产阶级专政，旗帜鲜明，行动急进，成效昭著，其声势驾乎第二国际之上，诚世界革命之总机关也。

除上述第二第三两国际之外，更有二半国际焉。[①] 二半国际系骑墙派德国独立社会党及法兰西联合社会党等团体所组织，既不加入第二国际，亦不加入第三国际，故有"二零二分之一"国际之称。第四国际，由德国共产劳动党与英荷葡等国之极左派团体组织而成，虽亦主张共产主义，而不与第三国际合作，另标新帜，颇耸动世人之视听。然此二国际势力甚微，故现时势均力敌者，惟黄色之第二国际及赤色之第三国际而已。

各国无产阶级政党裂成黄色及赤色两大派以后，同时劳动组合亦裂成二

---

① 修订版改为"更有二半国际及第四国际焉"。——编者注

大派,以协同第二第三两国际从事国际运动。阿姆斯特坦之国际劳动组合同盟,称为黄色劳动者国际,创立于 1890 年,在欧战当时,随第二国际同时瓦解,至 1919 年始于阿姆斯特坦宣告恢复,与第二国际协同行动,加入之劳动者在 2000 万以上。莫斯科之赤色国际劳动组合同盟,创立于 1920 年,加入之劳动者在 1300 万以上,与第三国际协同行动。前者从事经济的运动,以谋无产阶级之向上;后者于经济的运动之外,更举行革命的政治行动,以谋无产阶级之解放,故两者之目的,悉与其所属之国际相同者也。

此外加入第三国际之国际团体,则为国际共产主义青年团。20 世纪之初,欧洲发生一种组织国际青年劳动者之运动,由李卜克内西等所领导,即 1907 年在司徒加特所组成之国际社会主义青年团是也。其目的在推广青年劳动者之教育及从事经济的斗争,在欧战发生后亦曾集会协议平和问题,逮第三国际成立,即行加入,改名为国际共产主义青年团,各国青年社会主义团体加入者达二十余国,其运动之成绩亦不少也。

第十六章　帝国主义

第一节　帝国主义之界说

本书所论帝国主义,乃经济的帝国主义,即资本主义的帝国主义是也。帝国主义为现代之特征,亦即西历 19 世纪末叶以来所生之社会现象,自经霍布逊、柯祖基、赫鲁发丁、列宁、布哈林诸人之研究,而其真相乃大白于天下。惟上述诸人之中,其对于帝国主义能为精刻透辟之研究者,则莫列宁若也。列宁曾著有《资本主义末期之帝国主义》一书,所言洞中肯要,今之研究帝国主义者皆宗之,本章所论,亦以列宁氏之研究为根据,并参考布哈林之说而引申之者也。

据列宁氏所见,帝国主义为资本主义之最高阶段。由资本主义至帝国主义之间,有一过渡时期,此过渡期之经济的基础,为资本主义的独占组织之成立与自由竞争之排除。自由竞争为资本主义及商品生产之根本特征,而独占则与自由竞争正相反对。然当自由竞争开始变成独占组织时,则大资本吞并小资本,大企业驱逐小企业,而资本集积与生产集积之现象以成,其结果遂使卡迭尔、新提嘉、托拉斯等企业团体之资本与银行之资本相融合,而形成小数独占的大银行之资本。同时由自由竞争产出之独占,仍不能脱离自由竞争,且与自由竞争共同存在,遂至引起激烈更广大之轧轹与斗争,于是资本主义化为帝国主义。故独占组织实由资本主义达到帝国主义之过渡现象也。

若就以上所述而为帝国主义作一简单之界说,则"帝国主义者,实独占期之资本主义"也。此界说含义至广,且能概括帝国主义之特征焉。帝国主义之特征有五:生产与资本之集积达于高级程度,而决定经济生活之独占以生,此其一;银行资本与产业资本融合,成为金融资本,而金融寡头政治以生,此其二;资本输出代替商品输出之位置,而取得重要之意义,此其三;资本家国际的团结成立,遂至分割世界,此其四;资本主义列强对于世界领土之分割,完全终结,此其五。五者之中,要以独占组织为最基本特征,其余四者皆为独占之另一形式,资本主义发展至于此期,则化为资本主义的帝国主义。故曰,帝国主义者,独占期之资本主义也。

以上为列宁所下之界说,若就布哈林之界说而言,则其意义尤易明了。据布哈林所见,独占产生之结果,遂以促金融资本之成立。金融资本成立,则各国资本家及资本主义各强国,即利用之以实行其宰割天下分裂河山之侵略政策,而其侵略之目的物,无非在争得贩卖商品之市场,争得产生原料之地域,争得输出资本之处所以增殖其资本而已。故帝国主义者,即利用金融资本以争得商品市场,原料产地,投资处所之侵略政策也。

第二节　帝国主义之特征

帝国主义之特征,据列宁所见,其重要者可分五项,已于前节略述,兹为分别说明于下。

第一,生产之集积与独占之成立　自由竞争之结果,小生产被大生产所吞并,小企业被大企业所驱逐,而资本集中现象以成。于是团体的企业代替个人的企业,而股份公司遂以出现。股份公司者,乃大规模之企业组织,其目的在集合多数资本家之资本,构成雄厚之资本,以期制胜于企业界者也。自是以后,资本集中之发展愈速,至最近乃更有卡迭尔、新提嘉、托拉斯等联合企业起而代替个人企业及单独股份公司之位置,而独占组织遂以发生。卡迭尔、托拉斯等之独占组织,乃自由竞争盛行以后,产业界小数巍然独存互不相下之大企业,协谋操纵市场,共同掠夺顾客之企业联合也。独占组织发生,则小数卡迭尔托拉斯,即能制胜自由竞争,完全占有市场,发挥资本威力,而以自由竞争为特征之旧式资本主义遂化而为以独占组织为特征之新式资本主义矣。

第二,金融资本与金融寡头政治　独占组织发达,资本家则利用银行积蓄所得之利润,以备扩充企业之用,而资本之增殖愈速;同时银行亦利用资本家自由之资本,放款于他项企业家为举办企业之资金,而银行之效用愈宏。于是产业资本与银行资本两相融合,遂以构成金融资本,金融资本发生,更能助长独占组织之扩大,于是卡迭尔与托拉斯,不仅集合同种之企业,且更进而联合多数不同种之生产部门,构成规模更大之组织。盖银行能利用其金融资本,继续联合多种之企业为一综合之大企业,而成为操纵一切生产部门之枢纽。美德诸国托拉斯及卡迭尔之总经理人多为银行重要人员,即其明证也。资本主义发展至于此境,则全国产业,皆得由银行以金融资本联合于托拉斯、卡迭尔等独占组织之下,而支配此等大独占组织之人,则为少数处于经济的最高地位之大银行家。于是此等少数大银行家,更利用其金钱势力,直接垄断国家政权,以增进其阶级之利益,是为金融寡头政治。故今日之英、美、德、法各资本主义国家,在金融资本支配之下,俨成一最大之托拉斯或卡迭尔,银行家及托拉斯、卡迭尔等之股东,则立于支配阶级之地位,以剥削无数工农奴隶者也。

第三,资本之输出　独占组织与金融资本,虽能驱逐国内之自由竞争,而国际间资本家之自由竞争,反因此愈形激烈。各国资本家欲制胜于世界市场之自由竞争,则惟有设法扩张其掠夺顾客之范围,以增加其所能得之利润。而扩张其掠夺顾客范围之方法,则不外利用其过剩之资本,对需要资本之国家或工业后进国家,实行投资之事业。资本势力所及之范围,即顾客所在之处所,亦增加利润之一出路也。前世纪末叶以来,英、法、德、美诸国资本之输出,较诸货物之输出,尤有重要之意义,即其明证也。然对外投资,事至危险,必有武力为后盾,始能保持资本之安全,故各国资本家,尽其力之所能,必利用武力以并合其所投资之弱小国家,使隶属于本国政治权力之下,否则亦准备相当之武力以临之。此资本之输出,所以能引起国际战争也。

第四,国际资本家对于世界市场之分割　国际间自由竞争之结果,各国势均力敌互不相下之托拉斯、卡迭尔、新提嘉,为谋暂时避免自由竞争之弊害计,乃协同组织国际的独占托拉斯、卡迭尔、新提嘉,以分割世界之市场,并秘密协商各国所应分得之数量,如欧战以前之国际资本家秘密组织之独占同盟是也。然此国际的独占组织亦无永久缓和国际间自由竞争之效力,盖财阀之贪婪无厌,表面上虽倾向于国际的联合,而一旦实力充足,则无不欲由一己以独占世界市场,而不许他人染指者。故当欧战未爆发之时,英、德、法诸国之银行家与托拉斯、卡迭尔、新提嘉等主人,所以皆欲实现其建设世界帝国之迷梦者,只此故也。

第五,列强对于世界领土分割之完结　19 世纪末叶以来,世界各资本主义国家,为谋争夺商品市场及原料产地并保护其所投之资本,使用最强暴之手段,占领弱小民族之土地。据布哈林之统计,在 1914 年之时,所谓英、法、德、美、日及旧俄帝国六大强国,其本国之领地面积合计仅有 1600 万平方启罗米突,而其所劫掠之殖民地面积,则有 8100 万平方启罗米突之多,全世界之弱小民族皆为所瓜分,而世界领土之分割,亦告终结矣。

列强对于世界领土之分割既尽,则彼此之势力范围,完全确定,此后欲保持世界和平,惟有互不相侵,苟欲妄行移动以染指于他国之势力范围,则牵一发而动全身,而国际战争以起,此世界战争之由来也。

第三节　帝国主义与中国

国际帝国主义者侵略世界弱小民族之方式有三:第一,可独吞者则独吞之;第二,不能独吞者,则分割之;第三,不能独吞亦不能直接分割者,则以变相之分割方法处理之。中国地大物博,列强因均势之故,不能不利用第三之侵略方式,使屈伏于帝国主义铁蹄之下,中国遂以开"国际的半殖民地"之新局。

帝国主义者对于中国之侵略,可分为政治的经济的两种。经济的侵略,即在于利用金融资本支配中国,使成为彼等之商品市场原料产地与投资处所;政治的侵略,即在于利用武力或政治的优越势力控制中国以予取予求。经济的侵略,目的也;政治的侵略,手段也。海通以来,中国所受帝国主义之压迫,日甚一日,至今日而尤亟,综其大要可得而言焉。

其一,关于政治的侵略者　海禁未开以前,中国闭关自守,资本主义商品,无由侵入中国之市场,故帝国主义国家,不能不挟其武力以为输入商品之向导,中英鸦片战役,其见端也。鸦片战役失败,不平等之《江宁条约》成立,割香港而开五口通商,资本主义商品乃得洞穿中国之铜墙铁壁,而启帝国主义侵略之渐。自鸦片战役而中日战役而庚子战役,自《江宁条约》而《马关条约》而《辛丑条约》而二十一条款,中国在事实上已为国际帝国主义者所征服,丧失其抵抗之能力,列强乃利用不平等条约,行使政治上之优越势力,以宰制中国矣。如赔款之勒索,九龙、台湾、琉球、安南、朝鲜之割让,广州湾、威海卫、胶州湾、旅顺、大连等租借地之划分,上海、沙面、天津、汉口等租界之开辟,各处商埠之开放,外国之领事裁判权,租借地租界及其他中国境内之外国行政权,协定关税制及其他保护外国商品与外人经营产业之规定,外人之中国财政管理权、外国之内地驻兵权及内河航行权、外人在内地之传教权及文化之施设等项,不一而足,要皆为帝国主义者利用以控制中国使永为彼等之原料产地商品市场投资处所之工具而已。

其二,关于经济的侵略者　经济的侵略可分三项,即贩售商品,采取原料及投资是也。据 1923 年之对外贸易统计观之,输入额在 10 亿元以上,输出额在 8 亿元以上,而输入额中 7/10 为工业制造品,输出额中 8/10 为原料品,帝国主义列强之利用金融资本使中国化为彼等之商品市场与原料产地,即此已可概见。至列强对于中国之投资,则可分为直接投资,间接投资及中外合办事业之三种。所谓直接投资,即外国资本家直接投入其资本于中国境内以经营事业之投资,如铁路投资、矿业投资、工业投资、银行投资、航业投资之类是也。所谓间接投资,即外国资本家购入中国国债及地方公债或中国私人公司股票债票之投资,如中央及地方之政治借款、经济借款以及对于汉冶萍公司南浔铁路之投资是也。所谓中外合办事业,即外国资本家提出资本与中国合办事业,如所谓中英合办、中法合办、中日合办、中美合办之各种事业是也。此项国际投资之数目,无虑数十百亿,其中之大部分则皆掠自中国而复投入中国,更以掠夺吾民者也。

帝国主义之为祸于中国,至今日而极矣,金钱奴我以物质,宗教奴我以文明,教育奴我以服从,勾结我国贼,制造我内乱,涂炭我人民,迹其用意,直欲永远陷中国于分崩离析万劫不复之境,以继续其掠夺宰割之政策而已。帝国主义不死,大盗不止,中国年来之国民革命运动,其殆为帝国主义侵略之反响也欤!

第四节　帝国主义之消灭

如前所述,帝国主义列强对于世界领土之分割已毕。则其掠夺之势力范围完全确定,此疆彼界,不容侵犯,于是患得患失,尔诈我虞,更不能不进一步努力扩张军备以为帝国主义侵略之后盾。据布哈林之研究,欧战以前,各托拉斯国家,已于陆海空三方面竖立数百万刺力,准备一次世界大冲突,重以枪炮托拉斯大王之怂恿,及其他若干托拉斯、卡迭尔、新提嘉主人之经营,而贪心大萌,杀机顿起,无不欲掀起战争,打破国际的平和秩序,从新分割全世界。故英、德、法、俄各帝国主义者无日不欲征服全球建设其"大不列颠"、"大德意志"、"大法兰西"、"大俄罗斯"等世界帝国,而置十数亿之世界人民于奴隶地位,供其宰割。1914 年至 1918 年之第一次帝国主义战争,即由此种动机爆发而成者也。

帝国主义战争之结果,全世界化为暴风烈雨之场,战胜之帝国主义者得达成其从新宰割全世界之目的;同时复竭全力以大举剥削无产阶级,加倍填偿其在战争中所受之损失,而被祸最烈者,实各国无产阶级与世界各弱小民族也。

欧战以还,帝国主义列强,一面企图经济恢复,一面复努力扩张军备,以准备第二次世界大战,此国际之新局势,凡留心时事者类能言之。然各国之无产阶级及各弱小民族感于前次大战之教训,亦痛定思痛,努力谋国际的团结,以准备扑灭帝国主义之世界革命,此又可由国际社会运动及世界弱小民族之解放运动以推知者也。然则推倒帝国主义者,其惟世界革命乎?

第十七章　世界革命

第一节　世界革命之意义

人类之历史,阶级斗争之历史也。而民族斗争又先阶级斗争而生,随阶级斗争而已焉。[①] 自古代民族之为土地与食物而互相斗争也,而征服与被征服之事实以生;自奴隶制度因民族互相征服之事实而成立也,而经济的剥削与被剥削之阶级对立以著;自民族隶属之随奴隶制度而继续存在也,而政治的支配与被支配之关系以成。是故民族斗争为阶级斗争之先驱,而阶级斗争又为民族斗争之结果。此古代民族斗争与阶级斗争之关系也。

降逮封建时代,实行政治的支配与经济的剥削者为封建地主阶级,其被支配被剥削者则为工商农奴阶级。此时劣败民族对于优胜民族之隶属关系,一与工商农奴对于封建地主之隶属关系无异也。此封建时代民族斗争与阶级斗争之关系也。

迨至近代,有产阶级推翻封建地主阶级,树立有产社会组织,建立民族国家,成为剥削者支配者之阶级,因而无产者亦由农奴转化而成为被剥削被支配者之阶级,而近代之阶级斗争以成;同时弱小民族于优胜民族之隶属关系,亦一变而成为无产阶级对有产阶级之隶属关系,而近代之民族斗争以成。此近代民族斗争与阶级斗争之关系也。

由此观之,伊古以来,民族隶属与阶级隶属,民族斗争与阶级斗争,其变迁之形式虽不一,而其起源于经济的政治的利害之冲突,则初无二致也。

近代无产与有产之阶级斗争,为阶级斗争之最终形式;同时近代弱小民族

[①] 修订版删除了此段开头两句。——编者注

与强大民族之民族斗争,亦为民族斗争之最终形式。无产阶级苟得解放,则弱小民族亦随而解放。阶级隶属之事实消灭,则民族隶属之事实亦必归于消灭;反之,民族隶属之事实消灭,则阶级隶属之事实亦必归于消灭。此民族革命与社会革命所以相须并进而构成世界革命者也。

第二节　世界革命之对象

民族革命云者,弱小民族脱离强大民族支配之谓也;社会革命云者,无产阶级脱离有产阶级支配之谓也。两者之形式不同,而其革命之对象则一,一者何?帝国主义是已。帝国主义之经济的要素为资本主义,帝国主义之政治的要素为国民主义。近代阶级斗争与民族斗争,实由此资本主义酝酿而成,更由此国民主义之助长而愈趋激烈者也。

帝国主义经济的发展之程序,可分为五种阶级。第一,资本主义确立以后,产业之发展,一日千里,遂以促进资本之集中。资本与生产集积之结果,产业界之自由竞争乃一转而趋于独占,贫富之悬隔愈甚,而阶级之对抗益显,此阶级斗争之经济的原因也。第二,独占成立,遂促进银行资本与工业资本之融合而成为金融资本,造成金融之专制。第三,金融专制成立,则对外贸易乃由货物输出而变为资本输出。第四,资本输出成为对外贸易之主要素以后,各国资本阶级实际从事于国际的独占之组织而分割全世界。此民族斗争之经济的原因也。第五,世界分割竣事,列强经济势力范围,完全确定,遂至互相对抗,互相猜忌。此世界战争之经济的原因也。

帝国主义之政治的发展,与其经济的发展并行,亦可分为三种阶级。方其始也,资本阶级掌握国家权力,创设军队警察,以拥护其经济上之利益,镇压国内之阶级斗争,此助长阶级斗争日趋激烈之政治的原因也。其继也,创设大规模海陆军备,利用有政治意义之民族意识,以期控制其所已得之殖民地与半殖民地,此助长民族斗争日趋激烈之政治的原因也。最后,努力扩张军备及航空事业,执国民主义号召本国无产阶级,借以缓和其阶级对抗之趋势,而期制胜于世界战争,此帝国主义战争循环不已之政治的原因也。

时至今日,帝国主义已危机四伏矣。就阶级斗争方面言,各帝国主义国家,若英若法若意若美若日,其国内无产者之政党,均已次第组成,或为共产党,或为社会党,或为劳动党,皆具有不可侮之势力,其名称虽不同,而其目的则皆在于绝灭资本主义,是诚帝国主义第一大致命伤也。次就民族斗争方面言,世界弱小民族,皆有反帝国主义运动,若爱尔兰,若印度,若中国,若菲律宾,若埃及,若土耳其,若朝鲜,若摩洛哥,若波斯,若美索不达米亚,其民族运动,正如雨后春笋,愈演愈烈,虽领导此运动者,或为共产党,或为民主派,而其共同目的,则皆在反抗资本主义侵略,以谋政治的经济的独立,是诚帝国主义第二大致命伤也。彼帝国主义国家,既有阶级斗争之内讧,又有民族斗争之外患,百孔千疮,穷于应付,犹复殚精竭虑,汲汲焉准备第二次世界大战,以少数帝国主义者流,而临多数反对者之大敌,如朽索之驭六马,其沦亡特旦暮耳。

第三节 世界革命之目的①

民族革命与社会革命之对象虽为帝国主义,至其理想的目标则如何,此不难由社会进化之原则以推知之,即现代阶级斗争与民族斗争之倾向以证明之也。

世界革命之积极的提倡者虽为列宁,而其根据实出于马克思"万国无产者,其团结而起乎!"一言,此尽人所知也。至于世界革命之理想的目标果如何,马克思虽未尝详加推论,然就其文献征之,亦大略可睹已。

马克思于所草《共产党宣言》中有云:

> 劳动者无祖国,吾人不能并其所无者而亦去之。劳动阶级第一步工作,必须起而为国民主要阶级,必须由自己阶级组织国民。由此言之,劳动者乃组成国民者也,然与资本家所谓国民,其意义不同。
>
> 诸国民之民族的分立及民族的轧轹,既已随有产阶级之发达,随工业上生产方法与其相应诸生活关系之均等,而逐渐呈现消失之倾向矣。无产阶级苟能掌握政权,则此等民族的分立及民族的轧轹,必更急速消失无

---

① 修订版删除了此节内容。——编者注

疑,以各国(至少文明先进国)之共同行动为无产者解放最重要条件之一故也。

个人掠夺个人之事苟能终止,则一国民掠夺他国民之事亦当终止;一国民内部之阶级轧轹苟能终止,则诸国民间之敌对关系亦当终止也。

此马克思对于世界革命之推论也,德人古诺氏为之训释曰:

马克思此言,系论社会进化之程序者也。商业苟愈益扩张于市场之上;诸国人民间之社交的经济的诸关系苟愈益发达;又各国因工业进步而某等特殊国家在工业上及资本上之独占停止,且其生活上各种关系愈益均等;则互相交通诸国民间之国民的特殊形相及国民的轧轹,当必逐渐消失也。尤以各国劳动阶级夺得政权之时,于促进此种机运,更为有力焉。盖一阶级压制并剥削他阶级之事停止,则一国民压制并剥削他国民之事亦当停止也。如此,则诸国家及诸国民间必努力实现同一之文化目的而有加无己。因而同一文化倾向之诸国民,必为共同文化目的而互相提携,诸国民既构成国际的联合,则各国亦将次第丧失其所以为国民之意义矣。

由以上所述,可知世界大同社会之基础为世界经济,与此基础相适应之世界政治,则为世界社会主义联邦也。

自共产党宣言发表迄今将近80年矣。此80年间世界产业之发展,异常迅速,自然力之利用,机械之精巧,农工业之应用化学,巨大交通机关之组成,世界市场之扩大,举全世界各局部构成一有机的联络关系,全世界之人,互相为而工作,牵一发而动全身,异族杂处,天涯比邻,一切社交上经济上之关系,虽未能完全均等,然已日趋接近。故在世界经济成立之今日,实已有融合全球15亿人口组成一大同社会之可能。然返观世界政治之现状果何如乎? 由世界政治之倾向言之,各国民国际连带之感情实已逐渐增进,国民主义之色彩实已逐渐减低,乃少数帝国主义者,不惟不放弃其国民主义,且从而揠苗助长焉。彼被剥削被支配之无产阶级,其经济的利害关系,固与帝国主义者绝不相容,而帝国主义者乃极力遮掩此种利害之相反性,希图缓和社会问题之纠纷,不惜以种种方略,激动无产者对外之敌忾心,以谋帝国主义之维持与发展。曰凡尔塞会议,曰华盛顿会议,曰海牙和会,曰国际联盟,名虽为拥护世界平和,其实不过为强盗晚餐会,协商剥削世界无产阶级及弱小民族,并约定缓期举行世界大战耳。此种国际政局之状况,其与世界社会之经济的基础,不亦大相背驰耶?

虽然,吾人于此种矛盾的世界政治之反面,发现一种新政治力而可以造成与世界经济相适应之世界政治焉。此新政治力为何,即无产阶级国际主义之倾向是也。无产阶级国际主义苟有实现之一日,则世界大同社会即有实现之一日也。

第四节　世界革命之方法

孙公中山有言:全世界15亿人口中,最强盛者厥为欧美4亿白种人。此4亿白种人中,除不赞成侵略之赤俄1.5亿人外,最强暴者仅有2.5亿人,故今后世界人类之大决斗,实即12.5亿人对2.5亿人之决斗也,虽然此2.5亿之白种人外,余请益之以6000万之日本黄种人焉,是世界最强暴之侵略民族实有3.1亿人。然此3.1亿人中之支持帝国主义者,至不过十之一,其实数亦仅3100万人而止耳。故今后世界之大决斗,实14.69亿人对3100万人之决斗也。彼3100万人今日所以能控制14.69亿人者,以其握有绝大之政治力与经济力也,然此14.69亿人他日苟能一致结合与之对抗,帝国主义之倒溃必矣。

间尝考之世界最近反帝国主义运动之大势,而发现其三种倾向焉,即无产阶级国际的联合、弱小民族国际的联合及先进国无产阶级与弱小民族之国际的联合是也。

世界无产阶级政党之国际联合,势力最大者现有第二国际及第三国际。第二国际由英国劳动党德国社会民主党及其他同宗旨之三十国劳动政党组成之,盖采取缓进之方针者也。第三国际由俄德共产党及世界各国家各民族之共产党组成之,盖采取急进之方针者也。至于劳动组合之国际团体,现有阿姆斯特坦之黄色国际与莫斯科之赤色国际。前者与第二国际同调,后者与第三国际同调。此类无产者之国际联合,虽有急进缓进之别,而其反帝国主义之倾向则一,惟程度有深浅耳。此等国际固有结成共同战线之可能也。

弱小民族之民族运动,酝酿已久,至近年而始著,其国际的联络虽不如无产者国际有长期历史,而各民族革命党派之协议以谋联合作战者,亦有事实可证,曩年反对华盛顿会议而集合于莫斯科之东方民族会议,即其一例。继自今民族运动苟日益进展,世界弱小民族固有结成共同战线之可能也。

先进国无产阶级与弱小民族联合,亦有具体之表现。各弱小民族之民族革命党派,确已参与第三国际,而与各国无产阶级携手进行世界革命工作。据第三国际书记部之报告,各弱小民族,凡有劳动者存在之区,均有共产党之组织,且皆加入第三国际。此类弱小民族之共产党,皆民族革命之中坚,实为弱小民族与先进国无产阶级联络之唯一导线。且各帝国主义国家之共产党内部,又多有专设处理民族问题之分局,是即先进国无产阶级与弱小民族联络之唯一机关也。由斯以谈,将来反帝国主义运动苟日趋激烈,则先进国无产阶级与弱小民族,固有结成共同战线之可能也。

资本主义之运动,据马克思之推测,已于 19 世纪后半期,自掘坟坑,其所以能苟延残喘而不即亡者,实因世界尚有如许殖民地半殖民地为其避难之场也。今也资本主义已发达至于最后阶段,举世被剥削阶级皆大有觉悟群起操戈而环击之矣。吾尝譬之,帝国主义国家之资本阶级犹大盗也,其无产阶级则被盗劫箧起而击盗者也,而弱小民族则富有贮藏而无御盗能力者也。彼大盗者因避击盗者之锋,不得不挟其杀人越货之故智以光顾富而无御盗能力之人,劫其所藏而分其余沥以维持击盗者之奴隶生活,借以缓和其攻击,盗之得以少安者以此。今富而无御盗能力之人,既悟大盗之足以穷人,而痛定思痛,带甲荷戈,高其垣堵以御之,若击盗者与御盗者协同行动,则盗将因一击而毙可知矣。是故弱小民族之解放与先进国无产阶级之解放,必互相协助,而后有成。英国无产阶级革命实现,则爱尔兰、印度等之民族解放可期也;日本无产阶级革命实现,则朝鲜、台湾等民族之解放可期。然前者之革命,又必有待于后者之民族革命为之援应,始克有济,此又事势之所必然者也。吾故曰:民族斗争先阶级斗争而生,又随阶级斗争而已也。

第五节　世界革命与国民革命

民族革命与社会革命之关系之目的及其实现之手段，上文已略述其概，兹更进而专论民族革命之步骤焉。

夫民族革命之对象虽在颠覆帝国主义，而弱小民族内为虎作伥之封建阶级或帝国主义者之代表，亦在推翻之列，此为一般人所公认，固无俟余之赘论也。然领导民族革命运动者，果为资产阶级乎？抑为无产阶级乎？此首应发生之疑问也。

民族革命者，公理对强权之革命也。强权云者，即一部分人对他一部分人实行政治的支配与经济的剥削之谓；公理云者，即铲除政治的支配被支配及经济的剥削被剥削之阶级差别之谓。以强权摧强权，则强权永存；以公理摧强权，公理胜则强权永灭。民族革命必循此赴其鹄，始有意义。夫既称民族革命，则顾名思义，当然为全民革命之性质，惟当实行之际，作战者有勇有怯，战时之中坚分子，恒有偏于一方面之倾向。方其被强暴民族所侵略也，小资产阶级与无产阶级同处于被压迫之地位，利害有共通之点，及大敌当前或届成功之际，则各因自身利害关系，而阶级之意识以萌。近代所谓民族国家之创立也，当其始无不执民族意识以号召，一旦革命成功，国基巩固，则资产阶级即发挥其自私自利之本能，对无阶级实行剥削支配，历史上不乏其例也。革命前执公理以相标榜，成功后则舍公理而用强权，亦犹法兰西大革命，资产阶级高唱自由平等，成功后则以不自由不平等加诸无产阶级也。如此实行之民族革命，非世界革命之性质，乃以强权催强权之性质也。若就无产阶级之见地言，不过变更其掠夺者之国籍耳，何利之有？此种候补帝国主义者，不惟非先进帝国主义者之敌，世界无产阶级且将群起而攻之。此就进化之原则而言者也。若就今日民族革命之现状而论，弱小民族之全体人民，其最感帝国主义压迫之苦而觉知有革命之必要者，莫如工农无产分子。盖弱小民族，产业异常幼稚，小资产阶级之有势力者，大都为商业资本家，而小制造家次之。此类商业资本家，专恃贩售帝国主义商品以逐利，语其实不过为国际资本家之买办或代理人而已。买办阶级不惟不革命，且多有反对革命者。至于小制造家又多与反动派之封建阶级及买办阶级相结纳,亦乏革命精神,除欢迎排货运动以乘机扩大其事业外,固厌闻革命者也。若夫劳动者流,因帝国主义之胁威,时时感受失业之危险,即幸而得佣力求食于国际资本家之手,而国际资本家复利用其政治优越势力,得以任意宰杀鞭责之,故仇视帝国主义,实较小产阶级为尤甚。至于农民,则直接受本国封建军阀之诛求,间接受帝国主义商品之剥削,农村生活继长增高,流离失所,随处皆是,而欲求得一佣工苟活之机会,亦不可得,故其感受帝国主义与封建军阀之压迫,亦较小资产阶级为甚。故工农无产分子虽与小资产阶级同感受帝国主义及其使者——封建阶级及帝国主义者之代表——之压迫,而后者较前者尤感利害切肤之痛,其革命精神亦特别激昂。弱小民族无产阶级所以能成为民族革命之中坚者以此。爱尔兰独立运动之中心,已由自由党而移于共产党;印度独立运动之中心已由非妥协之甘地派而移于无产阶级;朝鲜独立运动之中心已由民主派之独立党而移于共产党;中国民族运动之中心已由国民党右派而移于左派,即其明证也。由此可知民族革命,虽系全民革命性质,而其中坚分子则为无产阶级而非小资产阶级也。

第六节　国民革命之归趋

民族革命虽由无产阶级为中坚,而其性质则为全民革命,然如此以成功之革命,将采用资本主义以发展产业乎? 抑将采用社会主义乎? 此应发生之第二疑问也。

民族革命之步骤,第一在树立政治的经济的独立;第二在以加速度发展其本国产业,力谋与先进国之文化相齐,以构成世界文化,形成世界世界大同社会之基础。夫民族隶属之事实所由生,实文化程序不齐之故,而弱小民族文化之所以不进步,实因受帝国主义之压迫不克发展之故,民族革命实在于促进文化之急速发达者也,然则弱小民族发展产业应采用进步之经济主义可知矣。依经济组织进化之程序言,资本主义成熟之后,始能进于社会主义,以弱小民族产业之幼稚,有尚在封建状态者,有尚在半封建状态者,即使民族革命实现,亦仅能开始实行资本主义,此世人所公认者也。虽然,资本主义亦有私人资本主义与国家资本主义之别焉。私人资本主义乃帝国主义之前身,即今各先进国所盛行者也,国家资本主义乃社会主义之过渡,即今俄国所采行者也。两者之性质不同,而其能促进产业之发达则一。故民族革命成功时,小资产阶级得势,则必采用私人资本主义;无产阶级得势,则必采用国家资本主义。若采用国家资本主义,则将来可以和平达于社会主义;若采用私人资本主义,则在进化途程中,必更经历一度激烈的阶级斗争也。中国今日一般人对于产业政策之见解,多主张采用劳资协调主义,期以社会政策节制资本。然社会政策苟能实行,则国家资本主义亦可实行,与其采用私人资本主义以引起将来之阶级斗争,不如径行采用国家资本主义之为愈也。且无产阶级既能成为民族革命之中坚,则在成功之后,对于经济上之建设,必不赞成私人资本主义而采用国家资本主义可知。国家资本主义乃社会主义之过渡,非即社会主义,列宁已先言之矣。① 故民族革命而苟能成功,必归着于国家资本主义也。

弱小民族之民族革命,即须与先进国无产阶级联络,始能实现,然欧美各国之劳工贵族果有诚意与弱小民族携手乎? 反之,民族革命独不能单独行动乎? 此应发生之第三疑问也。

依社会运动之原理言,劳动者无国界之可分,然劳动者国界之消除,由渐而进,非一朝一夕所能完全实现。欧战当时,第二国际违背平时非战主义之主张,参加帝国主义大战,卒因此以致瓦解,各国劳动者之觉悟分子,均相继脱离第二国际,而有第三国际之组织。此第三国际之无产分子,皆能化除国界者也。不惟第三国际已也,即复活之第二国际,对于曩时盲目爱国之行动,亦会发生责任问题之争执,足见其尚有悔悟之心也。故劳动者国界之化除,直为程度问题而已。中国五卅运动本为国民运动之性质,然英美德法日诸国无产阶级,均曾与以精神上物质上之援助,俄国更无论矣,日本无产政党且以取消不平等条约列为党纲之一,是即先进国无产阶级与中国民族携手之事实也。前此中英中法中日乃至庚子联军之役,彼英美法德日诸国之无产阶级固未尝有此种表示也。先进国无产阶级之与弱小民族联络,随帝国主义之猖獗而日益显明,随弱小民族民族革命之进展而日趋巩固。今日英美各国劳动者所以尚未实行激烈革命而被世人目为劳工贵族者,实缘本国资本阶级尚能于弱小民

---

① 修订版删除了此句中的"列宁已先言之矣"。——编者注

族掠得超越利润,彼等犹得分润于"国民的"资本利得也。他日弱小民族反帝国主义运动日亟,则彼等亦将丧失其劳工贵族之地位,而降居同一之水平线矣。中国五卅案发生以后,广东国民政府积极反英之结果,致使英国数十年惨淡经营造成之经济侵略根据地之香港,一朝化为荒岛,帝国主义者之损失达10亿之巨,遂至迫而出威吓手段以临中国,其手足失措之状态概可想见。苟印度及其他一切殖民地均能如中国南部之反英,则英国劳工贵族有不起而推翻彼国之帝国主义者乎?故先进国劳工贵族之与弱小民族联络,乃时间问题也。

若夫苟且侥幸,不与国际无产者相联络,思欲乘帝国主义者互相猜忌或互相冲突之时,一举而树独立之旗,以期脱离帝国主义之压迫,此种机会主义在理想上未尝不当,而在事实上殊难实现。此种独立运动,即使得逢千载一时之机会,幸而奏效,然其结果亦不过脱离甲派帝国主义之支配而转受乙派帝国主义之压迫,如芬兰波兰之脱离俄罗斯而受法兰西帝国主义者之庇护,如美索不达米亚诸国之脱离土耳其而受英法两国帝国主义者之支配已耳,欲永远脱离帝国主义者之压迫不可得也。此种机会主义之民族革命,较不革命尤为有害,不可不察也。

最后必更有疑问焉:民族之历史自古迄今数千年,民族意识果能因世界革命而消灭乎?

人类之言语风俗习惯乃至皮肤色泽不必尽同,民族意识信乎其不能消灭也。虽然,民族意识即不消灭,于人类何害?所可畏者,利用民族意识以助长其政治作用,帝国主义之所以为害于人类,正因其附加政治性质于民族意识之上而发展为国民主义耳。将来民族意识苟能消失其政治的性质,亦犹乡土感情之类也。湘人之于赣人,汉人之于满人,苟不利用其乡土感情以互相斗殴,则乡土感情虽永远存在可也。然此属于数十百年以后事,吾人在今日殊无推测之必要也。

第十八章　社会之将来

凡科学皆有前知性。前知性云者,即就吾人研究科学所得之知识,发现支配科学现象之理法,推知其推移进化之趋势,暗示其变革之规范与方法之谓也。在自然科学之范围,关于自然现象之人为的变化,吾人得应用已知之知识指导之;在社会科学之范围,关于社会现象之人为的变化,吾人亦得应用研究历史的社会的事实所得之结果决定之。社会之现象虽极其复杂,社会之变化虽极其纷繁,然吾人苟能究知此复杂之现象所以分化及此纷繁之变化所以演成之根本原动力,则社会进化之极致与夫未来社会之状态,固不难循此根本原动力推求而得也。社会之历史的进化虽有一定,吾人固难脱离历史之束缚,而吾人对于社会之历史的进行,亦可借努力活动之意识以促进之。是故推测社会进化之目的,预言其进行之途径,并究知人类遵行此途径与达到此目的之方法,乃社会学最大之任务,亦即吾人精神上之愿望也。

社会学之派别甚多,其推论社会之最高原理也,亦各有其不同之见解。有谓未来社会为最大多数最大幸福之社会者,有谓为个性能充分发达之社会者,有谓为自由平等实现之社会者,就此等见解综合观察之,一切社会学者之学说实有一致之点,即社会必由强制乱暴不正义之状态进至自由平等博爱之状态是也。惟此种自由平等博爱之未来社会状态,非经济进化达于最高阶段不能实现,故所谓自由平等博爱之社会实即共产社会也。社会进化之极致必达于共产社会,此乃一切社会思想家所公认,而与近今社会学者之主张亦无冲突之点。兹特进而推论由现代社会进至共产社会之步骤及其状态,作为本书之结论焉。[①]

---

① 修订版将此句改为"至于此种理想社会应如何实现,其方法则随时与地而各有不同,要当根据各国社会经济之状态而定之,本书不欲多所推论矣",以此作为全书的结尾,并删除了其后各段。——编者注

近代社会思想家凭个人之想像以描写共产社会之理想者甚多,而其最著名者则无如克鲁泡德金与马克思,此世人所公认者也。至对于此理想社会如何实现以及达到此理想社会之物质基础如何完成,其能举行科学的研究以诏吾人者,厥推马克思,而克鲁泡德金则有所未能,此马克思所以成为进化论者,克鲁泡德金所以终于为空想家而止,亦即科学的共产主义与空想的共产主义所由判也。吾人欲飞行于空中,欲潜行于海底,苟不知研究实现此理想之方法,求得达到目的之物质基础,则此理想适成为不能实现之空想,吾人苟已知研究航空潜海之技术,求得制造飞行机与潜水艇之方法,则吾人之理想有实现之可能,即不能谓为空想矣。马克思之共产主义,既能阐明实现共产主义所必需之物质基础,又能指示完成此物质基础之程途,其贡献之功实至伟大,故于此根据马氏学说说明未来共产社会实现之步骤于下。

据马克思学说,由资本社会至共产社会之步骤,可以分为三期:第一为共产主义过渡期,第二为共产主义半熟期,第三为共产主义完成期。兹先述共产主义过渡期。

第一,共产主义过渡期　过渡期介于资本主义社会与共产主义社会之间,严格言之,此时期尚未入于共产主义,由经济方面言,是为革命的变革之时期;由政治方面言,是为无产阶级专政之时期,即属于政治的过渡期。

资本主义发达至于一定程序,无产者即能组织一阶级,推倒有产阶级之统治,掌握国家之政治权力。无产阶级掌握国家权力以后,则社会即由资本社会进至共产社会之过渡期,而过渡期遂以开幕。此时期最重要之工作,亦可分为政治的与经济的两项。其属于政治方面者,即由无产阶级升为治者阶级,变有产阶级统治之社会为无产阶级统治之社会,变有产阶级之民主主义为无产阶级之民主主义。于是无产阶级开始专政,社会始进于政治的过渡期。其属于经济方面者,即无产阶级掌握政权,进至政治的过渡期以后,无产阶级利用政治权力,对于有产阶级之所有权,对于旧社会组织所维持之资本家本位生产关系,实行专制的侵害,盖为收集一切生产手段归国家公有计,除施行此种专制的侵害以外,别无更有效之方法也。此时经济上因革命的变更之故,生产力或呈减退之现象,然此系暂时的损失,不能避免,社会之秩序恢复以后,则此暂时的损失,亦必次第消灭,而生产力之总量即得以加速度充分增加。要而言之,过渡期之特征,从政治方面言,即无产阶级专政,从经济方面言,即将一切生产手段收归国有是也。

过渡期内,阶级之区别依然存在,生产事业概由无产阶级之国家管理之。工钱制度仍旧不能撤废,惟劳动条件,概由国家规定,劳动者无论其工作于国家直接管理之生产机关或经国家许可之私人机关,其劳动之报酬与待遇,恒较在资本社会时为优,且随生产之发达而日趋于良善,而工钱亦将失其工钱之性质。此时劳动者贡献其劳动力于自己阶级之国家,为国家增高生产货物之总量,助长社会进至共产主义之趋势,各个人精神上均有无穷希望,而劳动之苦痛自然可以消除。此过渡期内之状态也。今日之劳农俄国正属于此时期。

第二,共产主义半熟期 过渡期完结,则一切生产机关完全收归国有。生产机关完全国有,则社会无私有生产机关之阶级,而有产者与无产者之阶级区别亦归于消灭。阶级之区别消灭,则无产阶级之自身亦归于消灭,而无产阶级专政亦自然消除。于是生产力大见增加,社会遂由过渡期进至共产主义半熟期。半熟期者,即谓此时期内共产主义未能完全实现之意。盖由过渡期进至共产主义完成期,仍须经历若干时期始能实现,未可一蹴而几也。

在共产主义半熟期,各个人皆有生存权、劳动权及劳动全收权,而自由平等博爱仍不能完全实现。盖权利之为物,自其内容言之,实为不平等经济生活之产物。权利之所在,无绝对之自由,无完全之平等,无真正之博爱也。共产主义半熟期之社会,系经历过渡期而生,去资本主义社会不久,经济的道德的精神的一切关系,仍未能完全脱离旧社会母胎之习染。故此时各个生产者所提供于社会之一定分量之劳动,除提出一小部分作为公益费用外,其大部分仍以另一形式由社会取还之。即各个生产者以个人劳动量供给社会共同团体,社会共同团体除提征一小部分公益费用之外,则付以相当之证券,各生产者即以此证券,向共同仓库中取回相当之消费物。一切个人皆为生产者,皆有做工谋生之机会,故皆有生存权与劳动权;各个人皆以一定形式提供一定分量之劳动于社会,复以另一形式向社会取得相当之生活资料,故皆有劳动全收权。曷言乎此时自由平等博爱尚未能完全实现也。盖生产者之权利,与其所提供之劳动量为比例,概皆以同一之"劳动"标准测定之。关于此点,就形式而言,各个人之权利似乎平等,然就实际言,适产生不平等之结果。各个人之体力与智力不必相等,有能在同一时间提供分量较多之劳动者,有能就同一工作条件提供时间较长之劳动者。既使用同一劳动之标准以测定各个人之劳动量,则各个人劳动之结果不免发生差异,因而各个人由共同仓库取回之消费物即不免有多寡之不同。故所谓平等之权利云者,实即不平等劳动之不平等权利而已。惟此时人人皆劳动者,无所谓阶级之区别,而此不平等之个人的天分与不平等之个人的劳动能力,仍被认为自然的特权则无以异也。且各个人消费之多寡亦不必一致,有已结婚者,有未结婚者,有有儿女者,有无儿女者,已结婚者及有儿女者所需之生活资料当较未结婚者与无儿女者为尤多,而劳动能力之优劣又不必与其所需生活资料之多寡相适应,于是乎弊害生焉。欲避除此一切弊害,则权利之平等非改为不平等不可也。

此等弊害,在共产主义之半熟期,实属不可避免。因此时旧社会之习染不能完全除去,对于消费物之分配,仍不能即时采用"各取所需"之原则。为奖励各人劳动计,实有按照劳动分量以分配财富之必要。劳动全收权虽庶几可以实行,然权利之所在实无完全平等之可言。既认定权利之所在,斯不能不设置保护权利之权力,权力所在,实无绝对自由之可言。无完全之平等,无绝对之自由,更何有真正博爱之可言。此共产主义半熟期之状态也。

第三,共产主义完成期　过渡期须继续若干年月,半熟期须继续若干年月,此非吾人之智识所能精确预断,但共产主义苟在其固有之基础上发展时,则社会生产力必能成就巨大之发展,足以保证人类之生存,共产主义必更由半熟期而进于完成期也。

共产主义完成期之根本原则为"各尽所能,各取所需"。"各尽所能"者,即各人按照其能力为生产财富而劳动之意;"各取所需"者,即各人按照其欲望以消费社会之财富之意。此种原则今之家族内部殆无不实行者,如老幼残废之人,虽不劳亦得由家族供给生活必需之资料,且有病者之消费,往往较无病者为优。故各人惟有应其必要而取给之时,始能谓之完全公平,始能谓之真正平等,共产主义要不过推行此原则于全体社会而已。惟此种原则之实现,必在社会达到共产主义最高阶级,各人得以完全自由发展,生产力得以充分发达,共同财富一切渊源充分流溢之后,始有实现之可能也。

"各取所需"之原则苟能实现,则各人皆得受一定生活之保证。既得一定生活之保证,则劳动不仅为谋生之手段,而劳动自身转成为生活唯一之要求。各人果能不仅以其工作为谋生之手段,更能于其工作之中发见其自己之目的,然后各个人始能完全自由发展。各个人果能完全自由发展,而热心事事,则社会之生产力势必充分增加,而共同财富自当充分发达矣。各人之生活既得保证,教育归社会公有,则因处境不同而生之个人的才能之人为的悬隔,亦归于消灭。困难而不快之肉体劳动归社会全体负担,机械之发明应用,普及于一切方面,而精神的劳动与肉体的劳动之对立亦归于消灭。要而言之,此等事实,皆有相互之因果关系,乃同时存在之现象,此共产主义完成期之经济状态也。

共产主义完成期之政治状态,亦有推论之必要,兹复略而言之。如前所述由资本社会至共产社会过渡期,为无产阶级专政之时期,由无产者组成治者阶级,假借武力实行强制。就假借武力实行强制一点言,其与现社会当无以异也,惟组成治者阶级之无产者,占据最多数,以最多数阶级统治最少数阶级,较之以最少数阶级统治最多数阶级,进行自然容易。故强制压力之必要,必随过渡期之经过而次第减轻。由过渡期进至半熟期以后,则阶级之区别消灭。一阶级为压迫他阶级而利用之组织力即失其必要。惟此时旧社会之习染尚未完全除去,有按照各个人所提供之劳动以分配消费之必要,即认定各个人享有一定之权利,为保护此种权利计,仍不能不行使一种有组织之社会力。此有组织之社会力,其强制的性质虽甚薄弱,然不能绝对不加强制也。由半熟期进至完成期,则各尽所能,各取所需,完全无利用组织的社会力之必要。是时也,夫妇之争执,亲子之争执,一个人对于他个人之争执,其势或所难免,但各人之生活既得保证,则为调处此类争端计,无须使用强制权力可知矣。不使用强制权力,而社会之秩序井然,虽谓为"无为而治"亦无不可,此完成期之政治状态也。

此种共产社会之实现也,其果为若干年月以后之事,吾人不能预为推测,惟人类历史之进行,必有达到共产社会之一日,则无容疑也。此种研究,果能有以启发吾人之思想乎,是在读本书者之判断而已。

附录：三版例言[*]

一、是书系担任湘大法科教授时所编著之讲稿，民国十五年夏季应现代丛书社之要求，将原稿交与该社刊行问世，发行至再版为止。现因昆仑书店编辑部之请，特将原书加修改，交由该店发行。

二、是书所以用文言编著者，系徇湘大法科学长及学生等之意见，原非得已，迩来因忙于读书，无暇将原文改为白话，读者谅之。

三、余近觉是书颇有缺点，结构微嫌松懈，因此屡欲实行改编，亦因无暇着手，容稍假时期，当重新编著。

四、是书立论，大都以欧美日本之资本主义社会为对象，对于半封建的中国社会，则未能多所说明，此虽在原则上不得不尔，然亦不得谓非是书之缺点也，惟望高明者幸赐教焉。

著者识

民国十七年十一月一日

---

* 这是作者为 1928 年 11 月由上海昆仑书店出版的《现代社会学》的修订版所写的"例言"。——编者注。

湖南李达号鹤鸣启事[*]

（1927.9）

鄙人脱离共产党已有四年，特登报声明，以免误会。

（原载 1927 年 9 月 3 日汉口《国民日报》、《武汉民报》）

---

　　* 这则启事原文句中无标点，标点系编者所加。1923 年暑期，李达赴上海会见陈独秀，商谈国共合作问题。在国共合作问题上，当时担任党的中央执委会委员长的陈独秀认为中国革命条件和时机尚不成熟，主张共产党整体加入国民党、成为国民党中的一个党团，专心做国民革命；李达则不同意陈独秀的意见，主张共产党保持自己的独立性，认为共产党只能派一部分党员到国民党中交叉。听了李达的意见后，陈独秀暴跳如雷，又是拍桌子，又是砸茶碗，甚至还破口大骂。受了这样的刺激后，李达顿时心灰意冷，认为拥护陈独秀这样的人做领袖，党是没有前途的，遂一气之下脱离了他自己参与创建的中国共产党。1927 年秋在武昌中山大学担任教授时，根据学校当局的要求，李达在报纸上刊登了这则启事。——编者注

民生史观

（1928.5）

革命应该是科学的，革命的主义也应该是科学的。三民主义是对于中国历史的社会的事实，研究当中的道理所发生出来的思想信仰和力量。所以三民主义的科学性是很明明白白的，我们应当用科学的见地，从事研究。

三民主义，系促进中国之国际地位平等，政治地位平等，经济地位平等。所以三民主义是国民革命的理论，同时又是社会革命的理论，一方面适应现代中国的要求，一方面促进现代社会的进化。总括起来说，三民主义是用科学的方法研究中国历史的社会的事实发生出来的思想信仰和力量，而且是合乎社会组织和进化的原理的。这历史的社会的事实，是社会学所研究的对象，这社会组织和进化的原理，是社会学所研究的题目，所以我们对于三民主义，很可以根据社会学的见地，来做一番研究工夫。

据我所研究的结果，三民主义各部门，都包含着一种根本的见解，这根本的见解，就是民生史观。民生史观，是以民生为中心说明社会组织和进化的，即是中山先生所说的"民生为历史的中心"的说明。中山先生自己虽没有专就这个见解作一篇有系统的文字或讲演，可是他在三民主义的讲演集里，已经把这个见解透露了出来。因此我不揣冒昧特选定这个题目，作这篇文字在这里发表。虽然发表的时机太早，而且研究也欠成熟，倘能借此引起高明者加以补充和纠正，便是我的大幸了。

一、民生与社会

社会是包括人类一切经常相互关系的系统。一个人活在社会上，他的一举一动,都要和社会发生许多相互关系。吃饭,穿衣,住房子,固不消说,他要取得吃饭穿衣住房子的物质资料,就要和社会发生无穷无尽的相互关系。走路、求学和娱乐,也不消说,路是社会上许多人修筑起来的,求学和娱乐,也要一定的场所和一定的物质资料,他要达到这些目的,就直接、间接和社会上发生许多相互关系。他若是一个农夫或工人,他做一天工作,就可产出一些物质资料供给社会消费,他和社会的相互关系更多。他若是一个商人,他在市场上和社会发生的相互关系,更是不可数计。他若是一个党员,他参加开会和演说,或者执行政务,他的一举一动,小则影响于一国的政局,大则影响于世界的政局。他若是一个政党的领袖,他的行动要影响一国或数国。总而言之,一个人自出生到死亡,无论是在农界工界商界,或在学界军界政界,他对于社会的影响是很多的,虽或因为地位不同,而所生的影响有大有小,却总不能没有影响。他总是要与社会发生无数的相互关系。人类这些相互关系是经常不间断的,所以社会的存在也是经常不间断的。社会实是包括人类一切经常相互关系的系统。

但是人类这一切经常相互关系,要把哪些经常相互关系做中心呢? 这里我们必须得比较分析一番。人类一切经常相互关系之中,可以分三部分:一是个人与个人的;二是个人与社会,个人与共同体(如国家政党之类)的;三是共同体与共同体、共同体与社会、社会与社会的。而各部分的经常相互关系之中,又可以分为民生的、政治的、法律的、道德的等数种。而此数种经常相互关系之中,又要算哪一种经常相互关系做中心呢? 我们可以不踌躇地答复:是"民生"的经济范畴内的经常相互关系做中心的。何以见得? 因为社会是受"自然"所围绕的,社会能否存在,就看社会能否适应自然环境。社会要维持生存,首先要从自然界取得生活资料。要向自然界取得生活资料,那人类在民生的经济范畴内的经常相互关系便成立起来,其他政治的、法律的、道德的等经常相互关系,才得有中心去维系。假使没有民生的经常相互关系做中心,那政治、法律、道德等等便无所依附了。我们可以比方地说,现在的世界,可说是文明很进步而极其光辉灿烂了,但若假定民生的经常相互关系都忽然停止,那时的景象怎样,我们不难想到。那时必定一切工作停顿,一切生活资料的来源也都断绝,所谓光辉灿烂,立刻变为黑暗沉寂,纵有很好的政治法律道德,也会失却作用。所以离开食衣住行的享受，便没有文化，质言之，便没有社会存在，这是很明白的。由此我们可以知道民生实是社会的中心。总括起来，我们可以下个社会的定义：社会是总括人类以民生为中心而发生的一切经常相互关系的系统。

二、民生与社会发达

民生是社会发达的中心。社会的发达，视民生的发达如何而定。

食衣住行的享受，皆须以物质资料为前提。而此类物质资料，皆须取之于自然界。社会以自然界为营养环境。所以自然界对于社会的发达上是大有势力的。自然界把无数的生存资料供给人类，人类便利用这些生存资料，加以工作，使适合于自己的目的。自然界把一切自然力来压迫人类，人类便利用这些自然力来制造生活资料，使适合自己的目的。所以人类不断地和自然奋斗，并且利用自然的法则。人类具有手足和头脑，运用工作和发明的能力，利用自然界所供给的物资，造出食衣住行的享受。这些享受的物质资料发达了，社会也发达了。

社会和自然处于对立地位。人类运用生理的能力，向自然界取得物质的资料，社会方能存在。这便是社会和自然的相互关系。这种相互关系的变化，即是社会发达与否的关键。而这种相互关系变化的主要原因，就在于民生的经常相互关系。人类向自然界取得的物质资料越多，社会越能适应自然。人类取得的物质资料，除供给社会消费而有余之时，社会方得发达。因为必须物质资料有余，人类才能有余裕去发展其他的文化。

假使一个社会，因为要满足那必需的欲望，必须耗费全体的工作时间，那么，这个社会所能造出的生活资料，恰好供给消费，必无赢余。这个社会既没有制造别的新生产物和扩充新欲望的闲暇，就会停顿在同一的贫弱的水平线上，当然没有发展别的文化的可能，因为全体工作时间都用去制造同一生产物了。所以这个社会是不能发达的。

假使这个社会因为有别的原因，只需耗费从前一半的工作时间，就可以造出必要的生存资料。那么，这个社会，就有从前一半的工作时间的余暇，便可利用这余暇去采取新原料，造出新工具，或者做精神事业。于是新的欲望可以扩充，新的精神文化可以发展。而且这样下去，那造出必要生存资料的工作时间，更可以减少，因而采取新原料发明新工具以及做精神事业的时间就愈多。因此新的欲望更扩充，新的精神文化更发达，社会就大大的发达起来了。

再反过来说，假使这个社会因为有别的原因，必须耗费以前两倍的工作时间，方能造出那社会所必要的生存资料。那么，这个社会，若不能找得别的出路，势必退化。即使有无数复杂的生产事业，即使有高尚的精神文化，却因为不能支配现有的生产技术机关，或者复用旧时的工作方法，把全部的时间都耗费在必要的生存资料制造的方面，那高尚的精神文化，也不得不凋谢下来，那复杂的生产事业，也就不能不停顿一部分。换句话说，这个社会，便要退化了。

所以社会的发达，以民生为中心。民生发达，社会才能发达；民生不发达，社会也不能发达。

三、民生与社会组织

社会既是包括人类以民生为中心而发生的一切经常相互关系的系统，那么，社会的组织又是怎样呢？换言之，人类以民生为中心而发生的一切经常相互关系，究竟是怎样构造的呢？依第一节的研究，我们知道民生的经常相互关系，是一切经常相互关系的中心，现在研究社会的组织时，也要先把社会的中心的组织说明出来。

支持社会生存所最必要的东西，莫如食衣住行的享受。而食衣住行的享受，必须以物质资料为前提。人类取得这些物质资料时，便发生许多经常相互关系。比方我们要吃饭，首先要有米。这米是怎样得来的呢？我们知道，米是农夫耕种出来的。农夫在土地上从事耕种，要经过犁锄、施肥、播种、培植、灌溉、收获等等的程序。在这程序当中，农夫必须直接间接和社会上发生无数的相互关系，方能造出谷米来。谷米造出之后运到都市时，又要经过舟轮车马肩挑背负的程序，在这程序当中，人与人之间，又要发生无数的相互关系。可知我们要取得米来吃饭时，人与人之间的经常相互关系是很多很多了。我们默想这整个的相互关系，已可知道有无数的人在一根线上联络起来了。推而至于蔬菜果实肉类的生产上的相互关系上面,也是照样地把无数的人联络起来。所以我们单就吃的一件事情说,已有无数经常相互关系错综复合,把人类联络在那些的上面。同样,在衣住行三方面,也各有同样的错综复合,把人类分别联络在那些的上面。于是食衣住行四种享受的范围内,各有无数的经常相互关系的错综复合,依据经济界的法则,重重叠叠起来,把一切人都联络起来,一切人因此便发生了有机的联络关系,如是便构成社会的中心的组织。

社会的中心的组织,已经说明,现在再说依据这个中心发生的其他一切经常相互关系的构造。人类因为取得食衣住行的物质资料,发生了无数经常相互关系,就必有生产组织和生产手段。有了生产手段和生产组织,就必有种种处理生产手段和生产组织的事情发生出来。比方说,物质资料的生产和分配,怎样按照男女老少智愚强弱的区别,适应环境,配置合宜,使一切人都得以生存于社会,这些都是因为处理生产手段和生产组织才发生出来的事情。既有这些事情发生出来,社会上的人就必须管理这些事情。这管理众人之事,便叫作政治。但是管理众人之事的时候,就必要有一种组织、一种机关和一种力量。这种力量,在古代社会是社会力,在文明社会是公权力。这种组织,在古代社会是部族组织,在文明社会是国家组织。这种机关,在古代社会是酋长和民会,在文明社会是政府。所以社会组织之中,有了政治组织,人类便在政治上互相结合起来。

政治组织,既然是维持民生的经常相互关系,就不得不有制裁。比方说,有人破坏或妨害生产手段和生产组织的时候,就必须有制裁来防止。这种制裁,在古代社会是共同生活习惯的规律,在文明社会是法律。所以法律的大部分,都是维持民生的经常相互关系的规律。

道德是人类行为的规范。道德的根本标准,就是共同生存。个人要能生存,必须要社会全体都能生存才行。人人只管自己的生存,不顾别人的死活,社会就要瓦解。所以道德是巩固社会团结的无形纽带。道德本是共同生活习惯的规律之一部。共同生活习惯的规律之中,认为有规定为法律以维持社会生存之必要者,就采定为法律,其余则委诸各个人自由遵守。道德的作用,就在保持共同生存的根本标准。所以人类除了遵守法律以外,更当遵守道德。

此外宗教,科学艺术,哲学,也都是以民生为中心而发生的。

以上是社会组织的大概。民生是社会组织的中心，已可以了然了。

四、民生与社会变革

社会变革，就是社会组织的全部由低级变到高级的意思。社会变革，包括两种变革在内，一是政治变革，一是经济变革。普通的政治变革，只是颠倒治者和被治者的地位，正如历史上转朝易代的波澜，于经济变革没有关系，不能称为社会变革。社会变革，必须政治变革和经济变革相并而行，一面变革政治组织，一面变革经济组织，即是把社会组织完全变化到高级的形态。这便是社会变革的意义。

社会为什么要变革呢？原因说来很复杂，从根本上讲起来，就是因为社会组织不好，有了毛病，发生了民生问题。民生问题就是社会问题。社会问题怎样发生的呢？中山先生在民生主义第一讲的开头说得很详细，可以翻阅。简括地说，就是因为机器发明，实业革命，少数人把世界物质垄断起来，只图个人的私利，弄得许多人没有工做，没有饭吃，感受极大的痛苦，因为要解决这种痛苦，所以近几十年来，便发生社会问题。质言之，社会变革，就是要解决社会问题，就是要使一切人都有工做，都有饭吃，都能生存。

但是我们要注意的，这里所说的社会问题，是外国近年来发生的一个最大问题，换言之，就是帝国主义国家的社会问题。若是被压迫民族的社会问题，性质就有些不同。比方说，现在的中国，社会问题是有的，却不是因为中国内部的实业革命的结果产生出来，大部分原因，是受了帝国主义的侵略。所以中国的社会问题，就有好些特性。中国以前封建的自足的农业经济，是被帝国主义破坏的。帝国主义，利用政治的军事的势力征服中国，强迫缔结许多不平等条约，做经济侵略的工具，使中国变成了他们贩卖商品采取原料投出资本的场所，弄得中国旧式工业破产，新式产业不能发达，农村经济也被搅乱了。加以军阀又受帝国主义的驱使，称兵赎武，构乱不息，民脂民膏，剥削殆尽。民不聊生，是亘古以来所未有的。所以中国的民生问题，并不是因为中国的实业革命才发生的，实因为受了帝国主义的侵略才发生的。中国的民生问题，有很大的民族问题在里面，这是和欧美社会问题不同的地方。

中国的社会问题和欧美的社会问题既有区别,那么,解决社会问题的方法,当然也有不同了。所以中国的社会变革和欧美的社会变革,目的虽然相同,手段却是两样。所谓目的相同,就是说两者都要求使社会上一切人都能适于生存,都能善于生存。所谓手段不同,就是说两者经济的程度不一,社会问题的性质互异,应当根据事实和环境,采用合宜的解决方法。照这样说,欧美的社会问题,应当采用怎样的解决方法呢? 这不消说,当然要采用社会主义。不过社会主义有许多种类,有和平的,有激烈的,究竟应当采用哪一种,还是不能确定。据中山先生的推测,欧美的社会问题,或许要采用马克思的方法来解决的。他说:"现在欧美的工商业进步到很快,资本发达到极高,资本家专制到了极点,一般人都不能忍受。社会党想为人民解除这种专制的痛苦,去解决社会问题,无论是采用和平的办法,或者是激烈的办法,都被资本家反对。到底欧美将来解决社会问题,是采用什么方法,现在还是看不出,还是料不到。……但是现在英美各国的资本家专制到万分,总是设法反对解决社会问题的进行,保守他们自己的权利。现在资本家保守权利的情形,好像从前专制皇帝要保守他们的皇位一样。专制皇帝因为要保守他们的皇位,恐怕反对党来动摇,便用很专制的威权,极残忍的手段,来打消他们的反对党。现在资本家要保守自己的私利,也是用种种专制的方法,来反对社会党,横行无道。欧美社会党将来为势所迫,或者都要采用马克思的办法,来解决经济问题,也未可定的。"

至于中国社会问题解决的方法,究竟怎样呢? 依中国的环境和事实研究起来,必要实行三民主义。中国社会问题发生的主要原因,是因为受帝国主义侵略。中国人大家都是贫,并没有大富的特殊阶级,中国人的贫富不均,不过是贫的阶级之中,分出大贫与小贫而已。要把这大贫小贫的区别,弄到大家平均,都没有大贫,只有实行民生主义,实行平均地权,节制资本,实行建设国家的大资本,兼顾一般人民的利益,使人人都能生存。要实行民生主义,必须有真正的民权政治,所以必要实行民权主义。但中国是被帝国主义征服了的次殖民地,要实行民生主义民权主义,必要团结整个的民族,打倒帝国主义,以求中国的解放,所以必要实行民族主义。所以要解决中国的社会问题,必须实行三民主义的革命。这是中国社会问题解决的方法。

要而言之，社会的组织以民生为中心，以使社会上一切人都能生存为目的。现在这个中心既然发生变动，使得大多数人都感受生存的威胁，那中心的组织就不得不实行改造。社会的中心组织既然要改造，那依据这中心而成立的政治组织也不得不实行改造。必定这样，然后社会组织的全部，才能由低级变到高级。

五、民生与社会进化

民生是社会进化的中心。我们要说明社会进化，当先说明民生的进化。民生进化的程序，大概可以分为古代的、封建的、近代的、未来的四个大时代来说明。人类最初脱离兽类境界的时候，专采取自然界的木实草根虫鱼禽鸟以为食物，所谓"穴居野处茹毛饮血"，便是这时候的生活状态。自此以后，发明了石器弓箭之类，便开始过畋渔生活。这个时候，是人与兽争的时候。到了人类征服兽类，人类所取的环境较好，所住的地方也适于生存，人群就住在一处，豢养驯服的禽兽，以供使用，便开始过畜牧生活。人类的居处既稍有一定，便晓得选择可以避风雨的地味肥沃的地方，开始栽培植物，久而久之就进到农耕生活。这个时候是人与天争的时候。在人与兽争，人与天争的时候，人类要能生存，必须互相团结，共同和自然界奋斗，共同向自然界取得生存资料，就不能不过共产的生活。所以中山先生说："人类最先所成的社会，就是一个共产社会。"这是古代的民生概况。自从手工业和商业发生，社会有了货币交易之后，人民生活，便起变化，以前的共产制度便打破了，于是私产制度代之而兴。中山先生说："在古代以货易货，所谓日中而市，交易而退，各得其所的时候，还没有金钱，一切交换都不是买卖制度，彼此有无相通，还是共产时代。后来有了货币，金钱发生，便以金钱易货，便生出买卖制度。当时有金钱的人，便成为资本家"。还有一层，此时的土地，也已归为私有了。私有土地的人，便是地主。社会上既有有资本和有土地的人，便有无资本和无土地的人，贫富不均的现象，便产生了。这时候，社会上就有了许多生活困难的人。《诗经》所说："不稼不穑，毋取禾三百廛兮"；晏子所说："民三其力，二入于公，衣食其一"；孟子所说："庖有肥肉，厩有肥马，民有饥色，野有饿莩，此率兽而食人也"；又说："今也制民之产,使民仰不足以事父母,俯不足以畜妻子,乐岁终身苦,凶年不免于死亡";这些话,都是民生疾苦的写真。这是封建时代民生的概况。到了近代,民生的状况,更是大不相同。中山先生说："到近世发明机器,有机器的人更驾乎有金钱的人之上。所以由于金钱发生,便打破了共产,由于机器发明,便打破了商家。现在资本家有了机器,靠工人来生产,掠夺工人的血汗,生出贫富极相悬殊的两个阶级。这两个阶级,常常相冲突,便发生阶级战争"。这是近代社会的民生概况。至于未来社会的民生状况究竟怎样?据中山先生推测,将来必须大家有面包和饭吃,人类便不相争。换言之,必须社会上一切人无论男女老幼强弱智愚,都能生存,才是幸福的社会。要达到这个目的,必须实行民生主义。所以中山先生说："共产主义是民生主义的理想,民生主义是共产主义的实行,所以两种主义没有什么区别,要区别的还是在方法。"这样看来,未来社会的民生概况,也可推想而知了。

民生进化的程序,上面已经略略说明了,现在再说明政治的进化。"古代人与兽争,只用个人的体力,在那个时候,只有同类相助。……当时同类的集合,不约而同去打那些毒蛇猛兽,那种集合是天然的,不是人为的。把毒蛇猛兽打完了,各人还是散去。因为当时民权没有发生,人类去打那些毒蛇猛兽,各人都是各用气力,不是用权力。"人类战胜了兽类,便是文化初生,但又进到人同天争的时期。人同天争,不是可以用气力的,所以当时人类感觉困难。后来有聪明的人出来替人民谋幸福,如发明用火,发明构木如巢,发明网罟,发明种植,发明织造,发明医药等人,都能替人民谋幸福,所以人民便尊崇他们为神圣之人,拥戴他们做酋长,在他们的指导之下作政治的结合,于是神权发生。不过这个时代,政治的组织,是一种很简单的部族组织,还不是根据强权组成的,所以人民在政治上还是平等的。经过神权之后,便发生君权。有力的武人和大政治家,自己起来做皇帝,他的左右扈从变成特殊阶级。于是建立政治制度,创设公权力,设置军队,以便维持社会秩序,以便统御人民,便组成了历史上的国家。于是由人同天争的时代,变为人同人争的时代。做皇帝的,把国家和人民作为一个人的私产,所为"富有四海,贵为天子",便是这个意思。"普天之下,莫非王土",天子就在土地之上大征赋税,就和把土地借给人民耕种来收取租钱一样,对于工商业者,也是赋课租税的。至于公卿诸侯,也由皇帝分封土地,得以私土子民,在人民身上剥削。这种政治,就是所谓"天子统三公,三公率诸侯,诸侯制卿大夫,卿大夫治士庶人"的政治。在未流入于极端专制以前,人民纳税当兵,还可以仰赖天子或诸侯,得点保护或利益,到专制趋于极点的时候,人民便苦到极点,以至呻吟憔悴于虐政之下而无可如何。民生的疾苦,统治阶级是不过问的。这是封建时代的政治。这种政治,又是以封建时代的民生状况为中心成立起来的。到了近代,社会的民生状况大起变化,就不得不要求一种和这中心相适合的政治。因为近代是新式商工业的时代,而新式商工业发展的前提条件,是统一和平和秩序,而且要有一种政治力来维持助长,方能自由发展。又如海外通商航海移民等项,都要有本国政府的力量来作后援才能兴旺的。但以前的封建政治,决不能适合于这个要求。而且还有种种不良的旧制度旧政策,加以阻碍。这种政治是有觉悟的人民所反对的,而且认为不能为人民谋利益的。于是人民就起来要求民权,起来推翻封建的专制政治,建设能够替人民谋利益的民权政治。到了这个时代,是"国内相争,人民同君主相争的时代,民权渐渐发达,所以叫作民权时代"。但是近代虽是民权时代,而民权却没有完全实现。比方现在欧美各国,他们虽号称民主政治,却只是实行了一点代议政治,人民只得了一点选举权。而且这一点选举权,也还没有普及,只不过有钱的人才去行使选举权,没有钱的人纵有选举权也只得抛弃。因为有钱的人能够操纵一切,操纵选举,操纵国会,操纵政府,国会和政府,只看见有钱的人的利益,不顾无钱者的利益。所以国会和政府,只是资本阶级的。这种民权,只是半身不遂的民权,是资本阶级的民权。民权的真正意义,是人人平等,要消灭阶级的区别才能实现的。而且还有一层,所谓人人平等,并不仅是法律条文上的平等,还要有经济上的平等。因为法律条文上的平等是不能当饭吃的。人人都有饭吃的平等,才是真平等。所以真正的民权,要以解决民生问题为条件才能实现。民权主义和民生主义的有机的联络关系在此。所以将来的政治,是扫除阶级区别的人人平等。

其次说明民族关系之历史的变迁。民族关系的变迁,也是以民生为中心的。当民生发展至一定高度时,人类社会大都成为血族的共同团体以营共同生活。这时候,民族与民族之间,每每因为取得食物和土地,不免互相斗争。斗争的结果,有胜有败,战胜的民族,就夺取战败民族的土地和财产,对于被征

服的人民,或者作为奴隶,使从事生产事业,或者和本民族的平民一样看待,使
其同化。各民族因为互相征服,互相兼并,就产出民族隶属的事实来。这民族
隶属的事实,在封建时代,战胜者把战败者的土地,完全归并自己的版图,把那
人民并合起来,实行统治。战败的民族,在政治上受异族的支配,在经济上受
异族的剥削。但是民族的感情如不能融洽,战败者仍可以脱离异族的支配。
所以国家虽亡,而种族则不必完全消灭。因为战败的民族,有时可以同化战胜
的民族,到后来仍有民族复兴的机会,如中国汉族对于蒙古族和满洲族,便是
实例。但是到了近代,民族斗争的形式,和以前不同。帝国主义者灭国灭种的
新法,是以前历史上所没有的。帝国主义者侵略弱小民族的侵略方式,不外经
济的政治的文化的三种。经济的侵略是目的,政治的文化的侵略是手段。弱
小民族要和帝国主义民族相斗,总是被征服的。至帝国主义者对于被征服民
族的处置方法,大致可以分为两种:一是独占,一是瓜分或共管。比方被征服
民族的土地若可以独吞的,就独吞起来,在那些人民之上,建设铁统的支配,政
治上不给丝毫自由,经济上使他们变成本国的生产的奴隶,使他们陷在最低的
生活水平线,永远做无产阶级。他们的生活既然艰难,人口的繁殖便大受限
制,而且还施行种种苛酷制度,使他们不但亡国,而且灭种。法国之于安南,日
本之于朝鲜,便是实例。至于被征服民族,若果因为帝国主义者间有竞争的事
实而不能独吞的时候,各帝国主义者就协商瓜分,不能瓜分时,就实行共管。
于是在那民族上面,划定势力范围,就用政治势力把那民族捆绑起来,用宗教
势力把那民族麻醉起来,然后实行经济的剥削。这样下去,那民族的民生自然
凋敝,那民族的人口自然减少,名义上国家虽不亡,而种族则渐就消灭。换句
话说,帝国主义者,就是要把这种民族作为自己的生产的奴隶,向他们身上磨
牙吮血,使其枯瘦而死。如各帝国主义者之对于中国,便是实例。但是被征服
的民族,到了感觉到生存的威胁而努力挣扎以求生存的时候,便发生了民族的
自觉。这民族的自觉,便是现在民族斗争的原动力。被征服的民族欲求生存,
除了团结起来咬断帝国主义的铁锁,挖去帝国主义的核心以外,再没有别的道
路可走。现在的民族斗争,是最后的民族斗争。最后民族斗争的根本解决方
法,只有打倒帝国主义,实现国际上个个民族平等。所以中国民族主义的革
命,一方面自求生存,自求解放,同时又要使别的被压迫民族也能生存,也能解

放。而对于民族内部的人民,又要使个个都能生存,都能平等。这种民族主义革命,和18世的德意志民族统一运动、意大利民族复兴运动以及日本民族的自强运动都是不同的。因为德意日等国的民族运动,没有解决民生问题,没有树立真正的民权,所以结果只实现了资本阶级的利益,遂至变成了帝国主义者。中国的民族主义革命,一面要消灭帝国主义,一面要用民族团结去消灭帝国主义的精神,实行民权主义和民生主义。这样做去,国际上个个民族一律平等,国内的人民个个平等。这是不远的将来要实现的民族关系。

其次再说法律的进化。法律的进化,和政治的进化并行,也是以民生为中心的。在古代社会,共同生活习惯的规律,便是法律。自从国家出现,为政者便依据人民生活的要求,将共同生活习惯规律中之一部,采定为法律,借以维持社会秩序。不过已往的法律是很不完全的。到了近代,经济生活,日益复杂,于是刑法民法商法诉讼法等等法律,都分门别部,用科学的方法,制定出来。又因为国际的关系的规定,有国际法制定出来,这是法律随民生而进化的明证。至于法律的精神,在欧美帝国主义国家,以自由主义为根据,不免拥护资本阶级的利益。但是西方的社会主义和中国的三民主义实现而后,法律的根本精神,必定能够保证各个人都能生存,各个人都能自由平等的。

其次再说道德的进化。道德的进化,也以民生为中心。道德是人类之社会的本能,例如为社会献身的牺牲心,拥护社会的勇敢心,遵从全体意志的服从心以及感知毁誉褒贬的名誉心,都是道德的要素。这些道德,都是团结社会的纽带,没有这些道德,社会是不能存在的。所以道德是人类行为的规范,而其根本标准,则在于共同生存。道德有可变的道德和不可变的道德。可变的道德,虽然依据民生的状态而变化,而不可变的道德,却是永久可以遵守的。比方自由、平等、公道、正义、互助、博爱等等,都是永久不变的道德。不过这些道德,若要求完全实现,和民生是很有关系的。因为道德是以共同生存为根本标准的,假使社会组织不能使一切人都能生存,那道德也不能完全实现。社会上若果有一部分人能生存、有一部分人不能生存时,那个社会的道德,必定成为偏颇的道德。所以柏拉图的《共和国》中所记的斯拉雪麦格的话说:"公道是强者的利益。"中国庄子也说:"窃钩者诛,窃国者侯,侯之门,仁义存。"这就是说社会组织不能使人人都能生存时的道德,是片面的道德。比方现在有钱的人口头上虽说博爱,但对于百千亿万没有饭吃的人,却不肯解囊相助,可见博爱这种好道德,在现在不能实现。所以自由、平等、公道、正义、互助、博爱这些道德虽是很好的,却要等到人人都能生存的时候,才能完全实现。"衣食足而后礼仪兴",所以道德的完全实现,必要等待人人都能生存以后才行。

此外宗教、科学、艺术、哲学等项,也是以民生为中心而进化的。至于详细说明,因为篇幅所限,姑且略去。

总括以上所述,社会进化的极致,必归着于人人皆能生存,人人皆能善其生存。就民族上说,国界化除,人类平等;就政治上说,阶级消灭,人人平等;就经济上说,私产消灭,人人平等。质言之,社会进化的极致,就是大同世界。三民主义的远大目的,就是这个。

六、结 论

三民主义的远大目的,既是大同世界,但达到这远大目的所应采取的手段和步骤,究竟怎样呢？这个却要根据中国社会的事实来决定的。三民主义是根据中国社会的事实研究出来的思想信仰和力量,所以三民主义革命的步骤和手段,可由下表看出来。

中国革命的程序

一、革命的原因

(一)经济的变动——民生问题之发生

(二)政治的变动——民权问题之发生

(三)国际地位之变动——民族问题之发生

二、革命的进行

(一)民族革命——实现民族主义(国际上国国平等)

(二)政治革命——实现民权主义(政治上人人平等)

(三)经济革命——实现民生主义(经济上人人平等)

(四)世界大同

总括地说,三民主义革命,在民族主义方面,先团结整个的民族去打倒帝国主义以自求解放;一面用团结整个民族打倒帝国主义的精神,树立民权主义的政治和民生主义的经济,同时推己及人,援助其他一切民族都能解放,并一样的树立政治上经济上的人人平等。在民权主义方面,用团结整个民族打倒帝国主义的精神,确立无阶级区别而人人平等的全民政治,并以此民权主义的精神,贯彻于生产事业的上面。在民生主义方面,用团结整个民族打倒帝国主义的精神,建设非资本主义的民生主义的前途,一面运用政权,实行平均地权,节制资本,一面建设国家的大资本,使一般人都有工做,都有饭吃,都能生存。这样做去,人人都能够生存,人人都能够善其生存。这样做去,与世界大同的远大目的,就渐渐接近了。

（原载 1928 年《现代中国》第 1 卷第 1 期,署名平凡）

土地所有权之变迁

（1928.5）

一

土地所有权的变迁，历来学者的研究，各不相同，但就人类对于土地的关系说起来，大致经历了下列的四个时期：第一，是土地无所有权的时期；第二，是土地归共同团体共有共用的时期；第三，是土地归共同团体所有而归私家使用的时期；第四，是土地归个人私有的时期。但这也只是一个普遍的原则，至于各个时期的久暂，以及由共有到私有的演进程序，世界各民族，并不一定相同。因为各民族各自有其特殊的环境，特殊的生活状态，特殊的物质条件，和特殊的民族性，所以土地私有的起源，各国并不一定循着同一的途径的。人类的进化，因其具体的条件而异其进行的轨道，各民族的文化不同，那随着这文化而成立的制度，当然也是不同。至于可以引导到进化的一般领向的大体法则，却是没有不同，虽说是发现的形式不一，变迁的步骤各异，而在根本上的大线索，总是一致，这是可以断言的。现在让我们依据上述的意见，说明土地私有演进的程序。

第一，土地无所有权的时期——在狩猎时期以前的最原始的时代，人类的生活是很可怜的。他们既没有尖牙利爪，又没有可用的器具，他们要和毒蛇猛兽去做生存斗争，生命已是异常危险了，至于所吃的东西无非是些本根果实和虫鱼禽鸟，所住的地方无非是树上的巢窝和地下的穴洞，所谓茹毛饮血巢居穴处，就是他们的全部生活状况。这时候的土地，也和水和空气一样，人类当然完全没有什么所有权的观念，这是我们很可以明白的想象而知的。所以这个时期，是土地无所有权的时期。

第二,土地归共同团体共有共用的时期——经过了很长久的年月进化以后,人类逐渐发明了石器,发明了用火,发明了弓箭,于是便由以前徘徊漂泊的时代,踏进了狩猎的时代。到了狩猎时代,人类有了武器做生存竞争,社会的组织,比较以前要紧密一些,而且狩猎也必须大家协力,方能达到目的,所以这时候各种血统相同的种族都围住起来,构成了民族的共同团体,实行共同团体的生活。至于人类的住处,在这个时代,虽不能说是永久一定,但和以前的漂泊生活比较起来,却已是暂时有一定了。各种族既然暂时有一定的住处,对于狩猎的地带,就不能不划分出来,于是便发生了保存一块猎地作为一个血族共同团体所有的习惯。这种种族共有猎地的界限是很分明的,此疆彼界,不相侵犯。在世界各野蛮民族之中,各种族的猎地,便是他们生活的根源,除了自己种族内部的人以外,决不许外族的人自由狩猎。侵犯猎地,往往成为各种族间发生争论或战争的根本原因。所以猎地的划分,实是土地归种族的共同团体所共有共用的第一种形式。

由狩猎时代进到畜牧时代以后,人类对于土地的需要较大,各种族间对于牧场牧地又必有一种分配,所以牧场牧地,是土地归种族共同团体共有共用的第二种形式。这个时候,各种民族对于牧场牧地的所有观念是很重的,各民族间为争夺牧场牧地而起的战争,也是非常激烈。

由畜牧时代进到农耕时代以后,人类对于土地的需要更大,于是又由猎地牧地的分配,进到农地的分配。这样分配得来的农地,在最初人口稀少的时候,也是归种族或部落的共同团体共有共用的。譬如纪元前 4 世纪亚历山大王时代,尼雅洛曾在印度看见过有几个种族共耕公地和按户分配农产物的事实,又如莫尔甘所据史蒂芬的报告,说麦野的印第安种族的土地是共有共耕的,恺撒的纪录中,也说是日尔曼民族的土地是共有共耕的,这些都是很好的例证。所以农地的分配,是土地归种族或部落等共同团体共有共用的第三种形式。

第三,土地归共同团体共有而归私家使用的时期——人类自从进到畜牧时代农耕时代以后,社会的生产力逐渐发达,生活资料逐渐丰富,农地的范围逐渐扩张,人口的繁殖率也就随着增加起来。人口增加的结果,民族部落的共同团体扩大,于是一个大民族,不能不分为若干家族,一个大部落不能不分为若干小村落。这时候共有的土地,就不能照以前那样共同使用,便发生了共有地分配于各家族使用的必要。这共有地分配的程序,最先当然是宅地的分配,所以宅地的分配,成为家族私有财产的起点。其次是农地的使用权的分配。农地的使用权分配于各家族以后,所有权虽归共有,而耕种和牧获,却由各家族所担当所享受了。至于这时候农地分配的普通方法,凡是从一个民族分派出来的各家族团体,每年或数年将民族共有土地分配一次,由各家族领受一份耕种,收获物则归各家族所有。譬如俄罗斯的"密尔"制,德意志的"马尔克"制,便是土地共有私用的实例。

第四,土地归个人所有的时期——土地如何由共有私用的时期进到个人私有的时期,这中间的原因、经过和所采取的形式,学者间的研究,并无一定。由多数学者的共通见解说起来,多说共有土地定期分配的程序,最初是定为一年,后来因为各家族就土地的地质和位置施行疏水、灌溉、施肥等等的结果,大都想要求延长分配的期限,于是便由一年延长到两年、三年以至于十年二十年。这样下去,定期分配的事便渐渐废掉,终至不举行分配,而归各家族永远使用,事实上遂归各家族所私有。同时因为人口增加的缘故,大家族也不能不分为无数小家庭,大家族的土地也分了又分,如是土地便渐渐成为个人私有的财产。这一说虽似乎可以相信,但土地由团体共有到个人私有的经过,并不见得就是这样简单。据莫尔甘的《古代社会》和盎格士《家族私有财产及国家之起源》说起来,土地由团体共有到个人私有,确实经过了一番社会的大变革,直到经历了封建制度的阶程以后,土地的个人私有权,才完全成立的。

农业逐渐发达,手工业也随着发生出来,出产物次第丰富,社会上有了多余的生活资料,就有专事管理众人之事而不事生产之人,所谓酋长长老武人等一流人,便受社会所扶养了。这类的人,在最初是由民族所公举的,原不是世袭的职位,但以后随着社会的发达,他们就利用优越的势力,永久占住那特殊的地位,成了特殊的阶级。以后如因战胜异族得来的土地和财产,也就据为己有了。于是由这种特殊地位的世袭,和共有土地不从新分配的结果,各家族间的财产,就有多寡的区别。又因为商业交易和金钱货币发生,动产和不动产也便成了交易和抵押的物品。于是动产和土地都很少的人,或因为种种的变故,生活不能支持,至于把土地奉纳于富有的人,仰赖他们以谋生活。到这时候,那最富足而最有势力的人,便变成了全部落政治的经济的支配者。这一种支配者,更因为管理生产和分配以及对内维持秩序对外抗御他族的必要,便创置公共权力,成立军队,如此就发生了历史上的初期封建国家。在封建国家时代,封建的君主,名义上虽是大地主,但只有公法上的关系,没有私法上的关系。换句话说,封建的君主,只是代表人民,领有土地的占有权。土地还是授与人民耕种的,不过对人民课以很重的租税和徭役罢了。若说国家是共同团体,那么封建时代的土地,也可以说是归共同团体所有而由人民使用的了。至于由这种共有的状态到个人私有的状态,其间的经过怎样,就世界各民族说起来,我们很难找出一个通例。如前面所说,这种经过,是因为各民族特殊的环境,生活状态,物质条件,和民族性而有不同,我们应当分别研究。现在让我们先研究欧洲古希腊罗马土地私有的情形,其次研究英国和日本的土地私有情形;末了再就中国土地私有的经过,作一种推测式的研究。

二

(1)雅典土地所有权的变迁——据莫尔甘和盎格士的研究,雅典成立国家的当初,还留有民族组织的痕迹,不过这时父家长制的家族已代替了母家长制的家族,民族的共有财产,已由各家庭分据。依据成文历史的记载,在英雄时代,土地业已瓜分,随着商品的交易,变成了私有的财产。到了纪元前600年的时候,贵族的权力大见增加,利用现金与高利借贷,弄得阿替喀的小农完全破产,阿替喀的一切田地上立满了抵押的标载,农民们卖了土地之后,只能取得佃农的资格的仍旧留居故地,将耕种所得的5/6作为地主的佃租,而专赖六分之一收获物过生活。所以雅典的土地个人所有权已是成立了。后来梭伦的大改革,虽曾规定限田制,却并没有发生效力。这是雅典土地所有权变迁的经过。

(2)罗马土地所有权的变迁——传说罗马建国以前,也是民族的组织。当时的民族,虽然已变成父家长制,但土地还是归民族所共有。及至国家成立,进到王政时代以后,工商业渐渐发达,土地就可以自由买卖,凡是不属于老罗马人的贵族的许多外来的自由人,只要纳税当兵,便可购置田产。所以这时候,土地的个人所有权已是成立了。只是国有的土地和征服得来的土地,大概都是分配于贵族,平民不能参与,所以这类土地的分配,后来变成了平民和贵族的斗争的目标,这是罗马土地所有权变迁的实例。

(3)英吉利土地所有权的变迁——据英国瓦列斯所著的《土地国有论》和老里布克内西所著的《土地问题》两书看起来,英国土地所有权的变迁,异常明白。英国自从诺尔曼特公威廉在1066年率领扈徒侵入了以后,威廉便做了英吉利的国王,把从前盎格鲁撒逊人的一切土地,都作为王土,由他分配于他的扈徒,作为领地。据说由威廉的命令分配土地于各领主的土地,曾作成一种"土地账簿",到现在还是保存着。但在当时领主所有的领地,是由国王颁赐的,领主们要按照领地面积和人口的比例,担负兵力和别的种种义务。这些领地,不得国王许可,是不能出卖不能让渡的。领主若是犯了大罪或者他的承诺人死亡了,那领地就要完全归还于国王。所以当时的领主们对于领地只有公法上的关系,没有私法上的关系。领主们对于领地以内的人民,握有民事和刑事的裁判权,人民耕种领主的土地,除了缴纳租税以外,还要担负种种的义务。概括地说,领主是国王的副支配者,农民是领主底下世袭的佃户,这原是封建制度的特质。

及至16世纪以后,因为工商业的发达,交通的便利,中央政府的势力强大,于是社会制度大生变动,领主的势力也增加起来。从前的领主阶级,是领地以内最高的酋长或保护者,一般人民(贱奴农奴在内)对于土地,多少还有一点确实的权利。这些权利,虽然常受强力所侵夺,却还可以仰赖习惯和法律的保障。但是到了这时候,领主们对于领地以内的人民,没有保护的必要,已经是拿领地当作种种企业和国外投资的唯一财源了。于是领主对于领地,在从前只有公法上的所有权的,到现在却取得私法上的所有权,一跃而成为近代的大地主了。这些贵族大地主,更利用政治的势力,一面侵欺下级的土地所有者,一面又侵占历年传下来共有土地。比方1700年以后,地主们在巴力门中提出的"共有地圈人法案",至四千通之多,直到1845年为止,凡是和地主的私有地相接近的共有地,差不多完全圈归地主之手,英国民众800万英亩的共有地,都无赔偿地被地主夺去了。还有在1845年以后,也被他们夺去50万英亩。所以英国地主取得土地的来历和手段,脱不掉强盗和奸骗的罪名,这是很新的事实,英国民众都能记忆。近代英国的土地问题发生最早的原因,就是在此。这是英国土地所有权变迁的实例。

(4)日本土地所有权的变迁——据日本河田嗣郎的研究,古代日本的土地,也是归民族共同团体所有的。后来民族制度解体,乃有大家族制度出现,受家长支配的大家族,成为生活组织上的原则,先前归大团体所有的土地,就分归各家族所有。但这时的所有权,属于家族团体而不属于个人,土地成为家族的财产,由家庭共同管理。这时候的家族,成为法律的主体。从此更进一步,大家庭制度瓦解,乃有个人主义的社会组织出现,于是各个人便成为法律的主体,就容许各个人私有土地了。

日本大化的革新,革除了从前依据民族制度的行政,变成了依据群县制的中央集权,以个人代替民族团体,使成为国家组织的单位。从前大民族团体占有广大的土地,权力也渐趋强大,公权和私权混合,动辄蔑视国王的命令,自经这一次革新之后,就完全废掉以前私有土地私有人民的制度,对于从前民族团体所有的田庄,从新赐以食封之地,借以抑压大民族的权势。又因为地方土地若属于人民私有,恐怕后来要发生领有土地扩张权势的流弊,所以设立了完全禁止私领的原则,制定一种班田制度,按照人口数目贷与田地,六年改授一次。

但是日本的土地所有关系,原以团体所有制为原则,在古代之时,民族团体领有土地的基础,已是牢不可拔,所以当时摹仿中国唐朝制度的大化革新,究有何种实效,尚属疑问。其后不久,民族团体又恢复实力,土地又归团体所有,降到武家时代,庄园制度,已是确实存在。当时所称的"地方的住民"或武士之徒,多成为乡村的大地主,由田园出来武装从军的,都是这一流人。镰仓室町时代地方的豪族和战国时代割据的群雄,都是由那一流大地主的势力做基础的。但到足利时代,社会组织一变,地主的政治势力渐减,诸侯的政治势力,就是离开土地也可以成立。至于德川时代全国的诸侯,已经失掉大地主的本来性质,不过是中央政府的德川幕府的地方长官,中央政府随时可以变更他们的国土。所以这些诸侯对于土地的关系和现时国家对于土地的关系没有多大的差别,只有公法的关系,除了自己所占的私有地以外,对于一般的土地,没有私法的关系,大部分土地还是由人民以家族团体的名义领有的。至于土地个人所有观念的确立,还是明治维新以后的事情,这是日本土地所有权变迁的大概。

三

末了再研究中国土地所有权的变迁。

中国的土地私有制度，在商鞅开阡陌以后，就已经确立了。至于在那时以前的变迁怎样，因无确实可靠的记录可考，我们只能依据以前的各种书籍中片断的记述，作一个推测式的研究而已。

中国封建制度的起源，多数人都说是始于黄帝划野分州的时候，至于在以前的社会组织怎样，依近代人的研究，说是曾经实行过民族制度的。照这样说，中国最初成立的封建国家，或许是从以前土地共有的部落团体融化而来的。据史册所载："禹合诸侯于涂山，执玉帛者万国"，以当时的疆域，而有这许多的小国，这些小国，必定是由以前的部落组成的了。但是封建制度的发达，要算是周朝的时代为最盛。我们要研究土地制度，也可以从周朝说起。在这个时代，一切土地都归天子所有，所谓"普天下之莫非王土"，正是此意。天子对于土地的分配，除了自己所划出的一部分之外，其余按照公侯伯子男五等，分封于他的功臣和亲戚，所谓"天子之田方千里，公侯田方百里，伯七十里，子男五十里，不能五十里者不合于天子，附于诸侯，曰附庸"者便是。诸侯对于天子，除了岁时朝觐纳贡及担负兵役等事以外，在自己的领土之内，是最高的权力者，领内的人民，政治上经济上完全受诸侯所统治。耕种国君的土地，对国君纳税当兵，并担负种种徭役，这是封建时代的君主与人民的政治经济关系。至于土地制度，在当时的天子和诸侯，对于土地也只有公法上的关系，事实上好像是天子和诸侯代表人民领有土地一样，也可以说土地是归国家的共同所有而授与人民耕种的。这时候分配土地给人民耕种的制度，是一种井田制度。这井田制度，据孟子说是商朝已经实行过，不过到周朝才更为完备。据耕田制度说起来，田地是分作井字形，中公外私，每井九百亩，中间一百亩是公家的，外面的八百亩是授与农民耕种的。但是公家的一百亩，要由八家农民耕种，公田所得的收获归公家，私田的收获归农民自己，公家不另外课税。所以土地的所有权是归公家的，使用权是归人民的。这也是土地共有私用的很好的实例。

至于耕田制度究竟从什么时候破坏，为什么原因而破坏呢？耕田制度的破坏，大概始于周幽王的时候，幽王荒弃政务，群小用事，夺人土田，诗人讥诮这件事说："妇无公事，休其蚕织。"可见夺田之事，已是破坏耕田的制度了。到春秋时代，鲁宣公税亩，哀公赋田，已经按照田亩抽税，可见耕田制早已停止实行。所以后来孟子所说"经界不正，耕田不匀，谷禄不平"以及"五亩之宅，百亩之田"的话，完全是对于耕田制度的回想。可知耕田制度早经破坏，不过等待商鞅出来完成这件破坏的工作罢了。

说到耕田制度破坏的原因，大概可以分为五层。第一，是徭役的繁重。春秋和战国时代，各国之间的战争，差不多没有间断，当兵的都是农民，而且每一次战争时期很久，农民正当耕种的时候，却被征调当兵去了，孟子所说"今夺其农时，使不得耕耨"，就是指此。农民分种的田地既不能耕种，耕田制度那还能够实行呢。第二是赋税的苛重。晏子对齐君说："民三其力，二入于公，衣食其一"，鲁君对孔子说："二吾犹不足"，孔子说："求也为季氏宰，而赋粟倍他日"，孟子说："今也制民之产，仰不足以事父母，俯不足以蓄妻子，乐岁终身苦，凶年不免于死亡"。由这些话看起来，所谓耕田制度的什一税，早已没有实行，而且照鲁宣公按亩数抽税的办法，农民所分种的田，已有多寡之别。像这样苛重的租税，都是非废止耕田制度不可的。第三，商业的发达。商业发达，货币发生，贫富的不均，是必然发生的现象。而且这种商业交易，最初只是限以动产的，后来必影响于不动产。周朝自从太公立定九府圜法之后，金钱已成为交易的媒介，这是引起后来土地买卖的端绪。晋悼公时，魏绛列举和戎的利益对悼公说："戎狄荐居，贵货易土，土可贾也"。悼公听了他的话和诸戎讲和，果然晋国的疆土大见扩张。可见土地的买卖，在春秋时代已经开端，虽然可以说这是戎狄的习惯，但这种习惯后来必行于晋国，而普及于各国，这或许是说得通的。这土地买卖的事实若由国际流行于国内，就要成为土地私有的起源的。第四，豪强的兼并。周幽王时，群小用事，夺人土田，已启蒙强兼并之端。到春秋时代，各国诸侯，战争不息，其目的无非是争夺土地，也可以说是一种兼并的形式。当时的诸侯，对于周王，已不担负纳贡和兵役的义务，对于所领的土地，在以前本仅有公法上的关系，到了这个时候，全国的土地，已经成了自己的东西，他们要互相火并，无非想增加自己的土地财产。但是各国诸侯之下,又有所谓卿大夫等贵族,也照样的据有若干土地,而且也互相兼并,他们在国君之下,对于自己所领的土地,以前也只有公法上的关系,到后来却完全据为私有了。等到战国时代,摹仿这种办法的官僚贵族更多,互相兼并的事实更是明显。而且到了商业大见发达之时,农民因为赋税繁苛,势必兼营商业以糊口,轻乡远徙的一定很多,所以商鞅开了阡陌以后,豪强的兼并更是容易实行,所以那一类封建制度下的贵族豪强,便融化而成为田连阡陌的大地主,土地的个人私有,便完全确立了。第五,是人口的增加和生产力的发达。耕田制度,在古代地广人稀的时候,是可以实行的。但是人口的增加没有止境,土地的存在量却是有限,土地可以利用作农地的更是有限。所谓一夫授田百亩的耕田制度,当然不能永远实行。而且土地和农耕技术的改良,各地当然有优劣的不同,耕田制度,决不能助长生产力的进步。比方魏文侯的时候,李悝建立尽地力的计划,以为地方百里,可垦田九百万亩,山泽邑居,除去 1/3,为田九百万亩。耕种合法,每亩可以增加谷物三升,否则每亩要减三升,总额的增减,可以生产出谷物一百八千万石的差别,可见土地的生产力,和耕种的技术是很有关系的。所以秦孝公用了商鞅的计划,废耕田,开阡陌,任民耕种,不限亩数,生产力就大大的发展起来,成了秦国富强的基础。由此可知耕田制度,到这时候也是自然要消灭的。

四

由以上的研究,可知土地制度时随着社会生活的发展而变迁的。近代各国,土地的个人私有权,都经用法律确定了。但是近年社会生活变迁的结果,这土地的个人私有权,又有些动摇起来。像欧美日本各国,资本主义的农业,也随着资本主义的工业并进,农业劳动者和佃农的生活问题,成了很大的社会问题;同时土地问题也发生出来,所谓土地国有的要求,已成了普遍的趋势。而且俄国早已实行土地国有,做到"耕者有其田"的地步了。至于中国呢,因为受了帝国主义的侵略,弄得农村经济破产,农民生活艰难,解决土地问题的呼声,早已震动了人们的耳鼓。孙中山先生外察世界潮流,内审中国现状,已经在二十年的同盟会宣言上确定了平均地权的政纲,而其目的则在使耕者有其田。所以现在的土地私有状态，一定要转移到人人都能生存的新式的共有状态。地球原是人类社会唯一的营养环境，凡是可以妨害人类生存于这唯一营养环境上的障碍物，迟早总是要被去掉的。

（原载 1928 年《现代中国》第 1 卷第 2 期，署名平凡）

日帝国主义底陆海军现势

（1928.6）

军国主义是帝国主义国家的武力组织,是帝国主义者实行侵略并剥削世界被压迫民族和阶级的最有效力的工具。我们知道,帝国主义者的核心是吃人的个人资本主义,但若是没有军国主义做前卫和护符,它那吃人的个人资本主义的核心,老早就已被被压迫的民族和阶级挖去了。所以世界的帝国主义者最初萌芽了这吃人的核心时,总要凭借经济的势力做扩大海陆军权的根据,要利用民族意识或国民意识来发展它的军国主义。所以凡是帝国主义的国家,必同时是军国主义的国家,绝对没有一个例外。

在现存的各帝国主义国家中,把军国主义发挥得特别厉害的,要算是日本帝国主义者。这也是有一个特别原因的（详见本刊本期《日本帝国主义底经济政治及社会状况》和《日本帝国主义之发展及其前途》两文）。日本的明治维新,本是从封建主义到帝国主义的第一步,但是明治维新的领导者,还是军阀官僚大地主和御用商人,所以当他们从欧美各帝国主义者的压迫中惊醒起来发愤自强的时候,就利用"尊王攘夷"、"大和魂"的民族意识,麻醉本国的人民,实行征兵的制度,采用德意志式的军国主义。中日和俄日两役的战胜,就是发挥这种军国主义的大效果。自从这两次的战胜以后,日本的资本主义就大大的发展起来,从前的官僚和御用商人便蜕化而成为大资产阶级,同时军阀也有不少变成了大地主和资本家,而农业的资本主义也开始发展起来了。这种趋势,到欧战以后,更是急转直下,和欧美列强一样,变成了名称其实的帝国主义者,而它的军国主义发展的速度,比较欧美的帝国主义者还要大。日本的军阀和大地主大资本家,在历史上既然结下了合伙打劫就地分赃的不解因缘,所以日帝国主义者的军国主义,发挥得特别厉害,这也无怪其然了。

日本帝国主义的军国主义的对象，大略分为三期：第一期在于压服中国，以便向中国实行经济侵略；第二期在于压服俄国，以便夺取中国的东三省；现在是第三期，其对象是英美帝国主义，其目的则在于独吞中国。第一第二两期，已属过去的事实，不必再说，这里只说明现在的第三期的日帝国的军国主义。

日本帝国主义，因为国际帝国主义的竞争激烈，因为国内无产阶级革命的酝酿，已经到了穷途，它唯一的出路，只有并吞中国。这内中的原由，本刊本期前两篇文字，已经指摘出来了。但是它要想并吞中国，就非压倒英美帝国主义，霸占太平洋的海上权不可，所以它的军国主义现在的对象，是英美两帝国主义。

日本帝国主义者既然存着这样的包天大胆，它的陆海军备的现状究竟能够实现它的野心么？这是我们所急于要知道的。所以本篇特就日本陆海军现势，并比较英美法意的陆海军现势，说明出来。

日本陆军的常备兵约 21 万，除编成 17 个师团之外，更有骑兵四旅团，野战重炮兵四旅团，独立山炮兵二联队，重炮兵三联队与八大队，骑炮兵一大队，高射炮二大队，铁道二联队，电信二联队，战车队二队，飞行八联队（完成后二十六中队），气球队一队，其他台湾步兵二联队山炮兵一大队，在中国东三省的独立守备队四大队。师团的编成，为步兵四联队，骑兵一联队（二中队），炮兵一联队（六中队），工兵一大队（二中队或三中队），辎重兵一大队（二中队或三中队）。（附注：日本的师团当中国之师，旅团当中国之旅，联队当中国之团，大队当中国之营，中队当中国之连，小队当中国之排，分队当中国之班。）

日本的常备兵为 21 万，预备兵约 150 万，后备兵 460 万，战时的总军力为 700 万（实际上当在 1000 万以上）。日本陆军兵力的雄厚，很可以知道了。

兹再就日本陆军的现势和英美法意陆军的现势，列其比较表如下：

国别	常备	预备	后备	战时总军力
英国	152626	207143	99000	5934000
美国	138236	253821	10607943	11000000
法国	685459	5280000	890000	6855459
意国	220898	3947912	1500000	5680220

续表

国别	常备	预备	后备	战时总军力
日本	210000	1503000	5317000	7130000

看了上表,可知日本陆军的现势,在列强中处于第二位,以它的德意志式的陆军训练,对付美国或英国,都没有对付不来的。问题的关键还是在海军方面,这里且就海军的现势说说。

日本海军的现势,处在世界的第三位,兹列举所谓五大强国的海军现势比较表如下:

一、海军吨数比较表

国别	战舰	助战舰	航空母舰	总计
英	580450	497720	126040	1204210
美	525850	672845	129550	1328245
法	194544	239040	22800	456384
意	133560	157629	5000	296189
日	301320	361582	42275	705177

二、海军舰艇比较表

国别	舰别	只数	在建造中者	未起工者
英国	战舰	18	2	—
	巡洋战舰	4	—	—
	巡洋舰	48	12	12
	驱逐舰	189	2	27
	潜水舰	55	4	24
	航空母舰	8	1	1

国别	舰别	只数	在建造中者	未起工者
美国	战舰	18	—	—
	巡洋舰	32	2	6
	一等驱逐舰	267	—	12
	二等驱逐舰	8	—	—
	敷设巡洋舰	3	—	—
	敷设驱逐舰	14	—	—
	舰队潜水舰	6	3	3
	潜水舰	116	—	1
	航空母舰	5	2	—
法国	战舰	10	—	—
	巡洋舰	19	3	1
	一等驱逐舰	23	21	7
	二等驱逐舰	24	—	—
	三等驱逐舰	11	—	—
	潜水舰	53	19	16
	航空母舰	1	—	1
意国	战舰	5	—	—
	旧式战舰	2	—	—
	巡洋舰	14	2	—
	驱逐舰	71	9	—
	潜水舰	42	12	—
	航空母舰	—	1	—
日本	战舰	6	—	—
	巡洋战舰	4	—	—
	巡洋舰	23	6	—
	海防舰	11	—	—
	炮舰	13	—	—
	驱逐舰	91	9	7
	潜水舰	56	14	7
	航空母舰	2	2	—
	潜水母舰	4	—	—
	敷设舰	3	—	—

由以上两表,可知日本的海军势力,已经占在第三的地位了。华盛顿会议以后,英美日的海军主力舰的限制,虽然现定了五比五比三的比例,可是巡洋舰和潜水舰却是没有限制的,所以就实际上说,所为减缩军备,也只是有名无实。就上次欧战的经验,大战舰作战的效用,很是有限,而实际上很有效用的,还是巡洋舰和潜水舰。巡洋舰可以驾驶自如,可以从运输舰得到燃料;潜水舰也可以驶到极远的地方活动,并且可以增加吨数,装置大炮。巡洋舰和潜水舰作战的效用,实在比大战舰还要显著。华盛顿会议,各国虽然把在上次大战中未著大效的大战舰限制扩张,而对于很有效用的巡洋舰和潜水舰,并未加以限制,这不过是列强互相约定向很有效用的方面扩张海军势力罢了,所以华会以后,列强所添造的巡洋舰和潜水舰已经不少,而尤以日本为更多。

日本今年来的军费逐次增加,就今年的说,军事费已占总岁出的30%,再加上其他部分关于军事补助费的支出,差不多要占总岁出的50%(见本期《日帝国主义之发展及其前途》一文)。日帝国主义者这样扩张军备,在最近期内总可以追踪英美罢(就海军说)。

日帝国主义的军备这样日增雄厚而且积极的扩张,已如上述,至于它的并吞中国的计划,能否实现,总要经过第二次世界大战才能决定,第二次的世界大战不久总要爆发的,不过是时机的问题罢了。这次大战的主角,当然是美日两国,英国或许加入美国方面,结果世界的一切强国和弱国,一切被压迫的民族和阶级,都要卷入这个旋涡。海战的战场在太平洋,陆战的战场在中国内地。战争的范围,比第一次的世界大战更要扩大,期限也更要延长。日帝国主义者能否支持这次的大战,就要看中国民族能否抵制日本在中国自由取给军事资料和粮食为定;中国民族能否求得最后的生存,也要看中国民族能否抱定打倒日帝国主义的决心而从此积极地做准备工作为定。中国民族若果认定打倒日帝国主义是自求生存自求解放的不二法门,并且急速全体总动员向着这个目的积极准备,日帝国主义一定要倒在中国民族的手里,这是可以断言的。

(原载 1928 年《现代中国》第 1 卷第 3 期,署名李平凡)

民生史观和唯物史观

（1928.6）

前回我发表了一篇《民生史观》的文字以后，从朋友方面听到了两种批评。第一种批评，说我那篇《民生史观》似乎和《唯物史观》相同；第二批评，说中山先生所说的"民生"是指"生存"而言的，而我那篇文字竟把"民生"解作"经济"，似乎和中山先生的原意略有出入。

这两种批评，我都认为很有道理，不过我那篇文字，也并没有忽略了这两层，只是没有深入而比较民生史观和唯物史观的异同罢了。民生史观和唯物史观，有些地方是相同的，有些地方是相异的，两者的异同，正是孙中山主义和马克思主义异同的所在。因此我特意补作这一篇《民生史观与唯物史观》的文字，借以说明两者的异同。

一、民生史观与唯物史观之意义

第一，民生史观的意义——民生史观是以民生为中心说明社会组织和进化的原理，即是中山先生所说"民生为历史的中心"的说明。民生两字的意义，若从抽象的解释，可以说是"人类的生存"，若从具体的解释，可以说是"经济的生活"。依中山先生在民生主义讲演上所说："民生就是人民的生活，社会的生存，国民的生计，群众的生命。"可知民生可以作经济解释，又可以作生存解释。中山先生又说："民生问题就是生存问题"；又说："古今一切人类之所以要努力，就是因为要求生存，人类因为要有不间断的生存，所以社会才有不停止的进化。所以社会进化的定律，是人类求生存，人类求生存，才是社会进化的原因。"依这一段话看起来，民生就是人类求生存的意思。但依《建国大纲》第二条所说:"建设之首要在民生,故对于全国人民之食衣住行四大需要,政府当与人民协力,共谋农业之发展以足民食,共谋织造之发展以裕民衣,建筑大计划之各式房舍以乐民居,修治铁路运河以利民行。"依这段话看起来,民生即是食衣住行四大需要,又可以作经济解释。又民生的内容,除了食衣住行四件事以外,还包含着育和乐两件事。食衣住行是人类维持生存的要件,育乐是充实生存的要件。所以民生两字的意义,可以作为经济的生活解释,又可以作为人类求生存解释。

经济和生存,是表里一致的。人类要维持生存,就必须协力从事经济活动,向自然界取得食衣住行四种需要;人类要充实生存,就必须满足食衣住行的四种需要,再进而取得育乐两种需要。育和乐,本不是属于经济范畴的事,但人类要取得育和乐的需要,就必得先有饭吃,有衣穿,有房子住,有路通行。而且从事育乐的时候,也必要有育乐的场所和种种物质的工具,所以育乐的需要,虽不属于经济的范畴,却是要以经济条件为前提。可知经济和生存实是表里一致的。

人类因为要维持生存,就必须共同从事经济活动,以取得食衣住行的需要,因为共同从事经济活动,就必须发生无数的经常相互关系;因为有了这无数的经常相互关系,一切的人类都互相联络起来,如是便构成了社会。人类社会的食衣住行的需要能够满足了,便可以更进而谋满足育乐的需要,以期充实人类的生存,如是社会便有进化。所以民生观是以民生为中心说明社会组织和进化的原理,也可以说是以人类求生存为中心说明社会组织和进化的原理。

第二,唯物史观的意义——唯物史观即是历史的唯物论,即是根据唯物论说明社会组织和进化的原理。这里所说的唯物论,乃是辩证法的唯物论。所谓辩证法的唯物论,就是根据所谓"精神附丽于物质,思维附丽于存在"的主张,说明一切现象之辩证法的发展的理论。这种辩证法的唯物论应用到社会学方面而研究出来的理论,即是历史的唯物论,即是唯物史观。由这种意义说起来,唯物史观是依据所谓"经济是一切精神文化的基础"的根本主张,说明社会之辩证法的发展的。详细点说,这里所说的经济,是就各种经济要素拈出一个根本要素做基础的,这根本的要素,即是物质的生产力。基于这物质生产力状态而构成而变化的生产关系,是社会的基础;基于这生产关系而构成而变化的政治法律宗教哲学等一切观念形态,是社会的上层建筑。所谓"辩证法的研究",即是依据上述的根本主张,把握各种社会形式的特性,研究各种社会内部变化的历程,考察各种社会的生灭和一种社会到他种社会的联络关系,研究社会的均势及均势之破坏与再建的变动,研究社会之突变和渐变的现象,以了解社会之辩证法的发展。

人类因为要生活,就必须取得物质资料,要取得物质资料,就必须共同从事生产生活资料的活动,而发生种种生产的关系。这些生产关系的总和,形成社会的基础,一切政治、法律、宗教、哲学等上层建筑,就在这基础上竖立起来,如是便构成了社会。物质的生产力若发达到了一定程度,就和从前的生产关系相冲突,那生产关系势必变动。社会的基础生产关系变动了,那上层建筑的政治、法制、宗教、哲学等也必随着变动,如是社会便有进化。所以唯物史观是依据物质生产力的状态说明社会组织和进化的原理。

第三,两者的异同——由上面的说明,民生史观以民生为社会的中心,唯物史观以经济为社会的基础,在大体上两者似乎是有些相同但在构成的起点上两者却不相同。因为民生史观所说的民生的根本要素是"人类的生存",唯物史观所说的物质的根本要素是"物质的生产力"。就前者说,无论是原始社会、封建社会、现代社会和未来社会,求生存原是古往今来一切人类社会的中心力量,是永久不会有变更的,详细点说,吃饭穿衣住屋走路乃至求智识和享乐,无论在什么时代,都是人类社会发展的原动力,不过个个人要都能维持生存,都能充实生存,就要等待未来社会才能实现罢了。就后者说,物质的生产力的发展,原是社会进化的原动力,无论在任何形式的社会都是说得通的,但是把物质生产力和生产关系联在一起,而且把生产关系解作法律上的财产关系的时候,那只有有阶级的社会才是这样,至于有史以前的原始社会以及未来的新社会,就不容易说明了。至少未来新社会的生产关系,想来不至盲目的障碍生产力的发展,换言之,不至有社会革命的。所以从这一点说,唯物史观有大部分只能适用于有阶级的社会,这是和民生史观大不相同的地方。中山先生所说的"历史的中心是民生不是物质"的话,想系指此而言的。

关于这一层,研究唯物史观的人,或许要提出抗议,但实际上唯物史观的确是以有阶级的社会而且是以资本主义社会作研究的对象而成立的。《经济学批评》序论上所叙述的唯物史观要旨的冒头文字说："我的研究，以为法律关系和国家形态，不是从它的自身可以理解的，也不是从人类精神一般的发达上可以理解的，实在是根源于物质的生产关系，这物质的生产关系的全体，是黑智儿仿效 18 世纪英法人的先例而包括于'有产者社会'的名称之下的东西。于是到达了'有产者社会的解剖应当求之于经济学'的结论。"其次唯物史观要旨的末了一句话说："……然而在有产者社会自行发达的生产力，同时创出了解决这个敌抗状态的物质的条件，因而人类社会的前史，便与这种社会状态同时终结。"由这两段话看起来，唯物史观研究的主要对象，实是"近代有产者的社会"。所以我们可以说：唯物史观是从解剖近代有产者的社会着手，因而依据解剖所得的原则以了解过去预测将来的，这即是所谓"人类的解剖是对于猿猴解剖的关键"的意思。解剖近代有产者社会所得的原则，有一部分是可以应用到无阶级的社会，有一部分是不能应用的，至少关于阶级斗争的原则是不能应用的。《经济学批评》中所说："所谓'历史的发展'，一般总是以下面的事实为基础的：最后的形态，把过去各种形态，作为对于自己的阶段来观察，而往往只是一面的理解过去各种形态，因为这最后的形态，只有在一定的条件之下，才能批评自己。"这种研究法原是辩证法的唯物论的立场，中山先生依据他自己所说"民生为历史中心"的见地去批评唯物史观，也是当然的。

中山先生生于帝国主义侵略之下的中国。他感觉到中国民族不能维持生存不能充实生存，所以抱定使人人都能维持生存人人都能充实生存的根本主义，创出了三民主义，用革命手段改造病态的社会，以期主张的实现。马克思生于资本主义的欧洲，他感觉到大部分无产阶级受了生存的威胁，所以抱定解放无产阶级的志愿，创出了科学的社会主义，用革命手段改造有产者的社会，以期达到各尽所能各取所需的社会。所以民生史观和唯物史观虽尽有不同的地方，而两者的革命性却是相同，两者最后的目的却是相同。

二、从社会组织上说明民生史观与唯物史观

第一，民生史观与社会组织——人类要能够生存，就须有两件最大的事，

一是给养,一是保卫。人类要能够给养,就必须共同从事给养的活动,由自然界采取物质的资料,而发生无数的经常相互关系,如是便形成社会的中心组织。人类既在给养方面从事经济活动,就有种种生产机关和生产组织,而这些生产机关和生产组织,是难免不被破坏的,所以对内要保障生产机关和生产组织,就须维持给养活动的公共秩序;对外要励行生存竞争,就须保障共同团体的群众生命。于是保卫的活动,便和给养的活动,同时并起。因为对内要维持公共秩序,对外要保障群众的生命,所以有习惯、道德、宗教、政治、法律等成立起来,显出保卫的作用。习惯和道德都是社会的规范,有维持社会秩序的作用,不仅在原始社会最能显出社会制裁的力量,即在文明社会也是如此。所以习惯和道德都应列入保卫活动的范围(不过道德之中,还有所谓公的道德和私的道德之分,这里所说的是指公的道德,至于私的道德,我主张列入精神活动的范围)。宗教在太古神道设教的时候,教主多是酋长和国王,保卫的作用是很大的,即是文明时代,也还存有这样的作用。所以宗教也可以列入保卫活动的范围(不过现在有些地方,宗教和政治已不生关系,这种宗教,可以列入精神活动的范围)。政治是管理众人之事的意思,政治的组织,在原始时代为氏族,在文明时代为国家,对内对外都有维持社会秩序和保障人民生命的最大力量。法律是随着政治而生的一种制裁"破坏社会秩序"的规律,当然和政治同列入于保卫活动的范围。

人类若只要能够维持生存,就只需能满足食衣住行的需要就够了,但如要充实生存,就必须满足育和乐的需要。要满足育和乐的需要,便须共同从事精神的活动,这育和乐包括发展理知和娱乐的全部,所谓文学艺术哲学等以及道德宗教,都在其内。

其次人类因为协力向自然界实行生存竞争,取得生活资料,便要理解自然,制御自然,于是人类向自然界的活动,透过技术,便成为给养活动的经济行为,更透过经验,便构成自然科学。

以上是说民生史观和社会组织的,兹再仿效重农学派对于社会形式的图解,作一个以民生为中心的社会组织的图解如下(见下页)。

第二,唯物史观与社会之构造——人要生存,必须取得生活资料,要取得生活资料,必须参加社会的生产,于是人与人之间,便发生多种生产关系。所

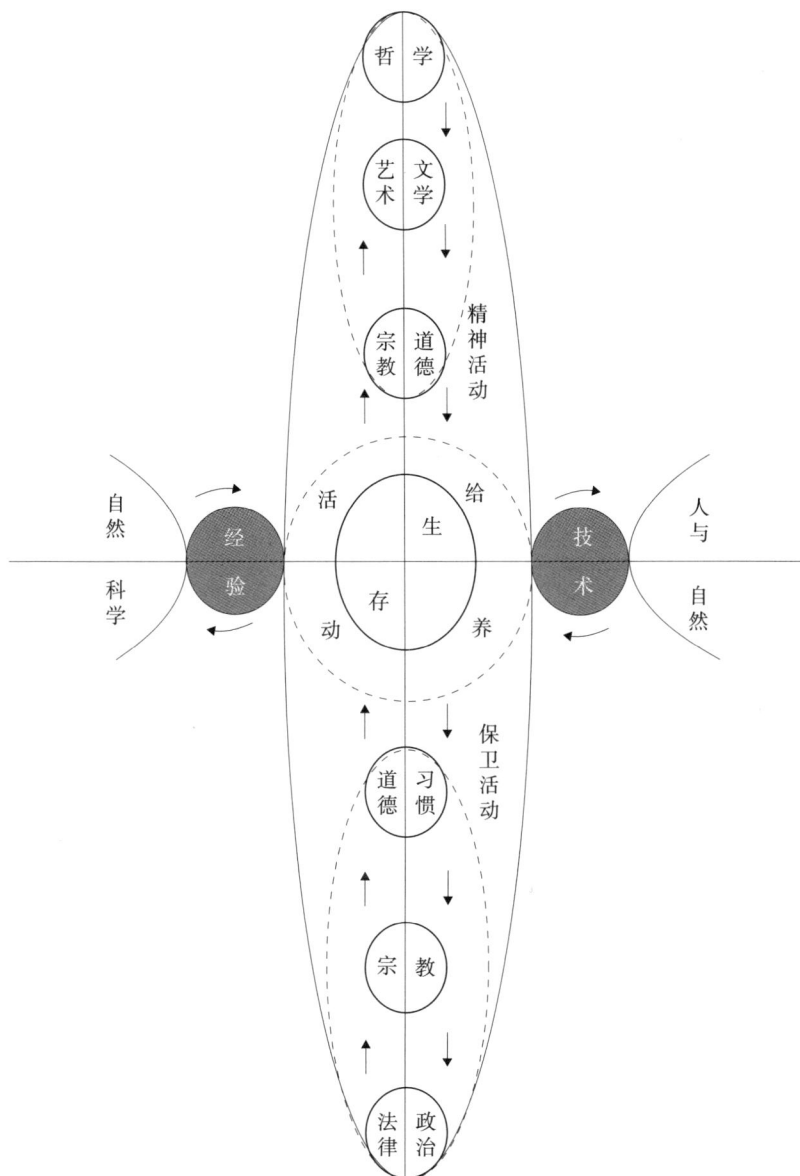

谓生产关系,大体可以分为六方面说明。第一,就生活资料的生产上说,有生产关系。第二,就生活资料的分配上说,有分配关系。第三,就生活资料的搬运挪移一事说,有交通关系。第四,就现社会的分配须依交换而行一事说,有交换关系。第五,就现社会各种形式生产关系相互错综(如资本主义的社会中,有资本的生产形式,也有封建的生产形式)一事说,有支配的生产关系和被支配的生产关系(如资本主义的生产关系属于前者,封建的生产关系属于后者)。第六,就现代社会的分配上说,在生产品的分配以前,还有生产手段的分配,这是阶级差别发生的根源,所以又有阶级关系。总和这一切种类的生产关系,便组成社会的基础,一切人都在这基础上联系起来。竖立在这基础上的上层建筑,是政治法制宗教道德文学艺术哲学等类。这是社会的全部组织。

以上是说明唯物史观和社会组织的,兹再根据唯物史观要旨的第一段,并参考许多学者研究唯物史观的著书,作一个社会组织的图解如下:

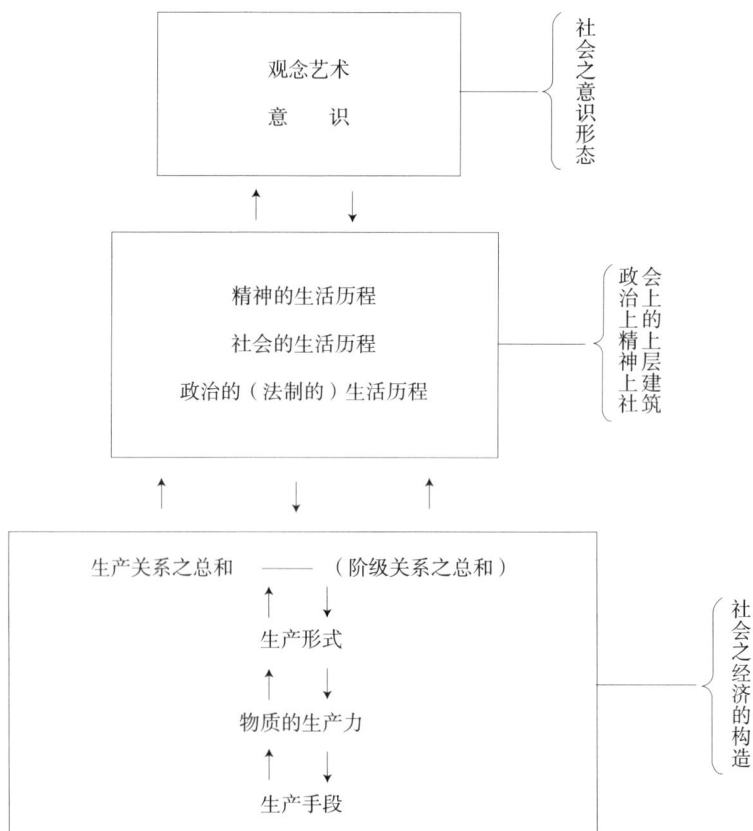

第三,两者之异同——由以上的说明,可知两者的异同是很显然的。就相同的地方说,在民生史观方面,生存是社会组织的中心,人类一切活动,都是从这个中心出发的,当社会组织和生存的中心相适应的时候,是社会之生理的状

态,当社会组织和生存的中心不相适应的时候,是社会之病理的状态;在唯物史观方面,生产关系是社会组织的基础,一切政治法制和其他精神文化,都依据这个基础而发展而变化,当生产关系和物质的生产力相调和的时候,是社会的静态,当生产关系和物质的生产力不相调和的时候,是社会的动态。所以单单就这一方面说,两者是相同的。

再就两者不同的地方说。民生史观是把一切社会做对象的,对于社会组织的阶级性并没有特别注重;唯物史观是把近代有产者社会作研究的对象的,对于社会组织的阶级性特别注重。在唯物史观方面,因为分析现代有产者社会的生产关系,确包含着阶级关系在内,而且认为阶级关系是生产关系中最根本的关系,所以把阶级性看作现代有产者社会的特性,这是阶级斗争说的根源。由这阶级性的特别注重与否一事看起来,实是民生史观和唯物史观不同的所在。

三、从社会变革上说明民生史观与唯物史观

第一,民生史观与社会变革——当社会组织和生存的中心不相适应,以至显出病理状态,发生民生问题的时候,这种社会终必要变革。就现代的中国说,民生问题已经成了很重大的社会问题,中国的病态的社会之必须改造,实是国民革命的目的。但中国的民生问题要怎样才能解决,就必须考察中国民生问题发生的根源及其症候,然后方能定出解决的方法。中国的民生问题,是最近几十年来才发生的(以前虽也有所谓民生疾苦的问题,但与现代的民生问题不同),而其发生的根源,又和各资本主义国家的社会问题有些不同。现代资本主义国家的社会问题的根源,是由于本国的资本主义发展过度,中国民生问题的根源,是由于受了国际资本主义的侵略,并不是因为本国的资本主义发展过度。此外封建军阀之称兵构乱,剥削人民,也是助长民生问题扩大的原因。所以中国的民生问题,更含有民权问题和民族问题在内。要解决民生问题,必先解决民族问题和民权问题,要解决民族问题和民权问题,势必团结一切被压迫民众实行民族革命和政治革命,建设民众革命的权力,求得国际的政治的平等,同时应用革命的权力求得经济的平等,以谋三民主义之完全实现。

所以中国社会变革的程序,依据三民主义研究起来,可做成下面的表式。

中国社会变革历程的表式

一、变革的原因

(一)经济的变动——民生问题之发生

(二)政治的变动——民权问题之发生

(三)国际地位之变动——民族问题之发生

(四)国际的联络——被压迫民族的联合战线

二、变革的进行

(一)民族革命——实现民族主义(国际上国国平等)

(二)政治革命——实现民权主义(政治上人人平等)

(三)经济革命——实现民生主义(经济上人人平等)

(四)世界大同

第二,唯物史观与社会变革——当生产力与生产关系发生冲突的时候,社会便特别显出动态,社会的基础发生动摇,同时那巨大的上层建筑,也就或快或慢的随而变革,这便是社会革命。但资本主义社会的变革和半封建式的中国社会的变革不同,资本主义的社会的变革,是无产阶级做主体,所谓社会革命的历程,即是无产阶级革命的历程,又是一般人所说的阶级斗争的历程。据一般研究马克思主义的人的见解,这阶级斗争的历程可以分为两段,第一段是未达到革命点以前的阶级斗争历程,第二段是达到了革命点以后的阶级斗争历程。兹列举社会革命历程的表式如下:

社会革命历程的表式

一、第一段的阶级斗争历程

(一)经济的变动——生产力与生产关系的冲突

(二)经济的斗争——减少工作时间和增加工资的斗争

(三)政治的斗争——无产政党的组织

(四)国际的联络——国际无产阶级的联合战线

二、第二段的阶级斗争历程

(一)政治革命——无产阶级专政

(二)经济革命——社会主义的经济改造

（三）国际关系的改善——国国平等

（四）世界大同

第三，两者的异同——由上面所述看来，可知三民主义革命和马克思主义革命，有一点是相同的，有两点是不同的。所谓相同的一点，即是革命的最后目的，都是世界大同。所谓不同的两点，一是革命的出发点，一是革命的方法，现在再就不同的两点，比较说明如下。

先就两者的出发点说。三民主义革命是以中国的半封建式的社会做出发点的。在半封建式的中国社会，本国的资本主义产业未能发达，经济势力操在国际帝国主义的掌中，政治权力操在封建势力的掌中，所以中国的革命必须以被压迫的民众为主体（无论小资产者或农工），实行国民革命，铲除帝国主义和封建势力，求得国际的平等，树立真正的民权，同时实行民生主义以解决民生问题。至于马克思主义革命是以欧洲资本主义国家做出发点的。在资本主义国家中，本国资本主义产业，非常发达，阶级的对抗不能调和，经济的势力和政治的权力都握在资本阶级手里，所以资本主义国家的社会革命，以无产阶级为主体，企图推翻资本阶级的权势，由无产者掌握政权，以完成经济的革命，解决社会问题。

两者最后的目的虽同而出发点不同，所以革命的方法是不同的。三民主义革命，是要由半封建式的社会达到未来的新社会，马克思主义革命，是直接要由资本主义社会达到未来的新社会。前者是由国民革命的政党（国民党）领导被压迫民众去反抗帝国主义及打倒封建势力，并实行以党建国，以谋经济建设；后者是由社会革命的政党领导无产阶级去推翻资本阶级，并实行阶级专政以建立社会主义经济。前者是联络世界被压民族去反抗世界帝国主义的（即中山先生所说12.5亿人对2.55亿人的革命的意思）；后者是联络世界无产阶级去反抗世界资本阶级的。这是大体上不同的地方。还有很不相同的方法，在前者是实行民生主义以谋经济的建设，即实行节制资本，平均地权，和发展国家资本，以期满足人民生活的需要，因为新式产业并未发达的国家，阶级区分不甚明显，无产阶级没有强大，只有实行民生主义。民生主义若是实现，产业便能大大的发达起来，民生才能充裕，人人才都能维持生存，人人才都能充实生存，社会才能变成幸福的社会。但在后者是实行社会主义，改造经济组织,要马上把一切生产机关收归公有的,因为新式产业已经发达的国家,大规模的生产机关很完全,纵令实行社会主义,也不至妨碍生产力的发展,或许更能发展。这是两者革命的方法不同的所在。

四、从社会进化上说明民生史观与唯物史观

第一,民生史观与社会进化——由我前回在《民生史观》一篇文字里所说明的"民生与社会进化"一段,所以列成下面的社会进化的表式:

时代	民生	政治	生存竞争
古代的(太古洪荒)	共产制	神权	人与兽争、与天争
封建的	私产制	君权	人与人争
近代的	私产制	民权	人与人争
未来的	人人平等	人人平等	人支配物

第二,唯物史观与社会进化——依据唯物史观要旨的末段文字和各学者研究唯物史观的见解,对于社会的进化,大概可以列成下列的表式:

社会形式	经济组织	阶级
亚细亚的(原始的)	原始共产制	无
古代的(希腊罗马的)	奴隶制	有
中世社会	农奴制	有
近代有产者社会	资本制	有
未来社会	共产制	无

第三,两者的异同——两者相同的地方,就是都承认原始社会是有过共产的事实(如中山先生在民生主义讲演里所说"人类最先所成立的社会,就是一个共产社会");而对于未来的新社会,也都是认定是要实行共产主义的。不同的地方,唯物史观把古希腊罗马以后到现代的社会,都认为是阶级斗争的社会,而中山先生则只认为是人与人争的时代。但两者虽有不同之点,而就社会进化大体的趋势说起来,却是没有不同的。

五、结　论

总括以上所说,可知民生史观和唯物史观两者的革命性是相同的,两者的最后目的也是相同的。两者不同的地方,一是出发点的不同,一是革命的方法不同,此外还有一个不同的地方,就是阶级性的特别注重与否。唯物史观对于阶级性是特别注重的,民生史观对于阶级性只认为是社会的病理状态,不是社会的生理状态。

以上是民生史观和唯物史观的大体上的异同之点。

民生史观和唯物史观同是说明社会组织和进化的原理的,不过民生史观以纵的社会观念为主眼,唯物史观以横的社会观念为主眼,所以两者也有可以互相补充的地方。比方应用民生史观说明欧美的资本主义社会时,可以应用唯物史观来补充,例如中山先生说:"欧美社会党将来为势所迫,或者都要采用马克思的办法,来解决社会问题,也是未可定的",就是这个意思。又若应用唯物史观说明半封建的中国社会时,也可以用民生史观来补充,近来马克思派之重视民族革命,就是一个明证。

（原载 1928 年《现代中国》第 1 卷第 4 期,署名李平凡）

对日经济绝交之研究

（1928.6）

一、绪　　论

自从济南事件发生以来，我全国民众于悲愤之中，又举行对日经济绝交了。站在革命的见地说，中国民众要想从日本帝国主义的铁蹄之下解放出来，除了和它血战肉搏以外，再没有其他的出路。但是现在说这一样事，似乎时机过早，此时要想惩创日本帝国主义，就只有实行对日经济绝交一个消极的方法了。

对日经济绝交果然能够惩创日本帝国主义么？

据过去的经验说，中国实行对日经济绝交，到现在已经是第八次了。以前七次的结果怎样？我可以分别的说明出来。

次数	时期	原因	区域
第一次	光绪三十四年三月	二辰丸事件	南部一带
第二次	宣统元年八月	安奉路事件	东三省
第三次	民国四年五月	二十一条事件	全国
第四次	民国八年五月	收回青岛	全国及南洋
第五次	民国十二年四月	收回旅大	全国
第六次	民国十四年六月	五卅惨案	全国
第七次	民国十六年四月	一般的抵制	中部一带
第八次	民国十七年五月	济南事件	

以前七次的经济绝交期间，短则二三月，长则八九月，所给与日本资本家

的痛苦,当然是有的,日本资本家在抵制期间的对华贸易额,多少也是有影响的,但并没有多大的不好的影响。就日本对华输出的贸易额说,因经济绝交而减少的,只有第一次和第五次。第一次即光绪三十四年那一次,日本对华输出的贸易额比较前一年减少了2500万元;第五次即民国十二年的那一次,日本对华输出的贸易额比较前一年减少了5000万元。其余的五次,日本对华的输出,不特没有减少,而且较前加多,尤以第六次更是加多,竟增至4.68亿元,造成了该国对华贸易的最高纪录。这样说来,以前七次的对日经济绝交,并没有使日本帝国主义少受惩创,总之,可以说是完全失败了。

然则对日经济绝交果然是不能惩创日本帝国主义么? 若果说是完全没有效果,为什么一般民众和所谓革命的老成人还把那在以前实行过七次都告失败的对日经济绝交旧事重演呢? 为什么在经济绝交未实行以前日本关西方面棉纱布市场即已跌落而该国在华的纺织股票棉纱市场即已腾贵了呢? 这是很值得研究的问题呵!

我们觉得,若果此次的对日经济绝交,也和过去实行过的七次是一样的,那就索性及早中止,不必多此一举,免得于国耻之中再惹起敌人的耻笑! 否则,若果抱定打倒日本帝国主义的决心,抱定至少坚持三年五载的宏愿,从消极的抵制之中,作积极的准备工作,那么,对日经济绝交,未尝不能惩创日本帝国主义者。我这一篇"对日经济绝交之研究"的文章,就是基于这个前提才做的。

二、日本对华输出贸易之概况

"知己知彼",是一切作战的根本方略,对日经济绝交也是一种作战,当然也要运用这个方略。日帝国主义者的经济基础,究竟有多少成分是建筑在中国人的血汗身上的? 它究竟是用些什么商品来掠夺中国人? 中国人究竟供给了一些什么原料给它制造那掠夺我们的商品? 还有它在中国的工业投资究竟有若干? 这些都是我们应当首先知道的。现在分别用统计表说明如下。

中国的国际贸易,在欧战以前,是由英国占居首位的,到欧战以后,就由日本占居首位了。兹列举欧战前后日本和英美的对华输出贸易比较表如次。

表一　中国输入贸易总额中日英美三国输入品价额比较表

（单位：千海关两）

年别	日本	英国	美国
1913	119346	96910	35427
1919	246941	64292	110237
1920	222136	131720	143199
1924	234762	126011	190957

看了第一表，可知日本对华贸易发展之迅速，是很可惊异的了。兹更就欧战前后之中国输入总额，比较日英美三国所占之百分比如下。

表二　欧战前后中国输入总额中之日英美所占成数表

年别	日本（%）	英国（%）	美国（%）
1910	17.0	15.3	5.3
1920	31.4	17.1	18.0
1926	30.5	10.3	16.4

看了第二表，可知日本对华的输出额，已占中国输入总额的30%以上了。

至于日本的对华输出在该国对外总输出所占的地位，究竟是怎样呢？这可由下表说明出来。

表三　日本对华输出与其总输出比较表一　　（单位：日金千元）

年别	总输出额	对华输出	对华输出所占总输出之百分比
1922	1637452	470801	28.75
1923	1447751	395380	27.30
1924	1807304	500011	27.66

看了第三表，我们可以知道日本对华的输出额所占日本总输出额的成数，在1922年为28.75%，在1923年为27.30%，在1924年为27.66%。单单由这个数字看起来，好像日本的对华输出，只占该国总输出的20%以上，我们即使

完全能够做到对日经济绝交,似乎也不足以制日本帝国主义的死命的。但是从日本资本主义经济的近代工业品的输出的见地看起来,日本总输出之中,还含有很多不销售于中国的原料品在内,这原料品的大宗,即是生丝和绢织物。两者之中,尤以生丝为最多,差不多要占该国总输出的1/3,至于绢织物的数目比较还是很少。所以我们若是从日本的总输出之中,减去了那大宗原料品的生丝一项,来比较日本对华的输出,那么,日本的对华输出,差不多要占该国总输出(生丝除外)的一半,请看下表。

表四　日本对华输出与其总输出比较表二

年别	平均输出总额(生丝除外) (单位日金百万元)	对华输出额 (单位日金千元)	对华输出所占 总输出之百分比
1887—1892	29585	15370	51.00
1893—1897	42490	31283	73.00
1898—1902	134049	72739	54.00
1903—1907	232515	117001	41.00
1908—1911	162308	118907	45.00
1912—1915	404910	199461	49.11
1916—1919	1168127	475407	40.10
1910—1923	995825	472076	47.41

看了第四表,我们可以知道帝国主义近代工业(生丝除外)的对外发展,大略有50%是依靠于中国的,换句话说,有一半是建筑于中国人的血汗上面的。

日帝国主义者究竟是拿些什么商品来掠夺中国人的血汗呢? 这个只要把日本输入于中国的主要商品和那些主要商品的输出总数比较一下,就可以知道了,请看下表。

表五　日本主要商品的对华输出与各项输出总数比较表

(单位:日金千元)

主要品	1922 年			1923 年			1924 年		
	输出总数	对华输出部分	中国所占之成数%	输出总数	对华输出部分	中国所占成数%	输出总数	对华输出部分	中国所占成数%
棉纱	114723	91544	79.02	78512	53919	68.68	109611	65474	59.73

主要品	1922 年			1923 年			1924 年		
	输出总数	对华输出部分	中国所占之成数%	输出总数	对华输出部分	中国所占成数%	输出总数	对华输出部分	中国所占成数%
棉织物	222052	137465	61.92	234752	126535	53.94	326587	172790	52.91
精糖	19092	19010	99.57	14743	14564	98.78	28864	6785	99.73
啤酒	3358	1208	35.97	2307	873	39.07	2192	1126	51.37
纸类	16128	13222	81.98	15168	12151	80.11	15576	12370	79.42
玻璃类	10309	4506	43.72	10119	3792	37.47	12736	4831	37.93
机械类	14425	12992	90.06	9462	7823	84.47	9632	8542	88.61
铁制品	10319	6076	58.89	11410	6820	59.77	12805	7714	60.24
橡胶类	5999	2694	44.74	390	1362	34.92	3239	1569	48.44
洋伞	2296	1339	58.32	2059	1342	65.18	3667	2197	59.91
灯及灯器	4095	1552	37.90	4206	1665	39.59	5052	2038	40.34
棉绒布	……	……	……	2438	1256	51.58	2829	1968	51.40
肥皂	3348	3014	90.02	2862	2678	93.57	3665	3443	93.94
帽子	5556	2549	45.88	3942	2303	58.42	4818	2363	49.05
绝缘电线	7816	7725	98.32	1609	1401	87.07	1373	1297	94.46
煤	23514	13919	59.20	21541	15486	71.89	22394	18005	80.40
水产物	16286	14146	86.86	19894	17931	90.13	22488	19897	88.40
合计	479319	332974	69.47	438826	271900	61.97	588528	354399	60.22

第五表上面所载的商品,都是日本近代工业的主要输出品。这些商品的对外输出总数中,差不多有50%内外乃至百分之百,都是对中国输出的。此外所谓工业品之中,虽也有火柴制衣、水门汀等项,但在现在已失掉了重要性了。

总计起来,日本主要输出品的总额之中,其对华输出的部分,在1922年占69%以上,在1923年占61%以上,在1924年占60%以上,日本对华输出贸易的重要,由此可以想见,同时中国对日经济绝交的重要,由此也可以明白了。

三、日本在华经营之事业及其他

日帝国主义者在中国的投资额,据日人北条一雄氏的调查,约有下列的数目:

日本在华投资表(单位:日金千元)

财政部借款	256583
交通部借款	62409
东三省日本法人会社的公称总资本	995425
中国境内日本纺织的投资额	112700
总计	1436117

以上共为14.36117亿元。这也只是一个大概的数目,实际上还不止此。据日本最近发表在山东省境内的投资,计有1.4亿元以上,连同该国在中国境内所设之银行资本及轮船公司等及其他,估计日本在中国所投之资,当在40亿以上。兹就其可以成为经济绝交之主要项目,分别列举其大概如下。

第一,就纺织业方面言,日本在全中国纺织业的势力,可由下表看出来。

表六　中国纺织业中之中日英三国比较表

经济者别国	工厂数	锭数	机械数	捻纱机数
中国	70	1802526	2175	52426
日本	48	1339326	7715	56712
英国	4	205188	2101	——
合计	122	3347030	20451	109138

看了第六表,可知日本在中国的纺织业,占在第二位,大有欲追逐中国人所办的纺织业面超乎其上的趋势。近年来日本资本家因为该国工银昂贵的原故,争到中国利用廉价的劳力,以便收得高额的利润,中国人口口声声说抵制日货,假使不于此时谋纺织业的发展,那敌人的资本就要流入中国来取而代之的。

第二，就航业说，日本航行于中国内外的船只和吨数，除了英国以外，要算它是最有势力了，请看下表。

表七　英美日在中国出入船舶比较表

	英国	美国	日本
外国贸易（进口）船只	6272	708	3872
吨数	6288864	2138764	7020914
（出口）船只	6224	688	3721
吨数	8293198	2076480	6900708
沿海贸易（进口）船只	18156	2531	9433
吨数	19526092	1094478	10505171
（出口）船只	18214	2508	9268
吨数	19607771	1049867	10333086

第三，就金融业一方面言，日帝国主义者在中国操纵金融之银行，计有下列21个，兹列举如下表。

表八　日本操纵中国金融机关一览表

银行名	资本金（单位：日金千元）	本店所在地
横滨正金银行	100000	日本横滨
朝鲜银行	80000	朝鲜京城
台湾银行	60000	台湾
正隆银行	20000	大连
满洲银行	30000	大连
龙口银行	15400	大连
教育银行	500	大连
范家屯银行	1000	范家屯
长春实业银行	1000	长春
四平街银行	500	四平街
大连商业银行	2000	大连
开原银行	1000	关原
满洲殖产银行	500	奉天

银行名	资本金（单位：日金千元）	本店所在地
南满银行	1500	鞍山
协成银行	1000	安东
营口银行	300	营口
振兴银行	1000	营口
安东实业银行	500	安东
商工银行	500	辽阳城内
日华银行	1000	铁岭城内
平和银行	1000	吉林

上列各银行，除正金、朝鲜、台湾、正隆四银行在中国各大通商口岸都设立分行外，其余大都设立于东三省一带。这些银行的业务，在表面上虽说是办理汇兑及存款与融通资金，但实际上却在操纵中国的金融，吸吮中国人民的膏血，这是大家都知道的。其中在中国实行经济侵略之成绩最显著的，要算正金、朝鲜、台湾三银行了。日本对中国的投资，大部分是由这三个银行供给的，正金银行在中国发行的钞票，在一亿以上，朝鲜银行在中国流通的兑换券，也在一亿以上。至于中国人存款于日本银行之中的数目，我们无从调查。此外在中国办理国外汇兑的银行，除正金、朝鲜、台湾三银行外，还有三井、三菱、住友三银行在中国各地所设的支店。日帝国主义者宰制中国的金融势力之雄厚，也可以明白了。

（附注）上表所列之正隆银行，名虽为中日合办，而营业上的全权，完全操诸日人方面，而且要受日本所谓关东州长官的监督，所以实际上可说是纯粹的日本的银行。

四、中国对日输出贸易概况

中国对日输出贸易，以原料品为大宗，次殖民地的中国，原是帝国主义者采集原料的地方，自然只有将农产品去换用帝国主义的商品了。中国的对外输出，和日本关系是很深的。兹先就中国对外贸易输出总额中，比较对英日美等国的输出，列表如下。

表九　中国输出贸易总额中对日英美三国输出比较表

（单位：千海关两）

年别	对外输出总额	对日输出	对英输出（香港在内）	对美输出
1923	654892	180991	208604	97579
1923	752917	228798	219003	126804
1924	771784	232031	223414	100755

看了第九表，可知中国对日的输出额，在总输出额中实占居第一地位，约在30%以上。

至于对日输出的主要商品，要为豆饼、豆类和棉花三项，这三项的对日输出额与其输出总数的比较，约如下表。

表十　对日主要输出品与各项输出总数比较表

（单位：海关两）

年别	价额	豆类	豆饼	棉花
1922	输出总数	49008995	44806303	12861439
	对日输出部分	42735760	15478333	17754136
	日本所占成数	87.21%	34.55%	77.67%
1923	输出总数	56866201	52416228	32605771
	对日输出部分	47671583	23217638	27046566
	日本所占成数	83.85%	44.31%	82.87%
1934	输出总数	50897325	76076127	40420414
	对日输出部分	45804461	26054678	33953734
	日本所占成数	91.60%	34.28%	84.88%

由第十表看来，可知中国对外输出的三大宗货物之中，豆饼和棉花两项，几乎完全销售于日本，豆类之对日输出，也在30%以上，这是很值得留意的地方。现在再就这三项的对日输出额，比较其所占全国总输出的成数如下。

表十一　中国豆饼豆类棉花三大宗对日输出额所占总输出成数表

平均	1922 年至 1924 年(3 年平均)
总输出额	726531(千海关两)
三大宗对日输出额	93225
三大宗对日输出所占总输出成数	12.87%

由上表看起来,中国的豆饼豆类和棉花三大宗出口货,虽然是大部分销售于日本,可是和对外总输出额比较起来,主要出口货之对日输出额在总输出额中所占的成数,也只不过是 12%上下罢了。我们再对看第五表,日本主要商品的对华输出额,要占该国总输出额的 60%以上,两两相较,日本有所倚赖于中国的地方是非常之大的,这也是经济绝交应当特别留意的地方。

五、对日经济绝交应有之认识

由上面所述看起来,敌方和自己的情势,大约可以明白了。现在我们应当要认识的,假使如理想所期,经济绝交完全实行以后,双方应受的损失和所感的困难,究竟怎样? 这也是应当说明的,兹分别具述于下。

第一,日本方面所应受的损失。

1. 就日本对华输出而言,如第三表所示,平均每年当减少 4.5 亿日金以上。再就其对华输出之主要商品而言,如第五表所示,平均每年当减少 3 亿日金以上。

2. 就其在华所经营之事业等而言,在纺织业方面,如第六表所示,当有133 万的锭子,7700 多架的机械和 5.6 万多架捻纱机停止工作。在金融业方面,如第八表所示,它在中国设立的 21 个本分店的银行,有大部分会要失掉作用。在海运业方面,如第七表所示,它在中国进出口的 5500 万吨数和 5000 支数的船舶,就会要另寻航路。

第二,中国方面所应受的损失。

就中国对日输出言,如第九表所示,平均每年当减少 2 亿海关两以上。再就对日输出之主要货件言,平均每年当减少 9000 万海关两以上。

第三,日本方面所感之困难。

1. 就日本国外贸易言,日本对华输出的 4.5 亿日金以上的贸易额,除了中国以外,要想到别的国际帝国主义竞争很激烈的地方,找得这样大的销路,是绝对不可能的事情。而且它对华输出的商品,大部分都是主要商品,又大半是靠中国销售的,假使完全做到经济绝交,那制造这些主要商品的大部分工厂,势必都要把门关上,日帝国主义除了倒溃以外,再没有别的法子。

2. 就日本在中国经营的事实言,中国人假使完全不和他生经济关系和不供给廉价劳力,日帝国主义者从此便不能在中国再经营别的事业。

3. 就日本所仰给于中国的原料品言,棉花一项在去年输入于日本的,有 5000 万元,它之所以要买用中国的棉花。是因为价钱比印度棉花要低廉些,假使它不用中国的棉花,它那以"价廉物美"秘诀制胜于对华国际贸易的棉织物一类,就会要发生大影响,若果物美而价不廉,即使不绝交,也不会在中国有 50% 以上的销路。其次输入于日本的豆饼,平均每年约有 4000 万日金,这是供作农业肥料之用的,假使它不用这大宗的肥料,日资本主义的农业,会大受影响,即令多方奖励化学肥料工业,恐怕一时也来不及吧! 其次是豆类,大概是供食料用的,它不用中国豆子的影响,据日帝国主义的机关报说,至多只能使他们的盘子不盛酱油,但我以为恐怕还不止此,日本资本家的装满了脂膏的便便大腹,如果不吃味哙汤解解油荤,会要害胃病呢。

4. 就日本的社会方面说,中日经济绝交的结果,至少有 200 万的产业工人会要失业,只要中国真能支持一年两载之久,无产阶级革命必然要起来,日帝国主义必然要倒。

第四,中国方面所感的困难。

1. 就中国国外贸易,中国对日输出的 2 亿海关两以上的贸易额,除了日本以外,在他处的确不易找得销路。而且对日输出的主要货物棉花豆类豆饼三项,多是农产物。若果完全对日绝交,这三大宗货物不易出口,农民的损失很大,这是不待言的,即使棉花一项,可供纺粗纱之用,但纺纱业的扩张,也不是马上可以做到的。

2. 财政上之影响。中国对日输出入的贸易额,平均每年当为 6 亿海关两,若果完全做到经济绝交,这 6 亿的贸易额,在名义上按值百抽七·五估计,当在 4000 海关两以上。财政上忽然减少这大宗收入,影响当然不少。

3. 就中国仰给于日本的商品言,最主要的是棉织物、棉纱、精糖和煤四项。精糖一项,尚不甚重要,日本资本家可以不吃"味哙",中国穷人当然可以不吃糖。煤一项,也可以改用别处的煤,或设法增加内地的煤产额以承其乏。棉纱和棉织物为额颇大,穷人不吃糖是可以的,不穿衣服却是不行,绝交时最宜注重的就在这一方面,因为这一方面的绝交,可以从消极的抵制做到积极的抵制,后面再说。

4. 劳动者之影响。中国工人備力于日本在华事业的工人,由纺织工人到海员,直接间接至少亦有 10 万,假使他们因为绝交而失业,这却是要设法补救的。

5. 金融之影响。日帝国主义在中国设立的金融机关很多,操纵的力量也很大,如最近银市的紧张,便是明证,这也是应当请求对付的方法的。

经济绝交以后,双方应受的损失和所感的困难,大概都说过了。不过这是就纯粹的理想上说的,但在事实上万难做到。中日两方的需给关系,太过于密切了,而且中国产业的不振,代用品的缺乏,即使有决心去实行经济绝交,也是不能完全有效的。所以我们要实行对日经济绝交,必须审度时机,权衡轻重,鉴于过去失败的经验和教训,求得事实上可以实行的有效的方法,才不至于蹈以前的覆辙,让我们再在下节研究一下。

6. 由消极抵制到积极抵制。

在事实上可以行得通的最有效的对日经济绝交的方法,就是由消极的抵制到积极的抵制。所谓由消极抵制到积极抵制的方法,即是努力振兴国货。这"振兴国货"的话,本是老生常谈,但在近年来的事实上,中国的国货的确振兴了不少,这确是由消极抵制到积极抵制的唯一途径,我们且在下面谈一谈。

日本无产阶级经济学者高桥龟吉在 1924 年作了一部《日本资本主义经济之研究》的书,其中第一编的第六章,标题为"由贸易上所见的中国产业之进化"内容是说明中国产业之进化可以使日本资本主义陷于穷途的。这是对日经济绝交的很好的资料,让我们把它的大概介绍出来。

欧战以来,中国已由纯农业国踏入了工业发达第一步的粗工业时代,这一点很能威胁那尚在粗工业时代的日本的产业的,所以日本对华输出的商品,多因此失掉销路。而且中国廉价劳力的制品，反侵入日本市场，压迫日本的手工业品和粗工业品，这也是日本资本主义经济陷于穷途的原因。这里且从中国贸易上的变化，观察中国产业的发展所及于日本产业的影响。

表十二　中国输入主要品变迁表　　　（单位：千海关两）

货名	1913 年		1920 年		1921 年	
	金额	对全体百分比	金额	对全体百分比	金额	对全体百分比
棉制品	182419	32.0	246813	32.4	208662	13.0
棉布类	49805	8.7	65294	8.6	50261	5.5
棉纱	71060	12.5	78688	10.3	67013	7.4
其他	61554	10.8	102830	13.5	91388	10.1
绵毛交织品	3641	0.6	5756	0.8	5132	0.6
毛织物	4879	0.9	4791	0.7	7407	0.8
杂物	3435	0.6	5770	0.8	6196	0.7
金属及矿石	118973	5.1	61565	8.1	60078	6.6
杂货类	305970	53.7	437356	57.4	618324	68.2
米及糠	18383	3.2	5362	0.7	41221	4.5
纸烟	3589	2.2	22030	2.9	24913	2.7
煤	9421	1.7	14075	1.9	13789	1.5
棉花	3017	0.5	17993	2.3	35867	4.0
人造席	9633	1.7	15306	2.0	15260	1.7
电气材料及装制品	2222	0.4	6294	0.6	13204	1.4
海产物	12974	2.3	13305	1.7	14288	1.6
机械及器具类	5595	1.0	12054	1.6	36233	4.0
纸类	7169	1.3	14159	1.9	15312	1.7
砂糖	36463	6.4	30430	4.0	71457	7.9
烟草	3572	0.6	12925	1.7	14251	1.6
车辆类	2543	0.6	11966	1.6	20782	2.3
石油	25403	4.5	54318	7.1	58077	6.4
其他	155915	27.4	206839	27.1	243665	26.9
其他	41027	7.2	199	——	323	——
总计	570163	100.0	762250	100.0	906122	100.0

由上表看来,中国输入之主要品,在欧战以前之1913年,中国输入贸易额中,棉制品占至32%,内有12.5%为棉纱,8.7%为棉布类。到1921年,棉制品所占之成数,减至23%,内中棉纱减至7.4%,棉布类减至5.5%。这是中国棉工业发达的结果。这里可注意的,棉制品中之"其他"一项所占之成数,仍为10%,大概这"其他"一项,是表示精工棉布居多的关系,是表示中国棉工业尚在粗工业时代的结果。

由以上看来,粗工业棉制品的输入,显然减少,而精工棉制品的输入,仍有增加的倾向。兹为具体的表示上述倾向起见,特按照1913年的物价,算出主要棉制品的输入额,列于下表。下表是比较欧战以前输入减少的货物,都可以看作粗工品,其中尤以棉纱,棉面巾的粗斜纹布等粗工业的减少为最甚。

表十三　按照欧战前物价计算之输入减少的主要棉制品表

货名	1903年(千两)	1920年(千两)	1921年(千两)
市布	14102	10268	8661
粗布	16176	7832	7118
白市布	19527	15758	9331
粗斜纹布	8831	1947	2478
洋标布	4244	3168	1958
棉纱	71063	35070	33695
棉毛布	631	219	369
棉面巾	958	308	118

兹再就中国棉制品输入的数量及国别,比较如下。

表十四　中国棉制品输入数量及国别比较表

	1913年(千疋)	1920年(千疋)	1921年(千疋)
英国棉制品	11705	5784	3489
美国棉制品	2281	564	626
日本制制品	5717	7035	5816
其他棉制品	92	55	449
合计	19795	23438	10380

上表之棉制品，含有市布，粗布，粗细斜纹布及洋标布等。

其次，中国输入贸易的内容，在杂货类方面，也显有变化。如十二表所示，杂货类在总输入额中所占的成数，在1913年为53.7%，到1918年增至68.2%。这个原因，是由于棉花、机械类——尤其是纺织机械——车辆类、电气材料及装置品、煤油、烟草等原料及生产用品之增加的原故。而纸烟和海产物等一般消费品，却是减少或者停顿了。这都是中国产业发达的一个例证。

中国输入贸易的内容，由以上所述，粗工品已大见减少，生产用品和食品反大见增加，精工品亦逐渐增多了。但这种倾向，在中国输出贸易之中，却呈现出反对的现象。兹先就输出的主要品的变迁言之，请看下表。

表十五　中国输出的主要品变迁表　　（单位：千海关两）

年别 货名	1913 年		1920 年		1921 年	
	金额	对全体百分比	金额	对全体百分比	金额	对全体百分比
豆类及豆制品	52182	12.9	84930	15.6	94510	15.7
生丝及茧	83156	20.6	76998	14.2	121287	20.2
谷类	9514	2.3	36636	6.7	19181	3.2
绢织物	20100	5.0	24317	4.6	30275	5.0
落花生与其制品	7980	2.0	15823	2.9	12112	2.0
谷种皮革类	23778	5.9	12813	4.0	15954	2.7
蛋白蛋黄	2944	0.7	11928	2.2	11758	1.9
鸡蛋	3395	0.8	9529	1.8	12939	2.2
胡麻	12372	3.1	10830	2.0	8811	1.5
棉花	16236	4.0	9225	1.7	16483	2.7
茶	33661	8.3	8873	1.6	12605	2.1
纸烟	365	0.1	8678	1.6	13471	2.2
小麦粉	517	0.1	18252	3.3	9366	1.6
材木	2407	0.6	4866	0.9	11659	1.9
其他	134699	33.4	198931	36.8	21843	35.1
总计	403306	100.0	541631	100.0	601255	100.0

由第十五表看来，中国在欧洲以前输出的主要品，到欧战以后，差不多全

部都减少了。

最近中国输出贸易中大见增加的货物,多是欧战以前并不重视的东西。例如生丝,绢织物,各种皮革类、棉花、茶、落花生与其制品等项,在输出贸易中,有些是减少了,有些是停顿了。其在欧战前输出的主要品之中,到欧战后比较增加的,只有豆类及豆制品,和豆类以外的谷物(由于小麦的增加)。至于最近输出中特别发达的各种货物,在欧战以前,都是没有达到总输出1%的东西,内中除蛋白蛋黄、彩蛋、材木等农产物之外,其余多是加工性质的商品,例如小麦粉、纸烟及"其他"一项。假定就前表中把欧战以前在总输出中还没有达到1%的东西,再加上"其他"一项,则"其他"一项对于总输出所占的成数,在欧战以前仅占35.7%的,到1921年却达到44.8%了。这一点,也可以看出欧战以前主要品以外的东西的发达了。至于农产品之中例外发达的东西,其豆类和豆制品,则多由于豆饼和豆油的发达,这也是工业化的例证。

又如前表中之"其他"一项,到欧战以后的1921年也比较增加了,这也是表示中国杂货工业发达的一例。兹再就前表中之"其他"一项,摘记其所含之主要杂货,列为下表,可见其发达的趋势。尤以棉布、棉纱、花边、纸烟、瓷器等项很可注意,此外可以看作日本杂货相竞争的东西,则有竹器、扇子、肥皂、纸伞等项,也发达起来了。至于木炭、薪材、石材、木器等项输出的增加,即是反证日本此等货物陡涨的例子。要之,如下表所列各项,在欧战以前只占总输出3.23%的,到1921年已增至7.37%了。

表十六　中国杂货输出表 （单位:千海关两）

货名	1913 年	1920 年	1921 年
竹及竹器	942	1105	1386
瓦	424	473	609
木炭	146	223	457
瓷器	1161	4923	4611
纸烟	365	8667	13470
扇	492	660	750
爆竹花火	3200	3372	3616
薪	755	1034	1381

货名	1913 年	1920 年	1921 年
鱼网	238	284	351
花边	123	2679	5230
席(地席不计)	1787	2353	2649
肥皂	6	176	261
石材	70	246	629
纸伞	507	546	917
木器(家用不计)	232	894	1554
棉布和棉纱	2594	7753	6954
甲　合计	13042	35388	44325
乙　总输出	403306	541631	601255
甲对乙之比	3.23%	6.53%	7.37%

　　杂货类之外,中国输出贸易中之显然增加的,以上所述,是天产品和加工品。兹摘记其最主要品,以第十七表之 12 项为限。而且 12 项之中,有 5 项是加工品,其发达也比原产品大。最可惊异的是:1921 年的输出,比较欧战以前增加的价额的 1.98 亿海关两之中,有 1.26 亿海关两(约为 64%),都由于第十六、第十七两表所列的货物的增加,其余的 7200 万海关两之中,有过半是由于生丝的增加,中国输出贸易的内容的变化,由此可知了。

　　再把以上所述,总的列为第十八表。由此以 1913 年的为基本数,则第十六表所列棉制品和杂货数合计的输出额的指数为 340,其次当十七表中的加工品为 235,第十七表中的天产品仍为 226。

表十七　中国输出增加之主要品表　　　　（单位:千海关两）

货名	1913 年	1920 年	1921 年
铣铁米	1320	7284	5387
铁矿	610	2612	1511
煤	6592	12215	11228
大豆	16480	22359	28462
豆饼	24963	41959	49525

货名	1913 年	1920 年	1921 年
豆油	3372	14794	9736
花生油	2833	9316	4513
桐油	4002	6739	5466
食盐	994	1729	1548
小麦	4762	25395	16886
小麦粉	517	18252	9366
鸡蛋和蛋白黄	6339	21457	24696
甲　合计	73144	184111	168325
乙　总输出	403306	541631	601255
甲对乙之比	18.1%	34.0%	28.0%

以上合计的指数为 245(参看下表)，而"其他"全部合计之指数则只有123，内中除生丝(指点 146)外，"其他"之指数为 114。由此可以看出第十六、第十七两表所列的项目很是增加，而"其他"对于总输出占有 78.6% 的项目，却是衰退了。其结果，第十六第十七两表所列项目的合计对于总输出所占的成数，在欧战以前为 21.4%，到 1920 年增至 40.5%，到 1921 增到 35.4%。如下表。

表十八　中国输出内容之消长指数表

类别	对 1913 年总输出之百分比	各类输出价额指数			对 1921 年总输出之百分比
		1913	1920	1921	
棉制品及杂货	3.2	100	271	340	7.4
第十七表中有米印者	6.6	100	275	235	13.1
第十七表中无米印者	11.5	100	233	226	14.9
以上小计	21.4	100	255	245	35.4
其他	78.6	100	102	123	64.6
生丝	20.6	100	93	146	20.3
其他	58.0	100	105	114	44.3

类别	对 1913 年 总输出之百分比	各类输出价额指数			对 1921 年 总输出之百分比
		1913	1920	1921	
总输出	100	100	134	149	100

以上若再就数量上观之,亦无变化。例如输出大宗之纤维品,如第十九表所记,生丝和绢疋类之外,都是增加了。尤以棉制品为显著。但表中后半之原料品,差不多全部都减少了。此中增加之原料,大致以第二十表所列之项目为限,实则表示中国工业化之性质为多。

表十九　中国纤维品输出数量表

货名	单位	1913 年	1920 年	1921 年
粗布	疋	605	43061	56042
斜纹布及细斜纹布	疋	511	9311	62908
棉土布	担	48056	67736	75848
同上精细品	疋	96999	12951	199262
棉纱	担	1277	69654	25817
生丝	担	119334	82530	113908
野蚕丝	担	29662	21785	37084
绢疋类	担	27179	16851	16108
缎绸	担	16749	20602	26716
蚕茧	担	25469	15915	33192
生丝屑	担	116860	85011	72865
茧屑	担	26049	24548	18666
麻布	担	15500	25900	29157
大麻	担	80913	112758	123664
猪毛	担	52715	58853	44105
棉花	担	738812	376230	609481
马毛	担	13107	13045	12305
生牛皮	担	499038	261343	216617
生山羊皮	千张	7154	9967	7776
山羊毛	千张	11685	8531	19779

续表

货名	单位	1913 年	1920 年	1921 年
绵羊毛	千张	280262	103713	462936

表二十　中国输出数量增加表

货名	单位	1913 年	1920 年	1923 年
铣铁	千担	1071	3065	2648
铁矿	千担	4530	11292	8517
煤	千吨	1489	1970	1886
大豆	千担	7420	8142	9282
其他豆类	同	2904	2139	2182
豆饼	同	11818	18998	22281
豆油	同	492	1713	1148
落花生油	同	257	826	462
食盐	同	1562	5649	4846
小麦	同	1848	8432	5194
秆及高梁	同	1682	2954	663
米及糠	同	84	312	35
小麦粉	同	119	3961	2047

由以上的研究,可知中国自从欧战以来,的确由纯粹的农业国踏入了粗工业第一期的时代,其中尤以棉纱的输入减少和棉布类的输出增加,实表示中国纺织业的发达的倾向。这纺织业的发达的倾向,在对日经济绝交上面,在抵制日本的棉纱和棉布类上面,实有由消极抵制做到积极抵制的可能。促进中国纺织业的发达,实是打击日本纺织业的有效的工作。譬如粗纱一项,近年来输出于香港、海峡殖民地、暹罗、印度、英国、日本等地的,已是逐年增加。单就中日本的输出说,在 1912 年,中国棉纱运到日本的只有 1000 元,到 1919 年就增加到 394.5 万元了。因为在粗纱一方面,竞争力的强弱,以工资的高低为转移的。中国劳力的低廉,非日本可比,日本人所以要在中国境内中营纺织业,这是一个最大的原因。中国现在的纺织工人的工资,和日本明治三十二年的相同,至于日

本现在的纺织工人的工资,比中国的要增加到两倍半。假使我们实行中日经济绝交时,若果不供给廉价劳力于日本在中国所办的工厂,而由中国人自己扩大纺织事业的范围,那么,棉纱和棉布的出产一定可以增加,而且可以制胜于日本,这是可以断言的。英国现在所以只出细纱,这完全是由于工资增高的原故。所以我们要想由消极抵制做到积极抵制,就要从迅速扩大纺织事业着手。

日本的棉纱和棉布类之对华输入,如第五表所示,棉纱一项平均每年在7000万日金以上,要占其总输出67%;棉布类一项平均每年在1.4亿日金以上,要占其总输出56%。而且这两项是日本对华输出的最大宗,我们最低限度能做到这一点的积极的抵制,就是很大的成绩了。

总括起来,中国要实行抵制日货,就要从棉制品和上面所列的各项逐渐发达的杂货工业品去实行抵制。这不但是中国要想发财的资产家应当急速进行的事业,就是讲实行民生主义的国民政府也应当急速筹备,这正是千载一时的机会呵!

六、结　论

我们有一个很紧要的前提要认清楚的,就是这一次的经济绝交果是暂时的或是永久的? 果是以解决济南事件为目的或是以惩创日本帝国主义为目的? 若说是暂时的,是以解决济案为目的的,那么,济案不久必归于屈服的解决,这一次的经济绝交,逃不出过去失败的前例,索性不必费气力去鼓吹绝交,免得实行的时候中得罪洋商和买办,免得实行的人以被添上"赤化"的头衔,同时惹起日人的耻笑,于耻辱上更加上耻辱。若说是永久的,是以惩创日本帝国主义为目的而自求生存的,那么,我们可以假定的根据这个前提来采择实行的方法。

关于抵制日货的办法,最近时事新报经济栏内有一篇"从已往抵制日货失败之原因上讨论今后抵制日货之方法与准备"的文字中,其最后一段所提出的"抵制日货方策大纲",我以为大致可以采用,请读者参看六月四日时事新报的经济栏,这里无须多赞。

（原载 1928 年《现代中国》第 1 卷第 4 期,署名李平凡）

三民主义之社会学的研究

（1928.7）

一、三民主义研究法

三民主义是主张同时变革国际关系、政治组织、经济组织的，所以三民主义是国民革命的理论，同时又是社会革命的理论。三民主义是中山先生研究历史的社会的事实创造出来的思想、信仰和力量，所以三民主义又是由社会组织和进化的原理产生出来的革命的理论。我们知道，革命应该是科学的，革命的理论也应该是科学的，我们要认识革命的三民主义，就应当站在科学的见地来做研究的工夫，因此我才不揣冒昧来作这篇《三民主义之社会学的研究》的文字。

对于三民主义要从事社会学的研究，就应当从社会组织和进化的原理上把握一个根本观念，来做研究的根据。这个根本观念，便是民生。中山先生说："民生是社会造化的原动力"，"民生是社会的中心"，可知民生实是社会组织和进化的原理中的根本观念。民生是什么？民生就是人类求生存。"人类因为要有不间断的生存，所以社会才有不停止的进化"，但是人类求生存的手段发展起来了，社会就不免要由生理的状态转入病理的状态，于是民族问题、民权问题、民生问题，便随着发生出来，遂以显出现在的状况。而三民主义的目的，即在解决这三个问题，以求得国际平等、政治平等、经济平等的，所以我们要依据社会学的见地来研究三民主义，就应当将这个民生的根本观念，牢牢把握住。

基于上面所说的前提，来说三民主义的研究方法，具体的说起来，应当分为下列五项。

（一）各种形式的社会，各自有其固有的特征。世界上没有完全相同的东西，也没有完全相同的人，同样，世界上也没有完全相同的社会。围绕人类社会的自然环境，虽是地球，但处于地球上各地区的局部社会，因为气候、风土、物产、交通、生活方法等等的不同，又各有其特殊的环境，所以各个社会的物质文明和精神文明，也是不同的。就社会的形式说起来，有原始社会，有封建社会，有现代社会，有未来的新社会，这些社会的特征，我们知道它们是各不相同的。又如说现代社会之中，有资本社会，有半封建社会，欧美各文明国的社会属于前者，中国的社会属于后者。而且就是资本社会之中，也有商业资本社会、工业资本社会、金融资本社会等等的区分，也各自有其特征。中国的社会是半封建的社会，它的特征比任何资本社会都不相同。因为社会的特征各不相同，所以各种社会中产生出来的革命理论，也各不相同。如社会民主主义之于德国，工团主义之于法国，基尔特社会主义之于英国，布尔什维主义之于俄国，IWW 之于美国，三民主义之于中国，这些都是不相同的社会的特有表现。就这些主义最后目的讲起来，或许相同，但就方法上讲起来，却是不同，这不同的所在，正是三民主义所以异于其他主义的所在，也正是三民主义所以适合于中国革命的所在。所以我们要认识三民主义，必须认识中国社会的特征。

（二）社会的进化，虽然划分为各种的形式，但各种形式社会的内部，却又自有其变化的历程。比方现代欧美的资本主义社会的内部，也经过了四个阶程的变化，最初是商业资本主义，其次是工业资本主义，其次是金融资本主义，其次到欧洲大战的时期，又经过了国家资本主义的阶程。所以各种形式的社会，总是不断地在发生变化。中国自从资本主义侵入以后，先前的纯粹封建社会便变成了半封建的社会。在这半封建的阶程之中，内部也经过了无数的变化，经济、政治乃至国际关系，无时不在变化的历程之中，但到现在还没有脱离半封建的程式。就经济方面说，资本主义商品年年继续增加的侵入，农业手工业的经济由停滞而至于破产，大多数民众由失业而贫穷而流离死亡至于不可终日了；就政治方面，由清朝预备立宪而至于国民党推翻清朝统治，再由封建军阀倡乱而至于国民党继续努力革命，演出目前的局面了；就国际方面说，由反抗帝国主义而至于准备打到帝国主义了。这些都是中国半封建社会内部变化的阶程，也正是三民主义由始创而至于完成的步骤。所以我们要认识三民主义,必须了解中国半封建社会内部变化的历程。

（三）一种形式的社会,并不是永久的,它在一定的时代,必然的发生出来,又在一定的时代,必然的消灭下去。前一种形式社会是后一种形式社会必然发生的产母,后一种形式社会的孕育,是前一种形式社会必然衰老的原因。比方欧洲封建社会中新式商工业发达的结果,资本主义社会必然的产生出来,那封建社会就必然消灭下去;又资本发展过度的结果,资本主义社会也必然的消灭下去,而新社会也必然的到来。但由一种形式到他种程式的历史,又自有其连锁的关系,并不是前一种社会消灭了之后,才有后一种社会出来,两者之间,实有很密切的联络关系。这种联络关系,在其特征各不相同的社会之中,又是革命的理论和方法不同的所在。比方说,中国的半封建社会,在世界资本主义发达的时期,是必然要由以前的纯粹封建社会中发生出来的,但到世界帝国主义猖獗的时期,又必然的孕育未来的三民主义社会,而自行收束。在由半封建社会到三民主义的社会的历程,两者又自有很密切的联络关系。这种联络关系,和欧美由资本主义社会到社会主义社会的联络是不同的,前者是由半封建社会出发的,后者是由资本主义社会出发的,出发点既各不相同,革命的理论和方法,必然也不相同。三民主义所以适合于中国革命,我们可以从这里考察出来。所以我们要认识三民主义,必须了解中国半封建社会之必然的发生和收束,并了解其由半封建社会到三民主义社会的联络关系。

（四）社会所以有变动,是因为社会内部有矛盾,这矛盾实是社会变动的原因。社会的发展,到了显出很大的病态的时候,社会上大多数的经济利益互相冲突起来,人类的生存问题便不能解决,于是社会便开始变动,变动的结果,必须社会上大多数的经济利益可以调和,可以解决人类的生存问题,然后社会才有进步。所以在显出病态的社会里,社会内部必有矛盾,社会组织必有变动。中国以前是纯粹的封建国家,和国外资本主义的国家是互冲突的,冲突的结果,中国被帝国主义征服,变成了次殖民地的状态,但在次殖民地状态中发生了民族自觉的中国民众和帝国主义是互相冲突的,这一次冲突的结果,帝国主义必然倒溃,要呈现国际平等的新状态出来。革命是社会的冲突的表现,中国革命是被压迫民众和帝国主义封建势力冲突的表现。三民主义的革命,在于求得国际的平等,政治的平等,经济的平等。平等的反面即是不平等,不平等即是社会的矛盾。可知三民主义的目的是在解决社会的矛盾,促进社会的进步的。同样,在革命的历程之中,矛盾也是不免的,革命势力和反革命势力的冲突,农工群众和封建势力的冲突,都是必然的现象。革命原是社会的矛盾的表现,社会没有矛盾便没有革命。这些矛盾消失了,革命也就真的成功了,换句话说,社会上大多数的经济利益能够调和,人类的生存问题能够解决了,新的社会也就实现了。所以我们要认识三民主义,必须观察社会的矛盾的发展。

(五)理论离不开事实,离开事实,便是空想。革命的理论也是一样。三民主义是研究中国社会的事实当中的道理而发生出来的思想,信仰和力量,现在信仰三民主义的人如此之多,发生出来的力量如此之大,其原因正在于此。中山先生说:"宇宙间的道理,都是先有事实,然后才发生言论,并不是先有言论,然后才发生事实。"又说:"我们国民党在中国所占的地位、所处的时机,要解决民生问题,应该用种什么方法呢? 这个方法,不是一种玄妙理想,不是一种空洞学问,是一种事实。这种事实,不是外国所独有的,就是中国也有的,我们要挈事实做材料,才能够定出方法,如果单挈学理来定方法,这个方法是靠不住的,就是因为学理有真的,有假的,要经过试验才晓得对与不对。"据这两段的说话,就可晓得三民主义是切合于中国社会的事实的,我们现在要研究三民主义,也应当挈事实做基础。

以上都是研究三民主义的具体的方法,兹再应用这些研究方法,进行三民主义的研究。

二、三民主义之纵的研究

人类因为要求生存,必须从事生存的给养活动和保卫活动,而发生无数的经常相互关系,因此构成了社会,所以民生是社会的中心。人类要有不间断的生存和充实的生存,必须努力发达给养的活动和保卫的活动,而且从事精神的活动,因此社会乃有不间断的进化。所以民生是社会进化的原动力。但是社会进化到了一定限度的时候,往往不免由生理的状态转入病理的状态,以致社会上大多数的经济利益不能调和,因而发生人类生存的问题。这类生存问题,又往往在民族关系、政治关系、经济关系上表现出来，而成为民族问题，政治问题，经济问题。历史上这三个问题的演进，实是三民主义成立的远景，我们要了解三民主义，就应当依据历史的事实，考察一番。

历史进化的时期划分，依中山先生的见解，大致可以分为原始时期、封建时期、现代时期三大阶程。

原始时期，是历史以前的时期，又可以分洪荒时代和太古时代两个阶程。洪荒时代是人与兽争的时代，即狩猎生活及其以前的时代。在这个时代，我们由客观上观察起来，人类和兽类互相对立，人类总是同心协力去和兽类斗争，从事保卫和给养的活动，绝不会自伤其类的，所以我们可以说，他们的经济关系，政治关系，民族关系都是平等的。到太古时代，人类已经克服兽类，由狩猎生活转入畜牧生活以至粗浅的农耕生活，由人与兽争而转到人与天争。从经济上说，生存的物质资料比较以前丰富，人口容易繁殖，开始经营定居的共同生活，就是一种以血缘地缘结合的共产体的生活。从政治上说，因为要和天争的关系，就有聪明才智的人出来为大众谋幸福，大众便推戴他们管理众人之事，专司保卫的工作，但他们在团体里面，并无特权，不过受大众给养，替大众做事而已，所以政治上是各人平等的。从民族上说这时候因为人口的繁殖，土地的需要种种关系，血缘地缘不同的团体之间，常不免发生冲突，冲突的结果，常是以民族被他民族所驱逐所鏖杀，于是民族的生存问题，在这时候便发生了。所以这个时代，所谓经济的政治的平等，只以民族内部的人员为限，民族和民族之间，是没有平等的。这民族间的不平等，实是使社会由生理状态转到病理状态的一个关键。因为这个时代人类求生存的手段渐渐发达，物质资料渐渐增加，人口也容易繁殖。人口繁殖的结果，各民族因为要扩张土地的所有，而民族和民族的生存竞争，便渐趋激烈，便发生民族间的战争。战争的结果，有胜有败，胜的民族处分败的民族的方法，在最初只是占领它的土地，夺取它的财物，鏖杀它的人民，但到后来，因为生产上的需要，胜的民族除占领土地夺取财物之外，对于战败者的人民，就用不着屠杀，而使他们做生产上的奴隶，使他们担任畜牧和农耕的任务了。所谓最初的奴隶阶级，实是由战败的民族充当的。民族之间有了这种变化以后，便渐渐影响到民族的内部去。因为民族的内部，在最初发生的专事担任保卫事宜的人们，虽只是受大众推戴的，但因为年深月久以及历代和外族战争的结果,这些人们便利用公共的武力或权限,变成了特殊阶级,于是那由征服得来的奴隶财产和土地,在以前是归公有的,往后却被特殊阶级所占有了。更因为货币的交易发生和土地的分割等种种变化,民族的内部也有贫富的区别发生了。这是社会上很大的一个变化,也是由生理状态到病理状态的一个大转换,所谓民族问题、政治问题、经济问题,都开始显现出来了。

原始共产制消灭,社会便进到封建时代。这个时候人类求生存唯一的手段是土地所有。民族间的互相征服和兼并,也以争夺土地为主要原因。这时候成立的国家,统治者即是掌握特权的贵族,被治者即是非贵族的人民和被征服的民族。战胜的民族的贵族阶级,由其酋长分封土地,使统治其封地以内的人民,是即所谓封建诸侯或领主。这些诸侯或领主,把所领的土地分给领内的人民耕种,赋课租税和种种徭役,其交换代价,即在替领内的人民保护其安全。诸侯或领主对于国王,也要尽纳贡或供给兵役种种义务,这就是封建制度。就历史上的事实说起来,在欧洲方面,如雅典和罗马国家的建立,如日耳曼民族侵入罗马以后建立的国家,如法兰党人侵入高卢以后所建立的国家,都是这样成立的。在中国方面,自黄帝时代以至于周朝的国家也都是这样成立的,而尤以周朝的封建制度,最为完全。

中国自秦以后,虽经脱离封建制度,但因为工商业没有发达,更因地理的环境的影响,社会生活仍旧和封建时代一样。概括起来,就经济上说,土地归人民所私有,确是一个大变化,有土地的人可以坐食,无土地的人就须佃耕别人的土地,求得最低的生存。人口的繁殖,完全受马尔露新主义的支配。一般穷苦的人民,在皇帝贵族等特权阶级尚知体察民生疾苦的时候,还能生存,但到了特权阶级横征暴敛的时候,就不能生存,往往犯上作乱,习为匪盗,变成转朝易代的推动力。就政治上说,历代虽有转朝易代的波澜,而政体仍是君主专制。当每个朝代政治腐败到极点的时候,就有一般草泽英雄利用那感受生存威胁的人民起来革命,一旦革命成功,那超过食物增加的人口增加,因为经过一番大杀戮,便乱极思治,那些草寇也就成则为王,登上大宝,来与民更始,人民虽然照旧受皇帝所统治,而对与民更始的皇帝却是很欢迎的,这就是所谓一治一乱的政治局面。就民族关系上说,生存战争越发激烈,互相征服或兼并的程度,越发增高。如蒙古族和满洲族之征服汉族而建立的元朝和清朝,总是把汉人当作农业生产的奴隶,而以其本族为贵族的。质言之,自从书契以后,直到现在,民族的不平等,政治的不平等,经济的不平等,总没有丝毫的变化。

但是民生发展的结果,却供给人类一个打倒那些不平等使变为平等的大动力。自从近世纪欧洲新式工商业发展以后,在经济上打倒了封建的经济,建立了资本主义的经济,如18、19世纪的产业革命,即是实例。在政治上推翻君主专制政治,树立了民主代议的政治,如1776年的美国独立,1789年的法国革命,即是实例。在民族方面,民族的国家主义发生,被压迫民族多脱离异民族的支配而独立,如1870年意大利的统一,1871年德意志的统一,日本的明治维新,即是实例。

自从资本主义经济侵入中国,把中国旧日自给自足的经济扰乱,中国便开始发生了近代的民生问题;自从民主革命的影响传到中国,暴露了清朝专制政治的罪恶,中国便开始发生了民权问题;自从民族的国家主义的影响传到中国,引起了汉人排满的思想,更因为帝国主义国家不断的侵略,又使中国人于排满思想之外,发生反抗列强的思想,于是便发生了民族问题。这实是三民主义成立的背景。

但是欧洲自从资本主义经济成立以后,阶级的对立日增显著,经济的不平等更加扩大,更发生了重大的社会问题,以至酿成了社会主义的思想。资本主义不消灭,经济的平等是不可期的。其次所谓民主代议政治,也只是建筑在不平等的经济基础之上,无产阶级完全受有产阶级所支配,以至促起无产阶级革命的要求。偏颇的代议政治不改革,政治的平等是不可期的。其次所谓民族的国家主义,也只是民族资产阶级利用民族意识,建立统一国家,以便借政治势力发展资本主义的勾当,结果仍旧利用军国主义去征服弱小民族为殖民地,以至造成现在帝国主义宰割世界的面局。国家主义不废除,民族的平等是不可期的。中山先生鉴于欧洲近代的这些过去的错误,所以认定要求得国际平等,必须实行非国家主义的民族主义,要求得政治平等,必须实行非代议政治的民权主义,要求得经济平等,必须实行非资本主义的民生主义。国家主义、代议政治、资本主义,是三位一体的帝国主义,民族主义、民权主义、民生主义,是三位一体的人类平等的主义。

三、三民主义之横的研究

现在我再就帝国主义宰割世界、宰割中国的现状和中国受帝国主义侵略所发生的社会的变动,说明三民主义的根本精神及其革命的方法。兹分述于下。

(一)帝国主义宰割世界的现状——帝国主义的基础,是建筑在国内无产阶级和被压迫民族的血汗上面的。它剥削国内无产阶级的血汗制造大量的商品,更销售于工业不发达的殖民地,来剥削被压迫民族,增殖大宗的资本。所以被压迫民族的人民,实际上就等于帝国主义国家的无产阶级,为帝国主义者生产原料,销纳商品。殖民地是帝国主义销售商品、采集原料、投出资本的市场,殖民地愈多,市场愈广,资本的增殖也愈速。近年以来帝国主义者宰割世界的目的,就是在此。

帝国主义者宰割世界的现状,可以简单的说明出来。第一,世界上五大人种,已被帝国主义灭亡了或征服了三大人种又半;第二,世界上的六大洲,已被帝国主义瓜分了三大洲又半。据1920年的调查,帝国主义在世界上各地瓜分了的殖民地,在亚非利加洲,占90.2%,在亚洲占56.6%,在美洲占22.2%,在澳洲占百分之百,在南洋群岛占98.9%。质言之,"如世界全面积为1.34亿方基罗米突,则属于帝国主义及被管辖于帝国主义的殖民地,其面积等于9万方基罗米突;如世界人口为17.5亿,则其中有12.5亿为帝国主义之牛马奴隶"。

但是帝国主义,在现在已陷于快要崩溃的命运,简单地说:第一,国际帝国主义冲突,日趋剧烈,第二次世界大战,不久又当爆发;第二,各帝国主义国内无产阶级革命,亦将由酝酿而趋于成熟;第三,被压迫民族的独立的革命运动,亦将见诸实事。这些都是帝国主义灭亡的预兆。

(二)帝国主义宰割中国的现状——为节省篇幅起见,分为经济侵略、政治侵略、文化侵略三项,条举如下。

1.经济侵略

(1)合洋货之侵入、银行纸票及汇兑存款放款、出入货物运费、租界与割地之赋税地租地价、特权营业、投机事业及其他,共六项,每年估计要由中国掠夺 12.5 亿元。

(2)供给借款　共计在 22 亿元以上。

(3)在中国经营事业之投资　估计当在 45 亿元以上,单就日本在满蒙之投资,已达 30 亿元。

2. 政治侵略

(1)割让地有朝鲜、流球、安南、阿穆尔省、喀尔寨、缅甸、台湾、香港、澳门等处。租借地有胶州湾(名义上在现在虽经收回)、旅顺大连和南满铁路附近地带、广州湾、九龙、威海卫等处。居留地有上海、厦门、广州、福州、汉口、九江、重庆、镇江、天津、牛庄、杭州、苏州、安东、沙市等处。此外条约上所开商埠有 70 余处。

(2)势力范围之划定。

(3)领事裁判权、内河航行权、操纵海关权、驻屯军队权、经营工业权、铁路敷设权、矿山采掘权、森林采伐权、牧场权、渔业权、设置邮电权、银行发行纸币权、传教权等等。

(4)勾结军阀延长内乱,以造出便于侵略之局面。

3. 文化侵略

基督教传布的区域达 1457 县、教会和附属机关 1.7 万余处,信徒 60 余万。医院药房 570 处。出版物 4400 余种。和教会有关系的小学校 6599 处,中等学校 291 处,专门以上学校 20 余处,合计学生 20 余万人。

由以上所述,可知中国的土地已被国际帝国主义肢解了,中国人民的血汗已被它们吸去过半了,中国人民的精神已被它们麻醉不少了。然而国际帝国主义的侵略,使得中国的社会发生了大变动,而这个大变动,又能结果国际帝国主义的。兹略述中国社会的变动如下。

(三)中国社会的变动——可分为经济的变动、政治的变动、国际关系的变动三大项,兹条举如下。

1. 经济的变动

(1)工业　资本主义商品侵入的结果,固有的手工业逐渐破产,而以手工业为业之人,强半陷于失业。最近因为受了国外新式工业的刺激,国内的新式粗工业虽略有起色,但因不平等条约之束缚,和内乱的连年不息,且因国外资本家在中国经营工业之故,挟大宗资本以俱来,中国的小资本大受压迫,发展甚不容易。

(2)农业　资本主义商品侵入于穷乡僻壤的农村,农民的副业(如纺纱织布)被夺,惟以其耕种所得换用洋货,以至农村生活无力提高,农村经济濒于破产,加以内乱不息,军阀的剥削加重,中农降为小农,小农降为佃农降为雇农,雇农降为游民匪盗。甚至农事荒废,有田亦放弃而不耕,农家户数逐年减少,荒地面积逐年加多,遂使以农立业的国家,感受粮食不足之苦,数十年之间,竟由粮食输出国一变而为粮食输入国,农业的荒废,可以想见。

(3)对外贸易　最近四五十年来的对外贸易,没有一年不是输入超过,而且超过的数目,多则5亿元,少则亦2亿元,呈现逐年加多之现象。

(4)内国商业　在资本主义商品未侵入以前,内国商业交易的货物,惟限于国内的农产物和手工制品,次则兼售洋货,至最近则大部分为洋货,内国商业资本家,几乎成了外国工业资本家的经纪。又如商业的状况,因为内乱和战争的不息,没有和平,没有秩序,没有统一,苛捐杂税,层出不穷,迄无发展的希望。

(5)民生问题　中国的民生问题,随帝国主义之侵入而发生,而扩大,至最近已呈现极重大极危急之状态。如上所述,农工之失业者无虑数千万。再就有业之工人言,据最近的调查,新式产业工人有275万,手工业工人有1194万。这些工人虽然比较可以取得最低的生存,但因国家缺乏保障,生活的状况也是很苦的,尤以新式产业工人中,有一部分在国际资本家铁鞭之下工作,不但生活不能改善,即生命亦不能保障。

2. 政治的变动

(1)清朝政府专制政治之残酷暴露,人民对于民权的要求与日俱进,故中山先生领导民众举行革命,乃有辛亥革命颠覆清朝的事实实现。

(2)辛亥革命虽经推倒清朝统治,却又有封建军阀勾结帝国主义,兴兵构乱,毒荼人民,民生问题不但没有缓和,而且愈增重大,故中山先生仍继续领导民众,唤起民众,举行国民革命,企图打倒帝国主义及军阀,以期实现三民主义。

3. 国际地位的变动

帝国主义未侵入以前,中国是外人目中所认为天国的,他们就是要求和中国平等,也不可得,但自从被英帝国主义者征服之后,积弱的真相渐渐表露,于是国际帝国主义相继侵入,国际的地位一落千丈,到现在完全成了次殖民地的状态,连朝鲜安南印度都不如了。不过这殖民地状态的中国,却产出了国民革命的势力,不但要打倒帝国主义,实现中国的自由平等,而且要联络一切反帝国主义的民族,共同扑灭帝国主义,实现国际上的个个民族平等。

四、三民主义之精神及革命的方法

综括以上所述,我们可以知道,社会的进化的确到了一个划分时代的大时代,帝国主义必然要归于灭亡,人类必然要由不平等状态的现代进到平等状态的新时代。帝国主义国家的无产阶级革命和被压迫民族的国民革命,其目的都是向着这个新时代前进的。就前者说,在有产者社会的母胎内自行发达的生产力,同时创出了解决劳资的最后的敌抗状态的物质条件,必然实现无产阶级革命而达到那个新时代。就后者说,被压迫民族在帝国主义铁蹄之下自行发达的求生存的决心,同时造成了解决最后的民族斗争的势力,必然实现国民革命而达到那个新时代。前者是由资本主义社会做出发点的,后者是由半封建的社会做出发点的。出发点的不同,虽是革命方法不同的关键,而最后的目的却是一样的。所以我们可以说,三民主义的根本精神,是在实现人类平等,世界大同,质言之,是在要求人人都能生存,人人都能充实其生存。至于革命的方法,是切合于中国的社会状况而定的。简单地说,三民主义革命,在民族主义方面,是团结中国被压迫民众(以工农小资产阶级为主,军阀贪官污吏土豪劣绅及其他一切反革命分子除外),去打倒帝国主义及封建势力以自求解放,自求生存,更推广此种精神使一切民族都能生存,都能解放,形成国际上个个民族平等的局面;在民权主义方面,是用打倒帝国主义的精神,确立无阶级区别的人人平等的政治;在民生主义方面,是用同样的精神,建立非资本主义的前途,更运用政权,实行节制资本,平均地权,发展国家资本,解决民生问题,树立民生主义的经济。而其归结,则不外使人人都能生存,都能充实其生存,质言之,就是人类平等的大同世界。

兹再列举三民主义革命程序的关系于下,以终此篇。

(一)革命的原因

1. 经济的变动——民生问题之发生

2. 政治的变动——民权问题之发生

3. 国际地位的变动——民族问题之发生

(二)革命的进行

1. 民族革命——实现民族主义(国际上国国平等)

2. 政治革命——实现民权主义(政治上人人平等)

3. 经济革命——实现民生主义(经济上人人平等)

4. 人类平等、世界大同

著者附注　这个题目,本可以写成数万字的一本小册子,但因时间关系,只能写出一个纲要在此发表,俟有机会,当扩而充之。

(原载 1928 年《双十月刊》第 2 期,署名李平凡)

中国所需要的革命

（1928.7）

一

未入本题之先，我有几句闲话要说说。

中国之需要革命，自从帝国主义侵入中国以后，即已具备了客观的条件，国民党这个系统所领导的革命运动，且发端于四五十年以前。不幸辛亥革命终于流产，整个的中国，仍陷于帝国主义和封建势力的两重压迫和剥削之下，并且日益加甚，同时中国的革命也在继续演进之中。欧战终熄以后，国内革命的怒潮汹涌澎湃，又因俄国十月革命的影响，而社会革命的思潮，也随着继长增高，所以民国九年有中国共产党的组织出现。这一年的秋季，我从国外归来，二三知友因为我的思想和他们接近，便介绍我加入了共产党。民国十年夏季召集第一次代表大会的时候，竟选了我这样一个对于马克思学说只有一知半解的人，做了宣传的主任。说话容易做事难，到了做实际宣传的时候，就真个难于开口。没有革命的理论，便没有革命的行动，那时候共产党对于应用马克思主义分析中国社会的事实的革命理论既没有建设起来，当然宣传的时候就没有根据。所以那时候我主张党内对于马克思学说多做一番研究工夫，并且自己也努力研究马克思学说和中国经济状况，以求对于革命理论得一个彻底的了解。但当时党内的人多注重实行，不注重研究，并有"要求马克思那样的实行家，不要求马克思那样的理论家"的警句，同时我也被加上了研究系（指研究社会学说讲的）的头衔。我后来观察中国的经济状况，觉得中国单纯无产阶级革命的条件还未具备，据当时做劳动运动工作的人调查的报告，国内产业劳动者只有 80 万人，而且大都在上海汉口天津等几个大商埠，以全人口

2‰的产业工人来实现无产阶级革命,当然是不可能的事情。民国十一年第二次代表大会开成以后,我得以脱卸了负责任的地位,只做一个普通的党员。那时候党员的数量加多,理论也比较进步,同时干部方面,也很感到单纯无产阶级革命不易进行,遂考虑以整个团体加入国民党从事国民革命的方法。当时我由上海回到长沙在一个大学教书,我对于干国民革命的主张是赞成的,但对于以整个团体加入国民党的办法却是反对。既认定无产阶级革命的客观条件欠缺,不如率性解散这个组织,专干国民革命。所以十二年秋季,我也就退出了共产党。以后我就专在湖南大学法科担任教授,从事过书斋生活,直到现在。去年春季虽曾在武汉和长沙各学校担任过短期间的三民主义和社会学的讲授,但仍旧没有脱离书斋生活,并未曾担任实际的政治事务。这是我以前的经过(当去年秋季在武昌中大担任教授时,曾基于学校当局的要求,于八月下旬在武汉民报和汉口民国日报声明过,这里原没有再说的必要,不过事实是事实,过分的沉默也无必要,所以附带的说几句)。

我是一个研究社会科学的人,对于革命的理论不能不加以研究,尤其是轰动世界的中国革命的理论,更是应当研究,所以我特意拟定这个题目,表示我个人对于中国革命的意见。当此党派纷争之际,这种文字的发表,或许是必要的。以下回到本题。

二

历史进化的潮流,现在已经到了一个新的大时代。这个大时代,是要求人类平等的大时代,是社会群为争得人类平等而革命的大时代。所谓人类平等,在民族方面是国际平等,在政治方面是政治平等,在经济方面是经济平等。为谋争得这些平等而举行的革命,是资本主义国家的无产阶级革命和被压迫民族的国民革命。两者主要的对象,都是帝国主义。而其根本动机,都在于解决社会问题或民生问题。

无产阶级革命和国民革命的目的,虽同是国际平等、政治平等、经济平等,可是因为客观的社会的条件各不相同,所以革命的步骤和方法,必然也不相同。无产阶级革命是以资本主义社会为出发点的,因为资本主义的社会分为无产和资本两大阶级,资本阶级凭着资本的势力成为政治的经济的支配阶级,无产阶级成为政治的经济的被支配阶级。两阶级的利害冲突愈演愈剧,形成了社会革命的现象。占社会大多数的无产阶级为解除政治的经济的压迫起见,不能不组织起来,颠覆资本阶级权势,掌握政权,将一切生产机关收归社会公有,以树立社会主义的政治和经济,实现政治平等和经济平等。而且因为生产机关的发展,已具备了社会主义的条件,所以政治平等和经济平等的物质基础已经成立,要求其实现是很容易的。至于国际平等,固然也是无产阶级革命所要求其实现的,却不是无产阶级革命的先决条件。比方就欧美各资本主义国家的无产阶级说,他们所受的压迫是本国资本阶级的压迫,不是国际资本阶级的压迫,他们基于社会主义革命的精神,固然要求实现国际平等,而提倡世界革命,但某一个资本主义国家的无产阶级革命,却不必先要求实现国际平等,然后才能实现政治平等和经济平等。换句话说,无产阶级革命,在国际平等未实现以前,也是可以成功的。所以无产阶级革命是先在推倒国内的资本阶级,树立政治平等和经济平等,然后本着社会主义精神去实现国际平等,实现人类平等。

被压迫民族的国民革命,是以半封建的民族社会为出发点的。如同中国,自从帝国主义侵入以后,社会上最初发生的大现象,是经济的变动,形成了经济问题。以前的封建政治,既不能救济这经济问题,复加紧封建的压迫和剥削,于是发生了政治的变动,形成了政治问题。同时帝国主义者逐渐征服了中国,把中国压在次殖民地的地位,这是国际的变动,便成了国际问题。经济问题、政治问题、国际问题,三者都有有机的联络关系,而其中心实是经济问题,其原因实是帝国主义。中国革命即在于解决这三个问题,求得国际平等、政治平等、经济平等,其根本动机即在于解决经济问题。所以中国民族对于国际帝国主义是被压迫阶级(与帝国主义直接或间接相勾结者当然在外),帝国主义及其走狗(即勾结帝国主义的中国人)是压迫阶级。中国的国民革命,即是中国民族的被压迫阶级对于帝国主义及其走狗的革命。中国革命的目的本在于国际平等、政治平等、经济平等,但国际平等的实现却是一个先决条件。帝国主义不打倒,国际平等不能实现,政治平等和经济平等便无从说起,即使帝国主义的附属物国内封建军阀可以扫除,国内可以统一,而帝国主义的铁锁如不能切断,革命决不能完成。这是和无产阶级革命不同的地方。而且所说的经济的平等,也因客观条件不同,要想求其实现,也有不同的步骤。被帝国主义侵略而濒于破产的中国经济状态,要想如欧美各资本主义国家的无产阶级革命实现共产主义,也是很不容易的事,所以只能依据经济平等的精神,建设超资本主义的前途。只有这样做去,才能实现经济平等。这也是和无产阶级革命不同的地方。

世界上决没有完全相同的物,也没有完全相同的人,同样,世界上决没有完全相同的社会性和国情,也没有完全相同的革命。依据中国的社会性和国情,只需要一个实现国际平等、政治平等、经济平等的国民革命。所以中国革命有它的世界性和特殊性。所谓世界性,即是同样的要求国际平等、政治平等、经济平等。所谓特殊性,即是依据中国社会的客观的条件而定出的革命的步骤和方法。必定是这样的革命,才适合中国的需要;必定是这样的革命,才能实现被压迫民众的利益。同时无产阶级的要求可以在这个革命中得到解决,将来才不至再发生无产阶级革命。反转来说,若不是这样的革命,不但不能成功,而且还要引起无穷的祸害,中国民族的生存威胁,就不知要达到怎样不堪的境遇。

三

中国革命以民族为出发点,革命的主体是被压迫阶级,可以说中国革命是中国民族的被压迫阶级对于压迫阶级的革命。所谓被压迫阶级,包括农民、工人、小制造业者、手工业者、小商业者、医士、智识分子等在内,至于军阀、官僚、买办、财阀、土豪劣绅之类,他们和国际帝国主义者,混合而成为压迫阶级。中国革命是反帝国主义的革命,凡是反帝国主义的人都是革命的主体,凡是不反帝国主义的人都是革命的对象。这诚如国民党第一次代表大会宣言所说:"凡卖国罔民以效忠于帝国主义及军阀者,无论其为团体或个人,皆不得享有自由及权利。"质言之,这类的个人或团体,都是被革命的。实际上压迫者和被压迫者的区分,也有一个客观的标准。这个客观的标准是经济的,同时又是政治的。兹为分析如次。

就被压迫者方面说,最需要革命的是农民和工人。中国的农民自从帝国主义侵入以后,生活的困苦与日俱增,更因军阀土豪的剥削而即于破产。农村经济的毁坏,是任何人都能知道的。农村荒地的面积达 8 亿亩以上,粮食由国外进口的数量逐年增加,单是米一项,在去年已达 1 亿两①以上。中国是以农立国的国家,而粮食反仰给于国外,这实是农村经济破产的反证。农村经济破产,随着大农降为中农,中农降为小农,小农降为佃农雇农流氓匪盗乞丐。这诚如孙中山先生所说:"从前俄国农奴所受的痛苦要少,现在中国农民所受的痛苦要厉害得多。"又说:"如果农民不参加来革命,就是我们革命没有基础。"农民之需要革命,在客观上在主观上都是很明显的。

工人之需要革命,已有最近的革命事实证明。新式产业工人所感受帝国主义者压迫的苦痛,为他国工人所未有,他们枉死于不平等条约之下者不可胜计。其他如手工工人,也同样感受政治的经济的压迫,他们的生活更苦。工人之需要革命,在客观上在主观上都是很强烈的。所以国民党第一次代表大会宣言上说:"……盖国民党现正从事于反抗帝国主义与军阀,反抗不利于农夫工人之特殊阶级,以谋农夫工人之解放,质言之,即为农夫工人而奋斗,亦即为农夫工人自身而奋斗。"

其他如小制造业者、手工业者、小商业者、医士、智识分子等,他们或者凭着自己的劳动和小资本而生活,或者从事精神劳动而生活,他们所感受帝国主义者军阀官僚买办财阀的政治的经济的压迫很大,在客观上都是需要革命的,尤以智识分子更为热烈,已有过去的事实可证。

再就压迫阶级说,国际帝国主义者和军阀固不待论。其他如官僚是为军阀和自身而掠夺民众利益的,在政治上在经济上都是压迫者;如买办是帝国主义者的代理人,专替帝国主义者掠夺民众脂膏,并借以自肥的,在经济上是压迫者;如土豪劣绅是剥削并鱼肉乡民的大蠹,在经济上在政治上都是压迫者。至于财阀完全是不劳而食的寄生者和剥削者,他们不但不需要革命,而且往往和帝国主义者及军阀相勾结,也在打倒之列,如于右任先生在国民党中央党部的报告中所说"若欲实现整个的三民主义必先打倒财阀"的一段话(见 7 月 10

---

① 此处所用的单位"两"明显有误。——编者注

日《申报》),其为切当。

综合起来说,中国需要革命的被压迫阶级的人数,要占全人口95%,以全人口4亿计算,农民约3.2亿,工人4000万(包括手工工人),其他小资产者准小资产者约2000万,共计应有3.8亿人。压迫阶级的人数共占全人口5%,即2000万人。被压迫阶级的人数,实是需要革命的广大的群众。中国的革命必须这个广大群众来参加,必须实现这个广大群众的利益,才有成功的可能性。或者有人说,农工和小资产者合在一起干革命,也会因利害冲突而破坏革命战线,但在革命进程中,只要农工不侵犯小资产者而威胁其生存,小资产者决不至迫压农工的,除非是反革命派。

四

中国所需要的革命,是要求国际平等、政治平等、经济平等的国民革命,中国需要这个革命、支持这个革命并期其实现的人,是占全人口95%的被压迫阶级的广大群众。这是中国革命的世界性和特殊性。依国民党十三年改组的精神说起来,确实是这样性质的革命,确实是为着这个革命奋斗的,不幸去年国共分离,革命战线发生动摇,以致酿成许多的纠纷。但是这些纠纷,据我个人观察,并不是因为这个性质的革命不适合中国的需要才发生出来的,乃是因为对于这个革命没有共信才发生出来的。在国民党一方面,有一部分人因为共产党退出了国民革命,便连民国十三年改组的精神也深致怀疑,以为革命的三民主义中含有共产主义的成分,总觉得有些不妥,而不知所含的共产主义成分,并非是出于一时的权宜之计而为了牢笼某种个人或团体,乃是为了适合于中国革命的需要,为了要实现被压迫阶级的利益,质言之,就是为了要获取广大的革命群众。所以中山先生说:"民生主义就是社会主义,又名共产主义,即是大同主义;"又说:"共产主义是民生的理想,民生主义是共产的实行,所以两种主义并没有什么分别,要分别的还是在方法。"革命的三民主义中所含共产主义的成分,实是中国所需要的革命的必然的理论,用不着害怕,也用不着怀疑。国民党应当继续十三年的改组的精神,依照第一次及第二次代表大会的宣言和政纲,唤起广大的群众积极革命,并一面实行农工政策,在可能范围以内设法解决民生问题。这样做去，无产阶级的需要，可以在这个革命之中实现，单纯的无产阶级革命是不会起来的。所以国民党应该做积极方面的工作，不必专做消极方面的工作。

又如共产党一方面，也有一部分人因愤慨国民党而走于极端（其他一部分人从那时起已经退出或被开除了），索性专干无产阶级革命，实行暴动政策，这或许夹杂着感情在内，也未可知。但革命必须是科学的，不是神秘的，尤其不是感情的。中国需要革命的人，是广大的被压迫阶级的群众，不单是一部分无产工农。无产工农固然是被压迫阶级革命先锋，固然是最需要革命的，却不能单独完成革命。共产党以前用整个团体加入国民党去干国民革命，只当做一时的策略，只是帮忙的性质，帮忙是暂时的，不是永久的，同床异梦，各自为谋，后来的决裂，早已埋伏了种子。这实是中国革命前途的不幸。

五

中国所需要的革命，是要求实现国际平等、政治平等、经济平等的国民革命，革命的主体是广大的被压迫阶级群众。国民党如继续十三年改组的精神，励行革命的三民主义，唤起被压迫阶级群众参加革命，并联络以平等待我的民族和帝国主义国家被压迫阶级成立反帝国主义战线，一面严密党的组织，提高党的威权，排除腐化分子，吸收革命分子，使整个的党成为被压迫阶级的党，继续反帝国主义工作，同时将政权归还革命民众，并尽量履行一二次代表大会的宣言和议决案以实现民众的利益。这样做去，中国的乱源可以肃清，也就可以行向国际平等、政治平等、经济平等的目的。否则前途是很危险的。

（原载 1928 年《现代中国》第 2 卷第 1 号，署名李达）

佃　租　论

（1928.7—1928.9）

"佃租"两字，在英语为 Rent。Rent 本有种种意义，如农地的佃租，宅地的佃租，房子的佃租，以及其他的租费等，都包括在内，日本人恒译为地代，中国人也有采用的，但我以为就土地问题方面说，不如译为佃租为当，不议高明者以为怎样。

一、绪　言

土地是人类求生存的根本手段。初民时代，地广人稀，土地之于人类，也和水火空气一样，可以自由利用，并无所谓土地问题。自从社会演进达于一定程度，显出了不合理的状态，土地归属于一部分人所占有的时候，那别一部分没有土地的人，就不能不提出相当的物质报酬于有土地的人，才能利用土地，于是土地成了一部分人剥削别一部分人的手段，而土地问题便随着发生了。

当人类农耕技术幼稚，农人每年耕种所得仅能糊口的时候，是不会有多余的农产物存在的，这时候纵使独占土地，也不能剥削他人，就是说土地的私有是不可能的。但是农耕技术逐渐进步，农人每年耕种所得，除了维持自身的生活资料以外，还有多余的农产物存在的时候，这多余的农产物，便引起了有特殊势力的人野心，他们便想掠夺起来，从事寄生生活。而掠夺这多余农产物的最好方法，就把土地据为己有，作为剥削的手段。所以农业劳动的多余生产物，实是人剥削人的基础，土地的占有，实是人剥削人的手段。

有土地的人利用土地剥削别人的方法，就是把自己所有的土地人贷与别人耕种，由耕种者耕种所得的结果之中，除掉对于他的劳动报酬和所出费用以外,将其多余的部分,作为使用土地的代价,要佃种土地的人交付出来。这种代价,即是佃租。所以佃租就是地主放弃了土地使用权而作为代价收回的所得。

土地私有权是土地问题的中心,佃租又是土地私有权的基础。假使人们在土地上耕种所得的多余农产物,不以佃租的形式交付于私有土地之人,而交付于社会,土地问题就不会发生。所以我们要理解土地问题,必须理解佃租论。

历来论佃租的经济学说,多不一定,而且大多数总是主张土地私有的,但在盛倡土地国有的今日,我们要研究佃租论,就应当说明佃租的发生和增减的理由,及佃租与社会生活的影响,证实土地私有的弊害,才能把握土地问题的中心,至于土地价格和土地增价,是以佃租为转移的,我以为应当另行说明为宜,本篇只说明佃租论。

佃租的种类,普通经济学上所论的,多指差额佃租一种而言,但差额佃租以外,更有绝对佃租,独占佃租,和都市宅地佃租三种,都是应当加以说明的。兹分别论述于下。

二、差额佃租

第一,差额佃租的意义。

差额佃租,是土地上的农产物或农产物价格,因为地质和位置的差异发生出来的差额。所以差额佃租,可以分为两部分。其一,土地上农产物,因为地质的优劣发生出来的差额,叫作地质上的差额佃租。比方有面积相同的甲乙两块土地,甲地地质肥沃,乙地地质硗薄,假使用相等的农耕技术来耕种这两块土地,而且所费的劳动和资本都是相等,但是两地地质有优劣的不同,而所产的农产物就有多寡的差别,两两相较,甲地比乙地可以产出多量的农产物。这多量的农产物,本是天赋的恩惠,但甲地地主却利用其土地所有权,要求那佃耕甲地之人,把这多量的农产物作为佃租,交付与他。这种佃租,叫作地质上的差额佃租。其二,土地上的农产物,因为位置的便否发生出来的差额,叫作位置上的差额佃租。比方有面积相等的甲乙两块土地,甲地离市场很近,乙地离市场很远,假使用相等的耕种技术来耕种这两块土地,而且所费的劳力和资本也是相等,所得的农产物之量也是相等,但是两地和市场的距离有远近不同,因而农产物运到市场的运费就有多寡的差别。于是甲地农产物,因为运费较少,其生产价格也较少,乙地农产物,因为运费较多,其生产价格也较多,两两相较,甲地比乙地可以多得收益。这甲地所多得的收益,也是自然的便利,但甲地地主却利用其土地所有权,要求那个佃耕甲地之人,作为佃租缴纳给他。这种佃租,叫作位置上的差额佃租。

地质上的差额佃租和位置上的差额佃租,是互相错综的,总括起来说,差额佃租,是因为土地的地质有肥硗,因为土地上实行着"收获递减法则",因为土地对于市场的位置有便否等等事实,而发生出来的农业劳动的多余生产的差额。

第二,差额佃租的发生。

据个人主义经济学鼻祖亚丹斯密说:佃租之为物,是在土地尽成为私有权之目的以后,才得发生的。至于佃租在土地尽归私有以后所以发生的原因,则由于土地上实行着收获递减的法则。兹将佃租发生的理由说明如下。

(一)耕种范围的扩张——当着地广人稀,只要开垦一小部分的土地耕种,就可以给养现有人口的时候,佃租是不能发生的。因为这个时候,人对于土地的需要很少,土地还不能成为人剥削人的手段,而且土地广阔,人人都可以自由利用,决不至有支出多余的农产物以佃耕土地的事实。到了人口增加,食物的需要也随着增加,以前所耕种土地上的生产物,不能应付这个已经增加的需要的时候,就不能不从新耕种那地质和位置都较劣的土地,于是先前耕种的优良的第一种土地,对于以后耕种的较劣的第二种土地,便可以产出多余的农产物,于是第一种土地的占有者,就要求将这项多余的农产物,作为佃租缴纳给他。简单说,这时候第一种土地便发生了佃租。若是人口更见增加,食物的需要更见加多,以前所耕种的两种土地上农产物,却不能满足这个需要的时候,就不能不从新耕种那地质和位置都更坏的第三种土地。这时候,那第二种土地对于第三种土地也发生了佃租。其佃租的多少,是由第二第三两种土地上生产能力的差异来决定的。因而那第一种土地上的佃租,就较前增加起来。人口若是照这样继续增加,食物的需要也随着继续加大,那么,地质最劣和位置最坏的土地,也必然至于耕种,于是以前所耕种的一切土地上的佃租,都随而发生,随而增加了。这一些土地上的佃租的多少,都是由这一些土地上的生产能力和这最差的土地上的生产能力的差异来决定的。因而那第一种土地上的佃租,就较前增加起来。人口若是照这样继续增加,食物的需要也随着继续加大,那么,地质最劣和位置最坏的土地,也必然至于耕种,于是以前所耕种的一切土地上的佃租,都随而发生,随而增加了。这一些土地上的佃租的多少,都是由这一些土地上的生产能力和这最差的土地上的生产能力的差异来决定的。这最差的土地,叫作耕种的界限地。界限地是没有佃租的,界限地上耕种所得的农产物,只能填偿所费的劳动和资本,决没有多余的农产物,自然不能发生佃租。

(二)农耕方法之进步——为应付食物需要的增加,除了扩张耕种范围以外,又可于已耕的土地上添加劳力和资本来达到目的。但因为土地上实行着收获递减法则,所以以后所投的资本,不能和以前所投的资本产出同一比例的农产物。投下的资本越多,生产的利益却是越少。这生产结果的差额,也有成为佃租的性质。对于一地发生投下第二量的劳力和资本的必要时,则对于和这地地质相同的土地,便可以发生佃租。因为就这种土地的耕种人说起来,投下第二量劳力和资本所得的结果,和支出若干佃租以耕种地质相同的土地的结果是一样的。

由以上的说明,我们可以知道差额佃租发生的原因,大致可以分为三项,一是地质的优劣,二是位置的优劣,三是收获递减法则。但是这三个原因中最根本的原因,还是收获递减法则。因为土地的地质无论怎样优良,而所出的劳力和资本越是增加,收益越是递次减少,最后便达到一定限度。这时候,即令再投出新的劳力和资本,而所得的结果,比较前用同一劳力和资本去从新耕种地质更劣的土地,必定没有什么差异。若是超过这一定限度而更投出新的劳力和资本,反不如从新耕种更劣的土地还有利。还有第二性质的土地,不久也要达到这一定的限度,而且达到的时期,比较第一性质的土地还要快。照这样顺次下去,那在第三性质以下的土地,也同样的达到一定的限度的。所以耕种范围要由地质最优的土地扩张到最劣的土地的原因,是由于土地上实行着收获递减的法则。所以对于一种土地实行集约的耕种方法,或者是从最优土地扩张耕种范围于最劣土地,完全是受了收获递减法则的支配。从根本上说起来,佃租的发生虽然由于耕种范围的扩张,而实际却由收获递减法则而然的。假使土地上不实行收获递减的法则,那么,人口无论怎样增加,食物的需要无论怎样加大,只要在少许土地上而增加劳力和资本就可以做到,当然没有耕种劣等土地的必要了。但是自然的法则,却不许人类享有这种便利的。

再就土地所占的位置关系说,好像和收获递减法则没有关系,但对于土地的利用有一定限度一事,却有重要的意义。所谓收获递减法则之中,实包含着土地的利用有一定限度的理由在内,若超过那一定限度,便不能利用的。假若一种土地可以无限利用,那么,无论是农地或宅地,个个人都愿选用位置最便利的土地,决不会选用位置最不便利的土地了。就这一点说,那成为佃租发生原因的位置关系,和地质的关系,实在是相同的。所以土地的位置关系,也是由于收获递减法则而来的。

由此可知佃租发生的原因确是由于土地上实行着收获递减法则。因为有这个法则实行着,所以地质和位置都不好的土地,就不能不从事耕种。因为不能不从事耕种,所以佃租就由地质优劣和位置便否两事发生出来。所以收获法则的实行,是佃租发生的根本原因。

总括起来说,佃租发生的可能性的基础,一是土地的私有权,一是收获递减的法则。

第三,差额佃租的增加。

差额佃租随着土地的耕种范围的扩张而发生,而增加,上面已经说过,但除此以外,佃租增加的原因,还有两种,一是土地和耕种方法的改良,一是交通机关的发展。兹分别说明如下。

(一)土地和耕种方法的改良——土地改良和农耕技术改良对于佃租的影响,可以分为两方面说明。其一,当土地和农耕技术的改良,只限于在一地实行的时候,佃租必然要增加的。因为农产物的市场很大,若只有一地实行改良,这一地因改良而收得比以前较多的农产物,当不至影响于市场的需给关系,不至使农产物的价格减低。又如这种改良普及于全国,而该国若为小国的时候,那因改良而增加的农产物,也不至影响于世界市场。所以农产物若因土地改良的结果而增加,那农产物的价格决不因此而减低,这时候的佃租,就不能不增加,因为佃租是由农产物的收获量和那所得的价格决定的。其二,改良若普及于各种土地的时候,对于佃租便有两种影响。一则因为土地改良,农产物的分量可以增加,佃租当然也跟着增加;一则因为农产物的分量增加,又可以引起价格的低落,佃租或不免因此而减少。但是农产物的价格如果低落到最劣土地的生产价格以下,这最劣土地势必废止耕种。最劣土地废止耕种以后,农产物的供给减少,价格又必逐渐恢复,佃租当不至减少。实际上农产物之因改良而增多,是为了供给社会的需要,所以农产物的价格不会低落,佃租只是有增而无减的。

　　土地和耕种技术的改良,一面可以增加农产物,一面又可以节省生产费。若只就生产量增加一事说,佃租固然应当减少,但在生产量增加而需要也同时增加的时候,农产物当无腾贵或减低之事,佃租也当然没有增减。又若只就生产费减少一事说,就有两种不同的情形。其一,生产费减少的比例,若不分优劣,在一切土地上面都是一律的时候,各地生产费和生产价格的差额,当没有增减,佃租也就没有增减。因为界限耕地生产费的减少,固然可以使农产物的价格减低,但在优良土地,却因为生产费减少的原故,生产费和生产价格的差额,依然如旧,不生变化,所以佃租也不生变化。其次,生产费减少的比例,如优良土地大于劣等土地,那么,在耕种技术和土地改良的时候,生产量必然要增加起来。但这生产量的增加,优良土地也一定多过劣等土地优良土地上每石谷物的生产费,就一定较少于劣等土地上每石谷物的生产费,这样,佃租在优良土地方面,就显然增加了。因为优良土地的生产费减少的比例大,所以生产费和生产价格的差额不得不增大,因而佃租也增大了。在这样情形之下,界限耕地的生产费若是减少,农产的价格,在原则上应当低落,因而佃租当呈减少的倾向。但生产费减少的比例,若果优良地大于界限地,农产物价格虽然低落,那和界限地接近的土地的佃租虽然减少,而最优良土地以及和最优良土地接近的土地佃租,却仍旧可以增加的。

　　又生产费减少的比例,若果劣等土地大于优良土地,那么,从前优劣两种土地之间生产费差额减缩的结果,佃租就不得不减少,而且减少的程度,以优良土地为大。

　　(二)交通机关发达——交通机关发达,农产物运到市场的运费就可以减少。运费减少了,对于佃租也有影响。土地对于市场的位置如果不便,无论地质怎样优良,生产量怎样丰富,但因运费要吸收价格的大部分,就是耕种这样的土地,也不能得到利益的。但是交通发达,或者运输事宜改良了,那么,耕种的面积就可以扩张,农产物运到市场的分量就可以加多,农产物的价格也就会低落下来。农产物价格低落了,佃租照理应当减少的,但运费虽见减少,而人口若是增加,需要若是加大,则农产物价格当然不至低落,佃租当然不至减少。而且运费减少之时,从前位置不便的土地可以增加佃租,即以前并不生佃租的土地,也了以发生佃租了。

由以上所述,可知土地上的农产物因地质上和位置上的差异发生出来的差额,是随着土地的改良和耕种技术的改良,随着交通机关的发展,而继续增加的。因而地主们利用土地所有权利剥削得来的佃租,也随着继续增加了。从事于农业劳动的劳动生产物的部分越是加大,越是有大部分为地主们所占有。这种寄生阶级的继续增大,即是表示全体农业劳动人口的共同利益的损失。

第四,差额佃租的货币形式。

货物的经济价值,由生产所需的社会的劳动时间决定的。所以商品的价格,由下列三项构成:第一是生产单位中所包含的原料机械等生产手段的价值部分;第二是工银;第三是赢余价值。赢余价值,是从工银产生出来的,是企业利润的根本。但商品在实际上用价值卖出的时候,企业者所占利润对于所投资本的利润率,当因生产部门而不同,比如冶金工业,所用的原料机械用具是很多的,所用劳动者人数是很少的,所以能够产出的赢余价值也是很少的。又如建筑工业,所用的原料机械是很少的,所用的工银却是很多的,所以产出赢余价值也是很多的。所以利润率若是在商品以价值卖出时,是因为各种企业所用的资本而不同的。只是生产界之中,因有竞争的原故,这不同的利润率,也必至互相平均,产出了平均利润。所以竞争的结果,商品多不以价值卖出,而以生产价格卖出。货物的生产价格,是由费用价格和平均利润之和而定。所谓费用价格,即是所投的资本与劳动之和。但是这个生产价格,还不是货物在实际上买卖时的价格。在生产价格的要素中,平均利润率,虽然是同一不变,但费用价格,却是变动不居,就是在同一生产范围的企业者之间,也决不相同。因为这费用价格不同,所以生产价格,也必因企业而不同,但是在实际上的买卖市场中,因为需要和供给的关系变换无定,在那一致的地方,实际上的交易价格,必是平均一定,于是产出了市场价格。

由需给关系决定的市场价格,和各企业者所有的生产价格两者之关系,常因种种的情势,发生变化,有时市场价格高过生产价格,有时生产价格高过市场价格。因为需要多量生产价格的企业者,常有在生产价格以下售出货物的事实,又需要少量生产价格的企业者,常有在生产价格以上卖出货物的事实,反可以获得多大的赢余利润。总之,货物的市场价格,以生产价格做标准,多少总有上下的。市场价格在生产价格以上,所得的利润便多,在生产价格以下,所得的利润便少。

价格构成的原理,在一切生产部门本是通用的,但是就生产的扩大和生产费的减少一层说起来,农业就有些和工业等生产部门不同。在工业一方面说,生产的扩大,便有该项产业的生产费的减少的意思。例如工业因为生产技术的改良,生产便可以大大扩张起来。生产大见扩张,生产费当然随着减少。这生产费的减少,实是工业界互相竞争的可能性的基础。企业者就可以在市场价格以下,卖出他的生产物。为什么呢?因为他的总利润,可以由货物的贩卖数量来增加,和那各种生产物的单位利润的下降,没有多大的关系。

至于农业方面却是完全不同。在农业生产方面,由一切技术产出的结果,和土地的自然地质,没有关系。因为投下同一的资本,当产出不同的收获。换句话说,农产物的费用价格(生产费)是因土地的性质而异的。

在商品的买卖上,每个生产物的费用价格是没有作用的。购买农产物的人,不论那农产物是在不好的土地上用多量费用生产出来的,也没有肯出高价的道理。这一点,是农业和工业不同的地方。在互相竞争的制造业者之间,若有一个人能用较少的生产费造出他的商品来,他就可以把他的商品价格减低出售,希望造出大量的廉价货物,扩张很广的销路,他的商品的价格虽廉,可是所得的总利润却很大。所以在工业方面,商品的价格可以随着生产费的减少而减少的。至于农业方面则不然。农业者在优良土地上用较低价格生产出来的农产物,却决没有在市场价格以下出售的理由。因为土地是受收获递减法则所支配的,假使技术没有变动,他每年不能用同样的较少的生产费去获得多量的收获,今年的收获或许比去年要少些。他若要收得和去年同量的收获,只有增加生产费才能办到。所以这种优良土地上的农业者,不能像工业者那样因为生产费少就把农产物在市价以下出售。农民每年只能有一回收获,他的农产物卖完了,必须要等待来年才有新的出现。所以农业方面,是没有像工业方面那样的竞争的。

但是在这种情形之下,究竟是什么来决定农业生产物的价格呢? 土地有肥硗,农产物的生产费也有种种不同。但是农产物的贩卖价格是以最劣土地上的农产物的价格决定的,而在最劣土地上从事生产的资本主义的农民(劳动的农民与此不同),对于他的农产物,除了收回他的资本的利息以外,必还要实现平均利润率。所以他的农产物的价格,就等于资本、工银、平均利润率三者之和。就最劣土地上农业者说,虽然只能获得平均利润,但就优良土地上的农业者说,却可以获得超过平均利润以上的多余利润。所以在农业生产方面,利润总是不向着平均利润的方向去平均化的。但是这种事实,是和资本主义的一般法则冲突的,地主总是要向租地的农业者要求这项多余利润作为佃租,这就是差额佃租。

三、绝对佃租

差额佃租,是土地上的农产物或农业物价格,因为地质和位置的差异发生出来的差额,上面已经说过了。但是在欧美日本的农业资本主义的经济上,即使把地质和位置的关系抛开,而一切耕地,也可以发生佃租的。这种佃租,叫作绝对佃租。比方在一定的时期,若是农产物的生产不能充分满足当时的需要,这种事实,就可以促使农产物价格的腾贵。于是农产物的生产便可以增加起来。这样农产物增加的方法,只有两个:一是在已经耕种的土地上从新投下劳力和资本,一是从新开垦那没有开垦的土地。但前一种方法,因为土地上收获递减的事实,对于新的投资是有限制的,所以只有后一种方法有效,即是垦种未垦的土地。

但是未垦的土地,只有在私有土地中才能发现。资本家的租地农业者,只有缴纳佃租给地主,才能投出资本,从事农产物的生产。所以新土地的开垦,必须农产物的价格在世界市场中超过了新开垦土地的生产费以上,而土地农业者除掉对于所投资本的平均利润以外,还可以获得多余利润的时候,才能实现。这多余的利润,是作为佃租缴纳于地主的。就差额佃租方面说,新开垦的土地不能发生佃租,但在农业由资本主义佃租农业者经营的时候,农业劳动者的劳动价值,是以工钱的形式领受的,资本家的租地农业者,对于他所投的资本要获得平均利润,而且除了平均利润以外,还要取得多余的利润去缴纳佃租,否则必不会投出资本来开垦新土地。如此发生的佃租,即是绝对佃租。绝对佃租,完全由土地的私有权而发生的,因为租地农业者如不缴纳佃租给地主可以经营农业,那土地的私有权就等于无用了。所以绝对佃租,是因为土地有私有权能够限制他人自由利用的原故才发生的。法律上的所有权,对于地主虽不能产生佃租,却给与地主以禁止他人利用他的土地的权力。地主有了这个权力,别人要利用他的土地,就必得缴纳佃租给他,所以土地的私有权,是佃租发生的基础。在差额佃租方面,除私有权之外,还要顾及收获递减的法则,但在绝对佃租方面,却只有私有权一事,才是它的基础。

若地主自己做资本家从事耕种,所有权对于他当然没有限制。只要重新投下的资本至少可以发生平均利润,他就可以即时开始耕种。即是为了增加收获,就可以开始提出新资本来使用土地的。所以地主自己决没有支出绝对佃租的必要。

在世界经济上面,运到消费国的运输费,若是增高到不能缴纳佃租的程度时,绝对佃租是有限度的。比方现在西加拿大、南亚美利加内地以及阿非利加内地等等地方,就是这样状态。这些地方,私有权的拘束很少,移民也很少,土地是很广阔的。所以这些地方,没有绝对佃租发生,因为一切都是自由耕种的土地。

但是历史的发展,会使这种不生绝对佃租的地方归于消灭。人口一天一天的稠密起来,交通的扩张,运费的减少,即是穷远的地方,也可以把农产物运到世界市场里面去。比如阿根庭的广大的未垦地,都变成投资的目的,成为私有地,即是实例。全地球的上面,自由的垦地已不存在。没有土地的人,若不支出佃租,决不能得到好土地耕种。在从前没有开垦的土地,随着资本主义的侵入,土地都化为私有,要耕种土地,就非支出佃租不可。土地的资本化,便变成剥削的工具,资本主义国家中的劳动预备军,就是这样形成的。

四、独占佃租

独占佃租,是因为优良土地的独占而发生的,和差额佃租不同。差额佃租,是土地上的农产物因为地质和位置的优劣而发生的差额,独占佃租,却没有这种差额的性质。土地的存在量有限,土地可以利用的更有限,而且其中因为地质和位置的关系,又有优劣的区别。因为有优劣的区别,所以各地所产的农产物总有差额。佃租之所以发生,就是因为人口增加,食物需要加大,已耕的土地不能供给这个需要,必须扩张耕种范围,于是土地所有者乃得收取这土地上农产物的差额作为佃租。但优良土地的存在量很有限制,因此占有优良土地的人,就取得独占的地位。虽然优良土地之中,也自有各种等级,而各种等级的土地的存在量却自有限制。所以优良土地上的佃租,虽然是对于较劣的土地而形成的差额,却是具有一种独占性质的,这种佃租,即是独占佃租。不过要注意的地方,这独占的意思和货物独占的独占不同。货物的独占,可以由供给者的意思自由操纵,而佃租的独占,则因优良土地的存在量受自然所限制之故,不能由独占者自由操纵而已。

此外还有一种纯粹的独占佃租,其供给量可以由独占者自由操纵的实例。譬如有一孤立状态的都市,都市市民所必需的清水,由那处于都市中央的天然泉水所供给。假如这个泉水因为别的事由,归于某私的所独占,垄断了这泉水的使用权,普通别的事由,归于某私人所独占,垄断了这泉水的使用权,普通的人若要取得清水,就必须缴纳每担若干的代价于这独占人,这时候独占者所得的代价,便成为名称其实的独占佃租。

五、都市宅地佃租

现代物质文明日形发达,都市日趋膨胀,农村人口多流入于都市,引起了都市的住宅问题,因而都市宅地的佃租,也成为经济学上所研究的问题了。实际上从社会问题的见地说,都市宅地佃租的意义和农业佃租的意义,有同等的重要,而其根本理论,两者也是相同。

都市宅地佃租的发生,是由于各处宅地的位置差异关系,但只是限于位置的关系,和肥瘠的关系不相干涉。所谓宅地,有种种的区别,如工场用地、工作场用地、商店用地、住宅用地等,都可以包括在宅地的名称中。就各种宅地说起来,其性质固然有些不同,有些宅地有生产的性质,有些宅地只有消费的性质,但各种宅地的佃租,却不是由这些性质而发生,乃是由位置的关系发生的。比如都市中众人所属目的处所,宅地的佃租一定很贵,其原因实由于这种处所为众人所属目,所以在这种处所建筑商店,营业很能发达,收益很能增加。这种处所建筑商店所以很能兴旺的道理,明明是由于这个处所的土地的位置便利的原故了。所以都市宅地佃租的发生,可说是由于宅地所在的处所有良否不同,位置有优劣之差,除此之外,没有别的原因。

宅地地租和农业方面的差额不同的地方是,差额佃租由于地力的肥瘠和位置的优劣而生,宅地佃租则由于位置关系而生,于地力的肥瘠无涉,因为农业耕地和土地的生产力有关系,都市宅地和土地的生产力没有关系。就街市中的土地而言,位于中心而在一切生活方面多有便利的土地,实是上等的宅地,距离这中心较远的土地,就渐次成为劣等的宅地,于是宅地的位置,便有了优劣之差,而宅地的佃租就随着发生了。

凡是要建筑住宅的人,当着拿出资本来建筑的时候,总是要选择在生活上最占便利的位置来建筑的。这种处所的住宅,在生活上既然很便利,想取得这种住宅的人一定很多,而且甘愿多出房租,所以建筑这种住宅的人,对于他所投的资本,也可以多得利益。但这种便利的处所若还有余地可以建筑住宅,别的资本就会到来竞争,竞争的结果,租金一定减低,末了投到这种处所的资本,就只能收到普通的利息了。假使这种便利的处所的地面若是有限,可以建筑住宅的余地也是狭小,这种优良土地不久就会完全用尽,于是还想要建筑住宅的人,就只能选用次一等的土地来建筑了。依此类推,那不便利的土地也要当作宅地使用了。

再就需给的关系说,假使对于住宅的需给关系一致,那位置最不便利的地方的住宅,所得的房租,必定只能收回其所投资本的利息而止;同时位置较好的住宅,在租房子的人计较起来,必愿意按照这位置优良的程度,而多出较高的租金。照这样,位置最优良的住宅,房租最贵,以次递减,最后直到所谓界限住宅为止,这界限住宅所能收得的房租,有如上述,只能收回其所投建筑资本的利息。假定这些等次不同的住宅,若都是用同样的生产费造成功的,那么,位置最优良的住宅,依照其优良的程度,可以填补生产费,可以收得超出利息以上的房租,位置最不良的住宅,只能收得恰足抵偿所投生产费的利息的房租,这中间的差额,即是都市宅地佃租,完全是由于位置优劣的关系而发生的。

这里有一点要注意的,普通所称的房租,原包含两种东西;一是地基的佃租,是由各种住宅的地基的位置优劣的关系发生的差额;一是真的房租,即是对于上层建筑的建筑费的利息。这两种东西,通常都是用普通房租的名称来包括的。至于单由真的房租而成立的房租,只是界限家屋(即是位置最不便的家屋)的房租,这种房租,恰觳填偿上层建筑费的利息,其地基是不能发生佃租的,由此而上,位置较优的家屋的房租,多少要包含地基的佃租在内,其比例要由位置的优劣程度而定。

末了再就宅地佃租和房租的关系,说明宅地佃租的性质。

在实际生活上,房租多是包括真的房租和宅地佃租两项在内的,上面已经说过,但在理论上,真的房租和宅地佃租应当分别而论,才能了解宅地佃租的性质。兹就房租和佃租的关系,分为下列两项说明。

第一,房租之中并不包括佃租者。如住宅用地在任何处所皆能充分供给的地方,宅地佃租不能发生,房租中不含有佃租在内。又如从前繁盛的地方渐趋衰微,房租是很低廉的,后来即使恢复旧状而新造的家屋的房租,亦不能收支符合,像这种处所,家屋的供给有余,其房租还不觳填偿建筑费和利息,当然没有佃租可以发生。

第二,房租之中含有佃租在内者。如接近于市心的场所以及作为住宅用地或营业用地都很便利的场所,其需要常超过供给数倍或数十百倍,随位置的便利程度而渐减,因而供给不足的程度也渐减,最后到市梢的地点为止,需给的关系才能适合。在这类街市地建筑家屋,其所要的建筑费和维持费即使相同,而房租则因位置的便否而有高低之不同。这类房租高低不同的差额,即是佃租,佃租之有高低,是由位置便否的关系发生的。至于真的房租一部分,在各处的住宅应当相同。这是房租和佃租的关系,而宅地佃租的性质也可以了然了。

六、佃租之理论与实际

佃租是地主放弃了土地使用权而作为代价收回的所得。地主若果自己耕种自己的土地时，那可以造成纯粹收益的各种要素，如理论上的佃租，农耕经营上所用资本的利息以及躬自经营所应得的企业利润和参加劳动所应得的工银，都混合在一起，就不容易一一区别。但地主如将土地租与他人耕种时，这些要素便分离起来，地主只要求佃租，其余则归租地人。假令租地者为农业资本家，则农业经营的结果，应当划为四部分，地主取其一部分为佃租，资本取其一部分为利息，企业者取其一部分为利润，劳动者取其一部分为工银。假令租地者而为自耕的佃农，资本取其一部分为利息，企业者取其一部分为利润，劳动者取其一部分为工银，假令租地者而为自耕的佃农，则农业经营的结果，除地主取其一部分为佃租外，其余概归佃农所有。

然而在现实生活上，在土地贷借关系上，由租地人交给地主的实际佃租，和前面所述的理论上的佃租并不一致，而且实际佃租要超出理论佃租以上。理论佃租，照上面所述，有的是由于位置的优劣而定的，有的是由于地力的肥瘠而定的，有的是由于土地的独占而定的，所以佃租的多寡，在比较关系上，总有一定的标准。比方有位置或地力不同的甲乙两块耕地，其面积各为一亩，耕种这两块土地所用的劳力和资本都相同，但因位置和地力不同的关系，两地所收得的谷物，甲地较乙地要多收五斗。在这种情形，照理论上说，假使乙地是最劣的耕地，乙地当不发生佃租，甲地的佃租也应为五斗；假使乙地之外还有更劣的耕地，甲地的佃租应当比乙地多收五斗。但在实际的土地贷借关系上，地主并不顾到这种道理，对于甲乙两地，都要一律收取所谓"田主六成，佃户四成"，不问乙地是否为最劣耕地或应否收租，也不问甲地是否比乙地多收五斗的佃租。总之，像这种实际佃租，超过理论上的佃租是很远的。

土地贷借关系上的实际佃租，从原则上说，应当以理论上的佃租为标准，但就现实生活上说，却总要超出这个标准以上，其原因大概可以分为四项：（一）田地贷借契约的缔结，不依据商品交易的原则而定，因为地主的田地，多是承继祖父的遗产，不是自己由买卖得来的，所以对于佃租的规定，并不按照田地的买价原本的利息而定,大都由习惯上风俗上和别的经济事情而定的。(二)田地贷借契约的期限颇长,在这期限内,理论上的佃租虽经劳动而至于减少,而契约上的佃租,在这长久的契约期限内,反随而增加起来。(三)当缔结贷借契约时,地主总是处在优势的地位,佃户总是处在卑劣的地位,佃户唯地主之命是听,因而佃租的决定,必须依据地主的意思,佃户不能减少,所以佃租常随地主的要求而增高。(四)田地的面积有限,人口之增加无穷。需要佃借土地耕种的人也随着增加起来,佃户的需要总是超过地主的供给,因此地主就提高佃租的定额,而佃户在此种竞争情势之下,不得不屈服于地主的要求。这些都是实际佃租所由决定的几个原则,和理论佃租所由决定的原则,差不多可以说是没有关系的。

实际佃租,常常随着社会的演进和人口的繁殖而昂贵,近代有许多国家,尤其是中国,佃户破产者日多,已成为很普遍的现象,其主要原因,是由于社会的经济状态很容易促起实际佃租的昂贵。至佃租昂贵的原因,则由于土地的存在量有限,土地可以利用作为耕地的更有限,绝非人工所能创造,亦非人力所能转移,对于土地的所有者,不啻给以一种独占的地位,又因人口逐渐增加的结果,更给与土地所有者以经济上的权力地位,所以在土地买卖时能够提高卖价,在土地贷借时能够提高佃租。没有土地的人对于有土地的人已经构成了隶属的关系,在缔结土地契约时,佃户对地主是没有什么平等可言的,所以佃租的规定,完全是一种强制状态的结果。佃租之所以日趋昂价,实自有其社会的原因。

实际佃租的决定,固已超出理论佃租的标准以上,而近代各国佃租的日趋昂贵,较之理论佃租,相差更远。地主所收的佃租,除了收回理论佃租以外还要侵夺农业资本家的企业利润,侵夺农业劳动者的剩余劳动,侵夺自耕的佃户劳苦终年所应得的报酬。这是近代农民问题所由发生的根源。

实际佃租日趋昂贵的结果,在工商业很发达的国家,必至引起农业的荒废,在工商业不发达的国家,必至引起失业农民的增加,而衍出重大的社会问题。在工商业很发达的国家,农村人口因为佃租过于腾贵,终年劳动,不能养家活口,势不得不群趋都市,以谋取得工钱劳动的机会,以至引起农村的凋落。在工商业不发达的国家,若果农业人口过多,对于佃耕地之需要甚大,无论实际佃租如何昂贵,而佃户亦必愿意接受。这时候佃户每年的所得,除缴纳奇贵之佃租外,恐还不能偿还其自身之劳动价值。所以佃户破产的日见其多,以至惹起重大的农民问题。

中国是个农业国家,农业人口本来是很多的,实际佃租的昂贵,恐怕为世界各国所未有。近数十年来,自经帝国主义侵入以后,农村经济大受影响,农村生活日见增高,而一般地主所征收的实际佃租依然是有加无减,做佃户的人大都不能自活,因而破产,由佃农变而为雇农,由雇农变而为失业者,而各处都市工商业未能发展,也无法安插失业的农民,所以匪盗充斥,形成很重大的民生问题。这是佃租论上所见的民生问题的一面。

七、佃租与社会

个人主义经济学者李加多(Ricardo)氏也曾说过:地主因佃租的增加所收得的利益,是常和社会一般的利益相背驰的。原来佃租的发生,是因为社会的演进,人口的繁殖,食物需要的增加,以致土地的耕种范围逐渐推广,而各地所生的农产物遂因地质和位置的优劣,而发生差额,这种差额之经土地占有者所夺取,叫作佃租。所以佃租是地主放弃了土地的使用权而作为代价收回的所得。这种所得,在地主即为不劳所得,明明侵犯了社会的利益的,无容多说。至于佃租之随人口繁殖及食物需要的增加而增高,就更加侵犯了社会的利益。因为土地的生产力有自然的限制,非由人工加以改良,是不能继续生产的,譬如任何地质肥沃的耕地,耕种者如不按期增加肥料以补充土地中的养分,到若干年之后,那块耕地必逐渐减少其农产物的分量。关于这一层,德人莱比歇(Liebig)氏说得很透澈。据他所说:土地的生产物,每经一次收获,那块土地之中就要减去和那种物所吸收的相等的成分。到了一定年数之后,经过了几次的收获,那块土地的肥沃程度就要减少,就要渐渐的硗薄起来。这块土地,若不继续添加肥料,那土地中所含的成分就不能补充,其生产力必逐渐减少。所以要使耕地继续同样的生产力,就必得由耕种者继续施以肥料或其他改良的工作。所以佃租能够继续发生,而且能够增加,一面是由于耕种者耕种技术进步和土地改良的结果,一面是由于社会演进人口繁殖和食物需要增加的结果,那不稼不穑的地主们是没有一点功劳而过着寄生生活的。

在土地上的收获递减法则没有显出作用以前,换言之,在土地的生产力对于生产很有余裕,若加以改良即可收回所投劳动和资本的费用以上的利益时,地主要凭着土地所有权向借地人收取佃租,其影响于社会尚不甚厉害。但到收获递减法则发出作用,对于土地即令增加劳动和资本,而所得的利益反相对的减少时,在食物需要增加的情形之下,谷价一定腾贵,佃租势必跟着增高,这时候便要牺牲消费者的利益,增加社会一般的负担。照这样,那不劳所得的佃租,其影响于社会生活甚大。

佃租之最初的发生,本是自然的原因,但到人口次第繁殖,食物需要随而次第增加以后,佃租的发生和增高,完全由于社会的原因。就现在说,无论什么地方,无论什么国度,农地都达到了耕种的限度,都实行着收获递减的法则,佃租增加的原因,都是社会的原因,地主不劳而获,已成铁案。不劳而获者即是社会的寄生虫,即是为害于社会的。

再就都市宅地的价租说,也是一样。都市宅地佃租的发生,也是因为都市的繁荣,以至宅地的位置生出优劣的差别,而位置优良的宅地对于位置低劣的宅地,于是发生了宅地佃租。又因都市日增繁荣,人口日益膨胀,以至都市的宅地由位置优良的地方填充到最劣恶的地方,于是从位置最优良的宅地以下的宅地佃租,继长增高,像这样的佃租,在地主明明是不劳而获了。都市的繁荣,乃是社会全体共同努力的结果,都市的地主又岂能把全社会文明的福祉攘为己有。

佃租的存在,实是目前土地问题的根本原因,假使取消了佃租,土地便不能成为人剥削人的手段,土地问题也不会发生了。佃租在地主既是不劳所得,其由佃租表现而出的经济价值,应当归诸社会而不应当归诸私人,实是很显明的事情。近代土地公有论的主张以及孙中山先生平均地权使耕者有其田的主张,其理论的根据,就是在此。

(原载 1928 年《现代中国》第 2 卷第 1、3 号,署名李平凡)

土地问题研究

（1928.8）

一、土地问题之由来

中国的土地问题,自从周朝末年土地归于个人私有,形成了"富者田连阡陌,贫者土无立锥"的现象以后,就已经发生了。历史上如汉代王莽之实行王田制度,如北魏北齐唐初之实行授田制度,如南宋之实行官田制度,如历代学者之倡导限田制度,都是为了解决土地问题而发的。时至今日,土地问题愈形严重,其急待解决,已有岌岌不可终日之势了。至于解决土地问题的方法,却是要依据时代性和社会性而定的。现在的土地问题和历史上的土地问题不同,历史上的土地问题的原因,是由于封建政治和土豪地主对于农民的剥削,现在的土地问题,除了那两类剥削之外,还有帝国主义的侵略,而且封建政治和土豪地主的剥削之中,也含有帝国主义侵略的成分。所以现在的土地问题的解决方法,和历史上的土地问题的解决方法是不同的。又如中国的土地问题,和资本主义国家的土地问题也有些不同,资本主义国家土地问题的原因,是由于大地主和农业资本家对于中小农和农业劳动者的剥削,中国土地问题的原因,是由于土豪地主、封建政治、帝国主义对于一般农民的压迫和剥削,所以中国土地问题解决的步骤和资本主义国家土地问题解决的步骤,必然也不相同。因此,我们要研究土地问题及其解决方法,必先分析土地问题之原因,其次说明土地问题的现状,然后假定土地问题解决的原则。

土地问题之所以日形严重的原因很多,归结起来,可以分为下列三项说明。

第一，帝国主义的侵略。

中国本是一个农业国，在海禁未开以前，人民的生活资料，大都取之于土地以自给，但自帝国主义侵入以后，这自给的农业经济就渐被破坏，农民的苦痛也日见增加，兹就其显然的事实，逐条列举如下。

一是赔款及外债之负担　从清朝末年到现在，中国对帝国主义国家所认的赔款和向帝国主义国家所借的外债，合计已达22亿以上，这项赔款和借款，直接或间接都是由农民负担的。

二是经济的掠夺之负担　海通以后，中国对外贸总是入超，最近四五十年以来，每年进贡于帝国主义者的金钱，由1亿增至数亿。再加上别的方面，如孙中山先生所估算，总计每年进贡于帝国主义者的金钱，要达12亿元。这大宗的进贡钱，也都是直接或间接由农民来负担的。

三是帝国主义商品的掠夺　帝国主义商品，由都市侵入农村，现在已是普遍的侵入于穷乡僻壤了，农民所消费的东西，除了农产物和一部分的家具之外，其他服物用品大都是由帝国主义者供给的。我是一个偏僻地方的农家子，记得二十年前在乡下的时候，穿洋布、点洋灯、用洋瓷面盆和毛手巾的，只有上等的人家、中等的人家多不用洋货，只是穿土布、点油盏、用木面盆和粗布面巾，顶多不过用点洋火柴。但到近年已是大不相同，中等的人家用这类洋货的只是很平常的事，就是佃农和雇农，也要穿洋布衣裳，甚至乞丐身上也带有帝国主义商品的成分。旧式手工业破产的结果，农民只能拿农产物去换用帝国主义的商品。这类商品，又是由洋商买办经手贩卖的，经过无数曲折，运到穷乡僻壤的附近市场时，价目已经高到极度。农民拿农产物到市场出售，只得到市价以下的价格，再拿出这样得来的金钱，去购用帝国主义商品，一出一进，要受居间人的两重剥削。简单地说，农民每年劳苦的所得，除了吃一点粗茶淡饭以外，其余都换成金钱，直接或间接的送到帝国主义者的钱袋里。这种情事，是任何人都知道的，不必多说。

四是农民事业的衰退　养蚕、采茶、纺纱、织布等项，都是农民的副业，这些很可以贴补农家的家用的，但自帝国主义侵入以后，农村妇女纺纱的工作完全废止，织布的也改用洋纱，但终日劳苦的所得很少，大都也停止不做了。只有丝茶两项，始然还可维持，但现在也大不如前。丝茶本为中国出口货的大宗,如茶一项,在光绪十二年(1886年)以前,出口额达3亿磅之多,差不多供给全世界的消费之用,后来印度茶锡兰茶日本茶起而竞争,出口额逐渐减少,民国四年以后每年平均不过1.9亿磅,而且有印度茶和锡兰茶进口,其额且达3000万磅之多。其次如丝一项,在五六十年以前,殆占全世界丝茶之半额,但到后来,东则见夺于日本,西则见夺于意大利,至1916年,生丝额已减至世界总额27%。至于丝之出口额,亦逐渐衰退,合各种丝类计算,在民国元年为320796担,至民国十年减为275789担,即此可以想见。农民副业的衰退,也是农村经济破产的原因。

五是农村生活的提高 农村生活提高的主要原因,也是帝国主义的侵略。最近数十年来,农产物的价格虽比较增加,而帝国主义商品价格的增高率则超乎其上。这两者的距离,在交通比较便利的大都市附近农村还少,在穷乡僻壤的农村则更大。农民用低价的农产物,换用高价的商品,其结果遂使自耕农、半自耕农、佃农、雇农的生活,愈觉苦痛,而尤以雇农为最甚。就雇农说,据我所知道的,二十年以前,我乡雇农每月的工资,虽不过民钱1200文,却可以买米6斗(斗米200文),能养活3人,现在每月工资铜元钱6000文,只能买米1.5斗(斗米4000文),要养活1个人还不够。即此可见一斑。

六是农村金融的困难 农民每年要进贡大宗金钱给帝国主义者,农村金融的困难,乃是必然的结果,加以封建政治的剥削,更替土豪地主造出剥削的机会,农民哪能不入于枯鱼之肆呢?

第二,封建政治的剥削。

封建政治的剥削,古来也是有的,但决没有像最近几十年来这样厉害,这是因为这种剥削中含有帝国主义侵略的成分。封建阶级因为要维持自身的地位和利益,不得不承认帝国主义者所要求的赔款,不得不向帝国主义者借款,这赔款和借款,是封建阶级开销的,却要农民来偿还。而且承受帝国主义者的命令称兵倡乱的时候,更不得不向农民加紧搜括以自肥。所以农民所受封建政治的剥削之赐,也可以分为下列五条。

一是苛捐杂税 关于农业方面的,有附加税、警捐、学捐、水利捐、牛捐、户籍捐、屋梁捐、沙田捐、谷米捐、亩捐、自治捐、屠宰捐等等,名目繁多,不胜条举,这些都是直接取之于农民的。关于商业方面的,有种种厘金关卡,多至无穷,几于十里一关,五里一卡,这些虽是直接取之于商民的,而间接却是取之于农民。

二是预征钱粮　军阀救济财政的困难方法,莫如预征钱粮,有些省份,现已预征至民国三十多年(如四川),也有些省份是预征一两年的。最奇怪的,甲军阀预征钱粮之后,乙军阀如起而代之,他并不承认前届军阀预征的有效,必得重新征收起来,农民除了在以前缴纳的预征钱粮之外,还要重新缴纳一次,所以农民往往有一年缴纳钱粮两次或三次的事情。

三是勒种鸦片及鸦片税　贩卖鸦片和抽收鸦片税,是军阀搜括的最好方法,军阀的势力,有好些是靠鸦片维持的,所以有些省份的军阀勒逼农民栽种鸦片,农民也因为有利可图,乐于栽种,且可免罪。于是所谓烟苗捐、烟灯捐、吸户捐种种奇重的捐税,无不应有尽有。好好的农田,不种五谷种鸦片,以致食粮腾贵,农民饱于鸦片而饿死于食粮的,处处皆是(如湖南之西部)。同时军阀间因互争鸦片而起战争的也很多,常常发生内国的鸦片战争。

四是银行票币倒账　发行军用票及省库券或银行券,乃军阀筹款之妙法。这类票币之发行,绝无基金可言,只是强迫人民使用,否则军法从事,军阀以之散布于市面,商民以之流通于农村。到了倒账的时候,商民中之狡点者尚可利用特殊势力,用以完纳别种厘金税项,而农民则叫苦连天,无可如何。

五是战时的牺牲　每一次的军阀战争,受痛苦最重的莫如农民,尤其是战争区域以内的农民,田园被践踏,屋子被烧毁,食物牲畜被抢掠,父母不相见,兄弟妻子离散。每一次战争中的损失,无虑数亿元,其大部分都是由农民担负的。

第三,土豪地主的剥削。

上述帝国主义的侵略和封建政治的剥削,在土豪和地主,当然也是不能幸免的,不过他们的资财比较雄厚,还不至影响于他们的生存,而且他们更可以利用这些原因,来加紧对于农民的剥削,把那些负担转嫁到农民身上去。他们是农村中间的大户,是绅士阶级的分子,是官吏和农民的中间人,他们或者自己充当团绅,或者和团绅相勾结,军阀政府有什么捐项要农民担负的时候,县官总是要他们去派捐。他们当派捐的时候,总故意把捐户的资格降低,把捐项的实额扩大,尽先向一般农民勒派,结果捐款已经超过预定的实额,他们便在这中间上下其手,或者故意将自身所认捐项多开一点,而实际上自己不但不拿出钱来(即使拿出来,实数也是很少的,农民也不能指摘他们),反可以借此发一点小财。实言之,军阀逼迫农民的苛捐,土豪地主总要把自己的负担转嫁到农民身上的。转嫁的方法,还有加重佃租和重利盘剥。兹分别略述于下。

一是加重佃租 农村经济败坏的结果,农民生活困难,失掉土地的人也就多起来,失掉土地的农民,大多数都不能另觅生活(在目前都市的工厂很少,要做工人也不容易),只有仍旧向土豪地主佃种土地。但佃种土地的人是很多的,因为需给的关系,土豪地主便可以乘机增加佃租,那失掉土地的人,为了要过动物生活起见,只有承认他们的要求,母牛总要被榨取乳汁的,但有乳汁可榨的时候,这母牛总还有维持生命的饲料可以摄取,这是佃农肯出高价佃租的原因。我在乡下常常听见地主对着佃户说:"租谷是不能减少的,你要知道,我现在每年要完纳两年粮饷,还要认米捐和富户捐,若再减租谷,就连完纳国课和认捐的钱都不够了。你如果真要短少租谷,我只有拨佃的一法,东村的张老二,西村的陈老九,他们情愿先付一年的押金来佃种我的田呢。"这可以说是一般土豪地主对会佃农的普遍方法。所谓"倒三七"、"倒二八"、"倒四六"的租额,就是这样弄成功的。此外什么例外的常规敬礼,竟多至不可胜数,总之,佃农该死。

二是重利盘剥 农民在好几重的剥削之下,每年的亏欠和赔累,乃是必然的结果,而尤以佃农为最苦。我们在乡下常常看见种过二三十亩田的人家,一到秋获完了的时候,谷仓中就不能存放一粒谷子,竟应了"放下镰刀无饭吃"的一句俗话。他们大约从夏历九月或十月的时候起,就要向富户借钱用,借米吃,借钱的月息照例是30%—40%,借米的月息,照例50%,有田的多半拿田契作抵押。到了春三月,又要向富户借米吃,办谷种,办器具,俗名"下脚粮",这种"下脚粮"的利息更重。到了五六月青黄不接的时候,又要向富户借米吃,这时候的利息,往往是对本对利,借一月要还一年的利息,俗名"纳新谷"。这样一来,等到秋获的时候,除了偿清积欠,自然没有饭吃了。所以自己有田的自耕农或半自耕农,便这样把田算给土豪地主,自己没有田的佃户,要想继续做佃户,只有卖儿女来还账,否则溜之大吉,或做游民乞丐。

以上三大项,是目前中国农民问题发生的原因,也就是土地问题所以日形严重的原因。

二、土地问题之现状

基于上述的原因,说明土地问题的现状。

一是耕地面积　中国的耕地面积,据前清户部的推算,共有 20 亿亩,但据从前北京农商部的统计,只有 15.4573 亿亩。

二是耕地面积的分配　据前述农商部民国七年的统计,耕地面积的分配,约如下表。

所有面积	总面积	百分率%
10 亩以下	17914231	42.3
10 亩以上	11303570	26.6
30 亩以上	6712366	15.8
50 亩以上	4137136	9.7
100 亩以上	2273355	6.6
合计	42345658	10.0

照前表看来,10 亩以下的小农经营,约占 42% 强,其次是 10—30 亩的小农经营,约占 26% 强,这两项合计起来,约有 70% 是归于中小农经营的。

兹更进而考察耕地所有的倾向,采用民国六年以后至民国九年的四年间的京兆以下 10 省区的统计,表示如下。

省区	年次	10 亩以下	10 亩以上	30 亩以上	50 亩以上	100 亩以上 (单位千户)
河北	民国六年	1364	1087	797	502	216
	民国七年	1373	1081	797	509	224
	民国八年	1355	1094	802	509	223
	民国九年	1365	1101	817	522	231
吉林	民国六年	52	97	110	122	158
	民国七年	44	98	161	132	153
	民国八年	138	122	194	171	175
	民国九年	45	107	177	131	116

省区	年次	10 亩以下	10 亩以上	30 亩以上	50 亩以上	100 亩以上（单位千户）
山东	民国六年	2107	1552	958	497	341
	民国七年	2185	1538	933	488	208
	民国八年	2390	1503	884	439	151
	民国九年	2260	1686	896	447	199
河南	民国六年	1597	1569	1525	877	563
	民国七年	1830	1119	799	490	329
	民国八年	2560	1652	1086	654	359
	民国九年	2532	1630	1088	686	358
山西	民国六年	283	360	398	338	152
	民国七年	384	394	362	337	152
	民国八年	283	360	398	338	152
	民国九年	283	360	397	338	152
陕西	民国六年	618	369	189	89	64
	民国七年	496	444	214	99	56
	民国八年	398	452	253	147	58
	民国九年	380	452	363	190	55
江苏	民国六年	2726	1312	487	260	87
	民国七年	2315	1294	567	271	95
	民国八年	2288	1332	500	253	87
	民国九年	2224	1357	534	282	105
安徽	民国六年	1131	987	344	209	176
	民国七年	1038	932	405	300	199
	民国八年	1125	942	387	222	66
	民国九年	1135	894	403	220	97
察哈尔	民国六年	13	14	24	29	36
	民国七年	13	14	24	29	36
	民国八年	124	13	12	18	36
	民国九年	12	13	12	19	69

据上表,10—30 亩以下的小农户数增加,30—50 亩的中农户数也略见增

加。至于 50 亩及 100 亩以上的户数,除河北、河南、察哈尔以外,则呈减少之倾向。这些都是表示农民方面因前节所述的原因而由大农降为中农,中农降为小农的径路。

又据去年武汉中央委员会的调查,土地分配的状态,有如下表。

有地农民总数	10 亩以下	10 亩以上	30 亩以上	50 亩以上	100 亩以上
人数	44%	24%	16%	9%	5%
亩数	6%	13%	17%	19%	43%

三是佃农的增加　据日本东西同文会支那年鉴的统计,全国佃农的户数,在民国七年为 26%,到民国八年增至 32%,一年之间,佃农竟增加到这个比例,也可以推想其一斑了,佃农数目的增加,在大都市附近的交通便利的区域,尤为显著。据严仲达君所著《耕者要有田》书中所引的南通和昆山两处佃农增加的情形,有如下表。

南通	1905 年	1914 年	1924 年	昆山	1905 年	1914 年	1924 年
佃农的比例	56.9%	61.5%	64.4%	佃农的比例	57.4%	71.7%	77.6%

这两处地方佃农增加的速度,是很可惊异的。又如广东的佃户数目也不少,广东农家户数共计 3925207 户之中,有佃户 1463751 户,佃户兼自耕农 1144842 户。佃户约占 40%。这是工商业比较发达的地方,土地易为地主兼并的例子。

佃农的数目在交通便利的地方,总要占居多数,如前引"支那年鉴"所转载华洋义赈会的参考资料,在浙江之鄞县,佃户占 67% 以上,江苏之仪征,佃户占 48% 以上,江阴佃户占 69% 以上,吴江佃户占 67% 以上。这些都是很零碎的统计,固然不能适用于其他的省份,但也可以作为推测的标准。

四是荒地之增加　中国荒地面积之增加,也是土地问题所发生出来的。据日本人伊藤武雄所著《现代支那社会研究》。书中所载,民国三年至民国七年间的荒地增加的情形,有如下表。

年次	荒地面积（亩）
民国三年	358235867
民国四年	404369948
民国五年	390363021
民国六年	924583899
民国七年	848935748

据上表，四年之间，荒地的面积，竟增加4亿多亩以上，这固然是多由于天灾兵祸而起，而农村经济破产，佃农苦于种种剥削以至不能不放弃其佃耕之土地而不耕，也是一个大原因。

五是食粮的不足　由于土地问题而发生出来的现象，也可以由食粮不足一事证明出来。比方中国对外贸易中的食粮进口额，到最近竟增至1亿海关两以上，即如去年，也达1.3亿海关两以上，农业国的中国，食粮竟要仰给于外国，这固然是农村经济破产的现象，同时也是土地问题所生的现象。

以上是土地问题的现状。

三、土地问题之解决

农民问题是一般民生问题中的主要问题，土地问题又是农民问题中的中心问题。中国的农民数目，占全国人口80%以上，中国的革命也可以说是农民的革命。中山先生说："农民是我们中国人民之中的最大多数，如果农民不参加来革命，就是我们革命没有基础。国民党这次改组，要加入农民运动，就是要用农民来做基础，要农民来做本党革命的基础。"又第一次代表大会宣言说："国民党现正从事于反抗帝国主义及军阀，反抗不利于农夫工人之特殊阶级，以谋农夫工人之解放，质言之，即为农夫工人而奋斗，亦即农夫工人为自身而奋斗也。"中国革命为什么要用农民做基础？就是因为占全人口大多数的农民所受的痛苦最大，因为农民受了帝国主义、军阀以及土豪地主等特殊阶级所侵略所剥削，以至于失掉土地沦为佃户，以至于失掉谋生的机会变为衣食无靠的人。革命党所以要为农民而奋斗，就是要把他们从帝国主义、军阀和特殊阶级的侵略当中解放出来,使他们有土地的人不至于失掉土地,使他们没有土地的人取得土地,质言之就是要使耕者有其田,就是要农民得到自己劳苦的结果,要这种劳苦的结果不令别人夺去。农民为什么最需要革命,就是因为不堪帝国主义、军阀、土豪地主等特殊阶级的侵略和剥削,以至有土地的失掉土地成为佃户,没有土地的不能生存。他们之所以要为自身而奋斗,就是要打破那些侵略和剥削,使他们中有土地的不至失掉土地,没有土地的能够得到土地,详细点说,大部分没有土地的佃户和失业的农民要能够得到土地,次多数的纯自耕农要不至再失掉土地,就是种田地的人要自己有田地,不使自己劳苦的结果让别人夺去。所以革命党的目的和农民的目的是一致的,革命的利益和农民的利益是一致的。

中国革命要为农民解决土地问题,已是既定的根本方针,无须再加研究,这里所要研究的,还是解决土地问题的方法。

关于解决土地问题的办法,依据中山先生的主张和国民党的政纲,是"平均地权"和"耕者有其田"即是由国家设法将土地收归公有,由国家授与农民耕种,向农民征收地税。若单就"土地收归公有,由国家授与农民耕种,向农民征收地税"一点说起来,可以说这是各国农工政党共同的主张,所不同的地方,只在于由国家收回土地的方法。关于收回土地的方法,依据平均地权的要旨,是"由国家规定土地法、土地使用法、土地征收法及地价税法,私人所有土地,由地主估价呈报政府,国家就价征税,并于必要时依报价收买之"。由此可知中山先生解决土地问题的方法,是在于必要时由国家收买土地授与农民耕种而向农民征收地税的了。

这里有一个客观的事实问题应当要考虑的,当农民组织起来参加革命,他们为了自己切身的利害,以至对于土地发生很迫切的需要时,国家能否拿出大宗的金钱收买许多土地授与农民呢? 关于这一点,中山先生未曾明言,实际上中国农运的发展以至于急要解决土地问题,还是中山先生去世以后的事情。"当前年国民革命的势力发展到长江以后,两湖的农民运动如春潮怒涌一般的发展起来,做农民运动工作的人,也都用'耕者有其田'的口号去指导,一般农民听到了这个口号,马上如实的行动起来,如湖南省长沙附近的几个县份,在去年二三月的时候,早就自动的把地主的土地没收起来,并且均分好了。那时的共产党也不能指导他们,共产党之决定土地政策,这是去年五六月间的事情,好像是跟着农民向前跑的。这种情形,虽然可以说是由于共产党的办法不对才酿成的,虽然可以说当时国民党也负担一部分责任,但农民一到起来参加革命,必然是要求土地的,这也是一个大原因。"本来农民之中最能跑到革命的前线的,自然是一部分的雇农和失业农民,其次是佃农,再其次才是纯自耕农。纯自耕农在革命中的希望,在于不失掉已有的土地,在于免除种种特殊势力所加的侵略和剥削;而佃农、雇农和失业农民的希望,则在于获得土地。所以到了他们组织起来的时候,必然是要求土地,何况革命党用"耕者有其田"的口号来启发他们呢。"两湖农民在去年那时候所作的超时代的要求虽然归于失败,而他们的这种要求,仍然存留在他们的脑海中,所以那时以后仍跟着共产党去暴动。这类农民的暴动,固然是受了共产党的利用和煽动,但假如他们完全不作取得土地的梦,共产党要利用要煽动也是不能够的。"所以农民到了组织起来参加革命的时候,必然要求解决土地问题,必然要求代表他们利益而且预约了"耕者有其田"的革命党给他们的土地。农民本来也和他们所栽种的植物一样,是好静而不好动的,但他们若是动起来,不能满足他们的要求,也不会静下来。"农民的要求是现在不是将来,他们来参加革命是为了自身的利益,决不是为了别人的利益,这是农民的性格,也许是农民没有受过教育的结果,凡是实际与农民接近过的人,一定能够了解。"若是只给农民预约券而不兑现,不如简洁的不用"耕者有其田"的口号去号召他们,免得他们起来要求兑现的时候,反要加以红帽子的头衔而烦劳用革命军队去剿灭他们。或者不如更简洁的停止民众运动,可以免去农民与革命党的纠纷。但这些办法,又岂是革命党的初衷吗?

中山先生说:"我们现在革命,要仿效俄国这种公平办法,也要耕者有其田,才算是彻底的革命。如果耕者没有田地,每年还是要纳田租,那还是不彻底的革命。"耕者有其田的意义如此,至于如何使耕者有其田的办法,中山先生以为俄国那种急进办法,在目前不能实行,因为还没有预备。他说:"中国的人民本来分作士农工商四种,这四种人民,除农民以外都是小地主,如果我们没有预备,就效仿俄国的急进办法,把所有的田地,马上拿来充公,分给农民,那些小地主一定是起来反抗的,就是我们的革命,一时成功,将来那些小地主,还免不了再来革命。"由此可知中山先生对于土地问题的解决,最注重的是预备,而这种预备即是农民的团结。所以他又说:"农民是多数,地主是少数,实在的权力,还是在农民的手内,如果由一省的农民推到全国的农民,都能够联络起来,有很好的团体,农民要解除痛苦,便有好办法,政府便可以靠农民做基础,对于地主要解决农民问题,便可以照地价去抽重税。如果地主不纳税,便可以把他的田地拿来充公,令耕者有其田,不至纳租到私人,要纳税到公家。"可知中山先生对于土地问题的解决,最注重农民自身的力量,他这里所说"充公"的意思,就是无条件没收的意思,不说"收买"而说"充公",乃是农民自身力量强了以后的例外的办法。实际说起来,农民自身若果没有力量,政府就是要照价抽重税也难办到,因为农民不团结,政府便不能靠农民做基础。

综合以上的研究,土地问题的解决方法,可以假定为下列七项。

一是土地以收归公有为原则,由国家授与农民以永久之使用权,向农民征收地税。

二是没收大小军阀及土豪之土地,但为资其家属生存起见,得保留相当之额。

三是纯自耕农之土地不没收,由国家征收同一比率之地税。

四是地主的土地之收买或没收,依据农民之需要决定之。在未决定以前,由国家征收累进税。

五是依据工业发展之程序,励行农业之社会化。

六是由国家保留若干大土地或新垦之公地,办理新式大规模模范农场,以为促进农业社会化之准备。

七是在土地未经分授于农民之前,由政府办理土地之整理及调查等事项。

(原载 1928 年《双十月刊》第 3 期,署名李平凡)

完成民主革命！

（1928.9）

一

中国革命是以殖民地民族为出发点的，同时又是以半封建社会为出发点的。支配这殖民地民族的势力是帝国主义，支配这半封建社会的势力是封建势力，所以中国革命一是反帝国主义的民族革命，一是反封建势力的民主革命，而其必然的归趋必到达于社会革命。

中国革命的过程，是由民主革命到社会革命，而现在的阶段，是在完成民主革命。这无论从中国社会客观的状况考察，或从三民主义革命的程序考察，都可以证明其非常正确。

打倒帝国主义和打倒封建势力，本是中国革命的两个口号，而这两个口号之中，却包括中国革命的性质。打倒帝国主义的归趋必然是社会革命，打倒封建势力的归趋必然是民主革命。但要打倒帝国主义，非先打倒封建势力无从实现，换言之，要实现社会革命，非先完成民主革命决无可能。所以中国革命必须经由民主革命的途径，完成民主革命，实是中国革命现在的阶段。

过去四十年来国民党这个系统所领导的革命，原是民主革命，即如民国十三年国民党改组以后所进行的革命，也是继续民主革命，虽然在最短时期中干过许多反帝国主义的工作，也只是具有特殊性质的民主革命过程中必然的现象，并不能说是逸出了民主革命的范围。简单点说，当时一切革命分子确是共同认定了完成民主革命的阶段，才成功了共同的团结的。可惜在这个革命的进展中，偏有许多革命者为局部的不确实的现象所蒙蔽，竟把这个革命当作投机的事业，做超越现实的投机的尝试，以至演成最近的革命势力的大顿挫，这原是超民主革命行动必然的结果。

进化原是曲线的,伟大的中国革命,当然不能一气呵成,只有在迂回曲折的过程中,才能够找出发展的机会。革命者必须体认过去失败的经验,认识现实的客观环境,测定未来的归着点,从远处着眼,从近处着手,然后革命才有出路,民众才有出路。当此革命势力涣散革命心理破碎的时候,一切革命者,务要一致认清革命过程中现在这个阶段——完成民主革命,集中革命的力量,重整革命的阵容,否则空空洞洞的去做民族革命固然不合实际,即离开现实的去做社会革命,亦是有害无益。

二

过去四十年来民主革命未能成功的原因,就反面说,是由于封建势力的雄厚,就正面说,是由于民主势力的薄弱和涣散。兹分别略加说明如下。

自从七八十年前帝国主义势力侵入中国以后,中国的封建经济虽日在破坏的过程中,而数千年来封建势力的残滓却沉淀于封建经济的废墟之上而大逞其威势。平民阶级受惯了封建的压迫和剥削,对于实际政治向不过问,历史上所谓"转朝换代"的政治波澜,在平民阶级看起来,都当作是封建的压迫者和剥削者的交替竞争,只有在乱极思治的时候,希望"真命天子"出现而已。所以国家的权力,一向握在封建阶级之手,予取予求,肆无忌惮。但自经帝国主义的侵略,引起了封建经济的破产,平民阶级便觉得所受的压迫和剥削似乎较前加重,于是感到利权外溢的可怕,感到碧眼赤须的可恨,自然而然的便做出了排外的暴动;更因排外的暴动引起了封建阶级过分的压迫和剥削,于是便感到清朝的专制,感到政府的无能,也就自然而然的发生了要求政治改革的倾向。这是最近数十年平民阶级开始和实际政治相接触的表现。国民党在同盟会时代所发动的民主革命,即是代表平民阶级这种要求政治改革的倾向的。

但这代表平民阶级的民主革命,在当时因为平民阶级的政治的觉悟还不深刻,新式的工商业还很幼稚,平民阶级中之参加革命者,除少数侨商资本家和秘密会党外,则有一部分封建的士大夫和受过欧化教育的志士,至于土著的资产阶级,还是停顿在基尔特式的行东状态,他们在商言商,畏革命如蛇蝎;其次乡村的农民和城市的无产者,在当时也没有被革命党唤起参加,所以当时的民主革命势力是很薄弱的,即是当时的民主革命还没有民众的基础。辛亥革命的失败,乃是必然的结果。

辛亥革命失败以后,现出了封建军阀虚名共和的政治局面,封建军阀假共和政治之名,行封建政治之实,不断地向民主势力压迫,同时国民党中大部分的封建士大夫和受过欧化教育的志士,都投降于封建军阀,加入官僚之列,封建势力从此大逞淫威,民主势力从此大受摧残。同时新的革命,也从这时候起酝酿了。

封建势力所以能大逞淫威的原因,也自由其社会的背景。第一,民生日益穷促,失业的人数太多,又没有工厂可以收容他们工作,他们不为匪盗,则为兵士,所以军阀能利用他们造成庞杂的军队。本来土匪和军阀原是名称上的区别,土匪可以变为军阀,军阀又可以变为土匪,失业人数不断地增加,土匪也不断地增加,军阀的军队也不断的增加,所以封建势力得以蔓延滋长。第二,帝国主义者为便于宰制中国起见,固希望中国能够统一,但又怕中国统一以后,国势必能增加,会要向他们独立,会有中国的资产阶级夺取他们在中国的市场,所以又勾结中国某派军阀去和他派军阀对敌,并且某帝国主义援助某军阀,他帝国主义即援助他军阀,务延长军阀混战的局面,以便于自由宰割中国,较之利用统一的局面以宰割中国,尤为利便。直到现在日英帝国主义者,还是继续着这种政策,所以中国的封建势力,仍能回光返照,这是封建势力仍能够大逞淫威的原因。

辛亥革命失败以后,革命领袖孙中山先生鉴于封建势力之雄厚,民主势力之削弱,乃决然组织中华革命党,重整革命阵容,继续民主革命,向封建势力奋斗。后来欧战发生,帝国主义者忙于战争,无暇经营中国,于是中国新式产业得有发展的机会,一时几有突飞猛进的气象,而所谓民族资产阶级和都市无产阶级也在这时候形成了,这是经济方面的变化。至于政治方面,日本帝国主义继续勾结军阀,助成军阀互哄的局面,一面夺取山东,提出《二十一条款》,及缔结所谓《中日共同防敌协定》,攫取种种森林路矿的权利,民众之憔悴于帝国主义者和封建势力的压迫和剥削之下,已是水深火热,不能忍受。一到欧战终熄,世界形势的变化,苏俄革命的成功,影响所及,如应斯响,故自五四运动以后,一般民众,皆了然于帝国主义和封建势力的酷虐,涌起了革命的热血,罢市罢工罢学的风潮,前后相继,这完全是民众要求革命的表现。孙中山先生有见于此,遂于民国十三年将中华革命党改组为中国国民党,集合一切革命势力,并发表宣言政纲,积极唤起民众起来革命,这时候的国民党真能代表民众,真的变成了广大民众的革命党,一时革命势力,表现了空前的发展。但是这个革命,还是继续着民主革命,还是准备着完成民主革命的工作。这时候革命民众的指导者,若果积极干民主革命,积极在革命的这行中做铲除封建势力的准备,中国的民主革命一定可以早日完成无疑了。就这一点说起来,最近革命的大挫折,主要的原因,实由于革命者离开了完成民主革命的目标。

三

什么人能够完成民主革命?这是决定中国革命性质的大关键。

有人说:中国目前的革命是资产阶级的民主革命。这话也不正确。照世界革命历史的公例说,一国封建制度经济基础的崩坏,是由于那一国资产阶级经济势力的兴起,所以打倒封建政治的民主革命,必是资产阶级做主角,其性质当然是资产阶级的。但中国封建制度经济基础的崩坏,其动因并不是本国资产阶级的经济势力,而是国际资本主义国家的经济势力的侵入,这个动因是舶来品,所以中国的民主革命的开始,不是由本国资产阶级做主体,其性质原不是资产阶级的。我们即就同盟会时代的革命分子说,除了少数侨商资本家以外,国内的资产阶级还在同业公会的行东状态,并没有像现在这样的发展;又就同盟会四大政纲中的平均地权一项说,也已经表明了中国民主革命并不是资产阶级的,更进一步就孙中山先生后来所提倡的民生主义中节制资本的一个原则说,也明白表示了中国的民主革命不是资产阶级的。这还是就革命理论一方面说明的,为证明这个说明是否正确起见,我们还得要就现在资产阶级的本体分析一番。

中国资产阶级的发展,是最近一二十年来的事情,而且是帝国主义封建势力相引诱相结托才能蜕化而成的。他们的经济势力,比较帝国主义相差太远,只要看看中国各种重要产业中所有外国资本的优势,便可知道。例如煤矿方面所投的资本,有70%属于日本英国和德国的资本;铁矿和制铁事业方面所投的资本,差不多都是日本的;纺织资本有60%以上属于日本和英国。至于铁路的总里数约7500英里之中,有4300英里是政府借外债经营的,其余都是直接由外国资本经营的。所以中国的资产阶级势力,非常脆弱,他们只能在外国资本的隶属关系之下,才能获得一点利益,其不能打破帝国主义势力以造成独立自主的民主国家,在客观上已是非常明显。

中国的资产阶级是由一些洋买办、商业资本家、金融资本家、工业资本家构成的。洋买办是帝国主义的代理人,是民众的剥削者,商业资本家专靠贩卖洋货增殖资本,洋大人是他们的衣食父母,他们始终是不要革命或反革命的,如洋买办陈廉伯在广州勾结商团叛变,即是明证。其次是金融资本家,如银行主、公债所有者之类,有些是由洋买办和商业资本家变成的,有些是军阀官僚变成的,他们一面要受外国金融资本的卵翼和操纵,绝对不敢得罪洋大人,一面又要和军阀官僚打成一片,才能遂其剥削民众耗消国帑的计划,他们不会感到封建势力于他们有什么害处,也不会感着民主革命于他们有什么利益。至于工业资本家,有一部分是和外国资本结托的,有一部分是比较能够自立的,但是要受国际金融资本的支配。就客观上说,他们应该是需要民主革命的,但就他们自身的力量说,他们却没有革命的能力。他们只是干脆的希望有民主政治出现,自己却没有勇气去促其实现。他们只是空想,却不行动,等到别人干起来,自己却又害怕。他们所以如此,也自有他们的苦衷。第一,中国无产阶级的势力超过本国的工业资本阶级,佣工于本国工厂的劳动者和佣工于外国工厂的劳动者,在改良劳动者地位和反帝国主义旗帜之下团结以后所表现的力量,在过去的确是凌驾于本国的工业资本家之上,本国工业资本家要想抵制无产阶级,除了联合外国资本家以外别无方法,因此他们不但不敢反抗封建势力,有时还要仰赖封建势力来保护。第二,资产阶级要实现资产阶级的民主革命,必须能够利用劳动群众和农民,才有革命的力量,但中国的资产阶级不但不能利用劳动民众,反要受劳动民众的压迫,至于农民,要求革命的客观条件已是成熟,他们要求解除一切封建的剥削,解除佃租的桎梏,并且还希望取得土地耕种,但多数兼为地主的资产阶级不能实行这种极大限的农民政策,所以农民也不会受他们所利用。像中国近年来的民众革命运动,在他们心目中,只认为是赤化的革命,他们不但不能和革命民众在一起,而且还要倒在封建势力的怀抱中,这是已往的事实。

因此希望民主政治出现的一部分资产阶级,绝对没有反抗封建势力的勇气和能力,当封建军阀混战的时候,他们只知道收买战争,每逢战争逼近城市,他们便甘愿出钱贿赂某军阀安全退出,或者联合帝国主义者将城市附近划为和平区域,或者哀求各派军阀缔结和平条约,绝对不能表示反抗态度。但是某派军阀若能扩充地盘,据守中央的时候,他们便认为和平统一可以实现,良好政府可以成立,不时想着军阀政府作关税自主裁厘加税及工业政策的运动,虽屡遭失败亦绝无反抗的行为。这是资产阶级惰力的成长的表现,简直可以断定他们绝不会积极参加于民主革命的。

四

中国能够完成民主革命的人,必是农民、城市小资产者和工人。这三大部类的民众,就社会的客观条件说,就他们的主观力量说,都是支持民主革命的大台柱,都有完成民主革命的要求,兹姑分别说明于下。

(一)农民 中国的农产额,要占全国产物总额的 90%,农民的人口数也占全国人口总数的 80% 以上,农民之成为社会生活的大骨干,实为世界各国所未有,而农民革命的客观条件之成熟,也是世界各国所没有的。其最主要的根源,则正因为中国是殖民地的民族,是半封建的社会,农民直接间接所受帝国主义和封建势力以及土豪的压迫和剥削特别厉害。中国农民所受的压迫和剥削,简单说来,可以分三项。其一为帝国主义的侵略:如赔款和外债的负担,如经济的掠夺之负担,如商品的掠夺之负担,如农家副业之衰退,如农村生活之提高等等,都是直接间接受了帝国主义的侵略的结果。其二为封建政治的剥削:如苛捐杂税之负担,如预征钱粮之负担,如被勒种鸦片及缴纳鸦片税之损失,如官办银行票币倒账之亏累,如军阀混战时所受之牺牲等等,都是直接受了封建势力剥削的结果。其三为土豪地主的剥削:如佃租之加重,重利之盘剥,豪绅地主之敲诈等等,都是直接间接受了帝国主义和封建势力剥削的结果。基于此种种原因,所以农村经济日益破产,农民生活日益艰难,有土地的不断地丧失土地,没有土地的不断的失掉耕种谋生的机会,农村失业者之日见增加,就是这个原因。所以农民在这种生活的环境之中,时时感受生活的压迫,以至于萌芽了革命的意识,发生了革命的行动。他们对于革命的要求,是希望解除帝国主义封建军阀和土豪劣绅压迫和剥削,有土地自耕的人希望不再至失掉土地,没有土地耕种的人希望能得到土地耕种。而农民这种要求,却只有完成民主革命才能得到,所以农民是需要民主革命的,他们在数量上,在质量上,都是民主革命的大台柱,中国的革命,离开了农民,就不是多数民众的革命,离开了农民,就永远没有成功的希望。

(二)城市小资产者　城市中的小资产者,是城市中的中间阶级,是由一些小工业家、小商家、手工业的店东等分子构成的。他们虽然有些小资本,却必须躬自劳动才能维持营业,不专靠剥削别人以生活。他们虽是过渡的阶级,而在客观条件上却需要革命。他们要受外国资本家和本国洋买办的剥削,要受金融贷借业者的榨取,要担负封建军阀的苛捐杂税并被勒派军饷(这些在大资产家虽也同样担负,但是金力比较雄厚,不至因此而影响其生存),每逢经济恐慌或军阀战争发生,往往要倒闭歇业,降入无产者的队伍。所以他们对于革命的希望,是要求和平,要求统一,要求解除封建势力和帝国主义这个系统的压迫和剥削,得以维持其存在。他们对于革命是能够参加的,如过去各处商民协会中这类中间阶级的活动,也曾表现过革命精神,只因当时他们属下的店员和工人的要求失于过高,不免使他们失望罢了。这类中间阶级的要求,也只有民主革命实现以后,才能得到,所以他们是能够参加民主革命的。他们本身的革命主观力量固然薄弱,而民主革命者必须引导他们参加,才能增加革命的力量。

(三)工人　所谓工人是包括新式产业劳动者、手工工人、店员、苦力、工役等一类人而说的,他们需要革命的迫切,在客观事实上,在革命工作上都表现得异常显著,无须多说。他们对于革命,是要求改善自己的生活境遇,解除一切政治上经济上的压迫和剥削。他们这类要求,也只有完成民主革命才能达到。他们若要在完成民主革命的现阶段中,做超过社会实际所能容许以外的要求,不特不能改善自身的生活,而且要拆散革命的阵线,反而为封建势力帮忙。所以中国的工人,在目前只能诚意的参加民主革命,才于自身有利益,才于革命有利益。

上述工人农民和城市小资产者，是广大的革命群众，中国的民主革命，惟有这三部分人结成巩固战线才得完成。就中国革命的特质说，占全人口80%以上的农民，实负有很重要的使命，中国革命没有农民参加，绝对不会成功。但农民革命没有工人打先锋，没有城市小资产者做后盾，也是不能实现。至于能团结这三部分构成巩固战线的唯一纽带，实是民主革命。

<h2 style="text-align:center">五</h2>

中国革命尚未成功，目前派别分歧的各种革命势力，正宜及早共同认清完成民主革命的原则，一致团结起来，重整革命的旗鼓，积极唤起广大的革命群众，大举向封建势力进攻。这种革命的结合，在原则上大家都要看作是革命的根基，不要当作是临时的策略，要利用封建势力去打倒封建势力，固然是幻想，就是要假借封建势力的庇荫以谋不彻底的改进，也是空谈，至于说某派要代表无产阶级革命，某派要代表农民革命，某派要代表资产阶级革命，而不顾社会的客观环境，那更是无益的努力。要晓得完成民主革命，是中国革命必经的途径，是革命过程中现在的阶段，必须树立民主的政治，然后才有力量打破帝国主义的侵略，然后民众才有力量运用政权开始民生的建设。最切要的，大家要认识清楚中国民主革命完成以后，决不是欧美式资产阶级的民主主义国家，那由资本主义发展过度而造出的激烈的阶级斗争，决不会重演，而且所说以后的社会革命，也必须在建立民众政权、发展国家资本、节制私人资本、使耕者有其田的几个原则之下实现出来的。所以这个民主革命是能够促进中国社会进化的唯一关键，现在除了继续民主革命以外，再没有别的革命事业可做，就是勉强要做，也只有增加革命的危机，延长革命的岁月。尤其是革命者不宜存着利用的成见，以为自己是干某种革命，现在来参加民主革命，只是援助的意思，而不认为是自己所需要的革命，若果用意如此，则民主革命变了投机的事业，决不能发生好的影响，已有事实可证。所以目前分歧的革命势力，应当认清这一点，结成一种化合的组织。

或许有人要问：工人农民和城市小资产者合在一起干民主革命，革命的策略上，他们相互间的利益不至发生冲突吗？这革命的策略，是应当根据社会的现状，依照民主革命的原则来决定的。本来工人农民和城市小资产者的相互之间，在革命的进行中，利益是不免有冲突的，如工人之对于有产者，农民中的雇农佃农和半佃农之对于纯自耕农，其生活境遇显然不同，但革命民众的指导者，如果完全了解社会经济的形况，在共同利益上着眼，即不至因一部分人的要求而影响于他一部分人，那相互间的利害冲突，才可避免，因为中国社会的客观条件上，目前既然只容许做民主革命，革命民众就务必要在民主革命的范围内，求得自己的利益，当然不能跳出这个范围提出那不能做到的要求来。所以过去无产者所提出"工厂归工人、商店归店员"的口号以及无土地的农民甚至要均分纯自耕农的土地，并绝对阻止谷米流通等举动，都是失于过高的要求，遂至引起了后来的失败，这是过去的教训，覆辙不宜再蹈。

在民主革命的阶段中，革命民众所能提出的最高限度的要求，如对外主张废除一切不平等条约，取消外人租借地、领事裁判权、协定关税权和侵害中国主权的一切政治经济特权，及收回外人在中国所办之工厂矿山铁路银行等；如确定人民有集会结社言论居住信仰等之完全自由权；如筹开真正国民会议，励行乡村自治；如废止苛捐杂税；如制定劳动法，改良劳动者生活状况，保障劳动团体并扶助其发展；如改良农村组织，增进农人生活；如没收军阀及叛徒之土地分授无地农民耕种；如对都市土地抽特别之重税；如励行教育普及；如确认男女平等；如建设国家资本，节制私人资本等等，都是很主要的要求，而且在民主革命成功时即可以期其实现的。若果有这样的民主国家出现，中国革命也就可以期其完成，所谓国际平等、政治平等、经济平等的远大目的，也可以逐渐到达了。

（原载 1928 年《现代中国》第 2 卷第 3 号，署名李平凡）

革命过程中的民主革命

（1928.9）

一

我们知道,中国革命的目的,在求得中国之国际平等,政治平等,经济平等,分开来说,要求得国际平等,必须实行民族革命;要求得政治平等,必须实行民主革命;要求得经济平等,必须实行社会革命。民族革命的对象是国际帝国主义,民主革命的对象是国内封建势力,社会革命的对象是中国境内的资本家和土豪。民族革命、民主革命、社会革命三者,是中国革命的全部过程,必须三种革命一一实现了,才算是中国革命的完成,这是毫无疑义的。

但是民族革命、民主革命、社会革命三者之中,究竟有无先后的次序呢? 若是有先后的次序,这三种革命之中究竟应当先完成哪一种革命呢? 再提纲挈领地说,这三种革命之中,究竟哪一种革命先完成了,然后其余两种革命才有实现的可能呢? 这是中国革命过程中最应注意研究的问题。

就中国革命发生的程序说,中国革命起源于帝国主义的侵略。帝国主义的侵略,破坏了中国数千年来的封建经济,以致酿成了重大的民生问题。中国民众因为忍受不住民生的苦痛,便不能不反抗这民生苦痛来源的帝国主义,所以一开始就做反帝国主义的运动,如清朝末年之排外运动乃至义和团的暴动,都是这种运动的表现,可以说中国革命的发端是对外的。但是对外又必然转到对内方面来,因为中国的封建政治沿袭了数千年之久,一般民众惯受着封建的压迫和剥削,习惯成自然,更不知与实际政治有若何关系,而实际的政权握在王公贵族军阀官僚的封建阶级手里,民众素来是不过问的。现在民众受不住帝国主义的压迫致有反抗的排外运动,其影响所及,民众是无所顾虑的,而有所顾虑的还是封建阶级,因为民众除了枷锁以外不会失掉什么,至于封建阶级则有丧失地位之虞。所以封建阶级不问民众的排外运动是否出于声援政府的善意,都是断然要加以压迫的,于是每一次排外运动的结局,民众所受帝国主义的压迫和剥削不但不能稍减,而且还要受封建阶级过度的压迫和剥削。这样一来,民众在历次对外运动的经验中,渐渐觉悟清朝封建政治的暴虐和无能,而希望有代表民众的政治出现,于是一班封建士大夫和受了欧化教育的智识分子就因应这种趋势做维新运动和立宪运动,反之,孙中山先生所领导的国民党这个系统,就开始做民主革命运动。民主革命运动是真能代表民众的,所以能获得民众的同情,而有后来的发展。但当民主革命运动刚开始的时候,世界帝国主义已经踏入崩溃的过程,欧美各国的社会革命已是日趋激烈,资产阶级的民主主义已是过去的形迹,所以孙中山先生又于同盟会政纲中列入平均地权一项,表示社会革命的倾向。

不幸辛亥革命流产,北洋封建军阀篡窃共和政治的头衔,行使其封建政治之实,更勾结帝国主义,狼狈为奸,以阻挠民主革命的势力,以加紧民众的剥削,形成割据的局面。但民主革命的潜势力,仍在酝酿发展,一到上次世界大战告终,苏俄十月革命实现以后,中国民众更感觉帝国主义和封建势力如不根本推翻,永远不能得到解放,而革命的热诚,正如春潮骤涨,孙中山先生鉴于民众革命的要求迫切,乃于民国十三年改组国民党,标举国际平等、政治平等、经济平等的三个目标,唤起民众参加革命,更期于最短期间扫除国内封建势力,完成民主革命(如国民党之再接再厉的举行北伐,即是实例),建立革命民众的政权,以便逐渐完成民族革命和社会革命。这是中国革命发生的程序。

总括上述,中国革命虽包含民族革命、民主革命、社会革命三者,而三者之中最重要的关键,是先在完成民主革命。民主革命之成为中国革命的先决条件,无论从中国社会进化的过程说,或从中国革命的过程说,都是很重要的事实,也是中国革命的特性。切实点说,国民党民国十三年的改组以及共产党之加入国民党,本来早已公认了中国革命过程中这个民主革命的阶段的,所以一切政纲和措施,也都是认定了这个阶段才确定的。但是不幸去年国共分离,革命情势大生变化,共产党固已专干超时代的苏俄式的社会革命的工作,而一部分国民党人又复专干不彻底的民族平等的运动,对于中国革命的现阶段中

"完成民主革命"的工作，已是无人过问了。

二

就目前革命的客观条件和主观力量说，像共产党现在那样农村暴动式的社会革命运动，不但于革命无益而有害，而且只有加增民众对于他们的痛恨，结果不免要自速其萎缩；又如国民党中投机分子所希冀的不彻底的民族平等运动，不但和民族主义所要求的一切民族的平等相去甚远，而且想要利用国际均势局面的巧妙的机会主义外交政策，以期帝国主义者另眼相看一事，也是不能做到，结果也只有投降于帝国主义罢了。

上述的错误的根源，是由于革命的党派（机会主义派姑不具论），把封建势力看得太轻，以为封建势力倚赖于帝国主义以生存，只要打倒了帝国主义，封建势力自然消灭。这种主张，在表面上似乎是正确的，但在实际上却是相反，封建势力不推翻，帝国主义便永远不能打倒。革命要广大的民众力量做基础，这广大的革命民众力量的发生和成长，必须在民主的政治之下才有可能，若在封建势力的局面之下，就绝少发生和成长的机会。大家都知道，民众组织起来便是力量，但过去广东和两湖方面的民众组织总算是很发展的了，现在呢，民众的组织在哪里？力量在哪里？这个原因，可以说过去的革命党，只知利用封建势力打倒封建势力，在封建势力要利用革命党利用民众取得权势的时候，他们是可以赞成民众组织起来的，并且也暂时把民众捧到很高的地位，一旦他们取得了权势以后，他们就马上现出狰狞面目去摧残民众压迫民众，所以在变相的封建势力之下，民众若仅是组织起来而不能取得武装，就没有力量可说。因此可以知道，民众要能组织起来发生革命的力量，只有民主革命能够完成，只有封建势力能够消灭，只有武力成为民众的武力，才有实现的可能性。

中国封建制度的经济基础虽然解体，而封建势力却是异常雄厚，在乡村，在都市，在军队，在政府，在党派，到处都充满了封建势力的魔手在那里支配着一切，这一大堆的封建势力若不首先铲除，革命没有出路，中国没有出路，民众没有出路。要铲除封建势力，就必先完成民主革命，目前的革命者，只有集中革命的力量向封建势力进攻，为民主革命奋斗，革命才有转机，中国才有转机，民众才有转机。民主革命果能实现，政权便归民众，民众才能运用政权，去对付帝国主义，以废除一切不平等条约，去建设国家资本，节制私人资本，并平均地权以解决民生问题。否则空口谈民族平等固就是滑稽，盲目干社会革命也是空洞。

三

民主革命的性质究竟怎样？是资产阶级的民主革命呢？是无产阶级的民主革命呢？或是别种性质的民主革命呢？这是应当讨论的问题。

依中国革命的性质说，民主革命是革命过程中的一个阶段，是中国革命的一方面的表现，其目的是在求政治的平等。要真的求得政治平等，当然不是资产阶级的民主革命所能做到的，现代欧美各民主国家，只是资产阶级的政治平等，无产阶级和小资产阶级是没有政治平等的，这已是彰明较著的事实，中国的民主革命，无论就三民主义中的民权主义说，或从中国社会的状况说，都不是资产阶级的民主革命，实是很显然的。然则中国的民主革命，果是无产阶级的民主革命吗？也不是的！无产阶级的民主革命，是无产阶级革命过程中的政治革命，由无产阶级掌握国家权力的，目前中国的产业劳动者人数过少，社会革命的时机未到，不能谈到无产阶级的民主革命，这是大家都知道的事实，所以中国的民主革命，也不是无产阶级的民主革命。这样说来，中国目前的民主革命究竟是一种什么性质的民主革命呢？这是要从中国社会的客观的条件来决定的。让我们来从社会的客观的条件加以分析罢。

根据社会进化的公例，代封建社会而起的是资本社会，代封建政治而起的是代议政治，在这转变的过程中，资产阶级负有推翻封建阶级掌握国家权力的使命。中国的封建制度的经济基础，自从过去七八十年以来即已逐渐瓦解，在社会进化的过程上，应当有资产阶级起来演出一番民主革命的功劳，如欧美各国资产阶级所演过的一样。但是在帝国主义宰制着的世界各后进国家，却发生了一种变例，这种变例，或许不仅是中国所特有的，也可说是中国革命的特性。

中国革命是以殖民地的民族为出发点，同时这殖民地的民族又是半封建的社会。宰制这殖民地民族的势力是帝国主义的势力,宰制这半封建社会的势力是封建势力,所以中国政治的经济的状况,和欧美各国封建制度将要解体时的政治经济状况,完全是另一个范畴。近数十年以来,中国农业手工业的封建经济虽被破坏,而纵横中国境内的经济势力,大部分还是国际帝国主义者的经济势力,中国土著资产阶级的经济势力却是渺乎其小。并且最近始能取得渺乎其小的经济势力的资产阶级,大部分又都倚赖于帝国主义的,所以中国土著资产阶级虽然期望民主政治的实现,却没有担当民主革命的主观力量,转把完成民主革命的使命推置在那经济上政治上被压迫的广大的农工小资产阶级的群众的肩上,如是便变更了中国民主革命的性质。

四十年来国民党这个系统所领导所实行的革命,实是一个民主革命,至其所以不能成功的主要原因,在辛亥以前是由于革命的主观力量薄弱,在最近是由于领导者未能认识客观条件。辛亥以前,中国的新式产业幼稚可怜,国民党这个系统代表平民阶级所实行的民主革命,除博得少数侨商资产家赞助以外,未能唤起农工和各都市基尔特式的工业者商业者直接参加,没有民众做基础,以至辛亥革命终于流产,酿出了封建集团假托共和政治的割据的局面,因而当时一部分投机于这个革命的封建士大夫和受过欧化教育的智识分子,也变节投降于封建势力,加入了官僚的队伍。这是民主革命失败于主观力量薄弱的先例。

上次世界大战发生以后,各帝国主义国家因忙于战斗,无暇经营中国,遂为中国造出了发展新式产业的机会,于是土著资产阶级的势力渐渐增加,虽然势力比不上国际资产阶级,却较之辛亥以前已是不可同日而语。同时一般工农和小资产阶级的民众,也因为受了帝国主义者(如日本)和封建军阀过度的压迫和剥削,渐渐发生了革命的自觉,更因为苏俄十月革命的影响和有觉悟的智识分子的宣传,越发加强了革命的意识,遂至有工人罢工商人罢市的革命行动的表现,可以说革命的需要,已是非常普遍。因此革命领袖孙中山先生认清了革命的客观条件,特于民国十三年改组国民党,积极唤起民众参加革命,革命势力日增雄厚,乃有后来的长足进步。我们可以说国民党这个系统所领导所实行的民主革命,直到民国十三年改组以后,才有广大的民众做基础,国民党才能真的成为广大的民众的革命党,这实是中国革命的新纪元。

历史原是矛盾律的发展,革命的过程,当然也要受这个定律所支配。民众既感到革命的需要而起来革命,阶级的利害冲突,必然是不能幸免的,所以最近有工人和资本家农民和土豪的激烈斗争出现。主持革命的人,或因不能认识客观环境,抑制农工过高的要求,或因昧于革命的意义,遂至出于极端的压迫举动,双方各走极端,抛开了目前完成民主革命的使命,坐令封建势力延长孳乳,形成了今日的局面。这是中国革命情势大生变化的原因,即是民主革命不能成功的原因。

四

就已往革命的经验说,革命力量表现得最强烈的,要算是工人和农民,其次是城市小资产者,至于资产阶级和土豪力量异常薄弱,他们不但不能参加革命,甚至还要反革命。资产阶级和土豪所以不能参加革命甚至要反革命的而原因,也有其经济的背景,就其一般的情形说,他们大都和帝国主义者军阀官僚互相结托的(如剥削民众的军阀官僚多摇身一变而为土豪与资本家,即是一例)。地主之不需要革命反而成为革命的对象,在东西各国革命史中已成通例,毋需赘说,即就资产阶级的成分加以分析,他们大都也是不要革命或反革命的。中国资产阶级的成分,大致可以分为洋买办、金融资本家(如银行主公债所有者)、商业资本家、产业资本家四大类。买办阶级是帝国主义的代理人,其成为革命的对象,已是既定的事实。其次金融资本家(如银行主公债所有者),都是和军阀官僚狼狈为奸以剥削平民的,他们滥发钞票承销公债为军阀官僚筹款,军阀官僚便给以种种包揽营私的特权,他们不但不需要革命,反而惟恐天下不乱,惟恐军阀官僚失势,不惜以财力援助军阀官僚去反革命。其次商业资本家的资本,是帝国主义商品的堆积,他们对于带有反帝国主义性质的民主革命,自必出死力来反对。至于产业资本家,其中有一部分是和帝国主义者合资在中国经营事业的,他们当然要反对革命;其余一部分能够独立经营的企业家,他们为抵抗外国资本的压迫,为谋自己商品市场的发展,固然希望抵制帝国主义,希望中国能够独立,统一能够实现,关税能够自主,苛捐杂税能够废除,希望有能够助长他们发展实业的政府出现,但是他们力量薄弱,也只是一个希望而止,质言之,即是希望他人去干,自己却不肯参加。这一部分能够独立经营的企业家所以只希望革命而不肯参加的原因是:(一)他们的制品的原料,有许多是仰给于帝国主义国家的,他们只能在提倡国货的范围之内去反对帝国主义,比方对于有国货可以代用的外国商品,他们是赞成抵制的,若连他们所用的外国原料品也列入抵制的范围,他们就感到要受制命伤而不能赞同了,但带有反帝国主义性质的民主革命,革命的民众的对外运动,又岂能尽如他们之意而不逾越这个范围呢?(二)中国民主革命含有社会主义的意味,劳动民众为谋改善自身生活来参加革命,自然要向他们资本家提出种种要求来,这又岂是他们所能忍受的,何况还有不谙客观形势的指导者更不时提出过高的要求呢?简括点说,他们不是希望民主革命实现,只因自身力量薄弱,不能像法国当时的资本家那样能够利用劳动民众以贯彻自身的目的,反而要受劳动民众所利用所压迫,所以他们一面想革命,一面又怕革命,到了受不住劳动民众的迫胁时,就自然而然地要假借封建势力为护符了。

依以上的分析,担负完成民主革命的使命的,必是工农和城市小资产阶级,资产阶级不能领导这个革命,已是很显然了。中国完成民主革命的主体,既是农工和城市小资产阶级,这民主革命的性质,就自然和资产阶级所领导的民主革命不同,和无产阶级所领导的民主革命(社会革命中之政治的方面)也不同,所以中国的民主革命,是超资本主义的,是悬着社会革命的远大目的的,这是中国民主革命的特性。中国的民主革命,既有这样的特殊性,那么,在革命的过程中,一切政策和措施,都要依据这个特殊性,对照社会的客观环境,无产工农在革命中的要求,决不要侵犯他们小资产者的利益,才能结成巩固革命战线。

要为中国革命求出路,要图革命势力的联合,只有共同认定这个"完成民主革命"的大原则,才有可能,才有生命。

(原载 1928 年《双十月刊》第 4 期,署名李达)

现代中国社会之解剖

（1928.10）

第一讲　社会的经济构造之解剖

一、原则的说明

（一）社会的技术之鉴别

社会是人类的系统,在这个系统中,人类间一切经常相互关系都以生产关系为依据。所以生产关系的全体,是社会之经济的构造,是社会的真实基础,法制的政治的上层建筑要在这基础上树立起来,社会的意识形态要和这个基础相适应。所以我们要解剖一个社会,首先要从经济构造的解剖入手。

社会的技术,是表示社会进化阶段的指针,是决定人类间生产关系的根本要素,所以我们当解剖社会的经济构造时,首先就要注意鉴别这社会的技术。

社会的技术,是劳动工具的系统,所谓劳动工具的系统,并不是劳动工具的堆积,乃是说散布在一个社会内部的一切大的小的单纯的复杂的做工器具,都依着一定的秩序排列着而互相影响互相结合的意思。本来一个社会内部的做工器具,有些是很紧密的排列着,有些是很松懈的散布着,但是在某一刹那间,当着人类间用劳动作媒介而互相结合时,这一切做工器具,无论小的、大的、单纯的、复杂的、用手操纵的、用机器转动的,也都循着一定比例一定关系互相结合起来而构成一个系统。所以一个社会的技术,实是该社会内部一切劳动工具的系统。

全社会的技术系统,其构成的各成分,又各自成为一个小系统。各小系统之间,固然要循着一定比例一定关系,互相结合,互相影响;即如各个小系统的各成分之间,也要循着一定比例一定关系,互相结合互相影响。譬如资本主义社会的技术系统,分成各种产业部门的技术小系统,各个产业部门的技术小系统,又分成更小的技术系统,小系统与小系统、小系统与大系统之间,都是循着一定比例一定关系互相结合互相影响的。

一个社会的经济构造中,往往又有两个或数个时代的技术系统。如同中国,有新式工业的技术系统,有旧式农业手工业的技术系统,前者是近代的,后者是封建的。这两个技术系统之间,在一定的刹那,当着人类间用劳动作媒介而互相结合时,均循着一定的比例一定的关系互相结合互相影响。这是现代中国社会的技术系统。

社会的技术系统,决定人类相互间生产关系的系统。某一时代的技术,决定某一时代的生产关系。技术和经济之间是有时代的技术,决定某一时代的生产关系。技术和经济之间是有一定的均势的,所以社会的做工器具的系统和社会的劳动组织之间,社会之物的生产机构和社会之人的生产机构之间,是有一定的均势的。

技术和分工很有关系,可以说分工是根据于技术。我们知道,封建时代的分工是社会的分工,近代的分工是劳动的分工,这两种分工的区别,完全基于封建的技术和近代的技术的区别。封建时代的技术是手工器具的系统,所以只能发生社会的分工,如铁匠、木匠、砌匠、石匠、织匠、染匠、篾匠、漆匠之类。近代的技术是机械的系统,所以能够产出劳动的分工,工人的种类多至不可胜数,而且和封建时代的工匠完全不同。这两类不同的工人,是表示两个不同的技术,这两个不同的技术,即是表示两类不同的生产关系的系统,即是表现两个时代不同的社会形式。

总括起来说,社会的技术,是决定人类间生产关系、决定社会的经济的根本要素,所以我们当着解剖一个社会的经济构造时,首先就要注意鉴别那社会的技术。

(二) 封建的生产关系的系统

我们剖开中国社会的经济构造时,就可以看出无数的做工器具。这无数的做工器具,有些是小的,有些是大的;有些是单纯的,有些是复杂的;有些是数千年来所固有的,有些是最近七八十年来才有的。若依据产业的性质分类起来,所以分为旧式农业方面的做工器具、手工业方面的做工器具、新式产业的做工器具三大类。若就时代的技术分类起来,可以分为封建的社会的技术和近代的社会的技术两大类。基于这两个时代的技术系统,便分成两个时代的生产关系的系统——封建的生产关系系统和近代的生产关系系统。这里先说前者。

封建社会的技术是农业和手工业的做工器具的系统,同时农业方面的做工器具和手工业方面的做工器具,又各自成为一个系统。我们姑且先说农业方面的。

中国农业方面的做工器具,就我们日常所看见的来说,种田的器具有耒耜、犁耙、锄头、鸦嘴、铁锹、钉爬、□锹、铁杖、板庇、滑镢、腰镰、水车、□床、稻床、扁担、担绳、稻扦、秧马、秧□、翱爬、畚箕、碌碡、飏篮、风车、铰刀、箩筐等一类东西。这些器具,是农家所必须使用的。农夫从事种田,必经过犁泥、锄土、蓄水、施肥、下种、栽秧、除草、灌溉、收种等等的过程,于是这些农业器具,便由农夫劳动的介□,循着一定比例一定关系,互相结合起来,成为一个系统。同时这些散布于各处农村的各项器具,在某一刹那间,当一切农夫用劳动作媒介而互相结合时,它们也都互相结合起来了。所以这些种田的器具,成为农业技术的一个系统,基于这个技术系统,一切农夫间便成立了一个农业的生产关系系统。农业方面不仅是种田一项,还有栽种蔬菜、栽培花果、培植林木和从事牧畜等类,这各种农业方面的做工器具;同样也各自成为一个技术系统,基于这许多的技术的系统,各种类的农夫间也各自成立一个农业生产关系的系统。综合起来,农业方面各部门的技术系统的相互之间,在某一刹那间,当着全体农夫用劳动作媒介而互相结合起来时,它们也互相结合起来,成为整个的农业技术的系统。基于这整个的农业技术的系统,全体农夫间便成立了整个的农业生产关系系统。

其次就手工业方面说。手工业方面有纺织手工业、木匠业、铁匠业、锡匠业、银匠业、冶铁匠业、泥水匠业等等,各项手工业有各项工作的手工器具。例如织匠业的做工器具是一些纺车、摇车、抒抽、梭篓、筒管、综线、筏子、锭、弹弓、浆扰、交竹、繰团、纬子、轧车、着白竹、糊拭刷等一类东西。这些做工器具,在织匠用棉纱织成布疋的过程中,它们经过织匠劳动的媒介,互相结合而成为一个技术的系统。同样,木匠的做工器具是一些锯子、斧头、鏊钻、推刨、圆鍪、锵刨、斜鍪、墨斗、曲尺、雕刀之类，这些器具，在木匠造成一件木器或一栋房子的过程中，经过木匠劳动的媒介，也自成为一个技术的系统。依此类推，各项手工器具，各各自成为一个技术系统。这种种的手工业的技术的系统，在种种的手工工人的生产过程中，都互相结合起来，构成整个的手工业的技术系统。基于这整个的手工业的技术系统，全体工业之间，便成了整个手工业的生产关系系统。

封建社会的技术系统，是农业的技术系统和手工业技术系统的总和；封建社会的生产关系系统，是农业的生产关系系统和手工业的生产关系系统的总和。而封建社会的技术系统，是决定封建社会的生产关系系统的要素。假使我们仅从封建的技术系统着眼，封建社会可以说是广大的工场。例如农夫种麦，船夫运麦，磨坊磨粉，面包匠造面包，这便是一个很大的面包工场；农夫种棉，纺纱女纺纱，织匠织布，染匠染色，裁缝成衣，造成衣服，这便是一个很大的服物工场；农夫种树，木匠造屋，砌匠筑墙，漆匠涂漆，造成房屋，这便是一个很大的造屋工场。一切农夫和工匠，在这些食衣住的工场中，他们凭着劳动的媒介互相结合起来，同时农业手工业的各项做工器具，也互相结合起来。一切做工器具，经过农夫工匠的劳动的媒介，成为封建社会的技术系统，一切社会人员，凭借这技术系统的媒介，成立封建社会的生产关系系统。

不过我们还有一点要注意观察的，在这封建的生产关系系统中，那农业方面的生产关系系统，比较手工业方面的生产关系系统，特别广大，这是土地所有的权力大于手工业方面生产手段私有的权力的原因，也就是中国社会自古称为农业社会的原因。

总括起来说，封建的生产关系系统和封建的技术系统两者的关系，有如下图（见下页）。

（三）近代的生产关系的系统

中国的近代工业，已有纤维工业、金属工业、化学工业、电器工业、食品工业等部门，这些新式工业部门的劳动要具，都是新式的机器，比较上面所说的那些手工业的做工器具，完全是新时代的产物。这些新式工业的劳动要具，构成近代的技术的系统。基于这近代的技术系统，社会中各个人间便成立了近代的生产关系的系统。

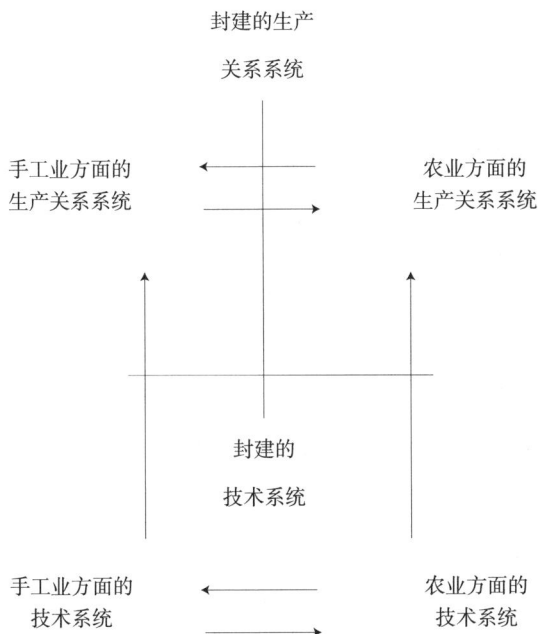

我们先就纤维工业中的纺纱工业一项说,纺纱工厂中装置着许多大的小的复杂的单纯的机器,在纺纱工人从运动机器装进棉花以至于纺成棉纱打成纱包的过程中,一切工人各以其劳动为媒介互相结合起来;同时那一切机器也凭着工人劳动的媒介互相结合起来。而且这一切纺纱机器,是循着一定比例一定关系而互相结合,构成了技术的系统,一切纺纱工人,基于这纺纱机器的系统,成立劳动关系(生产关系)的系统。其次如织布工厂的技术系统和织布工人的劳动关系系统,也是同样构成的。依此类推,如其他金属工业、化学工业、电工气业、食品工业等部门,各部门的劳动要具,也同样各自构成一个技术的系统,基于这各不同的技术系统,各部门的工人也各自成立不同的生产关系系统。

近代工业各部门的技术系统相互之间,也是循着一定比例一定关系互相结合的。比方说,纺织工厂所用的机器,是由制造机器的工厂造出来的;机器工厂所用的钢铁,是由制造钢铁的工厂造出来的;钢铁工厂制造钢铁的原料,是由铁矿采掘公司采掘出来的。再反转来说,铁矿采掘公司采掘出来的铁矿,就交给钢铁制造工厂;钢铁工厂制炼出来的钢铁,就交给机器制造工厂;机器工厂制造出来的纺织机器,就交给纺织工厂。照这样说,铁矿公司的技术系统和钢铁工厂的技术系统结合起来;钢铁工厂的技术系统和机器工厂的技术系统结合起来;机器工厂的技术系统和纺织工厂的技术系统结合起来;同时任何工厂中的技术系统也都和其他任何工厂的技术系统结合起来。于是这些工厂的技术系统,各循着一定比例一定关系互相结合,就构成一个大的技术的系统。基于这个大的技术系统,而一切工人间就成立了一个大的生产关系系统。

近代工业的技术系统,较之手工业的技术系统尤为严密,这是近代的生产关系系统较之封建的生产关系系统尤为进步的原因。我们知道,封建的分工是社会的分工,近代的分工是劳动的分工。前者是无意识的分工,后者是有意识的分工,两者区别的关键,在于做工器具。手工器具的构造是很简单的,所以分工也是很简单的。新式机器的构造,处处应用科学的原理,极其复杂精巧,所以分工也是很复杂而致密。各部分机器的配置和衔接,非常精密,不差丝毫,工作的时候,非常准确,不差分秒。机器的各部分结合,既是精密准确,因而各部分工人的结合也是精密准确。所以有紧密的技术系统,才能成立紧密的人类生产关系的系统,近代社会所以较之封建社会进步的根本原因,实在于此。

总括起来说,近代的技术系统和近代的生产关系系统两者的关系,有如下图(见下页)。

(四) 两个生产关系系统错综的过程——现时社会的生产关系系统

现代中国社会的经济构造的层次,本来是很复杂的,我们原不能用抽象的严密的界线来划分各种生产关系的层次。无论在怎样新的社会的经济构造之中,都留有最古的经济构造的遗物。比方现今世界资本主义的社会中,我们往往看得见那前一时代的经济构造的遗物,即如那地主与农民间的生产关系,便是一个实例,至其所以称为资本主义社会的原因,是由于资本主义的生产关系,优先于其他的生产关系。现代中国社会的经济层,除了上面所说资本主义的生产关系与封建的生产关系以外,我们还可以看见原始的生产关系(如各地苗民间与蒙古青海西藏等处)。我们所以只提出封建的生产关系与资本主义的生产关系来分析的,也是由于这两种生产关系优先于其他的生产关系。至于这两种生产关系,究竟谁优先于谁,谁受谁支配,这在后节还要详细说明,因为这是决定现代中国社会的历史的阶段的。

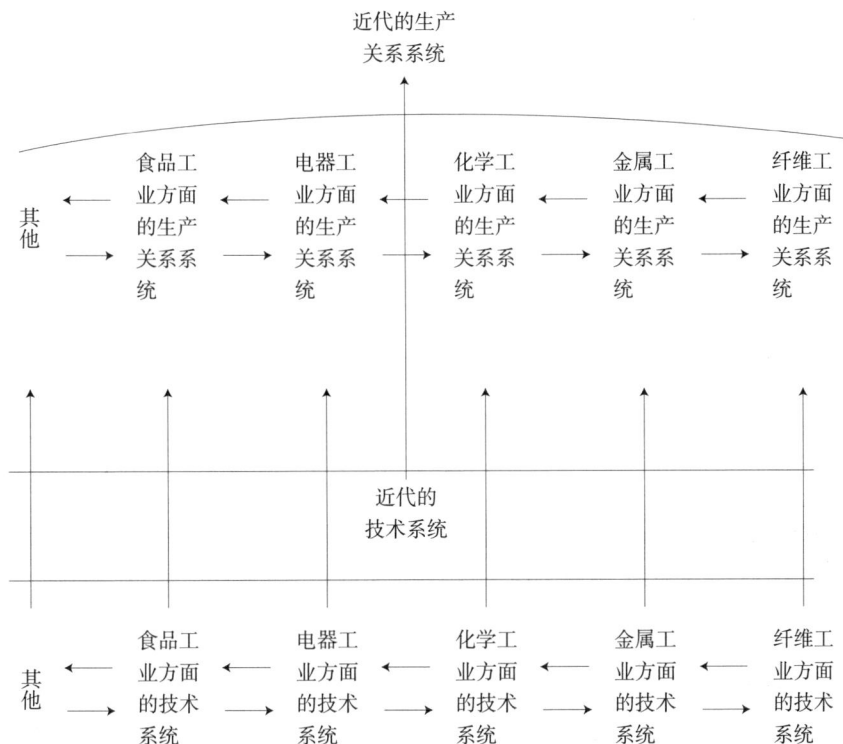

因此,我们认定现代中国社会的经济构造——生产关系系统,实是封建的生产关系系统与资本主义生产关系系统互相错综的过程。

生产关系是什么?这里应当加以说明。

生产关系,有广义和狭义两种。狭义的生产关系,即是劳动者生产生活资料之所发生的关系,即是工人间制造货物时的劳动关系,当属于广义的生产关系的范围。

广义的生产关系,可以分为下列七项。

第一,狭义的生产关系　刚才已经说过。

第二,分配关系　分配关系是生产关系的里面,一种生活资料生产出来,必须分配到全社会去,人类间因分配生活资料而发生的关系,称为分配关系。

第三,交通关系　生活资料的生产和分配,必须由一地搬运到数地,或由数地搬运到一地,人类因为搬运生活资料而发生的关系,称为交通关系。

第四,交换关系　在私有制度的社会里,生活资料的分配,必凭借商品交换的形式来实行,人类间如此发生的关系,称为交换关系。

第五，消费关系　人类间因为生活资料的消费而发生的关系，称为消费关系。

第六，支配的及被支配的生产关系　在两种或数种的生产关系并存的社会里，若有一种生产关系优先于其他生产关系的时候，这优先的生产关系称为支配的生产关系，其他生产关系称为被支配的生产关系。

第七，阶级关系　阶级关系发生于生产手段分配的过程和社会人员分配的过程之中，在私有制度的社会里，生产关系系统中要包含阶级关系的系统，在非私有制度的社会中，生产关系系统中不包含阶级关系的系统。

生产关系的内容，略如上述，现在再说封建的生产关系系统和资本主义生产关系系统错综的过程。

我们虽不能用抽象的严密的界线来划分这两个生产关系系统的范围，但就时代的分界说起来，我们大体上可以知道八九十年以前中国社会的生产关系系统，确实是封建的，这封建的生产关系系统和资本主义生产关系系统的接触时期，我们大致也可以认识出来。封建的生产关系和资本主义生产关系系统的接触点，最初只是外部的（即国外的）资本主义生产关系系统中的交换关系，即那时社会内部和社会外部所发生的关系，只是通商关系。这两个生产关系的接触，在最初是互相对立，这个对立，即是两个技术系统的对立，质言之，即是手工器具和新式机器的对立。手工器具的技术系统和机器的技术系统两相对立的结局，必然是强有力的后者占优胜，因为机器的生产力要胜过手工器具的生产力数十百倍，机制品也随而胜过手工制品，这是大家都知道的。于是两个技术系统的均势破坏，就成立了新的均势，同时两个生产关系系统，也随着发生了同一的变化。新技术系统和旧技术系统，新生产关系系统和旧生产关系系统之间，照这样经历均势，均势破坏，和均势再建的过程，新时代的技术系统和生产关系系统，渐渐侵蚀旧时代的技术系统和生产关系系统，一则发展，一则凋落，同时成就了辩证法的发展。于是新时代的技术系统和生产关系系统，由社会外部逐渐移入于社会内部，而社会内部的旧时代的技术系统和生产关系系统，因被 Aufheben① 而逐渐分解。其逐渐分解的一部分，或被吸入新

---

①　德语词，意即"扬弃"。——编者注

的技术系统和生产关系系统,或被排除于这些系统之外而失掉了社会的机能,其未经分解的一部分,依旧各自成为一个系统,去和新技术系统新生产关系系统相对立继续那辩证法的发展。这时候,新的技术系统和生产关系系统之中,有一部分的成分是立于社会的外部的,有一部分的成分是立于社会的内部的,那立于社会外部的新的技术新的生产关系,挟着压倒的必然性,来和社会内部的新的技术新的生产关系相对立,成就辩证法的发展,构成强有力的新的技术系统和生产关系系统。这强有力的新的技术系统和生产关系系统,又挟着压倒的必然性,来和社会内部的几次被 Aufheben 的旧的技术系统旧的生产关系系统相对立,继续那辩证法的发展。在这样发展的过程中,新的技术系统和生产关系系统,逐渐膨胀起来,旧的技术系统和生产关系系统,便逐渐萎缩下去。所以我们在旧的技术系统和生产关系系统蜕变的陈迹中处处看到那被分解出来的无数手工器具丧失了社会的机能,无数的人员丧失了劳动的机能。直到现在,旧的技术系统旧的生产关系系统,还是和新的技术系统新的生产关系系统相对立,在继续着那辩证法的发展。旧生产关系系统虽然染上了新生产关系系统的颜色,但到现在,还没有完全被 Aufheben,这是现代中国社会的产业革命的难产的原因,也就是现代国际殖民地的社会的经济构造的必然性和特殊性。

(五)支配的生产关系和被支配的生产关系

无论一种怎样形式的社会,总有几种生产关系同时存在。但是这几种生产关系之中,必有一种生产关系立于优胜的地位,指定其余的生产关系的地位和势力。它好像光源一样,其余的生产关系,都要受它的光源所烛照;它好像颜料一样,其余的生产关系,都要受它的颜料所染色。这一种的生产关系,叫作支配的生产关系,其余被烛照被染色的生产关系,叫作被支配的生产关系。一种形式的社会里的数种生产关系之中,那成为支配的生产关系的若是封建的生产关系,这个社会便是封建社会;那成为支配的生产关系的若是资本主义的生产关系,这个社会便是资本主义社会。本来就理论方面说,资本主义的生产形式的法则,原以"纯粹"的发达为前提;但就现实方面说,往往只有"接近"于纯粹的发达的存在。所以资本主义的社会,是建筑在封建社会的废墟和要素的上面的,但在这种废墟和要素之中,却有一部分未经克服的遗物,仍存在于资本主义的社会之内，不过它的特性要被资本主义的生产关系所支配所修正，所以资本主义社会中，虽有被支配的生产关系存在，却仍不妨碍其为资本主义社会。

现代中国社会的经济构造，依据以上几节的分析，是封建的生产关系和资本主义生产关系错综的过程（本来还有原始的生产关系存留着，但已成为历史的遗物，影响很少，姑且存而不论了）。这两种生产关系之中，何者是支配的生产关系？何者是被支配的生产关系？关于这一点，我们还得要详细解剖，不能骤加判断。

我们单就表面上看，资本主义的生产关系（社会内部的和社会外部的两者之总和）似乎是一个支配的生产关系，封建生产关系，似乎要受它的光源所烛照，似乎要受它的颜料所染色。换言之，就两者所演的社会的任务（即生产上的表现）资本主义的生产关系似乎是支配的生产关系，封建的生产关系似乎是被支配的生产关系，因而现代中国社会的经济构造，也似乎是资本主义社会的经济构造了。换言之，现代中国社会似乎是资本主义社会了。

但是我们若再进一步就社会内部（即中国境内）的两种生产关系的实际来分析，却又不然。我们单就社会内部的资本主义生产关系和封建的生产关系来剖析，就可以发现和上述不同的情形。这两者的经济关系，一个是土地私有的权力至高无上，一个是资本的权力至高无上，但在现代，农业只单是产业部门之一，土地私有的权力完全要受资本的权力所支配。关于农业的佃租，也是一样。"佃租没有资本，不能理解；但资本没有佃租，却能充分理解。"就这种关系说，封建的生产关系，似乎要受社会内部的资本主义生产关系所支配。不过我们要是就两者在社会上所表现的生产能力说，封建的生产关系却在社会内部的资本主义生产关系之上（实例见后章），所以在这一方面，封建的生产关系似乎还占优势，现代中国社会似乎还是一个封建社会。

然则现代中国社会究竟是资本主义社会？或是封建社会？关于这两点，还得要详细解剖，不能草率判断。

由前面的解剖，我们已经知道，现代中国社会的经济构造，是资本主义生产关系和封建的生产关系两者错综的过程，明显地说，是产业革命的过程。中国的产业革命，开始于七八十年以前，直到现在，还是停顿在过程之中，产业革命还没有完全实现。换言之,现在的经济构造,还是资本主义生产关系和封建的生产关系在继续着辩证法的发展,封建的生产关系还是没有被资本主义生产关系所克服。这个我们可以说作是产业革命的难产。

产业革命的难产,用于社会内部的新生产力不能畅快的发展。社会内部的新生产力不能畅快发展的原因,我们可以就它和生产关系的关系,分作两方面来分析。

第一,新生产力和封建的生产关系 由以上的解剖,我们可以见出封建的生产关系系统,不如社会内部资本主义生产关系系统的严密,而且渐渐地显出分解的作用,已如上面所述,我们原不能说这个封建的生产关系如何的障碍新生产力的发展。但封建的生产关系虽不能如何的障碍新生产力的发展,但是那建筑在封建的生产关系上面的社会制度,却是照旧保护封建的生产关系,对于社会内部的资本主义生产关系,不但不能助长它,甚至还要妨害它。所以我们可以知道新生产力不能畅快发展的原因之一,是由于旧时代的社会制度妨害了社会内部资本主义生产关系的发展。

第二,新生产力与资本主义的生产关系 所谓资本主义的生产关系,是由社会内部的和社会外部的两部分合成的。社会外部的资本主义生产关系,即是侵蚀中国社会的国际资本主义生产关系,凡是由国际资本阶级对中国的投资及在中国境内经营事业而发生的生产关系以及由舶来商品而发生的交换关系,都属于这个范围。社会内部的资本主义生产关系,即是土著资本主义的生产关系,凡是由土著资产阶级所经营的新式产业而发生的生产关系,都属于这个范围。现在就以上两者和社会内部新生产力的关系,说明如下。

(A)内部的新生产力和内部的资本主义生产关系 内部的资本主义生产关系和内部的新生产力当然是适应的,而且要受新生产力所决定,但因这个生产关系,一方面受了旧时代的社会制度的影响,以[至]①新的生产力,不能畅快地显出社会的机能。如关税之不能自主,苛捐杂税之繁多,变相的封建领主和家臣之搜括,内乱之延长,新式产业政策之缺乏等等,都是由旧时代的社会制度引起的,新的生产力在这种社会制度之下,必然不能畅快的发展。另一方

---

① 原文此处排印掉字,括号内文字系编者所加。——编者注

面,乃是受了外部资本主义生产关系的影响,兹说明如下。

(B)内部的生产力和外部资本主义生产关系　外部的资本主义生产关系是金融资本主义的生产关系,内部的资本主义生产关系是商业资本主义和工业资本主义的生产关系,金融资本优先于工业资本和商业资本,所以外部的资本主义生产关系是支配的生产关系,内部的资本主义生产关系是被支配的生产关系。外部的资本主义生产关系,挟其压倒的强力,支配着内部的资本主义生产关系,内部新生产力,必然不能畅快发展,而只能在它的支配力所不能及的时间或空间,表现那幼稚可怜的社会的机能。比方欧战当时,外部的资本主义生产关系的支配稍为弛缓的时候,中国的新式轻工业才能得到低度的发展的机会,等到欧战告终,它的支配力就渐渐恢复旧状,中国的新式轻工业就大受压迫,譬如当时已经装置就绪的许多纱厂中的机器(新技术系统),竟致停止运转,而丧失了社会的机能,这是内部新生产力和外部资本主义生产关系相冲突的明证。

外部的资本主义生产关系对于内部的资本主义生产关系所以具有这样坚强的支配力的原因,除了上述的经济的原因之外,还有政治的原因,如所谓不平等条约者即是一例。照原则上说,资本主义这个恶魔,是要把世界一切穷乡僻壤都要按照自己的模型铸造,即是要使一切殖民地都要资本主义化的。但是资本主义发展到金融资本阶段的时候,为了延长自己到坟墓去的时间起见,除尽量谋生产的经济(如近时产业的合理化运动等)以外,便是用政治力量控制着殖民地的社会,使其不能早日资本主义化。所以国际帝国主义对于半殖民的中国,就利用政治力来助长国际资本主义生产关系对于中国社会内部生产关系的支配力。中国内部的生产力,在这样坚强的外部生产关系的桎梏之中,决没有畅快发展的可能性。

生产力的发展,在现代处处受着资本主义生产关系的障碍,就是在外部的各个资本主义社会中,生产力也是受着资本主义生产关系的障碍而不能发展,在殖民地的社会中,这种趋势尤其显著。殖民地社会的生产力不能畅快发展的结果,酿成了很重大的社会病,这是世界资本主义的生产关系和社会制度所以摇动的根源。世界资本主义生产关系若不经 Aufheben,生产力就没有畅快发展的可能,在资本主义社会中的情形是这样,在殖民地社会中的情形尤其是这样。

总括起来,我们得到下面的简单的结论:

现代中国社会的经济构造,对外是受着国际资本主义生产关系的势力的支配,对内是正在由封建的生产关系过渡到资本主义生产关系的阶段,即是这两种生产关系错综的过程,而新的生产力却继续和资本主义生产关系相冲突。

(六) 阶级关系

阶级关系,包含在阶级的社会之经济构造中,即是包含于生产关系的系统中。本来人类的智愚强弱,乃是自然的差别,这种差别,无论在怎样形式的社会,都是不能消灭的。不过这种差别至于能够把社会人员分成地位不同的阶级,并且使他们互相对立,这还是社会的技术进步以后的事情。当着社会的技术还不能产出可以维持社会全体生活所需以上的生活资料时,人类间智愚强弱的差别,相去不远,无论怎样懒惰的人也不能不劳而食,无论怎样强梁的人也不能多取生活资料。而且那时候因为社会和自然,社会和社会之间的生存竞争,非常激烈,这些差别,在社会上决不能引起互相嫉视的冲突。但到社会的技术发达起来,可以产出剩余的生活资料的时候,形势就不同了。这时候社会上有些特别的个人,或者从事特别职业的个人,就能够在社会的生产物之中;取得较多的分量。这种特殊个人取得多量生产物的事实,在最初或者是偶然的特例,往后却因为种种的便利,那些有特殊的智识或战斗力的人,必至于可以永久领有这剩余的生产物了。但是生产物是直接的由生产手段得来的,凡是能够自由领有生产物的人,又必是领有生产手段的人。所以特殊阶级要想独占剩余的生产物,必须独占那生产手段。生产手段的独占,无论采取怎样的形式,到了社会上大多数人和生产手段相隔离的时候,他们就要变为奴隶,或农奴,或工钱劳动者了。这种社会,即是阶级的社会。所以阶级的发生,由于历史上特定的原因,这个特定的原因,就在于经济的构造,阶级关系的决定,又由于社会的技术。

革命的社会学者,常用土地、资本和工钱劳动三大系统来观察资本主义社会中的阶级,这是因为阶级由于分配关系发生的。生产的社会所得,分配于土地所有者、资本家和劳动者。这种分配的前提,在社会的生产方法之中,佃租以土地所有权为前提,资本的利息和企业的赢利以生产手段和劳动者为前提,工钱以劳动力的价格为前提。所以分配方法和分配关系,是生产方法和生产关系(狭义的)的里面,在工钱劳动制度之下,直接做工的人,只是用工钱的形态来参加社会所得的分配。

普通经济学上说分配,专以享乐财的分配为限,但在享乐财的分配以前,还有生产手段的分配和社会人员的分配。所谓生产手段的分配,就是上面所说的某部分特殊个人对于生产手段的独占。所谓社会人员的分配,就是社会人员在生产过程之中的编制,譬如独占生产手段的人分配在农工事业的管理和指挥的方面,和生产手段隔离的人分配在农工生产的劳动方面。生产手段和社会人员的分配完毕,然后才能产出种种的生产物,才有享乐财的分配。享乐财分配的方法,由生产手段的种类和劳动的形式而定,就现代社会所得的分配说起来,资本家的所得是利息,企业家的所得是赢利,地主的所得是佃租,劳动者的所得是工钱。社会人员这样被分配于生产过程中而构成的生产关系的系统,就发生了阶级关系的系统。

以上是关于阶级关系的一般原理,这里再剖析现代中国社会的阶级关系。

根据前节所说的封建的生产关系,来观察那生产手段和社会人员的分配关系。在农业方面,有些人有很多的土地,有些人只有很少的土地,有些人完全没有土地;有些人站在农业的管理或指挥的地位,有些人站在被管理或被指挥而直接劳动的地位。在手工业方面,有些人有工作场或店铺和本金,有些人完全没有;有些人站在管理或指挥的地位,有些人站在被管理或被指挥而工作的地位。封建的经济构造中的阶级关系是由这样的生产关系发生的。

其次根据前节所说的资本主义生产关系,来观察那生产手段和社会人员的分配关系,有些人有生产手段,有些人只有少许,有些人完全没有;有些人站在生产的监督、司令指挥的地位,有些人只是站在像机械一样的劳动的地位。资本主义的经济构造中的阶级,是由这样的生产关系产生的。

现代中国社会的生产关系,是新旧两种生产关系错综的过程,同样,阶级关系也是上述新旧两种阶级关系错综的过程。生产关系由技术系统所决定,新旧两种技术系统在辩证法的发展过程中,旧技术系统逐渐被新技术系统所压迫而发生分解作用,因而依据旧技术系统而成立的旧生产关系,也发生了分解作用,于是旧式做工器具有一部分渐渐被排除于旧技术系统之外,而丧失了社会的机能,因而有一部分人员也被排除于劳动关系之外,而丧失了社会的地位。在这样继续演进的过程中,旧式手工器具丧失社会的机能愈多,因而丧失社会地位的人员也愈多。这逐渐增多的丧失了社会的机能的手工器具,被新式机器所代替,因而那逐渐增多的丧失了社会的地位的人员,有一小部分被吸收于新的生产关系之中做了工银劳动者,还有一大部分就变成了浮浪者、落伍者、游民、匪盗、乞丐。还有旧时代的上层阶级,有些加入了新时代上层阶级的队伍,譬如有一些地主、富商、富裕的手工业者,变成了工商业的资本家;中间阶级之中,有些不能上升的,便下降而为生产者了。这是新旧两种阶级关系错综的过程,即是阶级的分化改编的过程。

我们剖析现代中国社会的阶级关系的结果,可以简单的列成下列的数条。

(a)基本的阶级　分上下两层。属于上层的是工商业资本家、洋买办、银行主、专收利息的财主和公债所有者、地主、大农等。属于下层的是新式产业劳动者、店员、苦力、工役、手工工人、徒弟、雇农、佃农、仆婢等。

(b)中间阶级　位于上述两个基本的阶级之间,如新式事业中的技术的精神劳动者(如律师事务员等)、自由职业者(如医士律师等)。

(c)过渡阶级　如手工业者、小商人、中农、小农等,是在新旧两种生产关系错综的过程中存在的。

(d)丧失社会地位的集团　如浮浪者、流氓、土匪、盗贼、乞丐等,都是脱离了社会的劳动范围的人。

(第一讲第一章完)

"附记"　现代中国社会之解剖,实是一个很大的题目,浅学如我,要讲这个大题目,自觉不能胜任。但是我的意向,很想来尝试一下,所以大胆地来写这个讲稿,以后如发现有不妥的地方,自当更改,如承读者指正,尤其欢迎。

这个题目讲演的顺序,首先应当把社会的构造和变革的原理说明一番,只因时间太促,来不及写出来,只好等到后来补入了。

第一讲原分两章,第一章是"原则的说明",第二章是"实例的说明",本期所发表的只是第一章的全部。因为这第一章所说的是原则,说明方法似乎太抽象了一点,恐难引起读者的兴趣,下一章的实例的说明,是就中国经济的现状举出实例来证实那原则的,即于本刊下期续登,请读者暂时等待着。①

（原载 1928 年《现代中国》第 2 卷第 4 号,署名李达）

---

① 本文未见有续篇。——编者注

中国农业人口之阶级的分析

（1928.10）

一、中国农业组织及其推移的趋势

我们要进行中国农业人口之阶级的分析,首先要说明中国农业组织及其推移的趋势。不过在这里应当声明的,关于中国农业组织及其推移的趋势的统计材料,本来是很不完全的,但我们为说明起见,却又不能不用这些不完全的统计材料做基础。因为已有的统计材料虽不完全,却比较没有总要好些,而且在这断片的材料之中,也可以推定中国农业组织及其推移的大概,对于农业人口之阶级的分析上,也不至漫无根据。

（一）中国的耕地面积　中国全体的耕地面积,据前北京政府农商部的统计,有如下表。

省别	耕地面积（单位千亩）
直隶（京北在内）	94397
山东	49821
河南	348261（？）①
山西	49821
江苏	78048
浙江	26994
安徽	40646
江西	36315

---

① 原文如此。——编者注

省别	耕地面积（单位千亩）
湖北	154887
湖南	18705
陕西	27643
甘肃	26499
四川	124884
福建	22457
广东	136877
广西	82474
云南	11471
贵州	1471
奉天	44748
吉林	44216
黑龙江	35873
热河	16278
察哈尔	11091
新疆	10726
总计	1545738

据上表，全国耕地面积共为 15.45738 亿千亩。

（二）耕地面积与农家户口之关系　耕地之中，分为栽种五谷的农田和栽培桑麻茶蔬菜等的农地二类，兹列举两者与农家户数的累年比较表如下。

年次	农家户数	农田（亩）	农地（亩）	田地共计（亩）
民三	50402315	1394146418	184201507	1578347925
民四	46776250	1319511191	122818497	1442333668
民五	59322504	1384937701	125037760	1509975461
民六	48907853	1218364436	106821664	1365186100
民七	43935478	1217279298	97192892	1314472190

据上表，中国的农家户数大约由 4200 万户至 5900 万户，前年国民党农民

部所调查的农家户数为 5600 万户,大致近似;又实行耕种的田地为 13 亿亩以上,其未经计入的,大致是荒弃未种的土地了。

(三)农业经营的形态 据前北京农商部第六年的统计表,中国的农业经营,以小农为最多,其次为中农,兹列其统计表如下。

省区	10 亩未满	10 亩以上	30 亩以上	50 亩以上	100 亩以上	共计
京兆	125013	16534	148337	121823	86060	587767
直隶	1364265	1087109	797417	501655	216315	3966761
奉天	335954	357876	401632	336731	254452	1686646
吉林	52475	96891	109775	121901	157856	538898
黑龙江	24962	30999	57985	67092	14327	324155
山东	2103970	1552611	957640	497413	341096	5454730
河南	1597265	1568984	1524916	876726	562524	6130415
山西	282787	359685	397780	337505	151789	1529446
江苏	2726001	1312268	487017	260024	86674	4871984
安徽	1130775	987108	343692	208624	175815	2846014
江西	336326	984819	2174072	507007	62623	5064847
福建	870609	508988	167015	56722	9018	1621352
浙江	1689940	999045	375389	150878	39962	3255215
湖北	1485700	994697	651534	391583	147257	3670771
湖南	354862	346321	385987	244920	105707	1437797
陕西	615848	368777	188529	98038	63984	1335176
甘肃	284957	221816	162588	125795	69881	865137
广东	2083252	962107	553222	243040	83586	3925207
新疆	156519	157484	63756	56351	17628	451738
热河	160120	199199	128146	99722	28250	615437
绥远	7692	10017	13158	15699	18021	64587
察哈尔	12833	14129	23627	29065	35847	115411
总计	17805125	13248474	10122214	5358314	2835464	49359591

"附记" 表中湖北湖南广东之统计不完全,四川广西云南贵州四省无报告,故未列入。

据上表,耕地未满 10 亩的农家,占全体户数的 1/3 以上,内地各省除山西、江西、四川、云南、广西、贵州 6 省以外,也是未满 10 亩的农家占最多数。其次要算是 10 亩到 30 亩和 30 亩到 50 亩的农家了。至于 50 亩以上农家,自耕农很少,佃农居多,百亩以上的农家户数,只占全体农家之数的 5%。由此可知中国农业的经营是小农和中农的经营占最大势力。

(四)农业经营形态的推移　就农家经营的推移状况说,大有富农降为中农,中农降为小农的趋势。关于这方面的统计表,我曾经在本刊第三期《土地问题研究》一文中列举过(见该文第 50—52 页),请阅者对照。据该项统计表看起来,自民国六年至民国九年之间,10 亩未满的和 10 亩以上的农户,都显出增加的倾向,此外如 50 亩以至 100 亩以上的农户,除直隶河南察哈尔等处以外,则略显减少的倾向。像这种 10 亩以上的小地主和 10 亩未满的小农增加的原因,不外下列四点:

(1)帝国主义侵略的影响。

(2)中国南部都市的工商业较为发达,农村因受经济的压迫,以引起土地的分裂。

(3)内乱不靖,引起富农之中农化。

(4)中农不能保持土地,以致化为小农。

由这种情形看来,这农业经营的推移状况中,同时又含有耕地所有的推移的趋势了。

(五)耕地分配的形态　全部农业人口中,有田地的究有多少,没有地田的究有多少,这里应当加以说明。据民国六年前北京农商部的统计,耕地的分配状态,有如下表。

省区	自耕户数	佃农户数	自耕兼佃耕户数	共计
京兆	307874	125348	154545	587767
直隶	2890897	523003	552861	3966761
奉天	686281	501731	498634	1686646
吉林	351676	165079	122143	538898
黑龙江	180698	82098	61368	324155

省区	自耕户数	佃农户数	自耕兼佃耕户数	共计
山东	3819135	717632	917963	3454730
河南	3453552	1596937	1079926	6130415
山西	1078697	238698	212151	1529546
江苏	2234278	1541211	1096495	4871984
安徽	1314311	983888	547815	2846014
江西	1714401	1241202	1109244	4064847
福建	553807	554941	512604	1621352
浙江	1073387	1158783	1023045	3255215
湖北	1561137	1339307	770337	3670771
湖南	287553	1006453	143794	1437797
陕西	771247	304975	258954	1335176
甘肃	556780	151554	156803	865137
新疆	343998	62606	45134	451738
广东	1316500	1463865	1144842	3925207
热河	416962	95135	103340	615437
绥远	35332	14884	14371	64587
察哈尔	83099	18822	13490	115411
合计	24587585	13825546	10494722	48907853

"附记" 上表中湖北湖南两省之调查不完全,四川广西云南贵州四省无报告,故未列入。

据上表,在全体农户中,自耕农约占 50%,佃农约占 28%,自耕兼佃农约占 22%,在福建浙江湖南广东诸省,佃农多于自耕农,在奉天、吉林、江苏、安徽、江西、湖北诸省,佃农要占 1/3。实际上所谓自耕农之中,除 30 亩以下者外,不自耕的地主要占居多数。非自耕的地主亦列入自耕农之中,是前北京农商部一种含糊的调查方法,我们应加以注意。

(六)自耕农与佃农之消长　在农村经济破产正在继续进行的状况中,自耕农中之中小农降而为佃农,乃必然之趋势。据日本东亚同文学会所出版之中国年鉴所载,民国七年、民国八年两年自耕农和佃雇的消长,有如下表。

年度	自耕农	自耕兼佃耕	佃农	合计
民七	53%	21%	26%	100
民八	49%	19%	32%	100

上表虽然是一年的比较,而自耕农及自耕兼佃农之减少,和佃农之增加,其比率已是非常可惊。这个原因天灾兵祸固然也有一部分,而资本主义的发展,总不失为一个主要的原因。比方广东,佃农之数多于自耕农,即如自耕兼佃农之数也相差不远。又如华洋义赈会所发行之《中国农村经济研究》,把这个原因也解释了出来,试看下表:

省县别		调查地总面积(单位数)	所有者家族之自耕地	使用雇农之自耕地	自耕地	佃耕地	发佃之村民所有地	由其他农村地主发出佃耕地
浙江省	鄞县	4764	17.0	5.6	32.6	67.4	32.1	35.3
江苏省	仪征	4121	41.9	10.1	52.0	48.0	10.0	38.0
	江阴	14391	28.7	1.4	30.1	69.9	58.0	11.7
	吴江	4931	19.6	4.2	23.8	67.2	18.8	57.4
	江苏省农村平均		29.1	3.5	22.6	67.4	41.5	25.9
安徽省	宿县	28843	42.9	7.2	50.1	49.9	36.3	13.6
山东省	霑化	11867	96.3	3.3	99.6	0.4	0.3	0.1
直隶省	遵化	24369	71.2	15.5	86.7	13.3	2.0	11.3
	唐县	20073	78.2	4.3	82.5	17.5	5.3	12.1
	邯郸	25507	70.0	27.1	97.1	2.9	0.9	2.0
	直隶省农村平均		72.8	16.5	89.3	10.7	2.5	8.2

上表虽然是一些零碎的材料,但也可以看出一种倾向来,即是在所谓物质文明比较接近的浙江、江苏、安徽的农村,其自耕农则多于佃农,这个原因,或许有大部分是由于资本主义经济的关系。

关于中农减少佃农增多的倾向,还有一点零碎的统计材料可以做参考。

▲列举于下：

南通	佃农的百分比
民国四年	56.9
民国十三年	61.5
民国十四年	64.4

昆山	佃农的百分比
民国四年	57.4
民国十三年	71.7
民国十四年	77.6

南通和昆山，是和工业城市相接近的区域，十年间佃农增加的比例竟是这样，也很值得注意了。

（七）耕地所有的实际状态　耕地所有的实际状况，依以上各项的统计材料，大致可以看得出来。兹为具体的说明起见，特引用武汉中央农民部所调查的全国有地农民的统计表如下。

	亩数	人数	占有数
（一）小农	1—10	44%	6%
（二）中农	10—30	24%	13%
（三）富农	30—50	16%	17%
小地主	50—100	9%	19%
大地主	100以上	5%	43%

以上的有地农民中，由1—30亩的小农和中农，要占全体66%，而其所有之耕地，仅占全体耕地19%，土地之集中的状态，由此可见一斑。

又据调查，中国农家的户数，约为5600万户，每户平均以6人计数，中国的农业人口，共约有3.36亿人，其中有地的农民为1.5亿，佃农为1.36亿，无地雇农为3000万,游民为2000万。这个调查,当然是一种估计,不能说是正确,但是在大体上也不能说是差怎样远。至于说到有地农民的土地的分配状态,和上面所列举的前北京农商部的统计,又大致不差,所以这里只得这样引用了。

以上是中国农业的组织及其推移的趋势。

二、中国农业人口之阶级的分析

基于上述农业组织及其推移的趋势,再进行农业人口之阶级的分析。

农业人口的阶级层非常复杂,远不如工业人口阶级区别的明显,这无论在什么国家都是一样,不过中国方面的更为模糊一些罢了。由上段所述的情形,中国农业人口的阶级,大致可以分为上中下三层来说明。

第一,上层阶级 凡是专靠收取佃租或农业利润过活的人,都属于这个阶级,其成分如下。

(1)地主 不论大小,凡有田50亩以上而专靠收取佃租过活的人都是。

(2)兼营农业的地主 过常有四五十亩以上的地主,雇佣工人二三人以上自行耕种,每年收获的结果,除开销工钱和资本的利息外,可以收回其即不自行耕种亦可收得的佃租,可以收得赢余之利益作为自己经营农业之报酬(雇农之剩余价值包括在内)。

(3)农业企业家 凡用资本向地主租种大宗土地,雇佣工人数人,从事经营农业,每年收获的结果,除还纳地主的佃租及所投资本之利息和所雇工人的工钱以外,可以收得企业的赢利。这种人在中国各地农村也不少(往往有租种一百亩以上者),和各国的农业资本家大致相似,不过农耕技术很幼稚罢了。

(4)大农 凡自己有田三五十亩而兼租种他人若干田地的人,除了使用自己家属的劳动以外,更雇佣一二工人的劳动,每年收获的结果,除付出他人的佃租和雇农的工钱外,可以收得自己田地的佃租,更可以收得若干的赢利。这种人和自耕的地主不同,和纯粹的自耕农也不同,在自己从事劳动的关系上是和纯自耕农相同的,在雇佣工人的关系上是和雇人耕种的地主相同的。不过这个阶级和中农阶级没有很明确的境界线,最贫的大农,很容易变为裕富的中农。

第二,中层阶级　这个阶级的人的所得,是自己所有地的佃租,赢利和劳动报酬三者。

(1)中农　有田 10—30 亩而用自己的劳动耕种的人,都属于这个阶级。他们的所得,一部分是自己田地所有的佃租,一部分是从事企业的赢利,一部分是从事劳动的工钱。中农和大农、小农的界限不甚明显,他们对于雇农,利害是有冲突的,同时对于土地的需要却又很大,当着要想地主租种土地或通融资本的时候,又很感觉佃租和利息过重的苦痛,所以又和地主的利害相冲突的。在帝国主义、军阀、土豪几层的压迫之下,他们时时感受要失掉土地的危险,因此这个阶级的人升到大农或地主地位的很少,降到小农地位的很多,这在前一节的统计表中已经表明过了。

(2)小农　10 亩以下的自耕农或半自耕农,都属于这个阶级,他们的所得虽也是由佃租赢利和工银三部分构成的,但实际上要以自己的劳动报酬为主体,他们所有的小土地和劳动要具,只不过是使自己的劳动力成为有用的自然条件罢了。他们很感觉土地的缺乏,很感觉借用土地或资本的佃租或利息过重,和佃农的地位相差不远。在帝国主义者、军阀、土豪重重剥削之下的今日;他们大多数常因失掉土地而沦为佃农,这在前节统计表中也表现得很明白。

第三,下层阶级　专靠自己的劳动过活的农人,都属于这个阶级。

(1)佃农　他们的所得,一部分是相当于工银的租种土地的报酬,一部分是借帮工或从事手工所得的收入。从他们所得和生活标准说,和雇农相差无几,和小农却是有区别的。佃农在全体农业的人口中,差不多要占 1/3,他们租种他人的田地,虽然多少还有点金钱可以凭借,但很有限,在数重的剥削之下,只要略略出一点乱子,就不能做佃农而至于降为雇农。

(2)雇农　这等人是农业劳动者,是纯无产者,和半无产者的佃农差不多是一样。但是这阶级之中也有好几种区别,有长年雇工,有短期雇工,有计月数的雇工,有计日数的雇工,还有寄食于雇主家中的奴婢等。

三、各阶级相互间的共同利害

中国农业人口之阶级的分析,已如上述,兹更进而说明各阶级相互间的共同利害。

（1）出租田地的地主和佃耕田地的农民　各阶级之间，除了纯粹的地主，租地的农业企业家和雇农之外，有出租土地的地主和佃耕土地的农民。一方面是收取佃租的人，一方面是纳付佃租的人。关于佃租的收付，两方面的利害互相冲突的。

（2）雇主与雇农　凡使用雇农的各阶级与雇农，帮工的佃农之间，关于工钱的规定，两方面的利害是互相冲突的。但纯粹自耕的中小农，不在其内。

（3）农产物的出卖者与购买者　农产物价格腾贵，佃租可以增加，反是佃租即当减低，关于这一点，凡是收取佃租的各阶级，其利害是相同的。不过这些阶级之中，中农小农等，也以其农业生产能够供给其家族的消费而有余者为限，否则对于农产物价格的高低，和上层阶级的利害是不同的。至于农业的无产者（雇农）和半无产者（佃农），他们是农产物的购买者，却希望农产物价格的低廉，和别的阶级的利害相冲突。实在的说起来，关于农产物价格的高低，无产者和半无产者之于上层阶级，其利害互相冲突，中农和小农，即使有些小的剩余农产物出卖，也不见得重要。

再就农业和工业两方面说，关于农产物价格的高低，农业生产者和工业劳动者的利害互相冲突的，但在这个利害冲突中，工业劳动者和农业劳动者一致，那和工农劳动者的利害相冲突的，还是有多余谷物出卖的地主，农业企业家和大农，至于一般中小农能有剩余谷物出卖的还是少数，而且为量不多，对于农产物价格的高低，不感受多大影响。

（4）农业人口与工商业资本家　工业资本家是工业品的生产者，农业人口是工业品的消费者，其利害是互相冲突的。商业资本家是商品的贩卖者，农业人口是商品的购买者，利害也互相冲突。商业资本家用低廉价格收买农民的农产物，农民更以如此得来的货币购入商品，一进一出，农民大受剥削。而且商业资本家，往往在收获之前的青黄不接时代，预先用货币定购农民的农产物，其价格更是低廉，这在富裕的农民或地主还不受影响，而在较贫苦的中小农却要大吃其亏。此外无产或半产的农民，在购用商品一事上，其所受商业资本家的敲剥，更感苦痛。还有一层，商业资本家所贩售于农村的商品多是洋货，而向农村收买的农产物，又多是贩运于外洋的工业原料，这是帝国主义商品破坏农村经济的媒介,所以农业人口和商业资本家是利害冲突的。

(5)农民与贷金业资本家　农业缺乏资金而要借钱经营农业的人,常受贷金业资本家的重利盘剥,这是大家都知道的事实。这种贷金业资本家,多是豪绅地主,农民向他们借钱,多以田地为抵押,往往因债务不能履行而被没收了田地,这是有地的中小农失掉田地的一个原因。

(6)农业人口与帝国主义　农业人口所受帝国主义的侵略,可以分为六项:(一)赔款及债之负担;(二)经济的掠夺之负担;(三)帝国主义商品的掠夺;(四)农民副业的衰退;(五)农村生活的提高;(六)农村金融的困难(说明见拙著《土地问题研究》一文)。

(7)农业人口与军阀　农业人口所受封建军阀的剥削,如苛捐杂税,预征银粮,勒种鸦片和征收鸦片税,政府银行票币倒账,以及战时的牺牲等等(说明见前文)。

(8)农民与豪绅地主　农民所受豪绅地主的削剥,如加重佃租和重利盘剥等(说明见前文)。

总括起来说,地主,雇人耕种的地主,农业企业家,大农等上层阶级,他们是有共同的利害的;无产者和半无产者的下层阶级,他们也是有共同的利害的。所以上层和下层两个阶级,是互相敌对的阶级。至于中小农的中层阶级,由以上的说明,他们和下层阶级大致是接近的,尤其是在打倒帝国主义、打倒军阀和铲除土豪劣绅的利害关系之下,他们毋宁是要站在下层阶级一方面。

(原载 1928 年《双十月刊》第 5 期,署名平凡)

法理学大纲[*]

（1928.11）

---

[*] 《法理学大纲》由日本穗积重远著、李鹤鸣译述，1928 年 11 月由商务印书馆列入《政法丛书》出版，至 1935 年 1 月共印行 4 版，各版内容相同。2005 年，中国政法大学出版社将其列入《中国近代法学译丛》出版。——编者注

绪　　言

一、本书系著者在东京帝国大学担任法理学讲座时所编之讲义,惟根据一学年授业经验,著为斯学,公刊问世,非不自知其为时尚早,然如能借此获得师友之叱正,以资今后之修改,抑亦著者与学生之大幸也。

二、是书系讲义体裁,对于自己之说明与学生之思索,务期留有余地步。而讲授时间,一学年为30星期,每星期各3小时,故本书以简单为第一要义。虽曰简而不明,为著者不文之所致,然言而不尽,则本书当然之性质也。

三、是书全体所用之主要参考书,列记如下。至于供一部分参考之书籍论文,书中随处引用,或避免烦琐而留在讲授时补足之。本书所述,有时姑从通说,介绍先觉所论,有时故为立异,大胆主张未成熟之私见,是即讲义之所以为讲义也。

穗积陈重博士:《法理学讲义笔记》(明治四十年)

Pound, *Outlines of Lectures on Jurisprudence*, 2nd.ed., 1914.

"A General Survey of Events, Sources, Persons and Movements in Continental Legal History", 1912. *The Continental Legal History Series*, Vol.I.

"Great Jurists of the World", 1913. *The Continental Legal History Series*.

Miraglia: "Comparative Legal Philosophy", 1912. *The Modern Legal Philosophy Series*, Vol.II.

Harms: *Rechtsphilosophie*, 1889.

Berolzheimer: *System der Rechts-und Wirtschaftsphilosophie*, II.Bd., 1905.

Stintzing / Landsberg: *Geschichte der Deutschen Rechtswissenschaft*, 1880—1910.

Korkounov: *Théoré générale du droit*, 2 éd., 1914.

第一章　法理学之意义

第一节　由法律学定义观察之法理学意义

一、学问的知识

法律学者,法律之学问知识也。学问知识云者,即谓就某现象之独立知识(即经验)加以综合分析类汇组织,抽出其现象之通性,以认识其根本原理及其在万有现象中之位置也。

二、法律现象之学问知识

法律现象,因时与地而千差万别,大则法制之根本主义,小则法规之体裁形式,古今东西,不一其轨;且法律之为物,原具流动性质,得因君主一朝之命令或议会一夕之决议而制定之改废之,盖有难期其必然适用必然制裁之"不确实性"也。故法律现象欲如自然现象之成为学问知识之对象,原不适当,时或有谓法律现象之学问知识不能成立者焉。然千差万别之法律现象中,实自有其系统与通性在,人为之制定与改废,亦不能谓其完全出于人为,其适用与制裁之例外"不确实性",固不足以妨害法律之法则性质也。故法律现象之学问知识,谓为困难则可,谓为不能则不可。或可谓正因其困难而更形重要也。

三、科学与哲学

关于学问知识,可分为两段考察之。第一段即所谓科学知识(Science),第二段即所谓哲学知识(Philosophy)是也。从来学者多视此两段为两种各别之学问,并认定基于经验之实验科学(experimental science,die empirische Wissenschaft,Erfahrungswissenschaft)。与基于思考之哲学或形而上学(die philosophische Wissenschaft,Metaphysik）两相对立,然予以为此两者之分界不甚明确,故于此点排斥此所谓二元主义（dualism）,而依据一元主义（Monism）者也。盖经验与思考不能独立成为学问之基础。无思考之经验,徒劳无益。无经验之思考,近于空想。必于经验之结果,加以思考,始得谓为完全之学问也。故就现象之经验,加以综合分析类汇组织,以抽出其现象之通性,属于学问之第一段,称之为科学;就其经验之结果,加以思考,以认识其现象之根本原理,确定其在万有现象中之位置,属于学问之第二段,称之为哲学。是即所谓科学与哲学,固非各有其不同之对象,吾人原可就同一事物作科学的研究,作哲学的研究,且必如是而后学问始能完成也。故所谓科学之中不能完全无哲学,而哲学又必须从科学出发焉。两者之分界虽为过渡现象而不能截然区别,然就其着眼之处下哲学之定义,则可谓:"哲学者,根本原理（Grundprinzipien,mother-ideas）之学"也。所谓根本原理之属性有二:其一为普遍性,其二为根本性。普遍性者,谓其原理可贯通其对象之全体,而不限定于局部;根本性者,谓其原理在其对象之各种原理中,属于最上一级也。是故哲学又可谓为现象之"普遍的根本的知识"（universal and ultimate knowledge）焉。至各项科学之总和,尚非吾人知识之全部,必更加以由哲学得来之普遍的根本的原理,而后学问始得完成也。

四、现实法学与法理学

关于法律学,亦可分为上述两段考察之。各种法律现象（即 a law 或 laws）之研究,乃法律之科学,称之为现实法学（die positive Rechtswissenschaft,Wissenschaft des geltenden Rechts）。兹所谓现实法学,其中不包括法制史及具体的立法论。即研究在现实具体已经存在、或现时存在、或应当存在之法律现象者也。基于此现实的具体的研究之结果,更进而研究法律自身之根本原理（即 the law,or the possible ideas of law）,认识法律现象在万有现象中之位置,是为法律之哲学,称之为法理学。西洋法学者,皆用法律哲学（Rechtsphilosophie,philosophie du droit,legal Philosophy）之名称,固无不当,但哲学之名称,实由歧视实验科学与形而上学之思想而生,易招误解,且因此后所述之自然法学说亦有其法律哲学名称之历史,故日本法学界之先觉,另创用法理学之名称焉。是则法理学者,即法律现象根本原理之学问,即 spirit of the law,esprit des lois,Geist des Rechts 之学问也。而法律历史哲学(Rechtsgeschichte Philosophie)及立法学(Science of legislation)亦属之。至所谓法学通论(Rechtsenzyklopädie,general jurisprudence)及法理学史(Geschichte der Rechtsphilosophie),则非法理学也。

五、法理学乃特别哲学

哲学为普遍的根本的原理之学问,已如前述。但兹所谓普遍的根本的原理,亦有相对之意义。万有现象之全体,固有普遍的根本的原理,而于万有现象中占据一部分之一群现象,在其范围内亦有其普遍的根本的原理也。前者之学问,为一般哲学;后者之学问,为特殊哲学(special philosophies)。法理学即关于法律现象之特殊哲学,介乎现实法学与一般哲学之间。法理学者之任务,在根据一般哲学之原理,以说明现实法学之结果。故踟蹰于现实法学之范围,或深入于一般哲学之范围,皆非法理学之所有事也。

第二节　由法律学研究方法观察之法理学意义

一、法律学之研究方法

今日通用之法律学研究方法,有下列五种:

(1)分析的方法(analytical method);

(2)历史的方法(historical method);

(3)比较的方法(comparative method);

(4)社会学的方法(sociological method);

(5)哲学的方法(philosophical method)。

二、法理学之研究方法

上述各项研究方法,皆为法律学研究方法之一,若惟用其一,尚不能完成法律学。又如谓现实法学可专用分析的方法,法理学可专用哲学的方法者,亦属不当。现实法学与法理学,其研究之方面不同,故主用之研究方法自不得不异。即前者主用分析的方法历史的方法比较的方法,后者主用哲学的方法。而近年逐渐采行之社会学的方法,在现实法学固有必要,同时在法理学亦不可缺。即就法律现象之分析的历史的比较的研究之结果,再加以哲学的社会学的综和批评,根据新理想主义(Neoidealism)以研究法律之静态及动态,乃法理学之任务也。所谓新理想主义,实可谓为现实的理想主义(realistic idealism)。盖法理学实系研究基于法律现实(das Seiende)之法律理想(das Seinsollende)者也。

第三节　由法律学范围观察之法理学意义

一、法律学之范围

法律学之范围,除普通所称"法律学"者外,尚有下列各方面之学问。

（1）立法学（die gesetzgebende Wissenschaft, science of legislation）；

（2）法律心理学（Rechtspsychologie und Rechtscharakterologie）；

（3）法律伦理学（Rechtsethik）；

（4）法律教育学（Rechtspädagogik）；

（5）法律美学（Rechtsästhetik）。

此等学问亦应用于现实法学,而其自身亦系以法律为对象之法理学的研究也。故法理学如不并用纯哲学的研究与社会学的研究,且不包括此等学问者,即不足以称为完全之法理学。由此可知法理学,决不止于所谓法律形而上学（Rechtsmetaphysik）之境也。

第二章　法理学之分派

一、法理学之五派

按照前章所举法律学之五种研究方法,而法理学派亦可分为下列五派。

(一)分析派(Analytical school);

(二)哲学派(Philosophical school);

(三)历史派(Historical school);

(四)比较法学派(School of comparative jurisprudence);

(五)社会学派(Sociological school)。

而哲学派又分为次列诸派。

(1)纯哲学派(Metaphysical school);

(2)自然法派(School of the law of nature);

(3)社会哲学派(Social-philosophical school);

(a)实利派(Social utilitarians);

(b)新康德派(Neo Kantians);

(c)新黑智儿派(Neo Hegelians)。

二、法理学分派比较表

法理学分派比较表

——此表系由美国哈佛大学教授鲍恩特(R.Pound)博士之法理学讲义揭载,惟于其中加入鲍氏所不承认之比较法学派,而体裁与排列亦略有变更。

	对象	法律观	著眼点	形式论	哲学观
(一)分析派	惟考察已发达之法制。	视法律为制定的或裁判的立法者有意识之创造物。	著眼于法规背后之权力及强制,法律之制裁由国家司法机关执行,缺乏执行力者非法律。	以成文法为典型的法律。	此派之哲学见解为实利派的或目的论的。
(二)哲学派	由此以求批评现实法律之理想标准。	谓法律非由于创造而由于发见,此点与历史派一致。	较之法规之制裁,尤著眼于其伦理的基础。	不必问其法律之形式如何。	含有种种复杂之哲学见解。在十九世纪以黑智儿派或克拉塞派为多,在今日有属于社会哲学派者。
(三)历史派	考察法律之现在,尤注重过去。	谓法律为有意识之创造物,而结局则不能创造。	著眼于法规背后之社会的压力。由服从习惯,国民公愤,公众感情,舆论或正义之社会的标准中以求制裁。	以构成惯习,裁判惯例,或判例法之判决惯习等形态为典型的法律。	在原则上属于黑智儿派。
(四)比较法学派	比较研究场所不同两种以上之法制。	视法律为地理的人种的产物,并留意于未开化人种之习惯亦得成为法律。	注重建立法律系统,以探究其异同之理由。	不问法律之形式如何,务期多汇集材料。	实验派。
(五)社会学派	考察法律之抽象内容,尤注重法律之作用。	视法律为人类智力所能改良之一种社会制度,而法学者之任务,即在于发见促进并指导此种智力之最良手段。	法律之社会目的,较之制裁,尤为注重。	由作用上观察法律之理论,规定,及其根本主义,视法律之形式仅属手段。	哲学的见解颇异。其主要者属于社会哲学派及实用主义派。

三、哲学派分派比较表

哲学派分派比较表(录自鲍恩特法理学讲义)

(1)纯哲学派	由法律之某单一根本观念,演绎法律家所能使现实法与其适合之一般有效原则之总体。
(2)自然法派	由抽象的人性,演绎一般有效原则之总体,欲布衍此等原则,形成一自足的法典。
(3)社会哲学派	求现实法之"理想的方面与持久的方面"。

四、社会哲学派分派比较表

社会哲学派分派比较表(同上)

	倾向	代表者	
(a)实利派	分析的且为社会的	耶林格	(1)"观念法学"之打破。(2)对于法制所保护之利益,较对于由法制保护之权利,尤为注重。(3)其学说谓刑罚与其适合于犯罪之性质,不如适合于犯罪人,尤为恰当。(4)容纳"认定法律之命令观念之近代大陆思想"。
(b)新康德派	哲学的且为社会学的	斯达穆拉	(1)由道德伦理与抽象法规之关系,转移其注意于此等事物与依据法规执行正义之关系。(2)其学说以社会思想为依据法规执行正义之标准。(3)于"关于造成正当法规"之学说,再加以"关于就事件作正当判决"之学说。
(c)新黑智儿派	历史的且为社会学的	郭拉	(1)以法律为国民文化产物之学说。(2)关于"比较法制史"与"法理学"之关系之学说。(3)关于法规之社会学的解释与适用之学说。

五、法理学史之意义

法制史与法理学史之非法理学,已如前述。然非为"法源史"(Quellengeschichte）而为"文化史"（Kulturgeschichte）之法制史之研究，则可以成为法理学之一部分；又不专事介绍学说内容之"学说史"（Dogmengeschichte），而成为专事探究法律观之变迁及系统之"方法史"（Methodengeschichte）时，则法理学史亦可成为法理学之重要项目。且法制史虽另成一科，而在法理学史上，通例皆视为法理学之一部分，故于次章以下，以本书之半充之。著者所注重之处，不在于说明某学者曾为某说，而在于将各种应有之法律观作系统的批评，以准备构成自己之法律观也。

第三章 分析派之法理学

一、分析法学

研究法律而分析现实具体之法象(the positive law),阐明其成分组织,以认识其成为法象之通性之法律观念,此乃应有之方法。而采用此方法之近代的分析学,实可谓已发端于注释学派(Glossators)。彼注释学派系于19世纪意大利之波罗尼亚(Bologna)使罗马法之研究复活者也。然其后因自然法派势力过于强大,视分析现行法规为极其卑近之事,以为此种研究与其谓为属于法学,不如谓其属于法术,故彼培根(Francis Bacon,1561—1626)虽夙已用其实验哲学论树立分析的研究之基础,而至19世纪为止,仍鲜有采用此法以论法理者。

二、布拉克斯顿克里斯将边沁

近代的分析法学,自入19世纪以后,即已勃兴于英国。可称为英国法学之鼻祖者,厥为布拉克斯顿(William Blackstone,1723—1780),然彼仍不免受自然法学之影响,其所著《英法释义》(*Commentaries on the Laws of England*,1765—1770)之序论中,混同法律法则与道德法法则,即其明证。惟自1793—1809年,刊行该书之第十二版至十五版之克里斯将(Edward Christian,1758—1823)对于此点,其意见与布拉克斯顿不同,彼谓道德法则上之正邪与法律上之正邪,往往不必一致。又曾为布拉克斯顿之听讲生之边沁(Jeremy Bentham,1748—1832),亦反对乃师之说,彼谓法律系由于"依据国家实力处罚犯罪者之威吓"而实行之国家命令。此实为分析法学之基础观念,但边沁对于立法学较对于现行法论尤为注重,另成一派迨边沁殁后之1832年,奥斯丁(John Austin,1790—1859)之《法学范围论》(*The Province of Jurisprudence*

Determined)出世,英国之分析法学遂以确立。奥斯丁实布拉克斯顿之最严酷批评者,彼批评布氏"违反道德之法律无效"论为足以陷于无政府之学说,而主张恶法亦可成为法律,实分析派中之最能分析者也。

三、奥斯丁

奥斯丁定法律学之界说,谓"法律学为现实法律之学"(Jurisprudence is the science of the positive law);而法律学之任务,在答复"What is law"？之问题,不再答复"What law ought to be?"之问题;法律学之对象,惟为现实法——即人定法;一面排斥自然法论及其他哲学的伦理学的见解,一面排除立法论。此种学说,自今日观之,似乎极其简单,并无奇异,然在自然法学久已盛行之当时,实为提倡法律学革命之新说。世固有谓分析法学非法理学者,然其论法律之本质一事,实含有法理学在内,其立论确有一面之真理,至少在其对抗独断的研究而确立实验的研究一点,于法理学亦大有功劳也。惟此种学说之缺点,失于范围过狭,其由此可以直接了解者,仅为关于法之静态之原理,而于法之动态无与焉,故不得谓此为法理学之全部也。其法律之定义,亦仅能适合于已发达之法制(Developed systems of law),尚未能完全说明法律之概念。又如一面谓法律为国家之命令,一面又排斥立法学,亦可谓为不正当之狭隘见解也。

四、波罗克

奥斯丁之后,英国法学者多师承其说,以迄今日。而英国分析派今日之代表,则为波罗克(Sir Frederick Pollock)。彼极力排斥哲学的伦理学的见解(是为分析派纲领之一,)力言法律与道德之区别,其所论较之此派先师之奥斯丁,尤为彻底。彼之言曰:"余不承认法律家应比他人更成为道德哲学者之理由。"又曰:"法律意义上之正邪,惟在国家所许可或禁止之处耳,岂有他哉。"

第四章　哲学派之法理学

第一节　纯哲学派

一、纯哲学派之主张

纯哲学派之主张,将现实法学与法理学截然区别;谓法理学非实在(das Seiende)之学乃理想(das Seinsollende)之学;非现实观察(Wirklichkeitsbetrachtung),乃价值批判(Wertbetrachtung);与其谓为法律演进之学不如谓为法律目的之学;即为与现实法(das positive Recht)相对之正当法(das richtige Recht)之学,而其对象即成为法律目的——例如"正义"(justice,Gerechtigkeit)之单一观念也。

二、纯哲学派甚少

以上所述,为哲学派法理学者之共通基础观念。然论法律时,纯哲学的研究,转形困难,故近世哲学派,大都直接或间接感受自然科学及社会学之影响。是以自然法学派及社会哲学派,在法理学史上占有重要地位,而纯哲学派则鲜。又近世法理学者固亦有属于纯哲学派者,然以与其他二派相提并论为宜,故于本节略述由古代迄宗教改革时代之哲学的法理学。

三、希腊之法理学

1. 希腊哲学与法理学

法理学发源于希腊哲学。而法理学之特别哲学,在此时尚未分化而出。惟一般哲学中已有法理学的一方面,且于此方面相当注重而已。

2. 客观主义与主观主义

希腊哲学中,客观主义(objectivism)与主观主义(subjectivism)早已对立。客观主义,主张正当行为之客观标准存在;主观主义,则主张如此标准不存在,而正当行为,依人之选择而定。此二主义在法理学的方面之应用,即理想法主义与人定法主义也。

3. 辟达哥拉斯赫拉克里托诡辩派

客观主义之代表者为辟达哥拉斯(Pythagoras,about 582—500 B.C.),彼由其数理哲学论客观的正义。然主观主义之赫拉克里托(Heraclitus,about 535—475 B.C.)同时而起,谓任何物皆不实在,惟有发生与消灭而已,除变化一事外,任何物皆非永久的实在的。此种倾向逐渐盛行,终达于诡辩派(Sophists)之极端,其代表者布洛达哥拉斯(Protagoras,481?—411 B.C.)乃有"人为万物之矩矱"之言。

4. 苏格拉底

反抗此极端主观主义之弊害者,则为苏格拉底(Socrates,469—399 B.C.)然彼未复返于纯粹客观主义,唯排斥各个人之纯主观的判断,而以"一切善良市民之半客观的判断"为正当行为之标准。而体现此标准者,即为国家之法律,故遵守国法,乃道德上之要求也。

5. 柏拉图

成为希腊哲学之代表而其法理学的色彩最显著者,则为柏拉图(Plato,429—348 B.C.)之哲学。柏拉图传承其师苏格拉底之衣钵,置其哲学于伦理的基础之上;谓德义可以学而致,而教育则必经由国家始能得之;国家之目的,不在保护个人之利益及适合个人之需要,而在于发现以正义为主义之道德生活;即谓国家为最高无上,而个人人格则归入于国家之中,因而描写适合于彼之哲学之理想共和国焉。"此正义如何在国家发现"之抽象原理,即属于哲学之法理学的方面,盖可谓为纯哲学派法理学之一典型也。

6. 亚里士多德

亚里士多德(Aristotle,384—320 B.C.)之哲学,与柏拉图哲学之为理想的相较,则为实验的,惟于根本主义则无所异。彼谓国家先个人而存在,必先有全体,始能考察其构成分子之部分。彼最有名之"人为社会的动物"一语,其意非谓人类因有社交性故集合而构成国家,盖谓在观念上当然成为构成社会之分子也。而正义惟于国家始能达成,至个人则为隶属于国家之构成分子,应服从国法者也。

7. 希腊法理学之根本思想

要而言之,柏拉图及亚里士多德等希腊哲学之法理学的方面,实受下列三种思想所支配:

(1)审美心(die ästhetische Phantasie);

(2)目的观(teleologische Welt-und Naturansicht);

(3)不自由意志(Determinismus)。

希腊哲学,注重调和全部以完成一美术品,因此牺牲其分子而欲以同一模型构成之。国家乃此项美术品之一,其所体现之思想,即为正义。而此正义非观念上之正义,乃人情上之正义,非赋与各人以其所属物之正义,乃由各人请求其观念上所必要之物之正义也。何以谓此为正义?以国家为人类之目的故也。其目的之为物,非意思之目的,乃人性自然之目的。故个人不问其意思之如何,必须为国家之构成分子,以参加于此目的之完成。奴隶亦由此理由承认之。至于法律,乃此观念上之"必要",当然存在。非意思之要求,乃认识之对象,个人不问其意思之如何,必当遵守。是则希腊之法理思想,其结果仍归结于纯粹客观主义也。

四、罗马之法理学

1. 罗马之法理学西塞洛

罗马时代,关于法理学而有可观者极少,盖以罗马人不如希腊人之精于哲学也。然如谓真正法理学须建立于现实法学基础之上,则由此见解言之,精致之罗马法,实成为法理学发达之根本,彼希腊一般哲学中仅占居一方面之法理学,经罗马法之应用,始成为特别哲学而启其发达之端绪,此种说明或亦未尝不可。罗马法虽素以严格见称,而彼完全缺乏个人自由观念之希腊哲学纯客观主义,至罗马法出始略见缓和,此可谓为后世主观的法理思想之张本。罗马之法理学者,有著名之西塞洛(Cicero,106—43 B.C.)其人,彼亦无甚独到之处,惟继承希腊哲学而应用之于罗马法者,则以彼为第一人,故彼于法理学史上可以占一位置也。

五、神学的法理学

1. 奥格斯庭

基督教传播愈广，罗马教会势力渐趋强大，因而中世纪之法理学，遂带有神学的性质焉。奥格斯庭（St. Augustinus, 354—430）提倡神政主义（Theocracy），谓世界本应为受神法（lex divina）支配之单一"神国"（Civitas Dei），但因人类之原罪堕落，始有受人定法支配之"地上人国"（Civitas Terrena）出现。此即现在诸国家也。故国家及法律，究属"不得已之恶事"（mala necessita），惟为神国完成之过渡手段及圣教与和平之拥护者，方有存在之理由耳。即"地上人国"，应由代表神国之地上教会统督之，当在神国实现之时消灭者也。此种神政主义，尔后虽略见缓和，国家可不在教会之下，而得与之并立，以分任神政之一方面，但就大体言之，神学的法理学之第一要义，不视国家为最高机关者也。

2. 阿奎纳士

阿奎纳士（Thomas Aquinas, 1228—1274）谓万有皆受神意支配。而此神意之为物，非"随意"乃"定意"，是之谓永久法（lex aeterna）。此永久法中支配人类之部分，谓之自然法（lex naturalis）；人因欲适用自然法于特殊事实而创定之规则，谓之人定法官（lex humana）。然法虽分为三种，而以自然法为永久法之一部，以人定法为自然法之适用，穷其究竟，则万法当归着于永久法，人定法又须适合于自然法，因而人定法苟不适合于神意——即永久法，不得谓为正当。要之，神学的法理学之第二要义，在使国家与法律，基于神意。此亦可谓为纯哲学的法理学也。

第二节　自然法派

一、康德以前之自然法派

1. 自然法派之意义

自然法派者，即谓现实法上存有普遍不易之理想法而为其模范标准之学派也。此乃普通之说明，虽非谬误，但不切当。盖此种思想自古即已存在，如就此说明而言,则柏拉图及亚里士多德亦为自然法派,阿奎纳士且有"自然法"之言,而罗马法亦有此种自然法之观念也。然普通所谓自然法派,实不合有此等中世以前之法理学派在内。其与纯哲学派根本不同之点,在以"人类之自然状态"(Naturzustand,state of nature)为立论之基础。彼为造化主义,此为人性论;彼为主他主义,此为主我主义。自然法派普通之议论,谓人类之古昔为自然状态,人类之今日为国家状态;自然状态非由神意或人意而存在,乃基于人性之自然状态,而国家状态则为人类由契约构成之人为制度。即自然法论者大都同时又为民约论者也。自然法派中约有两种议论:一则谓自然状态为善美,以使国家状态复返而与其适合为理想;一则谓自然状态为丑恶,国家状态实因回避此丑恶之自然状态而生。两者之立论虽异,而其由人类自然状态出发以描写其理想的国家状态及理想法则一也。

2. 自然法派之根本主义

自然法主义,已无纯哲学的及纯理论的性质,此其与中世纪以前理想法主义不同之点也。盖当时之人,因宗教改革(Reformation)及文艺复兴(Renaissance)二事,解放中世以前各种之束缚,脱离柏拉图、亚里士多德及教会之权威,已启自由研究之新机运,故此派自然状态之议论,虽属缺乏科学根据之空想,实为自由研究之产物,且感受尔时逐渐勃兴之自然科学及个人主义之影响者也。质言之,自然法主义系下列两种主义之表现。其一为自然主义(Naturalism),即与希腊哲学之目的观或中世神学之超自然主义(Supernaturalism)不同,而以自然为最高决定者也;其二为实利主义(Utilitarianism),即脱离希腊哲学中世神学之国家主义道义主义,而注重个人利己性者也。

3. 格罗杰士

可称为自然法派之鼻祖者,厥为格罗杰士(Hugo Grotius,1583—1645),彼由其名著《平战条规论》(De Jure Belli ac Pacis,Paris,1625),被称为国际法之创始者而负有令名。彼之创建国际法而离去各国现实法以赴于共通之自然法,乃极自然之归趋也。彼置自然法基础于人类天性之上,谓自然法乃"上帝即不存在犹能存在"之普遍不易之大法,乃因其行为之是否适于人类社交性及道理性以为判断正邪标准之"性法"也。人类之社交性(appetitus societatis)——即自爱并爱他之天性——虽能使其由自然状态移于国家状态,而形成其国家状态之唯一

方法,则为人类之相互契约。而自然法即命人遵守契约者也。故国家者,即以
"谋公共利益而各自享受权利"为目的之自由人之完全结合也。

4. 反对暴君论者

如上所述,格罗杰士虽为民约论者,而民约论则非由彼所创造。盖谓国家
及法律由契约而成之思想,自古即已存在,迨至 16 世纪,自由思想民权论渐
盛,遂有"反对暴君论者"(Monarchomach, Tyrannomachi)之学派出,反抗古来
之君权绝对论,君权神授论及当时各国之虐政,提倡人民主权之思想,谓君主
权基于君民之契约,人民可得而限制之,又谓暴君为违反契约之人,人民有放
伐之权。故此种反对暴君论,实赋与民约论以学说的体裁者也。

5. 友尼斯布鲁脱士布卡南

暴君放伐论之可为模范者则为 1579 年在爱丁堡用友尼斯布鲁脱士
(Junius Brutus)假名发行之《暴政抗议》(Vindiciae Contra Tyrannos)一书。是
书谓君主之统治权,由君民间之契约而生,人民以君主应保护人民安宁幸福为
条件,移付主权于君主,约定对君主服从,君主如不遵守此条件,即为暴君,人
民有放伐之权。是年,苏格兰之布卡南(George Buchanan,1506—1582),亦于
其所著《苏格兰人之统治权》(De jure regni apud Scotos),作相同之言论。

6. 亚尔托几斯玛里亚纳

民约论已由君民统治契约论(Herrschaftsvertrag)移为人民社会契约论
(Gesellschaftsvertrag,Vereinigungsvertrag,contractus societatis)。友尼斯布鲁脱
士及布卡南属于前者,以后所述卢梭之民约论,属于后者。而此种变迁之过渡
的代表者,则为德国之亚尔托几斯(Johannes Althusius,1557—1638),彼于其
所著《国家论》(Politica,1603),并认此两种民约,而偏重社会契约,据以为国
家及法律之基础。故学者间有谓彼为民约论之创始人者。然社会契约论,在
当时已为其他学者所倡导,英人胡卡(Richard Hooker,1554—1600)之《教会政
治论》,日斯巴尼亚人玛里亚纳(Juan Mariana,1536—1624)之《君主论》,已于
亚尔托几斯之先论之矣。尤以玛里亚纳所论,社会契约论之色彩渐趋鲜明,同
时又以自然状态各人之自由平等作民约论之根据,由此而开社会契约论与自
然法论合并之基。至于亚尔托几斯所论,虽比此等为完备,然以彼为社会契约
论之创始人,则为不当,盖以其书与友尼斯布鲁脱士等所论相较,尤有学理论

的性质,故宁可视彼为完成民约论者之一人也。

7. 浩布思

然同用人类自然状态及社会契约为根据之自然法论者中亦有与"反对暴君论者"作相反之结论者,即英人浩布思(Thomas Hobbes,1588—1679)是也。浩布思之为人,后人评为"最理论的而最矛盾的思想家"(der folgerichtigste und paradoxeste aller Denker)。彼之著作,有《市民论》(De Cive,1642),《列维亚桑》(Leviathan,1651),《人性论》(Human Nature or the Fundamental Principles of Policy)等书。据彼所论,谓人性为恶,一人之自爱心恒与他人之自爱心冲突,人类之相互关系,非为平和亲爱,而为猜疑恐怖(homo homini lupus)。而在自然状态中,因各人平等,万物共同,故不免有"人与人之战争"(bellum omnium Contra omnes)。然在如斯状态,各人对于万物皆有权利,而实际则又无权利,故不适合于"以生为无上善,以死为无上恶"之自爱利己性,于是人类皆欲离去此战争状态(status belli)而移于治安状态(status pacis),乃凭借契约,将各人固有之全部自由让渡于某一人或数人,遂以形成国家。此自由让渡为绝对的,故由此而生之国家主权者之权力亦为绝对的,臣民遵守国法之义务亦为绝对的。至于革命及暴君放伐等事,浩布思则因其有解除社会契约复归于自然状态之嫌而否认之,彼谓暴政比无政府为善(Tyranny is better than anarchy),盖讴歌君王专制政治者也。浩氏所论,要谓国家为人类自保性(Sui conservandi studio)之要求,而国家之支配,惟绝对专制能适于人类自保之目的。即由自然法出发而归着于一个意思之专制,而法律终成为主权者任意之命令也。其根据自然法主义而引出人定法主义之结论,乃浩布思"似是而非之说"(Paradox);此种矛盾,固为自然法论者所通有,而于浩布思则尤特别显著。然就民约原因论而言,则格罗杰士之社交性说与浩布思之非社交性说相较,在理论上,后说较前说尤为有力。如谓人类具有营社会生活及建设国家之天禀,则无须特立契约之商量行为,亦得以发生国家,故此说之结果,实可以引导于国家自然发达说。反之,如假定成立社会建设国家之性质原非人类所固有,则人类之营团体生活,苟非由于外部之强制,必基于利害协商之合意。此浩布思学说所以称为"论理的"之原因也。

8. 斯比诺查

浩布思之矛盾，乃自然法学者之矛盾，其学说亦不失为自然法说之一典型。至于斯比诺查(Spinoza，1632—1677)之"实力说"(Machttheorie)，虽多少感受浩布思之影响，亦以国家及法律作为基于人类利己性之契约之产物，而实则完全与自然法说分离者也。彼所谓"大鱼吞细鳞之权利"，原非法律意义上之权利。其"国家之存在权"，亦同为实力而已。彼谓力为权利，各人得为其所得为。故凡不法之事无有，所谓不法，唯不能之事耳。法之渊源，在国家之前为个人之实力，在国家为其实力之命令。国家之于立法期其平衡，非上级权威之要求，乃政策上之便宜。即不承认理想自然法与现实国法之对立及其关系也。故因其契约说之故，而列斯比诺查于自然法论者之中，实属谬误，盖彼乃非自然法论者之模范也。

9. 普芬朵夫

然感受浩布思之影响而又复返于格罗杰士本系者，则为普芬朵夫(Samuel von Pufendorf，1632—1694)。据彼所著《自然法及万民法》(*De jure naturae et gentium*，Lund，1672)之说，人类之"固有性"原为自爱性，然因要求神助人助之自保之必要，遂兼备"得有性"，即社交性是也。而其社交性辄有被自爱心压倒之倾向，故仅凭社交性，不能即导入国家状态。人类之自然状态，非战争状态乃平和状态，惟此平和状态颇不确实，何时发生祸乱，难以逆料，故人类为预防此灾害计，乃由两个原约及一个中间决议以建设国家。即依全体一致合意之结社原约(Pactum unionis)以组成团体，次依团体人员之多数决议(decretum)以决定政体，最后则缔结奉其政体以服从主权之服从原约(pactum subjectionis)也。而此服从原约，非若浩布思所谓将各人自由绝对让渡，因而国家主权不得流于绝对专制。要之，此种折中说之通弊，固不如浩布思所论之彻底也。又其置法律根柢于神意之点，较之格罗杰士之纯法律论，亦有所不及。故普芬朵夫未能于自然法说上辟一新论，而就其在大学开始教授自然法之点言之，彼实系自然法之祖述者宣传者也。

10. 陆克

宗教改革及文艺复兴以后之自然法论，与古昔之自然法论不同，多少感受自然科学及个人主义之影响，此已具述于前。至代表此特征而最显著者，则为英人陆克（John Locke,1632—1704）。彼非若其他自然法论者之为理性派（Rationalist）。乃根据于"一切知识渊源皆为经验"之感觉论（Sensationalism）。彼于其《民政两论》（*Two Treatises on Civil Government*,1680）作自然法论,主张自然状态之事实的存在,但其论法则为"杀减论法",先研究现在国家状态,由其中减除国家发达之结果,以推知国家以前之自然状态。据彼所说,在自然状态中,各人自由,因先占及劳动而享有财产,又有防止他人侵害之必要程度之处罚权。但此自由（freedom）非自恣之意,乃独立（independence）之意。故欲保全此各人之独立,必须限制各人之自恣。自然状态为缺乏此种保障之不安状态,故有去此以移于国家状态之必要。然自然状态中之各人皆自由平等,非经承诺,同等者中之一人无可以为他人首长或裁判官之理。故其移于国家状态,即不外依据各人间之契约以设立国家团体。如此大众设立团体之时,该团体逐得成为一个体而有权力,成为一个体而行动。而行使其权力之方法,则因团体人员多数之意向而定,正如物体之运动方向,因其所加最大力之方向而定也。故各人依设立团体之契约,而负有服从多数决议之义务。然此契约又非若浩布思所谓将个人全部权利,绝对移于国家政府。其委任于政府者,惟为立法权裁判权及刑罚权,且以保障个人自由及财产权所必要之范围为限。即彼之学说之中心,在于尊重个人自由及财产权。是盖一面说明英国近世自由主义的立宪政治之根本思想,一面又成为美国独立之理论的基础也。当时菲尔麦（Robert Filmer,1653）之遗著《族父权论》（*Patriarcha*,1680）,曾代表一种"族父权说"（Patriarchal theory）,谓国家由亲族团体扩大而成,陆克之《民政两论》,即所谓"族父权说"之驳论也。两者之学说,成一有趣之对照,菲尔麦以古推今,而陆克则以今推古。然就自然状态论而言,则宁以前者为正当。

11. 卢梭

民约论的自然法学说,至卢梭（Jean Jacque Rousseau,1712—1778）而登峰造极,遂以成为法国革命之理论的根据,然自经此次大实验而失败之后,其势力乃骤见衰弱焉。故卢梭非如世人所称之民约论创始者,乃民约论之完成者也。彼于1753年曾发表《人类不平等起源论》（*Discours sur l'origine de l'inégalité les hommes*）之论文,先论究自然状态。此论文景慕人类自然状态为自由平等之黄金世界,人之身体的不平等,乃自然所定,而其政治的不平等,则基于"人约"(le consentement des hommes),故彼之态度,对于此人约结果之国家法律文明等项,则诅咒之否认之,而大声疾呼"复返于自然"。但尔后 1762 年,彼于其名著《社会契约论》(*Du Contrat Social ou Principes du droit politique*),则一变而用人约以说明国家及法律而承认之。彼先设一问题曰:

> 假定有一种合同形态:以构成分子全部之力保障各构成分子之身体及财产,且各构成分子于构成合同之后,仍如未构成合同以前,除自身以外,并不服从他人,而能保持其固有之自由。然则此种合同形态当如何?

彼以为社会契约说可以解决此问题;各人依据社会契约,让渡其自身权利之全部于共同体,再由共同体让受同一之权利,故于自身之权利毫无所失,而共同体复加以权利之保障也。彼之议论,与格罗杰士浩布思等抛弃自己固有权利之全部或一部之主张,与陆克绝对保留权利一部之主张,皆不相同。契约者之人民之总意(volonté générale),由此社会契约而生。此与各人意思之总和(volonté de tous)不同,乃独立之总我(moi commun)也。由形态之方面观察,是为国家,由作用之方面观察,是为主权。而法律则系此人民总意之表示,即法律之渊源为社会契约也。

12. 民约论之内容

民约论先发达为统治契约说。盖比种思想,起源于民权对君权之反抗,故先着眼于君民关系。然统治契约上一方之统治者,既非个人而为民团,即不得不发生民团起源之问题。其成为此问题而表现者,即社会契约说也。尔后民约论者,大都兼论此两种契约,至普芬朵夫乃完成复数契约说。但卢梭则绝对否认复数契约说,所谓统治契约,非双务契约,不过一方行为之委任,其坚持社会契约一点,始终一贯。彼之成为民约论者而占有代表之位置,实此单一契约说之故,就民约论言,彼之学说实最纯粹者也。

13. 自然法说之影响

康德以前之自然法说,以自然状态论及社会契约说为内容,其于世界历史,实发生非常之影响,此乃著明之事实也。盖当十七八世纪之时,胚胎于自然法说之君主放伐及革命之事频起,彼美国独立,自 1620 年 11 月 11 日"The Mayflower"号船中之盟约起,至 1776 年 7 月 4 日之《独立宣言》(*The Declaration of Independence*)止,殆皆说明并实行陆克之民约论者也。其次发生之法国大革命,亦可谓激发于卢梭之自然状态论,而仿照美国独立前例以继承陆克之民约论者。虽曰法国革命结局归于失败,转成为自然法说所以衰微之原因,而打破中世纪之束缚沉滞以转移人文发展之大功绩,实有赖于自然法说不少。自然法说,除此等政治上之影响以外,又于法学史上辟一新纪元。盖一方则颠覆纯哲学的法理论,打破以国家法律及人权直接出于神授之思想,遂以展开端绪,使法律根据于自然现象社会成分之各人之性情理性及意思,虽曰缺乏实证,误作结论,而其论法则已略具自然科学之倾向。其在他方,则杜绝固执过去满足现实之因循思潮,示人以超越过去历史及现在制度之理想,遂以成为法制革新之刺激。若再具体言之,则使国际法发生,使法理学独立,及间接促进法典编纂之机运是也。基此数端,则格罗杰士以及卢梭,实可以永久感谢者也。

14. 对于自然法说之批评

然民约论的自然法说,以言乎学说,则非"事实的",且非"论理的"。兹分别列举于下。

第一,非"事实的"诸点:

(1)说明所谓自然状态之事实的存在,而谓原始人类为自由平等独立,此与事实相反。

(2)认定自然状态与国家状态之间有截然区别之阶程,而谓人类由彼此毫无联络关系之前期状态,一跃而移于协同团结之后期状态,此与事实相反。

(3)历史上无依据民约建国之实例。有之,唯近世美国独立耳。然此实为民约论之影响,不得据以为民约论之根据也。

(4)原始时代无契约。契约乃稍见发达之社会之产物。先民约而后社会,实颠倒事实上之次序。

第二,非"论理的"诸点:

(1)谓完全独立自由之个人(又如某论者谓为性恶而互视如豺狼之个人),于无社会无国家无法律之自然状态任意缔结契约,而自然法乃命其遵守契约者,此矛盾之论也。

(2)民约论者所最苦心研究之处,即在于说明当事人间之契约,如何能拘束其后裔。虽有"当然继承说"、"默认说"、"契约更新说"等假说,然皆不免于强辩。彼詹弗逊(Thomas Jefferson,1743—1826)所谓"国家之生命限于人类一世"之说,虽得强合于论理之关节,但与真实之国家观念相去愈远。

15. 自然法说之价值

如上述论,民约论的自然法说,以言乎学说,终不能成立,已属明了,至其所谓自由平等及尊重民意等根本主义确含有一面之真理,而适合于时势与人心,此学说之所以风靡一时而使人文发达受其大影响者,绝非偶然也。大凡说理想而真能成为抽象绝对者,其事至难。盖不满于现实之人,其描写理想的自然,假托过去之事实而讴歌尧舜禹汤文武,至忘其所以而高唱事实的存在,此决非不自然之思潮也。故吾人不能以其事实谬误之故,而于自然法论之理想的方面,亦一笑置之。例如卢梭以法律为国民总意之表示之说,以言乎所谓"ought to be"之论,至少有一顾之价值也。

二、康德以后之自然法派

1. 康德之民约论

德国之自然法说,自普芬朵夫以后,经托马知斯(Thomasius,1655—1728)、福尔夫(Wolff,1679—1754)而次第表示纯理想的倾向,至于大成此倾向而转换自然法说者,康德(Immanuel Kant,1724—1804)是也。然康德在其他方面,又显然感受卢梭民约论之影响者。彼于其《法律学原理》(*Metaphysische Anfangsgründe der Rechtslehre*,1797)论国家之起源曰:

> 人民由此将自身构成国家之行为 …… 原约(der ursprüngliche Kontrakt)是也。由此原约,全人民中之各人,因成为共同团体(即视为国家之人民)之份子而再欲取得之之故,乃抛弃其外部的自由焉。然此不能谓国家中之各人个因某种目的而以其天赋之外部自由供牺牲也。盖各人因欲于法律的隶属(die gesetzliche Abhangigkeit)——即一种合法状态——取回相等之自由,故完全抛弃其自然无法律之自由(die wilde gesetzlose Freiheit)也。何则? 此种法律的隶属,由各人自己之立法意思发出者也。

此言殆与卢梭民约论之言相同。然康德异于卢梭之点，则有前论中用中点线省略之部分，即"但其实，该行为之合法，仅属由此所能考察之该行为之观念而已"一段是也。即康德所以必须谓国家及法律发源于契约者，乃理性要求之假定（Postulat der Vernunft）固无须证明民约之历史的存在。是故卢梭之民约论乃想像的事实论，而康德之民约论乃观念的理想论也。

2. 对于康德法理学之批评

然康德之民约论难曰"观念的"，而即其所谓"无正义状态（status justitia vacuus）之自然状态由原约变为正义状态之国家"一点言之，即其所谓"使国家及法律之基础依据人类理性及意思"一点言之，及其所谓"关于国家及法律之'无上命令'（der kategorische Imperative）究属离于现实法之理想法"一点言之，则康德实可谓为转移自然法之代表。其排斥英法自然法派之自然主义与实利主义，而根据于"正义"（Gerechtigkeit）之伦理的观念，以纠正自然法说一部分之谬误，而于哲学及法理学上辟一新生面，实彼之大功绩也。学者间有拟彼为苏格拉底者，未必不相称也。吾人之新理想主义，亦有赖于此种倾向焉。惟康德之法理论，实基于以个人意思自由为前提之"理性的个体实在之自治"（Autonomie des vernünftigen Einzelwesens），绝对个人主义如不容纳即不得承认，人类因有两性关系、血统关系及经济关系，决不能成为个体的实在，且人类因遗传感应及其他事变，转成为物质的个体，须受"应服从之自然律"所支配，不能绝对自治，故绝对个人主义，在理论上及实际上皆不能彻底。是康德之议论，在根本上已有谬误。故吾人所应采取之途径，非卢梭之想像的事实论，非康德之观念的理想论，乃事实的理想论也。

3. 斐希特

与康德并行者，则有斐希特（Johann Gottlieb Fichte，1762—1814）。彼之学说虽有仰赖于康德之处，但直接感受卢梭之影响颇多，其所著《自然法原论》（*Grundlage des Naturrechts nach den Prinzipien*，1796），较前述康德之书先出版。彼与康德同以自由为根据，谓"各人生而自由，除彼自身以外，任何人皆无课彼以法规之权利"，因谓国家及法律之基础，乃各人临时所表示之自由承诺，国家之目的，在于实现个人之自由及"原权"（die natürlichen Urrechte）。是彼之议论，乃极端之自然法的社会契约主义，其与康德之议论同为观念论而非事实论。

即不于国家之前或国家以外求自然法之实在亦不于事实上求社会契约之缔结也。其所谓"原权",究属学理上之拟制。其所谓民约,非"实质的"(materiell)乃"形式的"(formell),非"构成的"(konstitutiv)乃"说明的"(deklaratorisch)。

4. 斐希特思想之变化

然斐希特之思想,至晚年似有变化。盖康德及初期斐希特之思想,为个人主义,又为"法治国"(Rechtsstaat)主义。其法律观念,谓法律得因其自身而绝对存在,即康德所谓"国家解散之时亦得处狱中最后之杀人犯以死刑"之思想也。然后期之斐希特,则离开个人(das Ich)而渐注重于民族(Menschengattung),以民族之维持发达为国家及法律之目的,且不以国家为不变不动之观念而视为一种发展物。此即以后所谓"文化国"(Kulturstaat)主义之倾向也。斐希特又设财产契约(Eigentumsvertrag)之观念为民约(Staatsbürgervertrag)之一部,谓国家之组织,须认定各个人为经济主体(Wirtschaftssubjekt)而保障其生存权(Recht auf Existenz),至其结论,则唱"商业上之锁国主义"(Der geschlossene Handelsstaat,1800),谓国家因用法律规定物价及职业,及得以均分享乐财,应禁止与外国通商。是即由绝对个人主义出发,而树立国家社会主义之先声也。盖斐希特此种新倾向理论上之转机,在于经济上应用康德尊重个人价值之主义;而其在感情上之转机,则由于当时德国人爱国心之发达也。

5. 波希尔

其他德国近世大哲学家赫尔巴特(Herbart,1776—1841)及霍邻浩尔(Schopenhauer,1778—1860),亦唱自然法的民约论,但未脱浩布思性恶说之窠臼,多不足道。至19世纪后半期之法国,乃有师承斐希特衣钵而另辟生面之学者出焉,即波希尔(Emile Beaussire,1824—1889)是也。据彼所著《法律原理》(Les Principes du droit,1888),谓自然状态与社会状态,非若从来学者所论之为"续发的",乃为"共存的"。人营社会生活,同时又营自然生活,其不受社会法则支配之处颇多,即当受自然法之支配。而从来民约论者之依社会契约以说明社会起源者,误也。社会非因契约而始立,乃因其构成分子间之契约而存在。其契约为默认之约,而继续更新者也。是则自然法论,于此已完全脱出历史的态度而移于实证的态度矣。

第三节　社会哲学派

一、新康德派

1. 新康德派

康德置其法理学于道义基础之上，而以理想标准诱导法律，此其优点也。惟其立论绝对注重个人，无"以社会为社会"之观念，遂以引出社会为独立对抗的个人之总和之结论。因谓国家作用止于保护，而经济政策惟在放任，其范围未免过狭，且将"自由"之抽象观念，独断为法律之理想标准，以墨守"法律为普遍不易"之自然法主义，此其缺点也。于是乃有一新学派出现于最近之德国，而雄视于法律学界之一方焉。此新学派主张"康德还原"（Rückkehr zu Kant!)，而于康德之法理学加以改良，设"变化的内容之自然法"（ein Naturrecht mit wechselnden Inhalten）之观念，谓"行为规范之内容，在其适用之切合于社会理想时，方为正当"。是为新康德派，因其用社会的意义润色观念的理想主义，故得名之为社会哲学派。

2. 对于科学的倾向之反动

新康德派之思想，可谓为一种反动倾向。盖当19世纪之后半期，自然科学的及历史学的倾向，渐占优势，惟着眼于法律之现实的变迁的方面，至于对法律之本质，动辄有倡导"法律不可知论"（Rechtsagnostizismus）及"法律定义危险论"（Omnis definitio juris periculosa est）之形势，故受康德感化特深之德国法学者，其不慊于此种科学的倾向，而抱有"康德还原"之思想，乃当然之事也。

3. 对于法律学分化之反动

新康德派之思想，又可谓为对于法律学分化之反动倾向。盖当19世纪之后半期，法律学随其发达而次第分化，法律各部门之中，皆有从事专门研究之学者，而其研究亦渐趋独立，如民法刑法国法国际法等各专门学者，殆无不自立其专学之"总论"，而按照所谓"地方的需要"以作法律本质论、权利论、义务论焉。此种研究，在其范围内固有必要或便利，而其弊则不免妨害法律观念之统一及安定。虽有学者欲用"法学通论"以挽救此弊，然仅属全部法律学之总括概说,仍未能充分达成法律观念统一之目的。于是俾亚林(Bierling, geb. 1841)乃采用宾登格(Binding, geb.1841)之"规范说"(Normentheorie),试作超越各项法学之抽象法律论,彼于其《法律原则论》(*Juristische Prinzipienlehre*)之中,谓"法律系在某共同团体营共同生活之各人互相承认其为共同生活之规范者。"此种法律定义,固不免受人指摘,盖一方面失于过泛,未能确定法律法则与道德法则之区别,而他方面又失于过狭,致引出"无承认能力者亦得为权力主体"之结论也。虽然,彼之反对现代专门法学的倾向,而成为指示反动的法理学的倾向之主动人,其功实有不可磨灭者。新康德派,即此反动的倾向之表现,而祖述宾登格者也。惟宾登格之原则论有一缺点,即其依据"有法律则有社会"之论理方法之形式论是也。新康德派则有一优点,即其依据"有社会则有法律"之批评方法之理想论是也。以此理想论补正彼形式论,实此派之特征也。

4.斯达穆拉之纯法律学

新康德派之代表,为斯达穆拉(Rudolf Stammler, geb.1856)。彼谓一切学问,皆须由含有普遍认识(allgemeingültige Erkenntnisse)之原则出发,而法律实质之法规法制之研究,不能达于普遍认识,故其所谓"纯法律学"(die reine Rechtslehre)之对象,必须为法律形式之法律观念(das juristische Denken)。彼注重于实质(Stoff)与形式(Form)之区别,谓自然法说之缺点,在于不论形式之普遍不变而论实质之普遍不变。故彼承认法律实质并非普遍不变,而对于法律发生及发达之研究亦不排斥,惟非彼之"纯法律学"之任务耳。依彼之意,如不先获得纯法律观念,即无由论法律之发达。至彼之法律观念,非为实在,乃形而上学的论理的"思维方法"(die allgemeingültige Art und Weise des juristischen Denkens)也。彼谓人之意识有"认知"(Wahrnehmen)与"意欲"(Wollen),法律观念非认知而为意欲之一种。意欲有"无手段意欲"(Wollen ohne Mittel)与"期成意欲"(das wirkende Wollen),前者为希望(Wünschen),伦理属之,后者即法律也。意欲又有"单意欲"(das einfache Wollen)与"复意欲"(das mehrfache Wollen)。复意欲又分为"个别意欲"(das getrennte Wollen)与"结合意欲"(das verbindende Wollen)。自然法论之谬误,即在以法律为个别意欲之总和,而不知法律实为结合意欲也。然而法律在结合意欲中,又为确实永久不变之意欲,在其自主之一点,与"随意"(willkür)不同,在其有强制力而不可侵犯之点,则与风俗礼仪等"因袭规范"(Konventionalregeln)不同。即法律与道德风俗礼仪等之差别,不在内容或目的而在形式也。斯达穆拉所谓法律乃确定不变之普遍法律观念者,即此"不可侵的自主的结合意欲"(das unverletzbar selbstherrlich verbindende Wollen)也。基于此法律之意欲性,而有权利主体及权利客体之论;基于法律之结合性,而有"权原"及法律关系之论;基于法律之自主性,而有主权及服从之论;基于法律之不可侵性,而有合法及违法之论。是为斯达穆拉之纯法律学,可知其专尚形式论理也。

5. 斯达穆拉之社会哲学

然斯达穆拉一面又指摘从前法理学以法律为根本观念之谬误,谓法理学究属论证"人类社会生活合法性"(Gesetzmässigkeit des sozialen Lebens des Menschen)之社会哲学。但彼所谓社会生活,非指实体的集合而言,乃受外部的规律支配之共同生活也。其外部的规律即为法律,是为社会生活之形式;"社会经济"(Sozialwirtschaft)即人类以满足需要为目的之协力,故为社会生活之实质。此形式与实质,同一重要,虽曰"不受规律之实质之规律属于空虚,无共同生活规律之社会经济观念属于乱杂",然吾人亦得专用其形式方面为学问之对象。是即法律学也。而社会生活之穷极目的——即"社会理想"(das soziale Ideal)——为"自由意欲人之共同团体"(Gemeinschaft frei wollender Menschen),即他律的法律,结局必归着于被治者意思所发之自治法。穷其究竟,要不外为卢梭及康德之思想也。至斯达穆拉所谓之"正当法"(das richtige Recht),一面为适合于此社会理想之法律,一面又为与法律根本观念合致之法律。即彼之法律学为纯法律学,同时又为社会哲学也。此两者果能充分调和与否,尚属疑问。又如彼之以社会生活为法律根柢而说明社会理想,此在吾人之社会法学的新理想主义观之,固为一大卓识,然既论社会生活,求社会理想,而又不欲放弃其形式观念,殆属不可能之事。斯达穆拉自身,一面否认内容的自然法,一面又于一切方面,谓奴隶制度一夫多妻制度及专制政体等为"不正当法",是其矛盾也。故德国最近法理学书著者之拉布尔希(Gustav Radbruch, *Grundzüge der Rechtsphilosophie*, 1914),彼虽属于斯达穆拉之系统,但指摘斯达穆之缺点,而将现实法学与法律哲学截然分离,谓法律哲学为不能用实验方法解决之纯观念之学,盖已复返于纯哲学主义矣。

二、黑智儿及新黑智儿派

1. 薛林格

与康德一派用主观见地观察法律之思潮相对立,而具有用客观见地观察法律之思想者,实开端于薛林格(Schelling,1755—1854)。彼之哲学,在其由一原理以演绎万事(即法律亦在内)之点,虽与斐希特之哲学相同,但其原理非为自我(das Ich)而为绝对(das Absolute),非为个体意思(der individuelle Wille)而为"绝对意思"(der absolute Wille)。其所谓"绝对"(即Gott),非观念亦非组织,乃生活(ein Leben)也。是即所谓天地生生之理,而"绝对"则能生活,能进化,能发现。故万物皆为生活体有机体,法律亦然,实为"人类自由之客观的有机体"(der objective Organismus der menschlichen Freiheit),不外为"神之进化"(Evolutionen Gottes)之一发现也。此"绝对"进化之各种发现即为历史,薛林格之得称为历史哲学者,以其注重此点也。彼之不以法理学为自然法学而以为"发达之法学"(Erkenntnis des Geistes des gewordenen und werdenden Rechts),其对于历史派法学者,实有打破自然法主义门户之功绩,然彼自身则非实验的历史法学者也。

2. 黑智儿

大成薛林格之倾向者,乃与彼同时之黑智儿(Hegel,1770—1831)。黑智儿之哲学,规模甚大,一切自然及历史皆包括其中,法理学即其一部分也。薛林格所谓之"绝对",即黑智儿所谓之"精神"(Geist)。精神分三段进化,即主观的精神(subjectiver Geist)、客观的精神(objectiver Geist)、绝对的精神(absoluter Geist)是也。第一段为精神在个人之发展,第二段为精神在国家之实现,第三段为精神之归原于美术宗教哲学。精神之实质为自由,自由实现与扩充之状态为"道义"(Sittlichkeit)。进化,即此自由之发展与完成;世界历史即人类之解放历程(Emanzipationsprozess der Menschheit)也。至于法律,实为此进化之一阶程,主观的个体意思,由此成为客观的个体意思,客观的精神(即自由)于此始能达于外部的实在而成为国家之前提。而道义则惟在国家方能完成,且惟有借国家方能完成,故法律可谓为极重要之一阶程,法律与客观精神内部的实在之伦理(Moral)相结合,是为道义;个人惟有超越其偶然的个体存在而成为全体之一部,转能发挥其真面目,"世界之绝对的穷极目的",如此始能达到。

3. 黑智儿之特征

关于黑智儿之法理学,有可注意之点四:第一,即其泛神主义泛理主义(Pantheismus,Panlogismus)是也。彼之言曰:"有理者实在,实在者有理"(Was vernünftig ist,das ist wirklich,und was wirklich ist,das ist vernünftig)。故国家及法律当然正当,法学者无论证其正当之必要,惟认识其有理足矣。后述新黑智儿派之比较法学的倾向,即萌芽于此泛神主义泛理主义。第二,即其历史主义进化论的倾向是也。谓法律并非普遍不变,不过为进化之一历程,彼于此点颠覆自然法主义之根基,其自身虽非科学的,实则已为科学的法律学辟一进行之途径。第三,即其非个人主义是也。康德以个人为其哲学之中心人物,而黑智儿则视个人为进化的生活之一份子,其所谓意思,非个人之意思,其所谓自由,非个人之自由也。第四,即其"文化国"主义是也。彼谓国家不仅为法的正义之实现,而为道义之最高实现。而所谓道义之实现,即不外解决时代观念所发现之问题。即打破法治国主义之狭隘,而大有影响于以后之法律学也。

4. 郭拉

黑智儿之长处,在于启发以文化为法律基础之倾向;其缺点则因其方法仅限于演绎。至于传承此长处而补充此缺点者,则为新黑智儿派(Neuhegelianer),郭拉(Joseph Kohler,geb,1849)即此派之代表也。黑智儿以法律为理性及论理之产物,而郭拉则高唱法律为文化现象(Kulturerscheinung),具有历史关系,尤注重民族文化(Kultur eines Volks)为法律基础之事,并论证"世界历史为论理及非论理之结合",主张用实验方法研究各分族之文化。此种研究,对于比较法学及人种学的法律学(die ethnologische Jurisprudenz)之振作发达,实大有影响。然郭拉之缺点,在偏重过去自然发达而来之文化,而于未来文化与法律之关系,尚未能充分说明,盖专心于人种学的法制起源论而忽视法律文化之人为方面也。例如,谓刑罚之起源为复仇,此乃人类学的研究,彼则受此种研究所拘束,而固执"刑罚报复主义"(Vergeltungstheorie),排斥"目的刑主义"(Zwecktheorie),是即其弊病之一端,又可谓与其学说所依据之文化国主义相冲突也。至于指摘此缺点,而欲转换郭拉法理学之静的理论的方面于动的实际的方面者,则为柏洛海麦(Fritz Berolzheimer),彼为郭拉之后进,亦属于新黑智儿派者也。新康德派之法理学,有复归于纯哲学之倾向,而新黑智儿派之法理学,则有转移于社会学之倾向,此两派之差异也。

三、实利派之法理学

1. 边沁

德国之法理学,偏重伦理,且带有宗教色彩,至于英国之法理学,则根据于实利主义,其提倡者为边沁(Jeremy Bentham,1748—1832)。边沁以增进"最大多数之最大幸福"(the greatest happiness of the greatest number)为法律之目的,尤注重于立法,由此出发点而言,其到达于社会政策的指导立法主义,实为当然之归趋,盖在当时之英国,所谓最大多数,乃中等商人阶级,因此边沁谓各人为其自身幸福之最良判断者,而以排除一切障碍个人自由之限制,为法律之目的。此放任主义(laissez-faire),虽非实利主义必然之结论,然自经穆勒(John Stuart Mill,1806—1873)祖述以后,愈有势力,遂能支配19世纪末叶以前之英国政治思想。此个人的实利主义(individual utilitarianism),使法律学与实际生活接近,而以立法学为其重要之项目,此其功绩显著之点也。然其谓人生之目的在于保障幸福,而以幸福为"增进快乐"与"排除苦痛"两者相待而成之结果,并视人类为"折算快乐与苦痛之自动机"而蔑视其道德性情,且偏重各人之共通点而忽略其差异点,此种根本理论,由道义的见地言,固难赞成,即就科学家们的见地言,亦不能首肯。

2. 耶林格

继承英国式实利主义之系统,而于德国法学者中放一异彩者,则有耶林洛(Rudolf v.Jhering,1818—1892)其人。彼于其所著《法律上之目的》(*Der Zweck im Recht*,1877)中,曾提出"目的为全部法律之创造者"(Der Zweck ist der Schöpfer des ganzen Rechts)之论题而言曰:自然界之因果律虽为机械的,而人类意思上之因果律,则为心理的。人非为weil(故)而行为,乃因um(因为)而行为。无无目的之意思,无无目的之行为。各人虽皆为自身之目的而谋利益,而人生则实为自身目的与他人利益之结合也。此种结合,并非先天存在,而出于人为,即组织自我之目的为全体之目的(Zweck der Gesamtheit),乃国家之作用,乃法律之效用也。此"目的之组织"(Organisation der Zwecke)所由实行之事项有二:其一为利用"我为我而存在"之"利己的自己主张"(die egoistische Selbstbehauptung)之报酬及强制;其二为基于"世界为我而存在我为世界而存在"之"伦理的自己主张"(die ethische Selbstbehauptung)之爱无义务心。法律即其国家的强制之组织,故规律与强制,在法律虽不可缺,而规范及强制——即法律之形式——非法律之目的,而法律之目的乃在其内容。法律之内容,在保障社会之生活条件(生命之维持繁殖、劳动及交易),而此社会之利益,即法律之目的也。

3. 耶林格之功绩

耶林格变更英国式个人的利己主义之形式,使其倾向于社会的实利主义(Sozialutilitarismus),以社会目的之社会利益为标准,建设一种解释法律适用法律及从事立法之"利益法学"(Interessenjurisprudenz),实使尔后社会学的法律及刑事学之新倾向,大受其影响。然其"以目的为全部法律之创造者"之根本思想,能否成立,尚属疑问。其所谓"人类行为皆因目的而定"之前提,在心理学显属谬误,即就法律现象观之,如惯习法及判例法,亦不得谓其必因目的而创造,又如制定法,亦不能谓起草者及协赞者之目的即为法律之目的也。此种偏重目的之处,尚未能完全脱离理性哲学之范围,是其不要求科学的正确之短处。不宁惟是,即其所谓"法律有目的,而其目的为利益"之论,亦属于法律之内容论,而非法律之本质论,以言乎法理学说,此其大缺点也。要而言之,耶林格之功绩,在改良边沁实利主义之利己的个人的缺点,而使其变为社会的道义的一事是也。盖耶林格以前之法理论,皆为个人主义。所谓法律之目的,则务期使各个人取得最大之自由活动范围,以调和各个人之意思。故当18世纪之时,一般人皆谓法律为个人向社会请求得来者。自耶林格出,则谓法律乃社会为社会目的而创造,而个人则不过由此取得一种手段,以保障其在社会所容许之范围以内之自身利益已耳。彼虽尊重权利,而权利仍不外为保障个人利益之手段,个人利益之保障,非其自身目的,乃因达成社会利益保障之目的而采取之手段也。由此言之,则后述法律由个人本位权利本位至社会本位之变迁,实耶林格有以启其端也。此外耶林格之著作中,其大有贡献于法学界者,则为彼之《罗马法精神论》(*Geist des römischen Rechts*, 1852—1858)。彼因此而有最后之 Romanist 之称。然彼之对于罗马法,亦视为达成目的之手段。彼之发动机,即"通于罗马法而仍在罗马法之上"也。故耶林格之罗马法论,不免有旧瓶盛新酒之讥焉。

第五章　历史派之法理学

一、历史法学派之勃兴

历史法学之必要,莱布尼兹(Leibnitz,1646—1716)夙已提倡,法律之历史观,亦见于薛林格之法理学。此种思想,自19世纪以后,忽呈具体化,在德国则产生历史法学派(Die historische Schule),而具有压倒自然法学派之势力焉。彼忽视时间空间之自然法说之非历史的弱点,遂经此史学的倾向所打破,而对于自然法说所表现之法国革命之反动,与德意志各国因被拿破仑蹂躏而生之国民自觉,实为历史派勃兴之近因。拿破仑由德国败退之1814年所以成为德国历史法学派之纪元者,非无故也。且此派议论之最初发现,适当德国提倡复兴统一论之时,其成为自然法说之反对论而发出者,亦可谓为有兴趣之现象也。是为有名之"萨威棱与提波之争议"。

二、提波与萨威棱

1814年,赫德尔堡大学教授提波(Thibaut,1772—1840)著《德国一般民法典之必要》一书,论德国民族之统一,须由法律之统一始能成就,并提倡共通法典之编纂,为当时之先务。彼主张此项法典,须排除外国法之成分,尤宜排除《罗马法》,使适合于德国之民俗,而法典之根本,则须依据正义及理性。盖提波虽代表当时之国民的自觉,但乃受自然法论所支配也。提波此论,适合于时势之要求,成为德国复兴方策之名论,几有风靡一世之概。然当时柏林大学教授萨威棱(Karl Friedrich von Savigny,1779—1861),则于是年著《立法及法学上之先务》一书,反对提波之说,谓法律乃可以成立之物,非可以造作之物,正如国语之在国民中自然发达,非立法者所能制作以授诸国民也。欲期德国民族之法律统一,必先统一德国民族之法律思想,若惟欲凭借一般法典之编纂以达成其目的,尤欲编纂辞书以统一国语也。萨威棱此种旨趣,对于提波之说,实为有力之驳论。因此提波之说,卒未为当时所采用,但萨威棱之论,亦未绝对否认法典之编纂,不过以为时机太早,历史的法学的准备尚有必要也。故尔后经历 80 年之争论与究研,遂以成立 1896 年之德国民法典,此法典系兼用提波与萨威棱之学说而成者也。

三、历史法学派之民族精神说

在萨威棱之前,则有傅葛(Hugo,1768—1844)。彼否认自然法说,谓法律之内容,必须由经验及历史中采取之,实历史派之先驱也。此说至萨威棱发表前述论文时,始见完整,复与同时之普夫达(Puchta,1798—1846)相呼应,其学说之势力,乃顿呈兴盛之象。此种学说,自其研究方法观之,即为历史法学,自其内容观之,又可称为"民族精神说"。即谓法律为民族精神之发现,而基于民族之"法律确信"(Rechtsübersetzung des Volks)也。法律确信,即法规存在及有效之确信,为民族的心理状态,萨威棱与普夫达亦以法律确信——即民族的心理状态——为法之本质,谓惯习、学说、判例、法文等事,惟为其所谓民族法(Volksrecht)之发现状态。例如,历史派所视为最重要之惯习法,非以其为惯习之故而成为法律,乃因其为法律之故而成为惯习。而法律则又当"与民族同生同长同亡"者也。是则历史法学派之特征,即民族的心理的发达的法律观也。

四、历史派之缺点

历史派的学说,其大有贡献之处,在匡正自然法学说之缺点,振兴实验的法律学,且资助各国国法之发达整顿,然以言乎学说,则可谓尚未完备也。兹指摘其各种缺点,略述于次。

第一,其着眼于国民特性也固宜,然遗忘法律上存有人类通性之事,不无遗憾。

第二,其视民族即国民,以言乎"一民族一国家一法律"(Ein Volk,ein Reich,ein Recht!)之理想论,固有一面理由,然不必与过去及现在之实际一致,历史派转不免有"非历史的"之讥。

第三,法为法律确信之定义,系循环论法。如不承认法律观念之预先存在,即不能如此立论。但如承认法律观念之预先存在,则结局仍归着于一种之自然法。

第四,法律为国民精神之议论,与实际不合。惯习法或可以如此说明,但所谓"法曹法"(Juristenrecht)及制定法(Gesetzesrecht),则不必皆然。如谓"不其然"者非法律,则毕竟不能超出自然法论之外。

第五,说明法律之发达性,固为历史派之大贡献,然法律之永久性亦不宜忽视。又如谓法律应为无意义之发达,不应为有意议之发达,其论失于狭隘。关于此点,对历史派作最有力之反对论者,为前述之耶林格,彼所谓法律皆为有意识的目的律之产物,固属谬误,而历史派所谓法律皆为无意识的因果律之产物,亦属同样之谬误。法律固为国民精神之发现,但同时又可以指导并教育国民精神也。

第六,历史派最注重惯习法,为其议论当然之结果。然现代各国之趋势,则与此相背而驰,而愈益倾向于制定法主义。

五、科学的历史法学

萨威棱采用罗马法为其历史法学的研究之对象,盖以罗马法为德国所继承,而成为一种普通法(Gemeines Recht)也。然其后爱希霍伦(Eichhorn, 1781—1854)、雅各卜格里姆(Jakob Grimm,1785—1863)、威赫尔格里姆(Wilhelm Grimm,1786—1859)辈之主张,则与萨威棱不同,以为法律如为国民精神之表现,则德国应研究其固有法之德国法。于是德国历史派之中,遂有"罗马派"(Romanisten)与"德国派"(Germanisten)对立之形势。当其始也,"罗马派"则远溯其法源于未经德国继承之罗马法,"德国派"则远溯其法源于未继承罗马法以前之日耳曼古法。迨后两派因逐渐研究继承罗马法以后之德国法律状态,对立之形势始见缓和,至民法编纂之大业告成,已无对立之痕迹矣。同时英国方面,则有梅因(Sir Henry Maine,1822—1888)其人,著《古代法论》(Ancient law,1861)及其他书籍,提倡用实验法以论法律沿革之原理。其次梅特兰(Maitland)等出,则提倡英国法之重要,以期成立其英法系统。要之,今日之历史法学,与萨威棱普夫达之历史派已不相同,其性质亦一变而为科学的性质,即由历史的现实法学出发而渐进于历史的法理学也。

第六章　比较法学

一、比较法学之发达

注重法律为地理的人种的产物之事实,而揭举场所不同之数种法制,以作实验的比较研究者,是为比较法学。盖自近世以来,国家与国家之对立,日益显著,通商航海之事业,日益兴隆,殖民政策,次第发达,比较言语学,逐渐进步,此等事实,为法学者增添不少之研究资料,彼比较法学即由此发达而成为一种专门学问者,其有可以期待于将来之处实多也。世固有谓比较法学惟为一种法律学之研究方法者,然迩来专用此种方法研究法学之专门学者,实繁有徒,彼等且欲综合此比较研究之结果,以作成法律本质论焉,即谓比较法学派为一独立学派,固无不可也。比较法学之中,亦有两方面:其一为开明各国法制之比较研究,谓之比较立法学(la législation comparée);其二为古今未开化民族法制之比较研究,谓之人种学的法律学(die ethnologische Jurisprudenz)。

二、比较立法学

比较立法学,盛行于法国。此派学者现在之代表,当为拉姆伯尔(Lambert)、罗甘(Roguin)诸人。然法国对于各国法制之比较研究,其较之此等专门学者而更有大贡献者,则为1869年在巴黎设立之"比较立法学会"及1876年用部令设置于司法部之"外国立法调查会"。彼1894年设立于柏林之"国际比较法学经济学协会",及1896年设立于伦敦之"比较立法学会",皆取范于法国者也。此种比较立法学,其最后之目的亦在于法律本质论,至其目前之任务及效用,则在谋国际私法的裁判之便利,供国法之创制补充或解释之参考及供给"世界法运动"(Weltrechtbewegung)之资料也。

三、人种学的法律学

人种学的法津学,盛行于德国。其创始者实为巴可芬(Bachofen,1815—1887)。逮波斯特(Albert Hermann Post,1839—1895)出,始著成数书,使斯学在法律学中得以成为独立之科目焉。现今此派之中心为郭拉,已如前述。此学派之研究,今尚未脱断片记述之境,然由此种实验的研究而归纳之,亦未尝不能构成综合的法律本质论也。至于比较法学之法理学的价值,与其谓为存于比较立法学,不如谓为存于人种学的比较法学也。惟此派学者所易引起之谬误,即在固执于法制起源论,而忽视其在现社会之任务,又如对于所谓现代野蛮人与原始人类相类似之假定,亦未免相信过甚也。

四、比较法学之研究法

比较法学之研究法可分为次列三种。

第一,国别比较法;

第二,人种别比较法;

第三,法系别比较法。

国别比较法,注重于法律为地理的产物之事实,以国法为比较之单位。此方法系法国式比较立法学所采用者,其效用虽多,但仅能用以研究各开明国家之法制。惟有应当注意者各开明国家之法律,大都由固有法及继承法之两要素而成,又如联邦制之国家,一国以内,往往有数法并存之事,如以国境为界限而比较法制,亦未必适当也。

人种别比较法,注重于法律为人种的产物之事实,以每一人种之法律为比较之单位。此方法即德国人种学的比较法学之研究方法,用以研究未开化社会之法律,甚为适当,而于开明国家法律之研究,亦足以补充国别比较法之缺点。惟研究开明国家之法律时而惟用人种别比较法,尚不充分,故结局仍须两法并用也。

法系别比较法(Genealogical method),系日本穗积陈重所提倡,而于1904年报告于美国"逊特尔伊司"之万国学艺会者也。此方法以"一国法律由固有法及继承法二要素而成"之事实为根据,以继承法(子法)及其所取范之他国

法(母法)两者间之系统的关系(法系)为比较之单位,以研究其法源法境及法
势等事者也。至世界之主要法律,则可分为七大系而比较研究之。所谓七大
系者,即中国法系、印度法系、罗马法系、日耳曼法系、斯拉夫法系、英法系
是也。

第七章　社会学派

一、孔德

近时德法两国,有称为社会学派之一派法律学者。此派注重于"法律为社会法则及法律现象为社会现象"之事实,主张用社会学的方法以研究法律。其思想之起源,实发端于社会学鼻祖孔德(Auguste Comte,1798—1857)之"实证哲学"。孔德谓吾人之知识惟限于现象界,而以采用自然科学的方法阐明现象及其相互关系,为其哲学之任务及界限。即谓知识皆为归纳的相对的,惟用此相对的知识,即可以充人生之用,故其实证哲学惟以认识自然法则之内容为满足,至于自然法则之说明,则以其为不可能之事而弃置之。故以国家为社会之一种形式,以法律为社会之一种现象,而定其研究之对象,因而吸收国家学及法律学于社会学之中。即孔德之实证主义,就其所根据之认识论而言,虽与康德派之论相似,而就其非个人中心主义非权利本位主义一事而言,则完全不同。据孔德所论,个人惟负有对于社会之义务,无所谓个人之权利。又就其注重社会之一点言,虽与黑智儿派相似,而就其轻视国家及法律之特别意义一点言,则完全不同。其阐明法律之出发点非个人而为社会之事实,使法律学得有社会学的新生命,厥功甚伟,惟其所谓使实证的社会学包括国家学及法律学之企图,则在"国家为特别社会而法律为特别社会现象"之性质上,终难于实现也。

二、实证学的法律学

社会学的法律学,与社会学相同,亦发端于孔德之实证哲学,但以后则渐与实证哲学及社会学分立,遂至独立而成为社律学之形态。其发达之途径,亦与社会学之发达相同,历经实证学的倾向、生物学的倾向、心理学的倾向,而今则进于综合的统一的倾向。所谓实证学的倾向者,即注重于社会的法律现象之记述,而放弃其说明与批评,其对于国家现象及法律现象,亦若对于一般自然现象作相同之机械的观察,而否认其由人力造成之成分。盖以当时之自然科学的倾向与法律学上之历史学的人种学的倾向有所关联也。代表此思想者,为奥人格姆普洛伊特(Gumplowicz,geb,1838)。彼谓国家乃"由社会元素(非个人,亦非家庭,而为社会阶级)之自然法则运动而发生之社会现象",谓社会学不能批评其价值。即彼之社会学之优点,在证实团(Gruppen,Rassen,Klassen)为社会之元素。而其缺点则在于偏重此一方面之真理,而完全忽视个人,且惟着眼于阶级斗争,而轻视人类之道德方面也。

三、生物学的法律学

19 世纪后半期之社会学,显然带有生物学的倾向。是即达尔文(Darwin,1809—1882)进化论之影响,而应用此进化论于社会学国家学法律学等方面者,在英国则有斯宾塞(Herbert Spencer,1820—1903),在德国则有赫克尔(Ernst Haeckel,geb,1834),今日社会学者法律学者中之具有此种倾向者亦不少。此学派对于国家及法律,作生物学的说明,以代替物理学的观察,而欲应用进化论中生存竞争、自然淘汰、人为淘汰、适者生存等之理论,以说明国家及法律。此种研究,以言乎国家及法律之起源论及发达论,实兼有自然发生论及人为创造说之优点,而就其具有科学的形体一事言之,则较之其他学说尤为进步。惟此派学者,亦有一种通弊,例如尼采(Friedrich Nietzsche,1844—1900),动辄陷于"社会的优者主义"(Social aristocracy),谓国家及法律之任务,在于指导自然淘汰及助长适者之生存,此实吾人所难首肯者,盖国家及法律之任务,实在于抑制生存竞争,限制自然淘汰,以保障不适者之生存,即必须"归着于社会的劣者保护主义"也。是即近来所谓"法律之社会化"之重要倾向也。

四、心理学的法律学

其次,社会学及法律学,又具有心理学的倾向。法律学者之具有心理学的倾向者,为德国之基尔刻,社会学者之具有心理学的倾向者,为美国之乌德,至法国之达尔特出,始构成其心理学的法律学焉。

基尔刻（Otto Gierke, geb. 1841）为"德国法派"之法律学者,彼于其大著《德国团体法论》之部首,即标明"人之所以为人,在于合群"之义,其表示社会法学的态度,与从前以个人意思为基础之法理论,正相反对。彼之"团体说"（Genossenschaftstheorie）,谓人类各种协同团体中,有团体人格团体意思之存在,而此团体人格团体意思,又与个人人格、个人意思不同,此种卓见,实引起法人论之革命,且同时启发心理学的法律学之新倾向。邬恩特（Wundt, geb. 1832）、智德尔曼（Zitelmann, geb. 1852）及叶林古（Jellinek, geb. 1851）等大学者,同属于此种倾向,且皆发表其有价值之心理学的法律论焉。

乌德（Ward, b. 1841）提倡所谓"动的社会学",谓社会之本质为心理力。心理力与物理力同为实在的,且为自然的。而一切社会现象之真实原因,即此心理力也。故社会学之基础,不在于生物学,而应于心理学求之。吾人对于自然之态度,须分两种:一为学生之态度,一为主人之态度。若惟观察自然作用之无意识的表现,尚不充分,盖社会学之终极目的,在研究其应用自然力于社会目的之有意识的心理作用也。是盖可谓为社会法学之有力的基本观念也。

应用社会心理学说明法律现象之学者中,其最显著者,莫如达尔特（Gabriel Tarde, 1843—1904）。彼以模仿为社会之基本事实,谓言语、美术、法律、制度等一切文化之发达,皆发于人类之模仿性。至其所谓"社会即模仿"之命题,吾人虽不能完全同意,而其着眼于模仿为社会一大势力之事实,良可钦佩,关于法律之发达,模仿亦为其一大要素,此固不容忽视。即达尔特之模仿论,可称为心理学的社会法学之著例也。

五、综合的统一的倾向

然自前世纪末叶以来,社会学者之中,从乌德为始,已逐渐觉察上述实证学的方法或生物学的方法或心理学的方法,皆不能完全解决社会学之问题,必须综合过去所已实行及将来所能实行之一切方法,方能成就完全之社会学。故今日之社会学者有言曰:"社会学仅能有一种不能有多种,即将来之社会学,应以统一旧日社会学各派之研究为其特征,故吾人宜利用经验所得之部分的片面的琐碎的知识,以建设更适合于全部经验之总论,而其目的,则在就人类之相互关系,说明其事实,且了解其意义,借以成就其指导人类生活之事业。"此种议论,实表示孔德时代所已有之统一倾向也(参看 Small；*General Sociology*,1905；*The Meaning of Social Science*,1910)。

六、社会法学

其在法律学,最近亦有此种综合统一之二倾向。其一,否认法律学从来所用种种研究方法(注译方法为尤甚)之自满的态度,而力言社会学的方法之重要；其二,否认法律学自身之自满的态度,而主张将法律学作为社会学之一部分。从前之法律学,惟注重于法规(仅为法律生活现象之一)之研究,谓此种意义之法律学,足以独立地说明法律现象,实属谬误。故其结果,不仅为法律学之不幸,且法律不能与社会之目的并行,裁判官又不能了解社会之目的,或拒而不纳,遂使法律生活与事实生活不能一致,诚社会之大损失也。于是乎将来之法律学,必须以社会学的方法为主,必须成为社会学之一部分,必须脱离概念法学论理法学而成为目的法学利益法学,故不能使法律变为"由上孔注入事实由下孔抽出判决之自动机械",而必须研究可以成为实际生活法则之"活法律"(das lebend Recht)而适用之。以上所述,乃此派倾向之要领,自名为"社会法学"(Rechtssoziologie),即就其与法规之关系以研究社会生活之学问也。此种倾向,系因不满意于从前立法及裁判之事实而生,与所谓"自由法运动"(Freirechtsbewegung)同时而起。至于社会法学之著述而应当注意者,兹因年代之次序,略举于次。

1899　Gény,*Méthode d'interpretation*.

1903　Ehrlich,*Freie Rechtsfindung und freie Rechtswissenchaft*.

Zitelmann,*Lücken im Rechte*.

1906　Gnaeus Flavius(Kantorowicz),*Der Kampf um die Rechtswissenschaft*.

Ehrlich,*Soziologie und Jurisprudenz*.

Grasserie,*Les Principes sociologiques du droit civil*.

1907　Bozi,*Die Weltanschauung der Jurisprudenz*.

1908　Fuchs,*Recht und Wahrheit in unserer heutigen Justiz*.

Duguit,*Le Droit social,et droit individuel et la transformation de l'état*.

1909　Fuchs,*Die Gemeinschädlichkeit der konstruktiven Jurisprudenz*.

Oertmann, *Gesetzeszwang und Richterfreiheit.*

Sinzheimer, *Die soziologische Methode in der Privatrechtswissenschaft.*

1910　Brugeilles, *Le Droit et la sociologie.*

1911　Kantorowicz, *Rechtswissenschaft und Soziologie.*

Stampe, *Die Freirechtsbewegung.*

Rolin, *Prolégomènes à la science du droit.*

Demogue, *Les Notions fondamentales du droit privé.*

Pound, "*The Scope and Purpose of Sociological Jurisprudence*".

Harvard Law Review, Vol.24, 25.

Ehrlich, *Die Erforschung des lebenden Rechts. Schmollers Jahrbuch*, XXXV.

1912　Heck, *Das Problem der Rechtsgewinnung.*

Fuchs, *Juristischer Kulturkampf.*

Duguit, *Les Transformations générales du droit privé.*

Charmont, *Les Transformations du droit civil.*

1913　Ehrlich, *Grundlegung der Soziologie des Rechts.*

Cosentini, *La réforme de la législation civile.*

七、社会学①的研究方法

社会法学,尚在草创之期。学者虽说明其必要,但尚未论及具体方法。据鲍恩特(Roscoe Pound)所综合者而言,今日社会法学者之主张,归着于下列六点。

(1)研究法律制度及法律学说所及于实际社会之结果。

——例如关于成文法之各种规定及其学说之各种主张,则研究如此规定或主张于社会有何利益? 又研究其如为反对之规定或主张于社会有何损害? 或须就法规的社会现象作统计学的调查。

(2)关于立法准备之社会的研究。

——从来之立法准备,以内外法制之分析的比较研究为主。然惟用法律

---

①　疑应为"社会法学"。——编者注

自身之比较研究,尚不充分,故法律之社会作用之比较研究,更为重要。

（3）研究使法规发生实效之手段。

——法规之要,在于施行。然法律施行方法之学问的研究,为从来法律学所无,苟缺乏此种研究,不仅不能达成各法规当面之社会目的,且不能保障法律全体之社会目的。

（4）社会学的法律史学。

——法制史不当如从前之惟以法规史（Quellengeschichte）为限。法律学史亦不当以学说史（Dogmengeschichte）或方法史（Methodengeschichte）为满足。必须注重研究其法规或学说与当时社会状态经济状态之关系,即以社会史为主也。

（5）对于各种事件作有理而且正当之解决。

——社会法学者,谓从前法学为挽救法规之论理而牺牲其适用之平衡。结局,法规惟成为裁判官之一般的指南针,而裁判官得于法规以外,借科学的自由研究,"发现"基于事物本性之法律。是即所谓"自由法说",此主张之一部分,已经瑞士新民法第一条采用,有如后述。

（6）法律目的之有实效的成就。

——是即社会法学之终极目的,前述五项之研究,不过为此终极目的之手段。

八、社会法学之批评

社会法学,要不外下列四点。第一,较之法规之抽象的内容,尤注重法规之作用。第二,视法律为人类智力所能改良之社会制度,而以助长并指导此种智力为其任务。第三,较之法律之制裁,尤注重法律在社会上之目的。第四,不视法规为一定不变之规范,而视为引导于社会上正当之结果之指南针。质言之,即留意于"国家为社会法律为社会现象"之事实,而研究论评法律与社会状况及其进步之关系者也。其先社会而后个人之根本观念,所谓正论,其所论者,大致可以采用。尤以提倡用社会学的方法研究法律学,为此派之大功,其贡献于将来者甚大。惟社会法学说,系因不满意于从前之法律学说及裁判而生,转不免有失其正鹄之弊病。其第一弊病即社会学的方法自足论;其第二弊病即极端之自由法说也。

九、社会法学自足论

社会法学者,谓已前法律学惟知就法律之内容抽象分析,固执其所谓法律学的方法(méthode juridique)而故步自封。然今则彼派自身,亦专用其所谓社会学的方法(méthode sociologique)而陷于同样之弊病。夫法律学原应兼有关于法律内容之知识及关于法律在万有现象中之位置之知识。以成为法规之法律为对象而研究者,为从前之法律学的方法,以成为社会现象之法律为对象而研究者,为最新之社会学的方法,法律学必须兼用此二种研究方法,方能成为完全之学问,若惟坚持其一而自足,未免失于狭隘。惟所谓法律学的方法,已为从来之法律学所专用,至于采用社会学的方法以研究法律,实有未经开拓之沃土,故余于此点,则左袒社会法学。至于国家虽为社会之一种,然为特别之社会;法律虽为法会法则之一种,然与其他社会法则之性质不同。故国家学及法律学,应用特别之方法,使其成为独立之学问。如因法律为社会现象而惟用社会学的方法从事研究,而使其包含于社会学之中,此则不能表示同意者也。

十、自由法说

"自由法说",有打破孟德斯鸠三权分立主义之卓识。盖法律原不能举现在及将来之一切生活需要悉网罗而规定之,所谓"法规之无缺陷"(Lückenlosigkeit der Gesetze)一事,原不可期,而裁判官又不能以其无规定而拒绝判决,故裁判官之应有补充法律之权能,乃当然之事理也。从来法律学,或假定法律之无缺陷(Lückenlosigkeit des Rechts),或援用立法者之意思,或容许作扩张解释及类推解释,究不外默认裁判官之立法行为也。然法律无缺陷之假定,究属空论,其未依宪法上之手续言明之立法者意思,亦非法律,而扩张解释及类推解释,其根据与范围甚不明确,故不如正正堂堂承认裁判官有补充法律能力之为愈也。至于自由法说,谓裁判官有变更法律之权能,法规之对于裁判官,不过为指南针或教科书,惟知注重就各项事件作正当持平之解决,而不知一般的"法律安定"(Rechtssicherheit)之更为重要,转抹煞法律之社会目的,实可谓一大谬见也。余以为瑞士民法第一条之规定,对于此问题能作最适当之解决,虽无明文规定,而裁判官亦具有同一程度之补充法律能力也(参看明治八年太政官布告第 103 号裁判官事务心得第三条)其规定如次。

关于文字上或解释上凡在本法规定之法律问题,皆适用本法。

未经本法规定时,裁判官得依据惯习法,如惯习法亦不存在时,裁判官得自为立法者,依据其可以设定为法规之处所而裁判之。

但关于前两项,裁判官须根据于确定之学说及前例。

第八章　法律之进化

一、社会

　　法律为人类的现象，为国家的现象，又为社会的现象。本书所介绍各派之法律本质论，皆惟注重于此三方面之一，尚未足以究明全部之真理。抑所谓人类、国家、社会三者，虽为各不相同之物，而其实又非各不相同也。人类如不构成社会，即不能生存，不能继续，不能发达。从前学者之研究，多谓人类因生活上之必要始构成社会，然据近时之研究，则已逐渐证明彼为人类祖先之某种哺乳动物，当其发达至于可称为人类之程度时，即已构成社会而生活矣。是即可谓社会先个人而存在，而个人则为社会进化之产物也。而在人类之生存、继续、发达上，最适当之社会状态，即为国家，人类及各种制度（宗教道德礼仪言语美术等）皆在社会之内进化而来，且直接或间接助长原始社会进于国家状态者，即其自身亦惟于国家之内，方能发达而趋于完成，最后且将于一定程度一定范围内诱导全世界全人类之社会生活焉。法律亦人类社会之产物，社会生活之法则也。当人类社会未成为国家以前，法律之为物，或当存在，然原始社会之有法律，实为国家开始发生时之状态，法律亦随国家之发达而完成者也。时至今日，规律全体社会生活之全世界的全人类的法律，亦已发达至于一定程度一定范围矣。

二、复仇

　　然则人类社会法律之起源果如何？据近时社会学者之研究，法律之起源，始于复仇。盖原始社会之人类虽已共营社会生活，而其社会之范围不大，组织亦不完全，故各个人多不能仰赖社会之扶助及社会之保护，不得不谋自给自卫。其自卫作用中之最主要者，则为复仇。复仇云者，即身体财产受有侵害之人或其亲友对于加害者或其近亲,则亦损害其身体财产以报复之之谓也。此种举动,系合于人情之要求,且于以后之侵害又有威胁的预防之作用,其于原始社会秩序之维持,最为有效,故复仇遂至被称为美德,而成为被害者或其近亲之义务也。而在原始社会中,经营最巩固之团体生活者则为血族团体,故个人的复仇,又转变而为血族团体的复仇(blood feud)焉。因一人之被害,而所属之血族全体从事复仇,因一人之加害行为,而所属之血族全体感受报复之危险,双方皆根据其血族团体连带责任之观念,而复仇一事遂以成为有组织之行为。此种团体的复仇,较之个人的复仇,更为有效,同时又可以巩固血族团体内部之团结,而成为社会进化之一阶程也。

三、复仇之限制

复仇一事,其在原始社会,对于个人之生存及种族之维持,固为必要之自卫作用,但如于同一团体之内滥行复仇,则障碍团体之繁殖,妨害团体之治安而弛缓其团结力,因而危及其团体之存在。故当统治一团体之公共权力,渐形显著,且其团体范围次第扩大而有多数血族团体从事共同生活之时,复仇一事遂渐受限制焉。关于限制复仇之主要事项,大略如下。

(1)限制复仇之程度。此为限制复仇之最古方法,即以使加害者受相等之损害为限度,而承认复仇为正当者也。所谓"以目偿目、以齿偿齿、以手偿手、以足偿足"之反坐法(lex talionis),曾见于《哈谟剌比》法典(195条—197条、200条)及摩西之法律(《旧约全书·出埃及记》第21章之23—25节)。今人或有谓此为古代法苛酷之一证者,然不如谓为起源于限制复仇也。

(2)限制复仇者之范围。即谓非被害者或其近亲,不得复仇也。

(3)禁止未经许可之复仇。

(4)限制复仇之期间。

(5)禁止非现行之复仇。

(6)禁止再复仇。

(7)设定"避难市"。在原始社会,不问加害者是否出于故意,一律实行复仇,因而有时生出苛酷之结果,故摩西法律等古法,设有"避难市"(City of refuge,asylum)之制度。凡非有故意而杀人者,得避往其市内,而免于复仇。至于故意杀人者,亦避往其市内时,则由该市之长老或会众审判之,认为无避难资格时,则出其人于市外而交付于复仇者(见《旧约全书·出埃及记》第21章13、14两节。见《民数记略》第35章之第9—32节。见《申命记》第19章之2—7节及11、12各节)。即此种制度,一面限制复仇,一面又为刑事裁判之起源也。

团体之公权力,虽如此限制复仇,而在社会略见进化之后,仍公认复仇之事,有时且援助复仇者搜捕相手方俾易于复仇者。然此亦为公权力对于私力制裁之干涉,而复仇则已渐次进化而成为公力制裁之刑罚矣。古代刑法所以采取反坐主意,所以有拟于决斗裁判等私力制裁之诉讼手续,所以必以被害者或其近亲为裁判之要件,所以设定使被害者或其近亲执行刑罚之制度,所以当时刑罚趋于苛酷者,要皆为复仇手段之进化历程也。

四、赔偿

除限制复仇之范围及方法以外,其作为缓和复仇维持和平之手段而开始施行者,则为以赔偿代替复仇之制度。此种制度,随经济状态之进步而推行日广,显然减杀复仇之习俗。当其始也,愿受赔偿而打消复仇与否,由被害者方面随意决定之,但其后团体之公权力,渐有强制被害者方面领受赔偿之倾向,如系故杀等之重大侵害,被害者方面固有选择复仇或领受赔偿之权,如系过失杀等之轻微被害,则被害者方面不得拒绝领受赔偿。终则一切被害者皆不得拒绝领受赔偿,惟加害者不实行赔偿时则可以复仇耳。至于赔偿之多寡,其始亦由双方当事人协定,其后则受公权力之干涉,终则按照侵害之种类及程度或被害者之身份阶级,制定法律,豫定有等差之赔偿额。《哈谟剌比》法典,已有详细之赔偿金额之规定。又如盎格鲁撒克逊古法之 Wergild 制度,亦其最著名者也,此种赔罪制度,后更分化而成为刑法之罚金制度及民法之损害赔偿制度。即此亦可窥知由私力制裁至公权力制裁之进化也。

五、扣留

民事法之起源亦始于复仇,由前段所述,大略可以推知,惟此方面有更可注意者,则为扣留制度。是为财产上之复仇,即受他人所损害或他人对我不履行义务时,则以私力扣留加害者之妻子(在原始社会,妻子为夫亲之财产)或财物之谓也。而此种扣留方法,又分为三期进化。

第一期,立即领有扣留之财物以充赔偿,借平愤怒。

第二期,以扣留物为担保品,强制相手方赔偿或履行义务,如相手方不承认此要求,即没收扣留物。

第三期,由扣留物之原主请求返还其扣留物,诉诸团体之首长或长老等,仰承其裁判扣留之当否。

此第三期为民事诉讼之端绪,法律先由诉讼法而发达,而初期民事诉讼之原告,反以不履行义务之加害者为多,即此可以窥知由私力救济移于公权力救济之进化。

六、私力之公权力化

此种由私力制裁私力救济移于公权力制裁公权力救济之进化,乃世界各民族原始社会通有之事实,此在人种学及法律史上已略有证明者也。其进化之端绪,如前所述,为公权力对于复仇或扣留之干涉,而尔时裁判之目的,不在于求公正之裁决,而在于平和之维持。然民族团体逐渐强大,则凡谋叛、渎神以及违背婚姻法等有危害于团体存在之基础之罪恶,则用团体之公权力而直接自动处罚之,于是始知复仇之足以紊乱团体秩序而发生种种顾虑,始知从来认为个人私事之事物亦足以变为关系于团体存在之公事,而取得种种经验,积此种种经验与顾虑,两相期待,而法律遂以逐渐完成焉。故当民族团体稍具国家形态而君权次第强大之时,则法律之进化顿形显著,一面禁止复仇,一面又不能借个人间之赔偿以免于犯罪之制裁,于是私斗族斗,渐趋消灭,遂以完成所谓法治国之状态。学者称此现象为私力之公权力化。

七、法律之进化

要而言之,法律实因社会力公权力而发生而发达者也。人类在其生理组织上,非营共同生活,不能存在,且人类所以有今日之繁荣者,亦正因其于共同生活一点,较之其他动物具有特长故也。据今日学者所研究,人类当其进化之始,即已营共同生活,即如野蛮人类,亦无有不组成社会而生活者。然社会非群居,必须有一定之组织统一。其组织统一之中心,或为亲权及族长权,或为宗教威力,或为个人之智力体力,而结局则必因社会成分之各个人有机力之联合,而且有一种力量,内则谋社会之组织统一,外则抵御他种之社会。此种力量,称之为社会力,及社会进化而成为国家之政治的社会时,则经由其政治组织而发现之社会力,称之为公权力。而社会为共同生活,共同生活必有法则。此共同生活之法则,为其社会继续发达之要件,故社会力公权力必至大显其作用,其法则中之适于用社会力公权力强制实行者,则采强制实行之手段。由社会力尤其公权力而强制实行之社会生活法则,即为法律。而有适当法律之社会——即共同生活法则适当的强制实行之社会——由适者生存之原则而继续发达,惟其能继续发达,故强制实行某种共同生活法则之事,更形重要,因果循环,遂以现出今日之国家及法律焉。

第九章　法律之本质

第一节　通　说

一、技术的规范与伦理的规范

人为理性的动物,具有概括之能力。故其有意识之活动,不惟受具体观念所支配,即当其欲实现一定目的而实行其所必须履行之一切行为时,亦必受指示此类行为之法则所指导。此等法则,总称之为"规范"(norms),大别之为"技术规范"(technical norms)及"伦理规范"(ethical norms)两种。

技术规范者,指示人类实现一定目的之行为方法之法则也。例如卫生之法则、教育之法则、文法之法则、建筑之法则等,皆为技术的法则,人类所希求之目的有若干种,而技术规范亦有若干种。而遵守此种种技术规范之结果,仅能实现其一定之目的,至于人类活动之其他目的,则不必援助其实现,有时或且妨害其实现也。

人生之目的甚多,目的与目的之间常不免互相冲突,且人类因有关于自身为外物与时间之限制,不得不放弃其欲实现全部目的之希望。于是乃有就各种目的之实行选择之必要,故当其牺牲某种目的而先事选择某种目的时,必须有指导的原则以指示其关于此项行为之标准。此种指导的原则,即为伦理规范,即因谋人类全部目的之同时实现,以决定人类各种目的之相互关系之法则也。各人技术上之优劣,由其实现某一定目的之能力多寡而测定之;各人之德义,由其了解各目的间相互关系以施行选择之当否而判断之。

伦理规范,系对于各种目的所定之界限。因规定各种目的之形式(即其相互关系间之形式),使各种目的得以同时实现。然其目的自身,则惟遵守适合于其内容性质之技术规范,即可实现。故就此点而言,技术规范与伦理规范之间，又可作实质规范与形式规范之区别。

技术规范之数目，因人生目的之数目而定。至于伦理规范，在规定各目的间之关系，故对于人类活动之一切表现，对于人类生活之一切方面，必然归着于一致，即伦理规范之特征为单一概括，而技术规范之特征为复杂多端也。

技术规范，在示人以实现一定目的之手段，故人之遵守技术规范与否，由其人对于该目的之主观价值而定。反是，则人类必然服从于调和其活动对象之数种目的之法则。盖人类既欲同时实现数种目的，即不得不希望有调和存于其间也。是故技术规范为任意的，而伦理规范则为义务的。

个人不遵守技术规范之结果，惟不能实现其对象之目的而已。此种怠忽之点，既不影响于其人之他种活动，亦不影响其于人以外之社会全体。然若不遵守伦理规范，则破坏其人全部之调和，不惟影响于其人之全部生活，同时又关系于社会全部之利益。大凡人类之利益，皆集中于两个中心。此两个中心，即个人及社会是也。一切伦理规范，不问其根本主义如何，必规定此两类利益之关系。社会对于个人各种目的之不相调和，或个人利益与社会利益之互相冲突，不能漠不关心。盖个人目的与集合的社会目的之间，存有一定关系，社会对此实有利害关系存乎其间。故社会希望各个人遵守伦理规范，有违背者则加以责难，如事关重大，即从而处罚。是以伦理规范，不能委诸各个人之主观判断。其规范具有命令之性质，其遵守具有客观义务之性质也。

然就技术规范与伦理规范之内容而言，两者之差异，又可以从另一方面观察之。技术规范之内容为客观的。所谓某一定目的之成就，即利用自然力实现其目的之意。但自然力之作用，常为永久的。故了解一群现象之法则时，则此时之技术规范，即成为该自然法则必然之结果。是即技术规范之内容，因客观事实而定，惟采用与否之关系——即人与规范之关系——则由主观而定耳。至于伦理规范，则非自然现象必然之结果。各个人在主观上评定人类活动之各种目的，而依据各人之个人的倾向，以决定各目的间之相互关系。故各人之必须准据伦理规范以调和其全部活动，虽为客观的必要，而伦理规范则具有客观的性质。

二、法律规范与道德规范

法律具备伦理规范之一切征候。法律之遵守,于实质上之目的,无直接之必要。法律惟限定构成社会生活内容之各种实质的利益及活动之范围。非为特种目的而定之规范,实全部生活之规范也。又其内容,亦非自然法则必然之结果,时间空间各不相同之法律,或则相异,或则相反,此征之事实可以了然者也。然法律非伦理规范之全部。其与法律并立者则有道德焉。即伦理规范可分为"道德规范"(moral norms)及"法律规范"(legal norms)也。

人生各种目的之完全充分实现,乃不可能之事,因人力及手段均有限制故也。故各人如欲于各种目的之中施行选择,则对于各种目的及各种利益,不能不作相对之估价。而表示此估价之标准者,即为道德规范。道德规范,系调和个人一身所希求之各种利益之法则,故对于孤立于社会生活以外之个人亦可适用。惟实际上此种孤立之个人并不存在。构成人类活动之主要目的之多种利益,不受个人的存在所支配,而受社会生活之一般状态所支配。盖惟有我而无他人,即不成存在,故不能惟依据个人利益而行动,而必须顾及他人也。

人一旦与他人发生关系时,不惟彼自身之各种利益互相冲突,即其自身利益与他人利益,亦不免互相冲突。各人利益既不免互相冲突,今欲用同一标准,设定调和与秩序于其间,其事颇难。盖对于多数人利益并立之事实,而适用一种道德标准,必其标准为社会全体所公认,方可见诸实行也。且此时之共通标准,亦仅能决定各个人间之关系之大纲,而不及决定其细目。至于各人行为之细目,结局仍由主观标准决定之。人类活动之各种目的,互相混合、互相错综、互相关系、互相隶属。问题之关于个人一身各种目的之估价者,尚不困难。个人自身固可以整理其个人的目的,明了其相互关系也。然就自身之目的或利益,与他人之目的或利益,比较估价,则其事颇形困难。盖我对于他人之目的所得了解者,仅为外部之征候,而不及了解其主观细目,且缺乏对于其细目之知识,亦不能就其目的作完全之估价也。

故各个人间之利益互相冲突时,如用同一道德标准以规律之,尚不能于其利益之间,设立确定之关系。盖各人之利益,或相同等,且吾人之道德观念,不相统一,而各人公认之道德标准,又难发现,故各个人间不同之利益,惟就其间施行选择,设立等差,仍不能充分调和。必也在其范围以内,就各人利益之间,划定各人利益所能实现之界限,而后各人利益,方可望同时实现。于是人类之活动,必须遵守两种法则:第一法则,指示各人行为估价所需要之道德标准;第二法则,划定自身利益与他人利益所能实现之范围。此两种规模,其希望各人利益之得以同时实现,完全一致,其为伦理规范则一也。然第二法则,与第一法则(即道德规范)不同,非指示估定利益(即区别善恶)之标准,惟在自身利益与他人利益冲突之时,示我以实现利益之范围而已。划定此种利益之规范,即"法律规范"也。

是故道德指示估定利益之标准,法律划定实现利益之范围。基于此种根本区别,而道德与法律又有种种差异,兹分述于次。

(一)法律规范惟支配我与他人之关系,不支配我与我自身之关系。道德规范反是,则规定对于自身之义务。

(二)法律规范之适用,以自身利益与他人利益相对抗为条件。因而法律规范之遵守,惟当他人利益同时存在时,成为义务的。如他人利益限制我之利益,而他人因遵守法律将我解除之时,则法律已非义务的。反是,道德上之义务,对于他人因履行义务而具有之利益,全无关系。

(三)道德规范之遵守,为绝对义务。至由法律规范而产生者,则有权利及与权利相对待之义务。权利,即在法律规范所划定之范围以内实现一定利益之能力也。当他人对于与我之利益相竞争之利益而具有权利,其由此权利发生之要求,我必与以满足,而满足此要求之义务,即法律上之义务也。故权利与义务,确相对待,权利消灭,义务亦消灭。

(四)道德规范,关系于良心之规定;法律规范,系关于外部行为之规定。因而道德虽不容外力作用之强制,而法律则有时必用强制。盖强制虽不能左右信念,然能支配外部行为也。

(五)要而言之,道德规范,可谓为个人的法则;而法律规范,则可谓为社会的法则也。

三、法律与道德之关系

以上为俄人哥尔古诺夫(Korkunov)学说之梗概,大致可以称为代表从来法律本质论之通说。其立论之基础与理论之径路虽各不相同,而近世各种学说,则有一致之点,即谓法律为人与人之外部关系之规范,而划定各人利益之界限,保障在一定范围内实现其利益,并禁止超出其范围也。哥尔古诺夫之说,对于此项理论之说明,实可谓详细明确也。

如于纯粹论理上彻底究明此法律本质论,则其所得之结论,必谓法律与道德为内容绝不相同之二物,而其间无必然之关系。即如 18 世纪前后之个人主义学说,否认法律与道德之一切关系,谓个人与他人并无关系,而有绝对之自由,而各个人间之关系,由各人任意自由之行为而生,故法律仅须设定个人自由不受他人自由侵害之界限,即为已足,至各人自由之内容如何,各人如何使用其自由,则作为道德问题焉。最初明示此种区别者,则为托马知斯(Christian, Thomasius, 1655—1728)。彼以"己所不欲勿施于人"为法律之根本原则,以"人对彼自身所欲为者,汝亦对尔自身为之"为道德之根本原则。

此种个人主义学说,实对于当时教会压迫及国家干涉过度之反动而生,谓此系由于混淆道德与法律而生之弊害,实则法律惟在设定个人自由之外部界限,不宜深入于个人自由之内部,彼基于一定道德宗教主义之立法,实为压迫个人自由压迫良心自由之原因,故法律惟有完全不涉及道德,最能适合于自由主义。此个人主义学说之大略也。

然在实际上,法律不能完全与道德分离。如强欲分离,必至酿成所谓"法之极乃害之极"(Summum jus, summa injuria)之大害。盖个人非孤立而绝对自由者,即社会亦非个人之自由合意创造而成,因而各个人之间所谓自由之界限,结局仍非由个人之自由合意而定,乃由社会存立之要求(即各个人之社会的连带关系)而定,故成为法律本质之利益界限,如对于各种利益不作道德的估价,亦不能划定也。又,法律惟在划定行为之外部界限之理论,亦与实际不合。法律往往不能不设置多少动机于计算之中。此或可谓为今日法律优于古法之一点。如注重契约之形式,而以真意之合致为契约成否之中心点,又如决定加害行为之法律性质时,不仅依据加害之结果而依据加害者之造意,皆其例也。

于是反对法律道德分离论而起者,则有道德法律合一论。至于明示此种经过而有兴趣之事实,则莫如斐希特之言论,彼于 1796 年之《自然法原理》

中,则提倡前说,而于 1821 年之讲义(System der Rechtslehre)中,则转而提倡后说。其后学者,或谓道德与法律同为"道义"(Sittlichkeit)之一方面,或谓法律在规定其实现道德所指示之目的之条件,或谓法律为道德之极小限,或谓法律为形式而道德为内容。要之,此派意见,皆在于以法律为道德之实现也。

然而事实上不能专视法律为道德实现之点,亦颇为显著。(1)法律之内容,在实际上不仅为道德法则。例如法律行为形式之规定,诉讼手续之规定等事,其完全与道德分离之处亦多。(2)道德观念,人不一致,故不能于法律使其在一致之点实现之。法律且转有保障道德观念宗教思想等自由之规定者。(3)反是,正因各人道德观念之不一致,而引起法律规定之必要者。道德与法律之随社会进化而分化,职此故也。

于是法律本质论之通说,既不左祖道德法律分离论,亦不赞成道德法律合一论,即谓法律与道德各有区别而又有关系者也。是即哥尔古诺夫之说也。

第二节　自　说

一、技术规范亦成为法律

上述通说,区别技术规范与伦理规范,以法律属于伦理规范,且谓法律为划定各个人间实现利益界限之外部关系之规范,故技术规范不能成为法律,如以技术规范为内容之法律,不得谓为真法律,此其所达到之结论也。然就现时法律之实际观之,以技术规范为内容之法律,亦不能谓为无有。就日本现行法规而举其显著之例,如最近改正之造船规程,系以纯粹之技术规范为内容,俨然一造船小教科书也。又如铁路建设规程、铁路转运规程、铁路信号规程、电气工事规程等,皆为同种之法规,而所谓行政法规中,此类亦多。又如关于帝国议会及其他会议团体、裁判所及诉讼与学校教育等之重要法规而包括技术规范者亦不少。然则如斯之法律,系以不能成为法律之事实作为法律者,果可谓为恶法,谓为形式的法律乎? 是不然也。抑哥尔古诺夫所论技术规范与伦理规范之区别,虽属正当,而其所论由此种根本区别而生之两者惟性质上之差异,吾人殊难首肯。如所谓"个人不遵守技术规范之结果,惟不能实现其对象之目的而止,既不影响于其人之他种活动,亦不影响于社会全体"之议论,显系谬误,在社会连带关系愈趋密切愈见推广,而自然力之利用愈呈盛况之今日,个人如不遵守技术规范,有时对于社会全体之利害,大有关系,社会对此,决不能完全漠不关心,故某种技术规范之遵守,反为社会所特别希望者。故其所谓"伦理规范具有命令的性质,而技术规范之遵守则委诸个人主观判断"之结论,不甚正当。即技术规范之遵守,不必悉委诸个人任意为之,有时可以成为义务,具有其必要也。其次所谓"技术规范之内容在客观上确定,而伦理规范之内容在主观上确定"之结论,吾人亦不能承认。盖伦理规范,系由人为有机体之自然事实而产出之社会生活法则,故亦得在客观上确定之,此与技术规范实无以异;同时,技术规范,亦因其基本之自然法则,尚未能充分了解,故亦未必在客观上确定之,此与伦理规范亦无以异。即二者同为可以确定而又未能确定者,惟有程度上之差异耳。故对于某种技术而成为其标准之技术规范,当其未能确定而周知之之时亦不得谓社会之中心力完全无加以指示之必要也。于是乎前述以技术规范为内容之法律,亦不得谓为无理谓为无用也。法律规范为伦理规范之一种,故谓技术规范为完全异其管辖之别种法则,其根据颇觉浅薄也。

二、道德规范亦成为法律

又如分伦理规范为道德规范及法律规范两种,认定两者之间有分工之区别,而为内容各异之别种法则,此种议论,吾人亦不能同意。兹分述于下。

第一,通说所谓以道德规范为指示"调和个人一身所希求之各种目的"之标准,其所定之范围固属正当,但未免失于狭隘。道德因有社会始成为社会生活之法则,故所谓"慎独"、"自强"之教训,不过为社会要求其个人完成个性而已,言忠言孝言爱言信,皆属道德规范中之主要道德,与其谓为个人一身之准则,不如谓为各个人间之关系之准则,尤为切当。而法律规范,则重在规定各个人间之关系,故道德与法律,决不如论者所谓之为分工的,其在人生之主要范围内,实互相错综者也。例如刑法之内容,殆全为法律规范,而同时又为道德规范,固无俟赘言,即如宪法民法等法律规范之根本原则,结局亦归着于道德规范也。夫个人一身各种目的之调和与各个人间各种目的之调和,原非全无关系之二物。指示个人对其自身各种目的选择估价之道德规范,如不顾虑自身与他人之社会关系,亦不能确定,且调和各个人之间各种目的之道德标准,亦不能成立。故欲以此点为区别道德与法律之标准,实谬误之甚也。

其次,通说所谓法律规范在规定各个人间之关系之议论,在大体上尚属正当。惟法律亦非绝无以道德规范(即关于个人一身之准则)为其内容者。如禁烟法禁酒法,即其一例,又如禁止虐待动物之法律,亦不能谓其规定各个人间之关系也。盖如前所述,个人之利害与社会之利害,互相关联,故个人关于自身之道德行状,亦出于社会之要求,如于必要而可能之程度,采为法律规范之内容,亦不能谓为悖理也。是此点亦为前述道德规范与法律规范区别论未能充分明确之一证。

最后,通说所谓"法律为个人自由活动之范围实现利益之界限"之定义,实由"自由人权论"、"各人敌视说"(bellum omnium contra omnes)等个人主义旧思想而生,亦有不切合于法律真谛之处。个人自由之保护或限制,即令构成法律之内容,亦非法律穷极之目的,而法律之真实任务,实在于社会生活之规律。而就人类社会生活之内容观之,各人之目的或利益,固多互相冲突互相竞争之事,然其互趋一致之方面,亦同时存在,此各人目的及利益互趋一致之事实,实社会生活之真髓也。故所谓"法律系对于各个人间互相冲突之利益所定之界限"之定义,以言乎法律中之物权法债权法等财产法规,固为适合,然大之如国家小之如法人夫妇亲子等共同团体之法规,若亦适用此定义,则不仅牵强附会,且有背于此等制度之根本精神矣。

由此言之,则所谓"以调和一身各种目的及划定各个人间实现利益之范围二事,作为区别道德规范与法律规范之标准"一说,在其根本上已大有谬误,故哥尔古诺夫依据此根本区别所列举之道德与法律之差异,亦未能彻底,兹逐条纠正之如下(参看第十章第三节条)。

(一)法律规范,亦非绝无支配我与我自身关系之事。而道德规范之支配我与他人之关系者,反成为普通事实。

(二)即属道德上之义务,亦有因他人之免除而消灭者。又法律上之义务中,其不因他人之免除而消灭者亦颇多。即如国家,亦不得完全免除一切法律上之义务。国家如完全免除法律上之义务,则国家亦化归乌有。

(三)谓权力为法律规范之产物,虽属正当,而权利与义务确相对待之论,殊不确实。在沿革上,权利观念之发达,乃在义务观念之后;且在其本来性质上,无对待权利之义务,或无对待义务之权利,亦能存在。即不能因法律上之义务亦有成为绝对的之事实,而视为道德与法律之显著差异也。

（四）谓道德为良心之规定,法律为外部行为之规定,此亦仅有一面之真理,且易引起危险之误解。盖道德在由良心方面规律行为,法律在由行为规律陶冶良心。二者之目的,结局一致。而适用外部之强制与否,究属程度问题,就直接之狭义观之,法律规范亦有不与外部强制并行者,就间接之广义观之,道德规范亦藉外部强制以行之。

（五）要而言之,道德规范与法律规范,同为社会的法则,皆非个人的法则。

三、礼式规范亦成为法律

就人类行为之准则言之,技术规范与伦理规范之外,更有礼式。礼式,在技术上似乎迂远,且无必要,而直接又无伦理的意义,可谓为形式规范,但对于共同生活秩序之维持,在一定程度上亦有其必要。故成为社会生活法则之法律,亦得以礼式的规范为其内容,在中国古代,此种法律,颇为注重,此人之所周知也。即如今日之日本,例如皇室祭祀令等关于皇室之法规,多以礼式为内容,其他法规亦有相似者（例如服忌令议院法第五条）。故谓"法律为划定各人利益范围之法则"之定义,及谓"法律为伦理规范之一部分"之分类,对于此种法律,亦不切合。

四、法律乃由社会力强制实行之社会生活规范

综合以上之批评,可知从来法律本质论之缺点,即以法律为伦理规范之一部,使与道德对立,因而谓其与技术规范不相容是也。其实法律亦有以技术规范为其内容者,且在人生之主要范围以内,技术规范与道德规范,往往有互相错综之事,故以如此之内容定义;尚不能确实说明法律之本质也。吾人对于法律之定义,曾于前章言之,即如:

"法律者,社会生活规范之由社会力尤其由公权力强制实行者也。"

以言乎法律之概括定义,自信以此为最适当。此定义实根据社会进化论

的法律起源论,已于前章略述,兹更就此定义分析说明之。

(1)法律者,规范也。即行为之准则也。在同一事情之下,常要求为同一之行为,又对于在同一事情之下已为之同一行为,常使其发生同一之效果。故对于各种具体事件之处分,即令用法律之形式为之,亦非法律也。又为因果律之根源而非因果律之说明者,规范对于此点,亦与自然法则不同。

(2)法律之内容,乃社会生活之规范。即在社会生活上成为必要而其遵守出于社会所要求之时,则关于利用自然力之纯技术规范,亦得成为法律;又社会生活之为物,乃依一种大技术,故关于社会生活之技术规范,亦得存在,尤多成为法律之内容。如关于国家各种机关及公私法人组织之法规,即其显著之实例也。至于道德规范亦属于社会生活之规范,且系构成社会生活根本之重要规范,故于必要时采为法律之内容,原属当然之事。又社会生活之规范中,除技术规范以外,更有礼式及其他习俗的规范,此在必要时,亦得成为法律之内容。

(3)兹所谓规范,乃广义之行为准则,非限于狭义之命令及禁止。法律之大部分,固可谓为命令或禁止,但亦不必尽然。例如保障信教自由之规定,如因先占无主物而使其取得所有权之规定,从反面言之,或可附会为对于第三者之命令或禁止,而从正面言之,则不得谓命令或禁止成为该法规之骨格也。即如债权法物权法之规定,其原因所在之处,虽为对于他人之命令或禁止,然今日所注重之点,则在保障权利者得为一定之行为,且使其行为发生一定之效果也。即法律不必须为"必如是"(Sollen)之规定,而得为"可能"(Dürfen oder Können)之规定,即以"许可为某行为"或"得由某行为取得某结果"之事实为内容者也。盖构成社会生活之人类行为,不仅在"经命令许可之行为"及"被禁止不为之行为"两方面,而随意之行为与不为,亦得存在也。而此随意之行为,或其结果之取得保障,有时亦成为社会生活上之必要。虽不能如某学者所云:"一切被许可之行为,即为被命令之行为"。然经由特别威力之许可,实与命令及禁止有同等之价值,同得成为法律之内容也。

(4)法律云者,社会生活规范之经强制实行者之谓也。社会生活规范,在其直接之第一次,尚未成为法律,必也此等规范中之某种规范,曾经强制实行,然后此种规范,始成为法律之第二次规范也。故从来法律本质论,其视道德与法律为同一平面上互相对立之社会生活规范之种别,实为其谬误混杂之根源。强制实行之意,即谓因受外部某种力量以适用规范之个人,被要求遵守规范,否则即受制裁,有时被补正不遵守规范之结果,或于履行被许可之行为时使实现豫定之结果也。法律上所谓"强制"(Coercion, Zwang, Contrainte)即此是也。社会的规范,皆与社会的强制并行。即属道德规范,亦不得谓其无强制。而此种强制,至确实由社会之中心力发出之时,其规范则成为法律。然社会生活之规范中,在其性质上亦有不适宜于用强制者,又有在社会生活上无实行强制之必要者。故社会生活之一切规范,不皆成为法律。

(5)法律者,由社会力,尤其由公权力强制实行之社会生活规范也。社会系由有机力之联合所产生之继续共同生活状态,故社会之中,常有因其构成分子之各个人有机力之联合而产生一种社会力,以统一其社会。此社会力逐渐成为社会之中心而日趋显著,是为社会发达之征候,社会发达至于一定程度,而其社会力之保持发现,如成为有组织之形式,则其社会称为国家,其社会力称为公权力。自道德规范为始以至其他社会生活规范,皆成为社会生活之产物发生而出,且由社会力而维持其存在。但社会力如认定遵守某种社会生活规范,于社会生活特别重要而强制实行之时,则此种规范与其他未经强制实行之规范,其性质不同,其效力亦异。此规范即法律是也。其社会至于成为国家,其社会力至于成为公权力之时,而强制实行之规范遂成为法律之事,乃最显著最完全之现象。然在未能成为国家之原始社会中,法律亦得存在,且既经认定国际社会成立之时,则国际法亦不得谓为非法律。至于国家之中,其成为法律规范之强制实行方法者,则有刑罚、民事上之强制执行及行政上之强制执行等具体强制手段。论者固有以此等具体强制手段之存否,为区别法律与否之标准者,然在国法之规定中,其不与此等具体强制并行者亦不鲜。此种事实,在国家根本法之宪法上,亦最为显著。强制实行,不必具有具体强制手段之意,盖谓规范之遵守,由社会国家之实力作最后保障也。因有此最后保障,故具体强制手段亦有效果。是以宪法具有最大之强力,而国际法亦不失其为强制实行之共同生活规范也。

(6)此定义之最大利益,即道德与法律之区别及其关系,最为明了一事是也。道德与法律,不能作为伦理规范之二部,而谓为互相对立内容各异之别种规范,实则道德规范当其强制实行之时,亦可成为法律规范也。道德规范所以有强制实行之必要,且得以强制实行者,以其为社会生活规范故也。但道德规范之中,亦有无强制实行之必要者,亦有因其性质不适于强制实行者,故一切道德规范,非皆能成为法律,惟其有强制实行之必要且适于强制实行者,得成为法律而已。同时,道德规范以外之规范,如礼式的规范习俗的规范技术的规范之类,其成为社会生活之规范而有强制实行之必要且适于强制实行者,亦得成为法律规范也。是则法律为道德之实现云云,仅有一面之真理,其实法律非道德全部之实现,且道德之实现亦非法律之全部也。故社会生活规范中,有强制实行之必要且适于强制实行者,则强制实行之,此即法律之目的也。而在其强制实行之社会生活规范中,其重要之一部分,实即道德规范之一部分也。

(7)某种道德规范成为法律规范时,其规范之遵守,成为法律上之义务。然其规范之遵守,原为道德上之义务,不因其成为法律与否而略有变更也。又如技术规范礼式规范风俗规范等之遵守,其自身虽非道德上之义务,然经法律规定之时,则其遵守即成为法律上之义务。而法律之遵守,乃社会道德之重要义务,故原非道德上之义务者,亦因其成为法律上之义务,而同时取得道德上之义务之性质也。是以道德上之义务虽不皆为法律上之义务,而法律上之义务,则皆可谓为道德上之义务。由此种意义以总括道德规范与法律规范,则可称之为伦理规范。

(8)对于道德与法律之区别及其关系,作如此之观念,实有防止道德法律合一论及道德法律分离论所生各种弊病之利益。道德法律合一论之弊病,在倾向于法律万能主义,而欲使一切道德上之要求皆化为法律。道德法律分离论之弊病,则又陷于他种意义之法律万能主义,而以不违背法律为尽其能事。然据吾人之道德法律关系论而言,法律上之善恶,不外为道德上善恶之一部,而善为不足,恶非不足,故法律上之善,乃善之一部分,如仅行法律上之善,尚不足以尽其善,然如犯法律上之恶,则在道德上必已成为恶也。例如有时效之制度,乃主张道德法律合一论之人所不能容忍者,但在主张道德法律分离论之人,则以为可因时效以取得权利或免除义务而恬不为怪也。但就吾人所主张之道德法律关系论言之,则可以阐明有时效之制度之精神,且可以了解并不能因时效而解除道德上之义务也。

（9）于是所谓"恶法亦法也"之命题，即不能不加以排斥。如谓"恶法亦法"，则不守法之事，转可以成为道德上之善，此种观念，实为吾人所不取。法之所以成为法者，并不仅在于由公权力强制实行之形式，乃在以社会生活规范之内容为其必要之前提也。故其内容违背社会生活之要求时，此亦仅为形式上之法律，不得不谓为非真法律也。惟就他方面言之，法律之安定，亦为重要社会生活之要求，而社会生活规范未于客观上确定之时，则以公权力加以承认而强制实行之，此在法律上亦有一种效用，故其内容违背社会生活要求之事，如未至彰明较著而经客观上确认之时，即不得以某种法律为恶法而断定其非法律也。

（10）"法律系社会生活规范之由公权力强制实行者"之定义，对于统括说明法律学各部门之任务一层，亦有便利。盖普通所谓法律学——即分析的现实法学——在于分析说明"公权力现在如何强制实行何种社会生活规范"及"社会生活规范因此取得何种特别性质"等问题。立法学在研究"如何强制实行何种社会生活规范"之问题。历史法学在探讨"过去何种社会生活规范如何强制实行"之问题；原始法学（人种学的法律学）在穷溯社会生活规范所以由公权力强制实行之起源。至于法理学，则论证社会生活规范由公权力强制实行作用之抽象原理者也。

五、与命令说之差异

谓"法律系由社会力尤其由公权力强制实行之社会生活规范"之定义，或与所谓"法律为主权之命令"之定义相混淆相类似。此所谓"命令说"（the imperative theory），乃容易思维之观念，在实际上曾经从来学者所通用，至于确立此学说者，则为前述之奥斯丁。总合此一派之观念，其法律之定义当如下（参看 Austin, *Province of Jurisprudence Determined*, 1834；Markby, *Elements of Law*, 1871；Amos, *Science of Law*, 1874）。

法律云者，即谓一独立政治社会中之政治的优者，对于政治的劣者，表示关于其行为之希望及使犯者受恶报之旨趣者也。

其所谓政治的优者即为主权者(sovereign),其所谓希望之表示即为"命令"(command),其所谓恶报即为制裁(sanction),要而言之,法律不仅为主权者用制裁强制实行之规范,且为其所制定之命令也。然对于此"命令说"亦有下列各种之批评(参看穗积陈重之法理学讲义)。

(1)命令说为形式论,不显示法律之实质。

(2)以惯习法为命令,未能得当。

(3)以法律为主权者之命令,与历史上之事实不符。

(4)以法律为主权者之命令时,则不能说明主权者何以亦服从法律之理由。

(5)以法律为命令时,则引出国际法非法律之结论。

(6)以法律为命令时,则引出解释法宣言法废止法等即非法律之结论。

(7)法律由人民之总意或社会之需要而生,非由个体意思而出。

(8)命令说适于说明义务本位之法律,而不能说明权利本位之法律。

(9)命令说有语原学上之谬误。

因有上述各种批评,故英国分析派之法律本质论,近来曾加以多少改良,不曰"主权者制定 enact 之法则",而曰"主权者强制实行 enforce 之法则",不曰"主权者强制实行",而曰"裁判所强制实行"。然如此仍未能充分辨明上述各种之批评。吾人之定义,以法律为强制实行之规范一点,虽从近世分析派之观念学来,而立论之基础,则以强制实行之规范之实质为社会生活规范,以强制实行作用之原动力为社会力;关于此点,实与新旧分析派之定义,其出发点完全不同,故前述对于命令说之批评,无一与吾人之定义相合也。

六、法律与自然法则

关于法律与自然法则之区别,学者间议论分歧。举其要者,约有两说。其一,谓法律系由意思发出之命令,故与自然法则,完全不同。此种观念,从来似有势力。其二,谓法律为必然关系之表示,故与自然法则并无所异。此说在近时亦有力量。两说虽各有一理,然吾人对此,不能无所间然。盖法律之内容,乃社会生活之规范。法律强制实行之原动力,乃社会力也。而人类之营社会生活也,其随社会生活而起者,一方面则有社会生活之规范,他方面则社会力因而发达,因而凝聚,无一非自然现象也。法律所由根据之意思,乃生物界人类之有机力,法律成为命令之基础,乃有机体之人类生活上之要求。由此种意义言之,固可谓法律为自然现象,而法律现象受自然法则所支配,然谓法律为人为现象,故非自然现象,即不得以自然法则律之,此谬论也。且正因其如此,而法律现象得以成为科学研究之对象也。至如视法律规范即为自然法则之说,吾人亦遽难首肯。自然法则与法律规范,皆为现象之一致反复(uniformity of phenomena)——即必然的因果关系之表示,关于此点,两者实无所异。而法律存在之理由,亦在于此同一现象之反复。杀人者必被刑,落体必直下。若谓杀人亦无被刑之事,则落体不直下之事亦不少,但其不被刑不直下之理由,实有其所以然之原因,绝非偶然之事。然物理学者所谓落体直下,仅为自然现象之认识的表示。法文中有杀人被刑之规定,亦为此现象之希望的表示。关于认识,惟在于当否之问题,至于希望,则更生实现之问题。而法律系由社会力保障而强制实行之希望,因有此希望,故此现象遂以实现。是故所谓自然法则,乃必然的因果关系之记述,而法律则为必然的因果关系之原因。虽同称为law,而两者之种类不同,其差异亦颇为显著。故以法律为事物自然关系之论,以言乎法律渊源论,固有可取,以言乎法律规范之本质论,则失其正鹄。如此,法律现象虽为自然现象,而法律则非自然法则,转成法律的因果关系之原因,是即吾人所以用现实的理想主义为法律学根据之由来,法律及法律学之价值,实在于此。

第十章　法律之内容

一、法律所保护之利益

法律之内容,为社会生活之规范。社会生活所以有规范,盖欲谋社会全体及各个人人类生活之安全美满,质言之,即在于保护社会利益及个人利益也。吾人虽未于法律定义之中采用保护利益之观念,然当详细说明法律内容之时,从法律所保护之利益一方面加以观察,实为最便。据鲍恩特所言,成为法律内容之利益,大略如下(参看 Pound, *Outlines of Lectures on Jurisprudence*, 1914)。

第一,个人的利益

(一)人格

(A)身体

(B)名誉

(C)信仰及意见

(二)亲族关系

(A)财产——财产继承及由遗嘱之处分

(B)职业及契约之自由

(C)约束利益

(D)与他人之利益关系——"结社权"——契约的、社会的、职业的、公务的、亲族的。

第二,公的利益

(一)法人之国家利益

(A)人格

(B)物资

(二)社会利益保护者之国家利益

第三,社会利益

(一)一般的安定——安全、健康、平和秩序。交易之安定、取得之安定

(二)一般的道德

(三)社会制度之安定

(四)自然力之利用及保存

(五)残废者及需要扶养者之保护

(六)个人道德及社会生活

二、由法律执行正义

法律非自然法则,故因时因地而有变化,不必永久不变。而其因时与地所生变化之最大者,则在于某种社会生活规范之成为法律与否一点。即如前条所列各种利益,亦不必其恒成为全部法律之内容。抑所谓使各个人于社会各得其所而取其所当取与其所当与者,乃法律之目的,法律家所称为"正义"者是也。法律者,即"正义之执行"(administration of justice)也。然正义之执行,不仅由法律为之。大凡执行正义之原动力有三:一为宗教;二为道德的舆论;三为国权。而由国权执行正义,亦非由全部法律执行正义,而得有因临机应变之处分裁量以执行正义也。彼裁判官者,虽为最著明之执行正义机关,然此机关亦得存于法律以前,或先乎国家而存在,故法律实因限制裁判官之自由裁处而发达者也。是以正义之执行,有依据法律者(justice according to law),有不用法律者(justice without law),因时因地及因充任执行正义之人,而两者之范围,互为消长。盖社会生活规范之全部,不尽适于用法律强制实行,同时法律之中,有法律之利益,并有法律之弊害,不必可以常用也。法律之利害,大致如下(参看 Pound, *Outlines of Lectures on Jurisprudence*,1914)。

法律之利益:

(一)法律能使豫知执行正义之途径。

(二)法律防止个人的判断之谬误。

(三)法律防止充任执行正义者不正之意图。

(四)法律对于充任执行正义之人,与以表示其社会确定的伦理观念之标准。

（五）法律对于充任执行正义之人，与以其先人全部经验之利益。

（六）法律得以防止社会的及个人的最大利益受价值较少之直接利益所牺牲。

法律之弊害：

（一）法律对于人事作一般概括之制定，不顾及个人性格，且不免在适用之时流于专断。

（二）法律学及法律组织之发达，带有不以法律为手段而以为目的之倾向。

（三）法律更产生法律，已发达之法律组织，常于规范不能行之处设立规范，有侵入执行正义之正当范围之倾向。

（四）法律系表示确定的伦理观念，故在过渡时代，不能适合于现在已进步之观念，且多少含有不适合于现在需要或现时正义观念之成分。

三、法治之进化

法律一面有永久性，他面又有变化性；同时，一面有自然性，他面又有人为性。成为法律基础之社会生活规范，基于"自然"而发生而发达，即其进化而成为法律，亦有由于自然发达而成者，例如惯习法是也。然在另一方面，社会生活规范之构成，亦含有人为的成分，至其成为法律之事，则大部分出于人为作用也。譬如采取何种社会生活规范为法律以及用何种形式使成为法律，此事间接则由社会之舆论定之，而直接（且其结局）则由该社会当时主持正义执行之人之智虑而决也。故当人智发达，当法律本质及目的得以正当了解之时，则由法律执行正义（即所谓"法治"）之范围，亦随而进化，随而发达焉。今就其进化之趋势大略观察之，大致循下列次序发达而来者也（参看 Pound, *The End of Law as Developed in Legal Rules and Doctrines*, Harvard Law Review, 1914）。

第一期，古代法时代（Archaic Law）——虽无专制君主命令之成文法，但惯习法甚为重要，且法治尚未及于社会生活之全体。

第二期，严格法时代（Strict Law）——由主权所定成文法执行正义之范围，渐次扩大而普及，而于法文之严格解释及适用，尤为努力。此事，一面为国家巩固主权强大之结果,他面又成为巩固其国家强大其主权之必要条件。

第三期,自然法及平衡法时代(Natural Law and Equity)——是为对于严格主义之反动,又为世界的国际社会的观念发达之结果,故发生以自然法(jus naturale)平衡法(jus aequum et bonum)万民法(jus gentium)补正国法之思想也。其着重之点如下。

(1)尊重个人人格,尊重个人为权利主体。

(2)实质较形式尤重。

(3)尊重信义(good faith)

(4)使无不正当之利得(unjust enrichment)

第四期,法律社会化时代(Socialization of Law)——迨社会生活愈益复杂,而社会政策之必要,渐形显著,则集合主义(collectivism)代个人主义而与,自由放任主义废,而国家干涉主义行。于是法律成为社会生活规范之真面目遂以发挥,而法律亦将由个人本位转于社会本位矣。是为现在之趋势,名之为"法律之社会化"。老幼者与贫穷者之社会的保护法及以"集合契约"为中心之劳动法等,皆成为此新倾向之重要活动方面。而在此新倾向中,旧日法律上之大原则,亦受不少之变更及限制,兹略述其下:

(1)财产权行使之限制——禁止权利之反社会的滥用;

(2)契约自由之限制;

(3)处分权之限制;

(4)债权者或被害者之请求权完全满足之限制;

(5)无过失损害赔偿责任——对于被雇者行为之雇主责任;

(6)从来观念上认为共有物(res communes)或无主物者,则作为公有物(res publicae);

(7)保护关于一家属所存在之社会利益。

第十一章　法律之形式

一、现实法与自然法

吾人所谓法律,系指"现实法"(the positive law)而言。现实法者,即由某现实社会之中心力已强制实行或正在强制实行之法律规范也。故所谓"自然法",其非法律,固不待言。然若将论者所谓之"自然法"及"性法"等作为社会生活之原则规范解释之时,则又不如极端现实法论者所云"自然法完全与现实法无关而为法律学上无意义之空想法"也。盖法律不外为此原则规范细目之具体化,故自然法得成为此原则规范之基础,立法者可据以制定现实法,裁判官于缺乏现实法之时,亦可据以下裁判,而现实法如违背自然法(即社会生活之根本原则)而趋于显著时,即不得谓为法律也。

二、固有法与继承法

法律为一定社会之现实规范。故法律内容而采取该社会内部成为社会生活结果发达而来之规范者(即固有法),可谓为纯粹之法律也。历史派之所谓法律,即此种法律也。然此历史派之主张,不必与历史上之事实相符。古来甲种社会中所发生发展之法律,其移为乙种社会之法律之实例颇多。是为法律之继承,其法律称为"继承法",而法律中母法子法之系统以生。惯习法的继承最著之实例,则为 13、14 世纪时德国继承罗马法之事。立法的继承最著之实例,则为比利时、意大利等国继承拿坡仑法典之事。而日本维新以后之立法,亦可谓为法律继承最著之实例也。以如此之继承法,果亦可以谓为该社会之法律乎? 夫个人既无孤立之事,则某民族的或国家的社会,亦非可以绝对孤立,而实与其他民族的或国家的社会共同构成人类社会者,故其因受其他民族的或国家的社会之进步发达所刺激诱导而亦进步发达,实社会生活当然之现象也。法律之继承亦不外为此人类社会发达之一种现象而已。惟其所继承之处，则为法律规范之细目形式，至其实质内容之基础，仍存于该社会内社会生活上之必要。法律之所以成为法律者，惟在依据社会之需要以规律该社会之社会生活耳。至其细目之形式，则不问其为自然发达之社会法则，或为圣贤垂教之道德法则，或为专门家所计划之技术法则，或为外国所完成之法律法则也。是故继承法实可谓为该社会之法律，唯其输入之外国法，苟对于该社会并无需要，且不适合于其社会生活时，斯为恶法，不能发生法律之实际效力耳。至于法律所以有继承之事实者，则因法律为人为制度，又基于人性及社会生活之自然状况而来者也。

三、法律之"渊源"

现实法之分类，固可采用种种之标准，有由其内容区别者，有由其通行之范围区别者。然法律之所以成为法律，在于由社会力强制实行一点，故以其由社会力强制实行之状况为标准，则可以将法律分为惯习法、判例法、成文法三种，此实最重要最适当之分类也。是即学者所谓"法律之渊源"或"法源"（sources of law）之问题。此语之意义，因各学者之应用而有种种不同。或指法规之材料而言，或指法规形成之原动力而言，或指法规形成之机关而言，或指法规形成之形态而言。最后之用法虽似乎为一般人所通用，然与语义相去太远。不如谓为"法律之形式"（forms of law）为宜。

四、惯习法

惯习法者，因社会之惯行而发生之社会生活规范，于不文之原状，由社会力（公权力）承认为法律规范而强制实行者也。抑惯习之社会生活规范所以发生，乃社会生活当然之现象，实基于尊重先例借资依据之人性倾向而来者也。是即所以利用先人经验而期社会生活安定之原因，可谓为社会生活之一种要件，一面基于人类之尚古心及模仿心等类之心的原因，一面又发于感应遗传等类之物的原因。而惯习之所以发生所以继续，究系客观上适应于社会之必要，且其适应又经社会多数人在主观上所认识者，有时虽不免因此主观认识之谬误，致使发生之惯习，有不合于所谓适应社会生活必要之客观要素者，然如此之惯习，在其性质上已非真正之惯习规范，不能发生继续之效力。因此，视其依据此客观基础与否，可以区别为"成为法律基础之惯习规范"与"迷信惯习或流行"两类也。

惯习之自身，具有规范力。因有规范力，故得以惯行。即对于惯习之违背，必加以多少制裁也。制裁之中，有内的制裁与外的制裁两种。内的制裁，即违背者自身不快不安之念。外的制裁，即社会上一般人对于违背者所施之责难与摒斥。而违背者感受处世上之不便与不利，亦可谓为制裁之一种。然此一般的制裁，尚未足以强制实行其惯习。吾人不能以其有此种社会制裁，遽谓惯习为法律，亦犹不能以其有同样之社会制裁而遽谓道德法则为法律也。而道德法则不必其皆成为法律且必须成为法律，同样，惯习亦不必其皆成为法律且必须成为法律也。学者或以多年惯行之事实作为惯习法之基础，而谓"因其为惯习故为法律"（"Es ist rechtens，weil es Gewohnheit ist"）。夫惯习规范之存在，固为惯习法之必要前提，但惯习法所以成为法律之直接基础，则在于社会力强制实行某种惯习规范以期各个人遵守之作用。即适于强制实行且于社会生活上有特别强制实行必要之惯习，因公权力之作用而成为惯习法，非仅因其为惯习之故而成为律法也。

于是乎所谓"惯习法之基础由国权承认"之说，遂以盛行（Anerkennungs-theorie）。此说在大体上固然正当，然以"承认之受动作用"而说明之，尚未中肯，盖必有强制实行之自动作用，始可谓为法律也。其次所谓"由国权"一语，未免失于狭隘，吾人欲改用"由社会力"一语以补充之。又惯习之由国权作用而成为法律，事诚有之。但惯习法在社会形成为国家以前即已存在，而在此国家以前之原始社会中，惯习法实最有意义，最有势力。盖"原始人为惯习之奴隶"，而原始社会重要之社会生活规范，其发达而为惯习者颇多。而在他方，表现社会力而为社会之中心者，例如部族之酋长及村落之长老等，尚缺乏制定成文法而施行之之权力知能，故彼等之统治作用，自当于该社会所行之惯习中，选择其重要而又自信便于团聚其社会之惯习以强制实行之，有时酋长长老假惯习之名，施行其所希望之规范于社会者亦有之。然当社会之中心力渐趋巩固且有组织之时，则国家遂以形成，因国权之发达，乃显出成文法滋长而惯习法衰微之倾向。尤以惯习具有民族的及地方的特征，故国家之范围愈益扩大时,则对于福禄特尔所谓"每更一驿马即易一法律"之不便,乃有免除之必要,而以排斥惯习法统一国家生活为目的而制定成文之事,亦不少也。

至于助长此"尊重成文法压抑惯习法"之倾向者,实为自然法说。自然法论者,主张现实法之上存有永久普遍之理想法,希望使现实法与自然法相一致,而其所谓自然法,毕竟依据人类之理性及自由意思,故采为理想法实现之手段,遂以达到于成文法尊重主义。尤以 18、19 世纪之交,基于各国所流行之自然法主义之法典编纂,皆整理从来之地方惯习法,网罗于法典中而统一之,其目的在杜绝将来惯习法之发生,且多以明文否认惯习法之发生及存在。例如 1794 年之《普鲁士普通国法》,1804 年法国之《拿坡仑法典》,1786 年奥国之《约瑟夫法典》,皆属于此类。故 19 世纪之初期,遂现为成文法万能时代。

然反抗此大势而复兴惯习法之观念者,则为德国历史派。此派谓法律非人工之创造物,乃民族的自然发达之产物,由此主张言之,其归着于惯习法尊重论,乃当然之事。此派始祖傅葛及萨威棱,各著有惯习法论,而以惯习法论著名者,则为普夫达。普夫达于其名著惯习法论,不仅将惯习法与成文法并立,作为独立之法律形式,且高唱惯习法为成文法之前提。此种结论,在大体上实为打破成文法万能之谬误之正论,然吾人对于彼及其同派之惯习法本质论,则在根本上有难于首肯之处。彼等由其所谓"民族的法律确信"即为法律之一般法律本质论出发,谓由"法的必要感"(Das Gefühl rechtlicher Notwendigkeit, opinio necessitatis)。所生之惯习即为法律,以前述"因其为惯习故为法律"之命题为谬误,而改为"因其为法律故为惯习"(Es ist Gewohnheit, weil es rechtens ist)。此种论法,转陷于非历史的态度,前已论评之矣。若由吾人之见解而言,"法的必要感",之所以发生,实由于惯习中有重要惯习在社会生活上有强制实行之必要,而惯习法之所以完成,则因社会力或公权力据此以承认其惯习而强制实行也。

其在近代,又有由民主主义见地推重惯习法之倾向,其与此种倾向相关联之学说,即以惯习法之基础置于人民总意或合意之上者是也。然惯习法不必皆为民主的,而成文法亦不必皆为专制的。盖为免除惯习法之压制,而实行民主的成文法之事例亦不少也。而惯习法又非完全有意识的发生而出,实则无意识之成分转成重要,故以人民总意为惯习法基础之学说,殊欠妥当,至于以人民对于惯习认识之一致作为合意,尤属牵强附会。且就他方面而言,契约观念之发达与惯习法之效力,实有背道而驰之倾向也。

要而言之,惯习法乃惯习之经社会力强制实行者也。夫社会之中心力,对于违反惯习之人加以压迫与制裁,以强制实行其惯习,乃必然可以期待之事,人民因有此期待,而至于继续遵守其惯习时,则通常成为社会生活之惯习,由是成为法律规范之惯习,是即惯习法也。而社会发达至于成为国家状态,则因国家公权力所承认而强制实行之作用,或则确认惯习法之存在及其效力,或则助长惯习进化而成为惯习法之作用因而完成之也。

此惯习法确认或完成之作用,经由国家各机关而显现。譬如立法机关对于一般或特别事项,用成文法承认惯习法对于成文法有补充效力或变更效力之事例亦不少。就日本而言,法律第二条之规定有云:"不违背公共秩序或善良风俗之惯习,以经法令规定所承认及关于法令中无规定之事项为限,与法律有同一之效力。"是即承认惯习法之补充效力,且规定法令得就特殊事项承认惯习之变更效力也。此承认变更效力之作用,实例颇多。又如商法第二条之规定云:"关于商事,本法无规定者,适用惯习法,无商惯习法者,适用民法。"是即承认商惯习法对于商法之补充效力,并承认其对于民法之变更效力也。此等规定,在法文之体裁上,似乎惯习可因此成文法之规定而成为惯习法也。此种助长完成作用,在实际上非不能显现,惟此等规定之根本旨趣,在确认已成惯习法之效力,如法例第二条,虽无规定,然余信亦可以显出同一之效果。论者或谓:如此经成文法规定以构成其内容之时,已非惯习法而为成文法矣。此说未尝不当,然采取某种社会生活规范以构成法律规范,在成文法在惯习法原无所异,而成文法之特征,在其规范内容经用成文整理而确定之;惯习法之特征,在其内容未经明文确定而听其由惯行自然发达,故惟由成文法规定其存在及效力,亦不因此而失其为惯习法之资格也。

惯习法之承认及强制实行或其助长完成之作用,又由司法机关及行政机关显现之。譬如裁判所适用某惯习法以作判决,或行政官厅准据某惯习以行处分,亦可谓为对于该惯习最有力之承认及强制实行作用也。其次,裁判所或行政官厅,准据某种惯习以作判决或处分,至于反覆援用之时,亦有使该惯习成为惯习法之助长完成作用。最后,因裁判所或行政官厅反覆实行同一之行为,而一种惯习法因以发生,此虽常有之事,然宁可谓为裁判所或行政官厅之立法行为也。

于此有一难问题,即"惯习法果有变更或废止成文法之效力与否"是也。如前述民法各条,已于成文法上承认惯习法之变更效力,毋庸置论,在其反面,对于成文法规定之反对惯习法发生时,当然不能变更或废止成文法,亦属通论,盖如法例第二条已有禁止反对惯习法发生之规定也。然各项法规,原不能要求其永远有效,其可以用将来之法律实行变更或废止,乃可以预期之事,而此项将来之法律,则不问其为成文法或惯习法,当无绝对之差异也。然若某种成文法之规定,已不适于为社会生活规范,而反对惯习法应社会之要求而发生时,则此种大势,岂一纸禁止法规所阻止乎? 即令成文之规定具在,而禁止反对惯习法发生之事,又已明言,其能妨碍反对惯习法之发生,固无疑义,然穷其究竟,仍有不能抑压反对惯习法之发生者。盖成文法之所以被废除者,实因有后来之成文法起而代之,或因其在实质上已成为"恶法"不能不实行废止,或因有反对惯习法发生故不得不废除也。世固有谓成文法之所以废除,实由多年未施行之故而然者。然多年未施行之事实,尚不足成为废除成文法之原因,惟成文法之规定不适合社会生活之要求,确为成文法消灭之原因,至所谓因多年未施行之故而成文法始遭废除者,实则因其为"恶法"之故,已失其效力,或因反对惯习法之发生而被废除也。

五、判例法

判例法(case law,judge-made law)者,裁判所判例之成为法律规范者也。此种判例法之最显著者,莫如英美法。英法中之规定如下:

(1)上级裁判所之判决,当以后发生同一事件时,拘束下级裁判所。

(2)控诉院以下之裁判所,不因其自身或同级裁判所所作判例,受法律上之拘束。但此等判例对于此等裁判所事实上之权威颇大。

(3)最上级裁判所之贵族院,受其自身所作之判例所拘束。是即得由裁判所之判决以产生判例法也。而判例法虽不得改废成文法而受成文法所改废,但英国至近时为止,历经采用"以判例法为原则法以成文法为补充法"之主义,故在现时,英国法之大部分,仍由判例法而成。所谓普通法(common law）者是也。

然在欧洲大陆各国及日本，原则上裁判所不受其自身或同级或上级各裁判所所作之判例所拘束。即如《日本裁判所构成法》第四十九条之规定，究不外表示大审院得于慎重审议之下推翻前判例者也。然在如此制度之下，判例法仍得发生。如某裁判所下某判决时，同一裁判所对于以后发生之同一事件，有援用同一旨趣之判决之倾向，又其他裁判所，如无特别之反对理由，亦可蹈袭其判例。尤以上级裁判所有判例之时，下级裁判所虽可作反对判决，但恐被上级审破毁，故不欲立异。而人民对于同一事件，亦预期有同一旨趣之判决，遂至规律其行动。此时之判例虽无法律上之拘束力，但有事实上之拘束力。基于此拘束力而同一旨趣之判决，反复实行，因以产生判例法。《拿坡仑法典》所以实行于久远，此判例法实与有力焉，此世人之所周知也。又如先年日本大审院之婚姻豫约有效之判决，以言乎现行民法之解释论实可谓为有力之反对论，然其在实质上成为适合社会生活要求之判决，则似乎可以谓为判例法形成之基础。世固有谓此种判例法为惯习法之一种者。然判例法系由一定之国家机关以一定形式而有意识的作成者，其与惯习法之立足点根本不同，故宁可谓为由裁判所之立法行为而发生者也。

"裁判所之立法行为"一语，或引起从来法律家之惊讶与责难。然裁判官较之成文法原为最古之制度，初期法律，可谓为由惯习与判例发达而成，因而裁判官不仅为已存法律之适用机关，即在由成文法限制其自由裁量能力之今日裁判官，犹保留其当初之立法的权能。而裁判官不仅为限于该事件之仲裁人，其是非曲直之判断，系根据一般原则，故因其一事件之裁判而产生其可以适用于以后发生同一事件之规范，决不可谓为不合理也。又北美合众国之高等法院，具有审查决定成文法在宪法上有效无效之权能，对此问题，亦为颇堪注意之现象也。

六、成文法

成文法者，其内容经用明文制定为一般规范之法规也。法律为一般的抽象的规范。然其始则不须制定为一般的抽象的规范。盖以惯习法及判例法，系由个别的具体的实行或裁判集积而成为一般的抽象的规范者也。法律虽先成为惯习法或判例法而发生而发达,但在惯习法,其存在及内容时有不明了不正确之遗憾,在判例法,则为具体事实所拘束,有不能充分普遍之短处。两者皆成为已成现象之结果发生而出,不能追随社会生活之急速进化以适合于新文化之新现象,故有共通之缺点。故当社会生活渐趋扩大渐形复杂而迅速发达之时,若惟用惯习法及判例法,不能应付对于法律规范之社会需要,于是成文法之必要与便利,乃日益增大。又就其他方面而言,关于言语文章论理组织之人类智能,逐渐进步,而社会之中心力,又凝聚于一人或数人之社会的先觉者及指导者,既具有法律制定施行之权力,又因整顿其国家的政治组织,而设备法文起草审议之机关。由是成文法遂发生发达而占居法律之主要部分焉。是以今日各国,概以成文法为基本法,以惯习法及判例法为补充法。即素以惯习法判例法为基本法之英国,近时成文法之势力亦显然增大矣。是盖当然之趋势也。然偏重成文法而忽视惯习法及判例法之弊病,亦不能不加以反省。成文法之利弊,实为前述法律利弊中之特别显著者,盖成文法之尊重,着眼于法律之人为性,而容易陷于忽视法律自然性之倾向也。

法律之自然性固不容忽视。然法律人为性之颇为显著者,乃成文法之特征,而法律之指导及助长之作用,亦惟于成文法最能发挥。尤以成文法之形式,可谓为完全系于人为。夫实质为本形式为末,固为当然之事,但就法律而论,实质与形式同一重要,成文法所以成为成文法者,实在于此。至关于成文法之人为的形式,其在实际上负第一之责任者,固为法案起草人,而法文究应如何起草,亦可成为法律学(立法学)研究项目之一。英国立法学家伊尔贝特(Courtenay Ilbert)曾揭举下列标准为法案起草者之指南针(参看 Ilbert, *The Mechanics of Law Making*, 1914)。

(1)着手起草法案之前,须先通晓构成其内容之事项。

(2)起草法案时,须顾虑议会通过之便宜及行政运用之便宜。

(3)章节款项之区分,须使人容易了解法律。但过度之细目,须当回避。

(4)各文须尽其所能以谋简单。

(5)回避列举。

(6)法文所用之言语,务期正确。然不可过于用专门语。

（7）定义为危险之事，须注意用之。

（8）为明了意义起见，不可使用超过必要以上之语句。

（9）指称相同事物时，不可用不同之语。

（10）对于相异之意义，不可用相同之语。

七、法典

法典者，即将关于某范围内一种事项之法规全部，作论理的组织的排列编纂之成文法之一种形式也。质言之，即具有法效之一科法律书也。法典编纂，为国家大事业之一，各国对于此事业，皆有其有兴趣之历史，又现今各国各科法典之存在，对于法律之遵守、适用、研究、教育，皆有多大之便利。是实为法律界一大现象，故对于其利弊及编纂方法，必须加以充分研究。关于此项问题，穗积陈重之《法典论》，甚得要领，兹摘录其要目于下。

第一，法典编纂反对论

（一）绝对的非法典论

（1）法典不能追随社会之进步

（2）法典不能包括法律之全体

（3）法典不能止于单行法之必要

（4）法典非止于裁判例之必要者

（5）法典编纂，必不能减少诉讼

（二）关系的非法典论

第二，法典编纂之目的

（一）治安策——例如罗马之十二铜表

（二）守成策——例如日本北条氏之贞永式目，德川氏之百个条，唐律明律等；如中国列朝之法典，英领印度之法典

（三）统一策——例如拿坡仑法典，德意志帝国法典，意大利王国法典

（四）整理策——例如罗马诸帝之法典

（五）更新策——例如日本明治时代之诸法典

第三，法典之体裁

（一）沿革体——以置诉讼法于法典首部为其特征

（二）编年体——例如罗马之 Novellae，俄国之诸法典

（三）韵府体（辞书体）——美国梅利兰州法典

（四）论理体——Institutionensystem（罗马式）与 Pandektensystem（德国式）

第十二章　法律之本位

一、法律之本位

法律之本位者,即成为法律中心成为法律立足点之观念也,如法律而为纯粹自然法则,则可以成为其中心之观念,当不存在。又如法律而为纯粹人为规范,则可以成为其中心之观念,当为永久不易,或为流动无常。然法律系基于自然之人为规范,故有可以成为其中心之一定观念存在,而其观念即为法律之本位,随社会之进化而变迁者也。

二、由义务本位至权利本位

认为法律本位之普通观念者,权利是也。现代人之共通心理,皆以法律为权利之规定,以法律学为权利之学。至于学者之中,则有倡"法律与权利同时存在说"者,即谓法律为"客观的权利",谓"权利为主观的法律"者是也;又有唱"权利先存说"者,即谓"法律在拥护或限制已有之权利"者是也。然此两说,完全与社会进化史法律发达史上之事实相反。权利之观念,实在人类社会进化至于一定程度以后,成为法治之产物而发生而发达者,有法律之处不必有权利存在,固不能将权利作为先法律而存在之观念也。夫人类社会之进化,在其第一步之团结现象上,其首先发生者,当为义务之观念。社会之中心力,因要求履行此义务,而后法律始生。是即义务先法律而存在,而法律先成为义务本位而发生滋长也。而最初发生滋长之义务,乃对于社会中心力之最高机关之服从义务,其服从之结果,更以确定对于同一团体中其他人员之法律义务焉。至于权利之观念,又成为对于此同一团体人员之义务之结果而发生,成为个人与最高权力对抗之结果而确定,而发达者,是以法律乃由义务本位移于权利本位焉。

三、法律以外之权利与法律上之权利

义务先法律而存,权利后法律而发,此在理论上亦可得而解释焉。学者之论权利本质者,或言自由,或言意思,或言利益,故每易导入权利先存说之范围。例如德尔恩堡(Dernburg)所作权利之定义,谓"权利即总意认为属于一个人且加以保障之生活财货之所有",并主张"法规虽保障权利整顿权利而不能创造权利"。若就吾人之见解而言,吾人虽不用法律万能之意义而谓法律可以创造权利,但知权利之基础,确在于各人之利益(即对于生活财货之所有),而自由之观念与意思之支配,实为诱导权利发生之原因。然利益、自由、意思三者,吾人殊不欲谓之为权利。夫称法律以外之利益主张为权利,固为命名者之自由,但法律以外之权利与法律上之权利,两者之差异仅属种类上之差异,非如法律以外之义务与法律上之义务两者之为程度上之差异也。抑规范乃行为之准则,以规定义务为主者也。故社会的规范与社会的义务,实同时存在,又可谓为同一现象之客观与主观。而社会的规范成为法律的规范时,社会的义务虽因而成为法律的义务,但其履行之要求惟有增加一层强压之程度之差而已,其于义务之性质固无所变更也。然权利非规范之必然的要素,而规范之不与权利并行,宁可谓为规范之常态。例如道德规范即属于此类,盖道德乃义务之规定也。至所谓"道德上之权利",即对于他人履行义务之一种希望与期待,究不过为利益之主张而已。此利益之主张经法律保障时,即发生权利。而权利则不仅主张利益而止,又得要求适应其主张之物质的支配,得要求他人行为与不行为,或要求其关系之变更与维持,其结果遂至具有一种可能性,而促进规范之由社会力(公权力)强制实行,以期贯彻其利益主张,此种可能性即为法律付与于人格之特别属性,故利益之主张,经法律之承认与保障,其性质当大生变化,是即法律以外之权利与法律上之权利亦有显著之差异矣。由此种意义而言,则权利亦可谓为法律之创造物也。

四、由权利本位至社会本位

权利如此因社会生活规范由社会力(公权力)强制实行而成为法律上之重要观念,其较之义务,更进一步,能发挥法律所以成为法律之实质,故今日法

律之由义务本位移于权利本位,乃当然之事也。故吾人虽不同意于彼杜基(Duguit)之权利否认论,然此实反抗近时权利本位之思想而起,有倾于义务本位思想之趋势,彼以"权利之行使同时又为义务"之思想之渐趋显著,亦可谓法律思想发达之一倾向。即权利非法律之绝对的本位,法律之进化,亦非由义务本位移至权利本位即为极致也。抑法律之所以强制实行义务及拥护权利者,非以强制实行义务及拥护权利为其最后目的,不过为达到最后目的之手段耳。其最后目的,即社会生活利益之保护与促进是也。故法律非为义务本位,亦非为权利本位,必须为社会本位,方能有理想之法律,此固无庸多赘,然理想非一蹴可及。在个人不自觉时代,法律为义务本位。至个人自觉时代,法律为权利本位,故非进于社会自觉时代。法律不能为社会本位也,今则第三期已肇其端。故今日法律之解释,自当为社会本位。今日法律之适用,亦当为社会本位。今日之立法,亦当为社会本位。因而今日之法理学,自亦不得不为社会本位也。

责任编辑:夏　青

图书在版编目(CIP)数据

李达全集.第四卷/汪信砚 主编. —北京:人民出版社,2016.12
ISBN 978－7－01－016893－7

Ⅰ.①李… Ⅱ.①汪… Ⅲ.①李达(1890—1966)-全集 Ⅳ.①C52

中国版本图书馆 CIP 数据核字(2016)第 255150 号

李达全集

LIDA QUANJI

第四卷

汪信砚　主编

人 民 出 版 社 出版发行

(100706　北京市东城区隆福寺街 99 号)

北京新华印刷有限公司印刷　新华书店经销

2016 年 12 月第 1 版　2016 年 12 月北京第 1 次印刷
开本:710 毫米×1000 毫米 1/16　印张:27.75
字数:450 千字

ISBN 978－7－01－016893－7　定价:139.00 元

邮购地址 100706　北京市东城区隆福寺街 99 号
人民东方图书销售中心　电话 (010)65250042　65289539